ein Ullstein Buch

ein Ullstein Buch
Nr. 20175
im Verlag Ullstein GmbH,
Frankfurt/M – Berlin – Wien
Titel der Originalausgabe:
The Moneychangers
Aus dem Amerikanischen
von Erwin Duncker

Ungekürzte Ausgabe

Umschlagentwurf:
Werner Rebhuhn
Alle Rechte vorbehalten
Deutsche Rechte bei
Verlag Ullstein GmbH,
Frankfurt/M – Berlin – Wien
© 1975 by Arthur Hailey
Übersetzung © 1976
Verlag Ullstein GmbH,
Frankfurt/M – Berlin
Printed in Germany 1984
Druck und Verarbeitung:
Elsnerdruck GmbH, Berlin
ISBN 3 548 20175 X

Mai 1984
81.–95. Tsd.

Vom selben Autor
in der Reihe der
Ullstein Bücher:

Letzte Diagnose (2784)
Hotel (2841)
Airport (3125)
Auf höchster Ebene (3208)
Räder (3272)
Hochspannung (20301)

Zusammen mit
John Castle:
Flug in Gefahr (3272)

CIP-Kurztitelaufnahme
der Deutschen Bibliothek

**Hailey, Arthur:**
Die Bankiers: Roman/ Arthur Hailey.
[Aus d. Amerikan. von Erwin Duncker]. –
Ungekürzte Ausg. – Frankfurt/M; Berlin;
Wien: Ullstein, 1982.
   (Ullstein-Buch; Nr. 20175)
   Einheitssacht.: The moneychangers ‹dt.›
   ISBN 3-548-20175-X
NE: GT

# Arthur Hailey    Die Bankiers

Roman

ein Ullstein Buch

Reich, bist du dennoch arm;
Dem Esel gleich, der unter Gold sich krümmt,
Trägst du den schweren Schatz nur e i n e Reise,
Und Tod entlastet dich.

Shakespeare, *Maß für Maß*

# 1

An diese zwei Tage in der ersten Oktoberwoche sollten sich noch lange danach viele Menschen lebhaft und mit Schaudern erinnern.

Am Dienstag dieser Woche gab der alte Ben Rosselli, Präsident der First Mercantile American Bank und Enkel des Gründers der Bank, eine persönliche Erklärung ab, die überraschend und erschreckend und deren Nachhall in jeder Abteilung der Bank und weit darüber hinaus zu vernehmen war. Am nächsten Tag, Mittwoch, entdeckte das »Flaggschiff« der Bank, die Cityfiliale, das Vorhandensein eines Diebes – und damit wurde eine Reihe von Ereignissen in Gang gesetzt, die kaum ein Mensch hätte vorhersehen können und an deren Ende finanzieller Zusammenbruch, menschliche Tragödie und Tod standen.

Die Erklärung des Bankpräsidenten kam ohne Vorwarnung; bemerkenswerterweise war auch vorher nichts durchgesickert. Früh am Morgen hatte Ben Rosselli einige seiner Direktoren angerufen; manche erreichte er zu Hause beim Frühstück, andere kurz nach ihrem Eintreffen am Arbeitsplatz. Er benachrichtigte auch noch einige, die nicht Mitglieder des Direktoriums waren, schlichte, altgediente Angestellte, die der alte Ben als seine Freunde betrachtete.

Die Nachricht lautete in jedem Fall gleich: Bitte seien Sie um 11.00 Uhr vormittags im Sitzungszimmer des Towers der Zentrale.

Außer Ben waren jetzt alle im Sitzungszimmer versammelt, an die zwanzig; sie standen in Gruppen zusammen, unterhielten sich leise und warteten. Alle standen; niemand konnte sich dazu entschließen, als erster einen Stuhl von dem spiegelblank polierten Direktoriumstisch zurückzuziehen, der länger als ein Squash Court war und Platz für vierzig Personen bot.

Eine scharfe Stimme übertönte das leise Stimmengewirr: »Wer hat das angeordnet?«

Köpfe wandten sich um. Roscoe Heyward, Vizepräsident

und Finanzdirektor, hatte zu einem Kellner in weißer Jacke vom Kasino der leitenden Angestellten gesprochen. Der Mann war mit Cherry-Karaffen hereingekommen und war dabei einzuschenken.

Heyward, in der FMA Bank als streng und unnahbar bekannt, war leidenschaftlicher Abstinenzler. Sein betonter Blick auf die Uhr besagte deutlich: Trinken – und schon so früh am Tage! Mehrere, die bereits nach ihren Gläsern gegriffen hatten, zogen die Hand zurück.

»Weisung von Mr. Rosselli, Sir«, erklärte der Kellner. »Und er hat ausdrücklich den besten Sherry verlangt.«

Eine stämmige Gestalt, nach neuester Mode in Hellgrau gekleidet, wandte sich um und sagte unbefangen: »Jetzt oder später, warum etwas Gutes stehenlassen?«

Alex Vandervoort, blauäugig und blond mit einem Hauch von Grau an den Schläfen, war ebenfalls Vizepräsident und Mitglied des Direktoriums. Seine freundliche und zwanglose Art, dazu seine Aufgeschlossenheit allem Modernen gegenüber ließen nicht so schnell vermuten, daß sich ein stählerner Wille darunter verbarg. Diese beiden – Heyward und Vandervoort – bildeten die zweite Führungsebene unterhalb der Präsidentschaft; sie waren beide erfahrene Männer und zur Zusammenarbeit bereit, aber auch gleichzeitig in vieler Hinsicht Rivalen. Diese Rivalität, ihre gegensätzlichen Ansichten teilten sich der ganzen Bank mit und verschafften beiden ein Gefolge eigener Anhänger auf den unteren Ebenen.

Alex nahm jetzt zwei gefüllte Gläser und reichte eins davon Edwina D'Orsey, der brünetten, hochgewachsenen, ranghöchsten Frau in der FMA.

Edwina fing einen mißbilligenden Blick von Heyward auf. Na und, dachte sie. Roscoe wußte, daß sie zur Anhängerschaft von Vandervoort gehörte.

»Danke, Alex«, sagte sie und nahm das Glas.

Es trat ein Augenblick der Spannung ein, dann folgten andere dem Beispiel.

Man sah es Roscoe Heyward an, daß er sich ärgerte. Er schien noch etwas sagen zu wollen, besann sich dann aber anders.

An der Tür des Sitzungszimmers erhob der Vizepräsident

für Sicherheitsfragen, Nolan Wainwright, ein baumlanger Othello und einer der beiden anwesenden schwarzen Direktoren, die Stimme. »Mrs. D'Orsey, meine Herren – Mr. Rosselli.«

Das Stimmengewirr erstarb.

Ben Rosselli hatte den Raum betreten. Mit einem leichten Lächeln ließ er den Blick über die Gruppe schweifen. Wie immer strahlte seine Erscheinung etwas wohlwollend Väterliches aus und dazu die beruhigende Solidität eines Mannes, dem Tausende von Mitbürgern ihr Geld zu sicherem Gewahrsam anvertrauten. Beide Rollen paßten zu ihm, und er kleidete sich entsprechend: Er trug das Schwarz der Staatsmänner und Bankiers, und über die unvermeidliche Weste schwang sich eine dünne goldene Uhrkette. Auffallend war die Ähnlichkeit dieses Mannes mit dem ersten Rosselli, jenem Giovanni Rosselli, der die Bank vor einem Jahrhundert im Keller eines Krämerladens gegründet hatte. Giovannis Patrizierhaupt mit wallendem Silberhaar und stattlichem Schnurrbart zierte die Ausweise und Traveller-Schecks der Bank als Symbol der Rechtschaffenheit, und seine Büste war der Blickfang unten auf der Rosselli Plaza.

Silberhaar und Bart des gegenwärtigen Rosselli waren fast ebenso üppig. Die Mode hatte sich im Laufe des einen Jahrhunderts einmal im Kreise gedreht. Kein Abbild aber konnte die Dynamik der Familie wiedergeben, die alle Rossellis besessen hatten und die, im Verein mit Einfallsreichtum und grenzenloser Energie, die First Mercantile American zu ihrem derzeitigen Rang erhoben hatte. Heute aber ließ Ben Rosselli die übliche Lebhaftigkeit vermissen. Er stützte sich beim Gehen auf einen Stock, was noch keiner der Anwesenden je gesehen hatte.

Jetzt streckte er die Hand aus, wie um einen der schweren Direktorenstühle zu sich heranzuziehen. Aber Nolan Wainwright, der ihm am nächsten stand, kam ihm zuvor. Der Sicherheitchef schwenkte den Stuhl herum, so daß die hohe Lehne dem Direktoriumstisch zugewandt war. Mit einem gemurmelten Dank nahm der Präsident Platz und setzte sich zurecht.

Dann machte Ben Rosselli eine einladende Handbewegung.

»Keine Umstände heute. Wir machen es kurz. Wenn Sie mögen, rücken Sie sich einen Stuhl heran. Danke, wunderbar.«
Die letzte Bemerkung galt dem Kellner, von dem er ein Glas Sherry angenommen hatte. Der Mann verließ das Sitzungszimmer und schloß die Tür hinter sich.

Irgend jemand bot Edwina D'Orsey einen Stuhl an; auch andere setzten sich, aber die meisten blieben stehen.

Alex Vandervoort sprach als erster. »Offenbar haben wir uns hier zum Feiern versammelt.« Er schwenkte sein Glas. »Die Frage ist nur – was feiern wir?«

Wieder lächelte Ben Rosselli flüchtig. »Ich wollte, es wäre eine Feier, Alex. Es handelt sich aber nur um einen Anlaß, bei dem vielleicht ein guter Schluck hilfreich sein könnte.« Er machte eine Pause, und plötzlich breitete sich neue Spannung über dem Raum aus. Jedem war jetzt bewußt, daß es sich hier nicht um eine gewöhnliche Sitzung handelte. Aus den Mienen sprachen Unsicherheit und Besorgnis.

»Ich werde bald sterben«, sagte Ben Rosselli. »Die Ärzte geben mir nicht mehr viel Zeit. Ich dachte, Sie hätten ein Recht, das zu erfahren.« Er hob sein Glas, betrachtete es und trank einen kleinen Schluck.

Im Sitzungssaal hatte bisher Ruhe geherrscht; jetzt war die Stille beinahe zu spüren. Niemand bewegte sich, niemand sagte ein Wort. Von draußen drangen schwache Geräusche herein; das gedämpfte Klappern einer Schreibmaschine, das Summen der Klimaanlage; irgendwo im Freien stieg ein Düsenflugzeug in den Himmel über der Stadt.

Der alte Ben beugte sich, auf den Stock gestützt, ein wenig vor. »Bitte, wollen wir doch nicht verlegen sein. Wir sind alte Freunde; deshalb habe ich Sie auch hergebeten. Ach ja, und um Ihren Fragen zuvorzukommen: Was ich Ihnen eben mitgeteilt habe, ist definitiv; würde ich auch nur die geringste Chance sehen, daß es sich anders verhält, hätte ich noch gewartet. Und das andere, was Sie jetzt vermutlich wissen möchten – es handelt sich um Lungenkrebs, und zwar, wie man mir gesagt hat, im weit fortgeschrittenen Stadium. Weihnachten werde ich wahrscheinlich nicht mehr erleben.« Er machte eine Pause, und plötzlich wurden Gebrechlichkeit und Erschöpfung sichtbar. Leiser fügte er hinzu: »So, jetzt wissen Sie's, und ich überlasse es Ihnen, ob und wann Sie es bekanntgeben wollen.«

Edwina D'Orsey dachte: Den Zeitpunkt werden wir nicht wählen können. In dem Augenblick, da sich das Sitzungszimmer leerte, würde sich das eben Gehörte mit der Geschwindigkeit eines Präriefeuers durch die ganze Bank und weit darüber hinaus ausbreiten. Die Nachricht würde viele berühren – einige schmerzlich, andere mehr in sachlicher Hinsicht. Sie selbst fühlte sich wie betäubt, und sie spürte, daß die anderen ähnlich reagierten.

»Mr. Ben«, sagte plötzlich einer der älteren Anwesenden. Pop Monroe war Bürochef in der Treuhandabteilung, und er sprach mit unsicherer Stimme. »Mr. Ben, ich weiß nicht, was – ich meine, es hat uns die Sprache verschlagen. Ich glaube, keiner weiß, was er jetzt dazu sagen soll.«

Zustimmendes und mitfühlendes Gemurmel wurde laut, fast wie ein Aufstöhnen.

Roscoe Heyward übertönte es mit glatter, starker Stimme: »Was wir sagen können und auch sagen müssen« – es schwang ein Hauch von Tadel mit, als wollte der Finanzdirektor zu verstehen geben, daß die anderen ihm als erstem das Wort hätten überlassen sollen –, »ist folgendes: Diese furchtbare Nachricht hat uns wie ein Schlag getroffen, und sie erfüllt uns mit Trauer. Doch wir beten um Zeitaufschub und damit um Hoffnung. Wie die meisten von uns wissen, sind ärztliche Voraussagen nur selten richtig und genau. Und die ärztliche Wissenschaft kann heute sehr viel leisten, wenn es darum geht aufzuhalten, ja, zu heilen . . .«

»Roscoe, ich sagte doch, daß ich das schon alles hinter mir habe«, sagte Ben Rosselli mit einer ersten Spur von Gereiztheit. »Und was die Ärzte betrifft, so habe ich die besten konsultiert, wie Sie ja wohl auch nicht anders erwartet haben.«

»Allerdings«, sagte Heyward. »Aber wir müssen immer daran denken, daß es eine höhere Macht gibt als Ärzte, und es muß unser aller Pflicht sein« – er warf einen fordernden Blick in die Runde –, »zu Gott um Gnade zu beten oder doch wenigstens um mehr Zeit, als Sie jetzt zu haben glauben.«

Der ältere Mann sagte trocken: »Mir scheint, daß Gott sich schon entschieden hat.«

Alex Vandervoort bemerkte: »Ben, wir sind alle sehr betroffen. Mir selbst tut ganz besonders leid, was ich vorhin gesagt habe.«

»Das mit dem Feiern? Ich bitte Sie! Wie hätten Sie es denn wissen sollen.« Der alte Mann kicherte in sich hinein. »Und außerdem, warum eigentlich nicht? Ich habe ein schönes Leben hinter mir, was nicht jeder von sich sagen kann. Das ist Anlaß genug zum Feiern.« Er tastete seine Anzugtaschen ab, dann sah er die anderen fragend an. »Hat jemand eine Zigarette für mich? Die Ärzte haben's mir verboten.«

Mehrere Schachteln wurden ihm hingehalten. Roscoe Heyward fragte: »Sollten Sie das nicht lieber sein lassen?«

Ben Rosselli warf ihm einen sarkastischen Blick zu, versagte sich aber die Antwort. Es war kein Geheimnis, daß er den Bankier Heyward zwar respektierte, aber nie zu einer persönlichen Beziehung zu ihm gelangt war.

Alex Vandervoort gab dem Bankpräsidenten Feuer. Seine Augen waren feucht; das galt auch für manchen anderen.

»In einem Augenblick wie diesem«, sagte Ben, »muß man für Verschiedenes dankbar sein. So zum Beispiel für die Tatsache, daß man eine Vorwarnung erhalten hat, daß einem also Gelegenheit geschenkt ist, manches noch in Ordnung zu bringen.« Der Rauch seiner Zigarette kräuselte sich um ihn herum. »Natürlich gibt es andererseits auch Anlaß genug, den Lauf zu bedauern, den manches genommen hat. Auch darüber grübelt man nach.«

Niemandem brauchte man zu sagen, was er vor allem bedauerte – daß er keinen Erben hatte. Sein einziger Sohn war im Zweiten Weltkrieg gefallen; und nur wenige Jahre waren vergangen, seit ein vielversprechender Enkel inmitten der sinnlosen Vergeudung in Vietnam sein Leben hatte lassen müssen.

Ein Hustenanfall schüttelte den alten Mann. Nolan Wainwright, der ihm am nächsten stand, griff hinüber, nahm die Zigarette aus zitternden Fingern entgegen und drückte sie aus. Jetzt wurde deutlich, wie geschwächt Ben Rosselli war, wie sehr ihn dieser heutige Tag angestrengt hatte.

Niemand ahnte es, aber er sollte die Bank nie mehr betreten.

Sie kamen einzeln zu ihm, schüttelten ihm vorsichtig die Hand und suchten nach Worten. Als Edwina D'Orsey an der Reihe war, küßte sie ihn leicht auf die Wange, und er blinzelte ihr zu.

## 2

Roscoe Heyward verließ als einer der ersten das Sitzungszimmer. Für den Vizepräsidenten und Finanzdirektor hatten sich aus dem eben Gehörten zwei wichtige Aufgaben ergeben.

Die eine war die Sicherstellung eines reibungslosen Führungswechsels nach Ben Rossellis Tod. Die zweite war die Sicherstellung seiner eigenen Ernennung zum Präsidenten und Direktoriumsvorsitzenden.

Heyward galt schon länger als aussichtsreicher Kandidat. Dasselbe traf auf Alex Vandervoort zu, und möglicherweise hatte Alex, jedenfalls innerhalb der Bank selbst, die stärkere Hausmacht. Im Direktorium aber, wo die Entscheidung fallen würde, hatte Heyward nach eigener Überzeugung die bessere Unterstützung.

Erfahren in allen Sparten der Bankpolitik und ausgestattet mit einem stahlharten, disziplinierten Verstand, hatte Heyward schon während der Direktoriumssitzung begonnen, seinen Feldzug zu planen. Jetzt strebte er seiner Büro-Suite zu, getäfelten Räumen mit dichten, beigefarbenen Teppichböden und einem atemberaubenden Blick auf die sich tief unten ausbreitende Stadt. Als er an seinem Schreibtisch saß, ließ er die rangältere seiner beiden Sekretärinnen, Mrs. Callaghan, kommen und deckte sie mit einem Schnellfeuer von Anweisungen ein.

Die erste Anweisung lautete, sofort alle auswärtigen Mitglieder des Direktoriums anzurufen, mit denen Roscoe Heyward der Reihe nach zu sprechen gedachte. Eine Namenliste lag vor ihm auf dem Schreibtisch. Von diesen speziellen Gesprächen abgesehen, wünschte er nicht gestört zu werden.

Außerdem erhielt sie Anweisung, beim Hinausgehen die äußere Bürotür zu schließen, was ungewöhnlich war, denn

FMA-Direktoren respektierten die vor einem Jahrhundert begründete und von Ben Rosselli entschlossen gewahrte Tradition der offenen Tür. Es galt nun, diese Tradition abzubauen. Alleinsein war im Moment das wichtigste.

Mit schnellem Blick hatte Heyward während der Vormittagssitzung erkannt, daß außer den leitenden Angestellten nur zwei Direktoriumsmitglieder der First Mercantile American zugegen gewesen waren. Diese beiden Direktoren waren persönliche Freunde Ben Rossellis – und das war offensichtlich der Grund, warum er sie dazugebeten hatte. Was bedeutete, daß fünfzehn Mitglieder des Direktoriums bislang noch nichts von seinem zu erwartenden Ableben wußten. Heyward wollte sicherstellen, daß alle fünfzehn die Nachricht von ihm persönlich erhielten.

Er kalkulierte zwei Möglichkeiten ein. Erstens waren die Tatsachen so plötzlich und so folgenschwer, daß es zu einem instinktiven Bündnis zwischen dem Empfänger der Nachricht und ihrem Übermittler kommen mußte. Und außerdem war es denkbar, daß einige Direktoren es übel vermerken würden, daß man sie nicht im voraus informiert hatte, insbesondere da einige FMA-Angestellten der niederen Weihen die Erklärung im Sitzungszimmer hatten anhören dürfen. Roscoe Heyward war entschlossen, aus solchen Ressentiments Kapital zu schlagen.

Ein Summer ertönte. Er nahm das erste Telefonat entgegen und begann zu sprechen. Es folgte ein weiterer Anruf, dann noch einer. Mehrere Direktoren waren nicht in der Stadt, aber Dora Callaghan, als erfahrene und loyale Adjutantin, spürte sie auf.

Eine halbe Stunde nach Beginn seiner Telefonate informierte Roscoe Heyward den Honorable Harold Austin mit ernster Stimme: »Hier in der Bank sind wir natürlich alle schmerzlichst berührt. Was Ben uns erzählt hat, erscheint uns einfach unglaublich.«

»Großer Gott!« In der Stimme des Gesprächspartners schwang noch die eben ausgedrückte Betroffenheit mit. »Und es auch noch persönlich mitteilen zu müssen!« Harold Austin, eine der tragenden Säulen der Stadt und dritte Generation einer alten Familie, hatte vor langer Zeit eine einzige Amtsperiode lang dem Kongreß angehört und sich daher das Recht auf den Titel »Honorable« erworben, ein Recht, von dem er gern Gebrauch machte. Jetzt war er Inhaber der größten Werbeagentur des Bundesstaates und langjähriges und einflußreiches Direktoriumsmitglied der Bank.

Die Bemerkung über die persönliche Unterrichtung gab Heyward das benötigte Stichwort. »Ich verstehe genau, was Sie hinsichtlich der Art dieser Bekanntmachung andeuten wollen. Und offen gesagt kam sie mir auch etwas ungewöhnlich vor. Was mich vor allem mit Sorge erfüllt hat, war die Tatsache, daß die Direktoren nicht als erste unterrichtet wurden. Meiner Meinung nach hätte das unbedingt geschehen müssen. Aber da es nun einmal nicht geschehen ist, hielt ich es für meine Pflicht, Sie und die anderen Herren unverzüglich zu informieren.« Heywards strenges Adlergesicht verriet äußerste Konzentration; die grauen Augen hinter den randlosen Brillengläsern blickten kalt.

»Ganz Ihrer Meinung, Roscoe«, sagte die Stimme am Telefon. »Ich finde, man hätte uns informieren sollen, und ich weiß Ihre Haltung zu schätzen.«

»Danke, Harold. In Augenblicken wie diesen ist man einfach nie ganz sicher, was das beste ist. Eins nur steht fest: Irgend jemand muß die Führung übernehmen.«

Andere mit Vornamen anzureden, fiel Heyward ausgesprochen leicht. Er selbst war von Familie, er kannte sich in den meisten Machtzentren des Bundesstaates aus, und er war ein geachtetes Mitglied dessen, was die Engländer das Old Boy Network nennen, jenes Netzes zuverlässiger Verbindungen der Wenigen und der Privilegierten. Seine persönlichen Verbindungen reichten weit über die Grenzen des Bundesstaates hinaus, bis nach Washington und anderswohin. Heyward war stolz auf seine gesellschaftliche Position und seine mächtigen und prominenten Freunde. Er unterließ es selten, auf seine direkte Abstammung von einem der Unterzeichner der Unabhängigkeitserklärung hinzuweisen.

Jetzt stieß er nach: »Außerdem sollten alle Direktoriumsmitglieder schon allein deshalb informiert sein, weil diese traurige Nachricht ungeheure Auswirkungen haben wird. Und so etwas spricht sich schnell herum.«

»Daran besteht kein Zweifel«, pflichtete ihm The Hon. Harold bei. »Spätestens morgen hat die Presse davon erfahren und wird Fragen stellen.«

»Genau. Und falsche Publicity könnte Einleger beunruhigen und sich auf unsere Aktienkurse auswirken.«

»Hm.«

Roscoe Heyward spürte, wie sich im Kopf seines Direktoriumskollegen Räder in Bewegung setzten. Die Familienstiftung Austin, die The Hon. Harold verwaltete, enthielt ein dickes Paket FMA-Aktien.

Heyward soufflierte: »Wenn natürlich das Direktorium energische Maßnahmen ergreift, um die Aktionäre und Einleger und auch die breite Öffentlichkeit zu beruhigen, könnten die Auswirkungen geringfügig sein.«

»Abgesehen einmal von den Freunden Ben Rossellis«, erinnerte Austin ihn trocken.

»Ich habe natürlich rein geschäftlich gesprochen. Mein Schmerz, das versichere ich Ihnen, ist so tief wie der jedes anderen.«

»Worauf zielen Sie eigentlich ab, Roscoe?«

»Im allgemeinen, Harold – auf die Wahrung der Kontinuität der Autorität. Im besonderen – im Amt des Direktoriumsvorsitzenden sollte es keine Vakanz geben, auch nicht einen einzigen Tag lang.« Heyward fuhr fort: »Ohne Ben gegenüber respektlos klingen zu wollen und bei aller Zuneigung, die wir ihm gegenüber empfinden, kommt man doch nicht um die Feststellung herum, daß diese Bank schon viel zu lange als ein Ein-Mann-Unternehmen gilt. Das hat sich natürlich in Wirklichkeit schon seit vielen Jahren geändert; keine Bank kann einen Platz unter den ersten zwanzig des Landes erringen und dennoch von einem einzelnen Mann geführt werden. Aber es gibt eine Menge Menschen, die das trotzdem noch glauben. Aus diesem Grunde haben die Direktoren jetzt, so traurig der Anlaß auch sein mag, Gelegenheit, durch ihr Handeln diese Legende ein für allemal zu zerstören.«

Heyward spürte, daß sich der andere Mann seine Antwort sorgfältig überlegte. Und er sah Austin förmlich vor sich – einen gutaussehenden, alternden Playboy-Typ, teuer und auffallend gekleidet und mit wallendem eisgrauen Haar, das nur dem besten Stylisten der Stadt anvertraut wurde. Wahrscheinlich rauchte er auch jetzt wie gewöhnlich eine lange Zigarre. Doch The Hon. Harold war kein Dummkopf und galt als gewiegter, erfolgreicher Geschäftsmann. Nach geraumer Zeit erklärte er: »Ich denke, Ihr Argument für Kontinuität überzeugt mich. Und ich bin mit Ihnen der Meinung, daß man sich über einen Nachfolger für Ben Rosselli einigen und den Namen am besten noch vor Bens Ableben bekanntgeben sollte.«

Heyward lauschte angespannt, als der andere fortfuhr.

»Und ich finde, daß Sie, Roscoe, dieser Mann sind. Der Ansicht bin ich schon seit langem. Sie haben die Qualifikationen, die Erfahrung und auch die Härte. Ich bin aus diesem Grunde bereit, Sie zu unterstützen, und es gibt andere im Direktorium, die ich bestimmt dazu bewegen kann, den gleichen Weg einzuschlagen. Was sicher in Ihrem Sinn ist, wie ich annehme.«

»Ich bin Ihnen natürlich sehr zu Dank verpflichtet . . .«

»Natürlich. Vielleicht darf ich gelegentlich – Sie wissen ja, eine Hand wäscht die andere . . .«

»Das ist doch selbstverständlich.«

»Gut. Wir verstehen uns also.«

Das Gespräch hatte einen überaus befriedigenden Verlauf genommen, fand Roscoe Heyward, als er den Hörer auflegte. Harold Austin war für seine Loyalität bekannt, ein Mann, der sein einmal gegebenes Wort auch hielt.

Die vorangegangenen Telefongespräche waren gleichermaßen erfolgreich verlaufen.

Als er wenig später mit einem anderen Direktor sprach – Philip Johannsen, Präsident von MidContinent Rubber –, ergab sich ebenfalls eine günstige Gelegenheit. Johannsen bemerkte von sich aus, daß er, ganz offen gesagt, mit Alex Vandervoort eigentlich nicht so recht konform gehen könne; seine Ideen seien ihm zu unorthodox.

»Alex *ist* unorthodox«, sagte Heyward. »Allerdings hat er ja auch einige persönliche Probleme. Ich weiß nicht, inwieweit sich das eine aus dem anderen ergibt.«

»Probleme welcher Art?«

»Nun ja, Frauengeschichten. Ich möchte nicht gern . . .«

»Unsinn, Roscoe, das ist wichtig. Selbstverständlich bleibt es unter uns. Fahren Sie fort.«

»Nun, also erstens hat Alex Schwierigkeiten in seiner Ehe. Und dann hat er sich auch mit einer anderen Frau eingelassen. Einer Linksaktivistin, die oft im Gerede ist, und nicht gerade in Zusammenhängen, die für die Bank von Nutzen wären. Manchmal frage ich mich, wie stark eigentlich ihr Einfluß auf Alex ist. Aber wie gesagt, ich möchte nicht gern . . .«

»Sie haben recht daran getan, es mir zu sagen, Roscoe«, gab Johannsen zurück. »Über so etwas sollten die Direktoren informiert werden. Links, sagten Sie?«

»Ja. Sie heißt Margot Bracken.«

»Ich glaube, ich habe schon von ihr gehört. Und was ich von ihr gehört habe, hat mir nicht gefallen.«

Heyward lächelte.

Weniger zufrieden war er jedoch zwei Telefongespräche später, als er einen der auswärtigen Direktoren erreichte, und zwar Leonard L. Kingswood, Direktoriumsmitglied von Northam Steel.

Kingswood, der seine Karriere als Ofenschweißer in einem Stahlwerk begonnen hatte, sagte: »Kommen Sie mir bloß nicht mit solchem Quatsch, Roscoe«, als Heyward andeutete, die Direktoren der Bank hätten im voraus über Ben Rossellis Erklärung informiert werden müssen. »Ich hätte das ganz genauso gemacht wie Ben. So was teilt man zuerst den Menschen mit, die einem am nächsten stehen, später dann den Direktoren und den anderen Bonzen.«

Was die Möglichkeit eines Kursrückgangs bei den Aktien der First Mercantile American betraf, so bestand Len Kingswoods Reaktion in den beiden Worten: »Na und?«

»Na klar«, setzte er hinzu, »wenn diese Nachricht sich herumspricht, wird FMA einen Punkt, vielleicht zwei oder drei Punkte fallen. Das wird nicht zu vermeiden sein, weil die meisten Transaktionen im Auftrage von nervösen Schwachköpfen getätigt werden, von Leuten, die nicht zwischen Hysterie und Tatsachen unterscheiden können. Aber ebenso unvermeidlich wird der Kurs binnen einer Woche wieder steigen, einfach deshalb, weil die Werte vorhanden sind, weil die Bank gesund ist, wie wir alle, die wir Einblick haben, wissen.«

Und später in diesem Gespräch: »Roscoe, Sie sind hier Ihr eigener Lobbyist, das ist so durchsichtig wie ein frisch geputztes Fenster. Deshalb will ich ebenso deutlich werden, das spart uns beiden Zeit.

Sie sind ein erstklassiger Finanzdirektor, der beste Mann, was Zahlen und Geld angeht, den ich überhaupt kenne. Und wenn Sie eines Tages mal den Drang verspüren sollten, hierher zu uns, zu Northam, überzuwechseln, und zwar mit einem dickeren Gehalt und Aktienbezugsrecht, werde ich meine eigenen Leute ein wenig umgruppieren und Sie an die Finanzspitze setzen, mein Lieber. Das ist ein Angebot und ein Versprechen. Ich meine es ehrlich.«

Der Vorsitzende der Stahlgesellschaft überging Heywards gemurmelten Dank und fuhr fort:

»Aber so gut Sie auch sind, Roscoe, eines muß ich Ihnen doch sagen – Sie sind keine Führungspersönlichkeit. So sehe ich es jedenfalls, und so werde ich mich auch äußern, wenn das Direktorium zusammentritt, um über Bens Nachfolge zu entscheiden. Das andere, was ich Ihnen am besten gleich sage, ist, daß meine Wahl auf Vandervoort fällt. Das sollten Sie wissen.«

Heyward antwortete mit unverändert glatter Stimme: »Ich danke Ihnen für Ihre Offenheit, Leonard.«

»Gut. Und falls Sie irgendwann ernstlich an mein Angebot denken sollten, rufen Sie mich an.«

Roscoe Heyward hatte keinerlei Absicht, für Northam Steel zu arbeiten. Geld war ihm wichtig, aber nach dem beißenden Urteil, das Leonard eben über ihn gefällt hatte, ließ sein Stolz es nicht zu. Außerdem war er noch voller Zuversicht, zur Spitze der FMA aufsteigen zu können.

Wieder summte das Telefon. Er nahm den Hörer ans Ohr, und Dora Callaghan meldete einen weiteren Direktor. »Mr. Floyd LeBerre.«

»Floyd«, hub Heyward an, und seine Stimme war tief und ernst. »Es ist mir überaus schmerzlich, daß ich derjenige sein muß, der Ihnen eine traurige, eine tragische Nachricht mitzuteilen hat . . .«

## 3

Nicht alle Teilnehmer an der denkwürdigen Versammlung verließen das Sitzungszimmer so eilig wie Roscoe Heyward. Ein paar blieben noch an der Tür stehen, ganz unter dem Eindruck des Schocks, und unterhielten sich leise.

Der altgediente Angestellte von der Treuhandabteilung, Pop Monroe, sagte mit verhaltener Stimme zu Edwina D'Orsey: »Das ist wirklich ein sehr trauriger Tag.«

Edwina nickte; sie war noch nicht in der Lage, etwas zu sagen. Ben Rosselli hatte ihr als Freund viel bedeutet, und mit Stolz hatte er ihren Aufstieg in der Bank beobachtet.

Alex Vandervoort blieb neben Edwina stehen, dann zeigte er auf sein Büro, das nur wenige Türen entfernt war. »Möchten Sie sich ein paar Minuten erholen?«

Dankbar sagte sie: »Ja, gern.«

Die Büros der führenden Direktoren und Manager der Bank befanden sich im selben Stockwerk wie das Sitzungszimmer – im 36. Stock, hoch oben im Tower der Zentrale der FMA. Alex Vandervoorts Büro-Suite hatte, wie andere auch, eine für zwanglose Besprechungen vorgesehene Ecke, und dort schenkte Edwina sich Kaffee aus einer Kaffeemaschine ein. Vandervoort holte sich seine Pfeife und zündete sie an. Sie beobachtete, wie seine Finger sich schnell und diszipliniert bewegten. Seine Hände glichen seinem Körper, kurz und breit, die Finger endeten plötzlich in breiten, aber gepflegten Fingernägeln.

Zwischen den beiden bestand seit langem ein sehr herzliches und kameradschaftliches Verhältnis. Obwohl Edwina, Vorsteherin der größten Cityfiliale der First Mercantile American, in der Hierarchie der Bank mehrere Leitersprossen unterhalb von Alex angesiedelt war, hatte er sie stets als gleichrangig behandelt und in Angelegenheiten, die ihre Filiale betrafen, oft direkt mit ihr verhandelt, unter Umgehung der verschiedenen Organisationsebenen, die sie trennten.

»Alex«, sagte Edwina, »ich wollte Ihnen schon vorhin sagen, daß Sie wie ein Skelett aussehen.«

Ein freundliches Lächeln ließ sein glattes, rundes Gesicht aufleuchten. »Man sieht's, wie?«

Alex Vandervoort war ein leidenschaftlicher Partygänger, der gutes Essen und guten Wein liebte. Bedauerlicherweise setzte er sehr leicht Gewicht an. Periodisch verordnete er sich deshalb, wie auch jetzt wieder, strenge Diät.

In unausgesprochener Übereinkunft mieden sie für den Augenblick das Thema, das ihnen beiden am meisten am Herzen lag.

Er fragte: »Was macht das Geschäft in diesem Monat?«

»Es läuft. Und für das nächste Jahr bin ich optimistisch.«

»Apropos nächstes Jahr. Was sagt denn Lewis voraus?« Lewis D'Orsey, Edwinas Mann, war Inhaber und Verleger eines weithin gelesenen Informationsbriefes für Investoren.

»Nicht viel Gutes. Er prophezeit zunächst eine gewisse Stärkung des Dollars, auf die jedoch ein weiteres Absinken folgt, so wie es beim britischen Pfund passiert ist. Lewis meint außerdem, daß diejenigen in Washington, die behaupten, die amerikanische Rezession hätte die Talsohle bereits durchschritten, von reinem Wunschdenken geleitet werden – es sind dieselben falschen Propheten, die auch in Vietnam ein ›Licht am Ende des Tunnels‹ zu sehen meinten.«

»Ich bin ganz seiner Meinung, besonders was den Dollar betrifft.« Nachdenklich fuhr Alex fort: »Wissen Sie, Edwina, es ist einer der Fehler des amerikanischen Bankgeschäfts, daß wir unsere Kunden nie dazu ermutigt haben, Devisenkonten zu errichten – in Schweizer Franken, in D-Mark, in anderen Währungen, wie es europäische Bankiers tun. Natürlich versorgen wir die großen Gesellschaften, weil die erfahren genug sind, um darauf zu bestehen. Und die amerikanischen Banken machen für sich selbst hübsche Gewinne mit dem Devisengeschäft. Aber sehr selten, wenn überhaupt, tun sie es für den kleinen oder mittleren Kunden. Hätten wir vor zehn oder auch nur fünf Jahren europäische Währungskonten gefördert, dann hätten einige unserer Kunden an der Dollarabwertung profitiert, anstatt zu verlieren.«

»Würde das US-Finanzministerium nicht dagegen einschreiten?«

»Wahrscheinlich schon. Aber öffentlichem Druck würde es sich beugen müssen. Wie immer.«

»Haben Sie jemals den Gedanken vorgetragen – daß mehr

Leute Devisenkonten halten sollten?« erkundigte sich Edwina.

»Einmal hab' ich's versucht. Abgeschossen haben sie mich. Für uns amerikanische Banker ist der Dollar heilig – und sei er noch so schwach auf der Brust. Das ist eine Vogel-Strauß-Politik, die wir den Kunden aufgezwungen haben, und es hat sie Geld gekostet. Nur ein paar sehr Erfahrene hatten den Verstand, Schweizer Bankkonten zu eröffnen, bevor die Dollarabwertungen kamen.«

»Ich habe oft darüber nachgedacht«, gestand Edwina. »Jedesmal, wenn es passierte, hatten die Banker im voraus gewußt, daß es unvermeidlich war. Aber unseren Kunden – mit Ausnahme von ein paar Vorzugskunden – haben wir kein Sterbenswörtchen gesagt, haben ihnen nicht nahegelegt, Dollars zu verkaufen.«

»Das galt als unpatriotisch. Sogar Ben . . .«

Alex schwieg. Mehrere Augenblicke lang saßen sie schweigend da.

Durch die Fensterwand an der Ostseite von Alex' Suite konnten sie die vor ihnen ausgebreitete, robust wirkende Mittelwest-Stadt sehen. Am nächsten lagen die Büroschluchten des Stadtkerns; die höchsten Bauten waren nur wenig niedriger als der Tower der Zentrale der First Mercantile American Bank. Jenseits des Stadtkerns wand sich in weitem Doppel-S der breite, verkehrsreiche Fluß, dessen Farbe – heute wie üblich – ein verschmutztes Grau war. Ein sich überkreuzendes Lattenwerk von Flußbrücken, Eisenbahnsträngen und Stadtautobahnen lief wie von der Spule gerutschte Bänder zu den Industriegebieten und fernen Vororten, die man hinter dem dichten Dunstschleier allerdings nur ahnen konnte. Aber näher als Industrie und Vororte, wenn auch schon jenseits des Flusses, lagen die zentralen Wohnviertel der Stadt, ein Labyrinth von vorwiegend abbruchreifen Gebäuden, von etlichen als Schandfleck der Stadt bezeichnet.

Im Zentrum dieses Gebietes zeichnete sich die Silhouette eines neuen hohen Gebäudes und das stählerne Skelett eines zweiten gegen den Himmel ab.

Edwina zeigte auf das Hochhaus und das Stahlgerüst.

»Wenn ich jetzt in Bens Lage wäre«, sagte sie, »und wenn ich den Wunsch hätte, daß irgend etwas an mich erinnern sollte, dann würde ich wohl Forum East wählen.«

»Das meine ich auch.« Alex folgte Edwinas Blick. »Eins steht fest. Ohne ihn wäre das ein Gedanke geblieben, ein Stück Papier, nicht mehr.«

Forum East war ein bedeutendes städtebauliches Entwicklungsprojekt zur Stadtkernsanierung. Ben Rosselli hatte die First Mercantile American finanziell an dem Projekt beteiligt, und Alex Vandervoort vertrat bei diesem Objekt verantwortlich die Interessen der Bank. Die große Cityfiliale, die Edwina leitete, vergab die Baukredite und befaßte sich mit den Details des Hypothekengeschäfts.

»Ich mußte gerade an die Veränderungen denken, die es hier geben wird«, sagte Edwina, und sie wollte hinzufügen: *wenn Ben tot ist* . . .

»Natürlich wird es Veränderungen geben – vielleicht sogar erhebliche. Ich hoffe, sie werden sich nicht ungünstig auf Forum East auswirken.«

Sie seufzte. »Es ist noch keine Stunde her, seit Ben es uns gesagt hat . . .«

»Und wir sprechen über zukünftige Bankgeschäfte, bevor er noch unter der Erde ist. Wir müssen es wohl auch, Edwina. Ben würde es nicht anders von uns erwarten. Einige wichtige Entscheidungen müssen bald getroffen werden.«

»Unter anderem, wer Bens Nachfolger als Präsident werden soll.«

»Das auch.«

»Nicht wenige von uns in der Bank hoffen, daß Sie es werden.«

»Offen gesagt, ich hoffe es auch.«

Beide ließen unausgesprochen, daß Alex Vandervoort bis zu diesem Tage als Ben Rossellis ausersehener späterer Erbe gegolten hatte – nur noch nicht so bald. Alex war erst seit zwei Jahren bei der First Mercantile American. Vorher war er Manager bei der Bundes-Reserve-Bank gewesen, und Ben Rosselli hatte ihn persönlich für die FMA gewonnen, auch damit, daß er ihm ein späteres Aufrücken an die Spitze in Aussicht gestellt hatte.

»In ungefähr fünf Jahren«, hatte der alte Ben damals zu Alex gesagt, »möchte ich meinen Platz jemandem übergeben, der mit großen Zahlen umgehen und die Ertragsbasis festigen kann, denn einen anderen Weg gibt es nicht für eine Bank, die von einer Position der Stärke aus Geschäfte machen will. Aber er muß mehr sein als nur ein Techniker der Spitzenklasse. Der Mann, den ich mit der Führung dieser Bank betrauen möchte, darf nie vergessen, daß die Kleineinleger – einzelne Menschen – von Anfang an unser starkes Fundament gewesen sind. Banker machen heutzutage oft den Fehler, daß sie in allzu große Höhen entschweben.«

Ben Rosselli machte ganz klar, daß er kein festes Versprechen abgab, aber er fügte hinzu: »Ich habe den Eindruck, Alex, daß Sie der Mann sind, den wir brauchen. Wir wollen eine Zeitlang zusammen arbeiten, dann werden wir sehen.«

Also zog Alex ein. Er brachte seine Erfahrung mit und ein ausgesprochenes Talent für die neue Technologie, und bald machte sich beides positiv für die Bank bemerkbar. Im übrigen stellte es sich heraus, daß er Bens Meinungen und Überzeugungen weitgehend teilte.

Schon sehr viel früher hatte Alex Einblick in das Bankgeschäft bekommen – durch seinen Vater, einen holländischen Einwanderer, der Farmer in Minnesota wurde.

Pieter Vandervoort sr. hatte sich ein Bankdarlehen aufgeladen, und um die Zinsen zahlen zu können, hatte er vom ersten Morgengrauen bis in die Nacht hinein schuften müssen, gewöhnlich an sieben Tagen der Woche. Am Ende war er an Überarbeitung gestorben, ohne einen Cent zu hinterlassen. Die Bank verkaufte sein Land und holte nicht nur die ausstehenden Zinsen herein, sondern auch noch ihre ursprüngliche Anlage. Die Erfahrungen seines Vaters hatten Alex – in seinem Schmerz – davon überzeugt, daß man hinter dem Bankschalter, nicht davor stehen müsse.

Mittels eines Stipendiums an der Harvarduniversität und eines mit Auszeichnung bestandenen Volkswirtschaftsexamens führte Alex' endgültiger Weg dann ins Bankgeschäft.

»Es kann sich ja noch alles zum Guten wenden«, sagte Edwina D'Orsey. »Ich nehme an, das Direktorium wird den Präsidenten wählen.«

»Ja«, antwortete Alex beinahe geistesabwesend. Er hatte an Ben Rosselli gedacht und an seinen Vater; seine Erinnerungen an die beiden waren seltsam ineinander verschlungen.

»Dienstjahre sind nicht alles.«

»Aber sie spielen eine Rolle.«

Im Geiste wog Alex seine Chancen ab. Er wußte, daß er genügend Talent und Erfahrung besaß, um an der Spitze der First Mercantile American stehen zu können, aber es war doch anzunehmen, daß die Direktoren jemanden vorziehen würden, der schon länger im Hause war. Roscoe Heyward zum Beispiel hatte schon fast zwanzig Jahre für die Bank gearbeitet, und trotz seines gelegentlichen Mangels an Resonanz bei Ben Rosselli konnte er sich auf eine beträchtliche Gefolgschaft im Direktorium stützen.

Noch gestern hatten die Chancen für Alex gut gestanden. Jetzt hatte sich das geändert.

Er erhob sich und klopfte seine Pfeife aus. »Ich muß wieder an die Arbeit.«

»Ich auch.«

Aber als Alex allein war, saß er lange schweigend da.

Edwina nahm einen Expreß-Fahrstuhl vom Direktionsgeschoß hinab in die Schalterhalle des Towers der Zentrale der FMA – eine architektonische Kreuzung zwischen dem Lincoln Center und der Sixtinischen Kapelle. In der Halle wimmelte es von Menschen – Bankangestellten, die es eilig hatten, Boten, Kunden, Touristen auf Sightseeing-Tour. Sie nickte einem Sicherheitsbeamten zu, der freundlich gegrüßt hatte.

Durch die gewölbte Glasfront konnte Edwina die Rosselli Plaza sehen mit ihren Bäumen, Bänken, einem Skulpturenhof und einer aufschäumenden Fontäne. Im Sommer war die Plaza ein beliebter Treffpunkt. Büroangestellte aus der City aßen dort in der Mittagspause ihre mitgebrachten Sandwiches. Aber jetzt wirkte der Platz grau und ungastlich. Ein rauher Herbstwind wirbelte welkes Laub und Staubwolken empor und fegte Fußgänger vor sich her, die eilig der Wärme des Foyers entgegenstrebten.

Es war die Jahreszeit, dachte Edwina, die sie am wenigsten mochte. Sie hatte etwas Melancholisches und erweckte Gedanken an den bevorstehenden Winter, an Tod.

Unwillkürlich schauderte sie. Dann machte sie sich auf den Weg zu dem mit Teppichen ausgelegten und sanft beleuchteten »Tunnel«, der die Zentrale der FMA mit der Haupt-Cityfiliale verband, einem palaisähnlichen eingeschossigen Bau.

Ihrem Reich.

## 4

Der Mittwoch in der Cityfiliale begann routinemäßig. Edwina D'Orsey war in dieser Woche zum Dienst eingeteilt und erschien pünktlich um 8.30 Uhr, eine halbe Stunde bevor sich die schwerfälligen Bronzetore der Bank für die Kundschaft öffneten.

Von ihr als Leiterin der »Flaggschiff«-Filiale der FMA und als Vizepräsidentin hätte kein Mensch verlangt, daß sie sich wie alle anderen in den Dienst teilte. Aber Edwina legte Wert darauf, sich nicht davon auszuschließen. Außerdem war es eine kleine Demonstration. Sie erwartete keinerlei Vorrechte nur deshalb, weil sie eine Frau war – das hatte sie in ihren fünfzehn Jahren bei der First Mercantile American immer ganz deutlich gemacht. Außerdem hatte man turnusmäßig nur alle zehn Wochen Dienst.

Am Seiteneingang des Gebäudes kramte sie in ihrer braunen Gucci-Handtasche nach dem Schlüssel; sie fand ihn unter einem Sammelsurium von Lippenstift, Brieftasche, Kreditkarten, Puderdose, Kamm, einer Einkaufsliste und anderem Krimskrams. Entgegen ihrer sonstigen Art herrschte in ihrer Handtasche stets ein heilloses Durcheinander. Bevor sie den Schlüssel ins Schloß steckte, suchte sie das Signal »Kein Überfall«. Es war da, wo es hingehörte – eine kleine gelbe Karte, unauffällig in ein Fenster gestellt. Diese Karte einige Minuten vor dem Eintreffen des Diensthabenden dort aufzustellen war Aufgabe eines Pförtners, der täglich als erster die große Filiale zu betreten hatte. War drinnen alles in Ordnung, stellte er das Signal dort auf, wo es für die nach und nach eintreffenden Angestellten zu sehen war. Waren aber Bankräuber in der Nacht eingebrochen, die jetzt darauf lauerten, Geiseln nehmen zu können – als ersten natürlich den Pförtner –, so konnte er kein Signal aufstellen, und das Fehlen des Zeichens wurde zur Warnung. Der Diensthabende und die Angestellten, die später kamen, würden die Bank selbstverständlich nicht betreten und sofort Hilfe holen.

Wegen der zunehmenden Zahl von Raubüberfällen jeder Art waren jetzt die meisten Banken zum System des Überfall-Signals übergegangen. Art und Aufstellung des vereinbarten Zeichens wechselten so häufig wie möglich.

Nach Betreten der Bank begab sich Edwina als erstes zu einem in Scharnieren hängenden Brett der Wandtäfelung und klappte es auf. Sichtbar wurde ein Knopf, auf den sie drückte – zweimal lang, dreimal kurz, einmal lang. Für den Sicherheitsdienst drüben im Tower der Zentrale hieß das, daß der beim Eintritt Edwinas ausgelöste Türalarm ignoriert werden konnte und daß sich jemand in der Bank befand, der dazu befugt war. Ebenso hatte der Pförtner nach seinem Eintritt seinen eigenen Sicherheitscode gemorst.

Das Einsatzkommando des bankeigenen Sicherheitsdienstes, das ähnliche Signale aus anderen FMA-Filialen erhielt, schaltete jetzt das Alarmsystem des Gebäudes von »Alarm« auf »Bereitschaft«.

Hätte Edwina als Diensthabende oder der Pförtner es versäumt, ihren Klingelcode zu morsen, hätte der Sicherheitsdienst sofort die Polizei alarmiert. In Minutenfrist wäre die Filiale umstellt gewesen.

Die Codezeichen wurden, wie bei allen Sicherheitssystemen üblich, oft gewechselt.

In immer stärker werdendem Maße waren überall die Banken dazu übergegangen, sich auf positive Signale zu verlassen, wenn alles sicher und in Ordnung war, und auf das Ausbleiben von Signalen im umgekehrten Fall. Auf diese Art konnten als Geiseln festgehaltene Bankangestellte die höchste Alarmstufe auslösen, indem sie ganz einfach gar nichts taten.

Nach und nach trafen andere Abteilungsleiter und Angestellte ein, die von dem uniformierten Pförtner, der sich am Nebeneingang aufgestellt hatte, kontrolliert wurden.

»Guten Morgen, Mrs. D'Orsey.« Ein weißhaariger Mann

namens Tottenhoe, der seit Jahrzehnten in Diensten der Bank stand, gesellte sich zu Edwina. Er war der Innenleiter, zuständig für Personalfragen und den routinemäßigen Arbeitsablauf. Mit seinem langen, kummervollen Gesicht sah er aus wie ein uraltes Känguruh. Seine übliche Niedergeschlagenheit und pessimistische Lebenseinstellung waren mit Herannahen seines Pensionsalters noch spürbarer geworden. Er empfand sein Alter als Affront und schien andere dafür verantwortlich zu machen. Edwina und Tottenhoe durchquerten gemeinsam die Schalterhalle und gingen eine breite, mit Läufern ausgelegte Treppe hinunter zum Tresorraum. Zu den Pflichten des Diensthabenden gehörte es, das Öffnen und Schließen der Tresoranlage zu überwachen.

Während sie an der Panzertür auf das Ablaufen des Zeitschlosses warteten, sagte Tottenhoe mit düsterer Miene: »Es gibt da ein Gerücht, daß Mr. Rosselli bald sterben wird. Stimmt das?«

»Ich fürchte, ja.« Sie erzählte ihm in aller Kürze vom Verlauf der Versammlung.

Am Vorabend, zu Hause, hatte Edwina kaum an etwas anderes gedacht, aber an diesem Morgen hatte sie sich fest vorgenommen, sich auf die Arbeit und die Angelegenheiten der Bank zu konzentrieren. Das, und nichts anderes, würde Ben von ihr erwarten.

Tottenhoe brummte irgend etwas vor sich hin, was sie nicht verstand.

Edwina warf einen prüfenden Blick auf ihre Armbanduhr. 8.40 Uhr. Sekunden später überzeugte sie ein schwaches Klikken im Inneren der massiven Chromstahltür, daß sich die am Vorabend vor dem endgültigen Verschließen der Bank eingestellte und über Nacht laufende Uhr im Zeitschloß abgeschaltet hatte. Jetzt konnten die Kombinationsschlösser geöffnet werden. Das war bis zu diesem Augenblick nicht möglich gewesen.

Edwina betätigte einen anderen, ebenfalls verborgenen Signalknopf und teilte damit dem Kontrollraum mit, daß sie im Begriffe sei, den Tresorraum zu öffnen – und zwar unter normalen Umständen, nicht unter Zwang.

Nebeneinander vor der Tür stehend, stellten Edwina und

Tottenhoe jetzt mit flinken Fingern ihre Kombinationen ein. Keiner kannte die Kombinationseinstellung des anderen; also hätte keiner von ihnen den Tresorraum allein öffnen können.

Einer der Assistenten Tottenhoes, Miles Eastin, war inzwischen eingetroffen. Der junge gutaussehende, gepflegte Mann war immer fröhlich und gut aufgelegt – in wohltuendem Gegensatz zu Tottenhoes ewig gleichbleibender Leichenbittermiene. Edwina mochte Eastin gern. Er wurde von einem Kassierer begleitet, der den ganzen Tag lang alles Geld kontrollierte, das im Tresorraum eintraf oder ihn verließ. Allein an Bargeld würde er während der nun beginnenden sechs Kassenstunden fast eine Million Dollar in Noten und Münzen zu kontrollieren haben.

Die Schecks, die während des gleichen Zeitabschnitts die große Bankfiliale passierten, würden einen Wert von weiteren zwanzig Millionen Dollar darstellen.

Edwina trat zurück, und zusammen schwenkten der Kassierer und Miles Eastin die gewaltige Präzisionstür auf. Bis zum Geschäftsschluß am Abend würde diese Stahltür nun offenbleiben.

»Ich habe gerade einen Anruf erhalten«, sagte Eastin zu dem Innenleiter. »Zwei weitere Kassierer fallen heute aus.«

Tottenhoes melancholische Miene wurde noch melancholischer.

»Grippe?« fragte Edwina.

Die in den letzten zehn Tagen in der Stadt herrschende Grippe-Epidemie hatte in der Bank zu akutem Personalmangel geführt. Besonders an Kassierern fehlte es.

»Grippe«, bestätigte Miles Eastin.

»Ich wünschte, mich würd's endlich auch erwischen, dann könnte ich nach Hause gehen, mich ins Bett legen und es einem anderen überlassen, sich den Kopf über die Schalterbesetzung zu zerbrechen«, brummte Tottenhoe. Dann fragte er Edwina: »Sollen wir überhaupt heute öffnen?«

»Es wird uns wohl gar nichts anderes übrigbleiben.«

»Dann müssen eben ein paar von den höheren Angestellten aushelfen. Und Sie sind der erste«, sagte er zu Miles Eastin. »Los, greifen Sie sich einen Kassenwagen und machen Sie sich bereit für die Kundschaft. Können Sie noch zählen?«

»Bis zwanzig schaff' ich's noch«, sagte Eastin. »Solange ich mir bei der Arbeit die Socken ausziehen darf.«

Edwina lächelte. Um Eastin machte sie sich keine Sorgen; was der anfaßte, das klappte. Nach Tottenhoes Pensionierung im nächsten Jahr würde sie höchstwahrscheinlich Miles Eastin für den Posten vorschlagen.

Er erwiderte das Lächeln. »Keine Angst, Mrs. D'Orsey. Ich bin ein ziemlich guter Libero. Außerdem habe ich gestern abend drei Stunden lang Handball gespielt und dabei ganz allein Buch über die Tore geführt.«

»Haben Sie denn gewonnen?«

»Wenn ich die Tore selbst notiere? Na klar.«

Edwina kannte auch Eastins zweites Hobby. Es hatte sich schon mehrfach als nützlich für die Bank erwiesen. Er sammelte Banknoten und Münzen und hatte sich beachtliche Kenntnisse auf dem Gebiet erworben. Zu Miles Eastins Aufgaben gehörte es, neuen Angestellten der Filiale Einweisungsvorträge zu halten, und die reicherte er gern mit historischen Goldkörnern an, indem er zum Beispiel erzählte, daß der Ursprung von Papiergeld und Inflation in China zu suchen sei. Die erste in der Geschichtsschreibung verzeichnete Inflation, so erklärte er dann, habe sich im dreizehnten Jahrhundert ereignet, als der Mongolenkaiser Kublai Khan, außerstande, seinen Männern den Sold in barer Münze auszuzahlen, mittels eines hölzernen Druckstocks eine Art Kriegsgeld hergestellt hatte. Bedauerlicherweise wurde so viel gedruckt, daß es rasch wertlos wurde. »Es gibt Fachleute«, pflegte der junge Eastin dann zu sagen, »die die Ansicht vertreten, daß der Dollar zur Zeit mongolisiert wird.« Wegen seiner privaten Kenntnisse war Eastin schließlich zum hauseigenen Sachverständigen für Falschgeld avanciert, und zweifelhafte Banknoten, die an einem der Schalter auftauchten, wurden ihm zur Begutachtung vorgelegt.

Die drei – Edwina, Eastin, Tottenhoe – stiegen wieder die Treppen von der Tresoranlage zum Hauptschalterraum empor.

Leinwandsäcke mit Bargeld wurden von einem draußen parkenden gepanzerten Fahrzeug angeliefert. Die beiden Geldboten waren bewaffnet.

Größere Beträge an Bargeld wurden stets früh am Morgen geliefert, nachdem sie vorher von der Bundes-Reserve-Bank abgeholt und zur FMA-Zentrale gebracht worden waren. Von dort wurde das Geld dann in die einzelnen Filialen verteilt. Daß alles immer an ein und demselben Tag zu geschehen hatte, war wohlbegründet. Überschüssiges Bargeld in Tresorräumen brachte keinen Ertrag; außerdem bestand die Gefahr, daß es verlorengehen oder geraubt werden könnte.

Deshalb mußte jeder Filialleiter das Kunststück beherrschen, niemals knapp an Bargeld zu werden, dabei aber auch niemals zuviel davon in seiner Stahlkammer zu haben.

Eine große Filiale wie die FMA-Cityfiliale lagerte gewöhnlich ein Arbeitskapital von einer halben Million Dollar in bar. Das gerade jetzt eintreffende Geld – eine weitere Viertelmillion – war die an einem durchschnittlichen Banktag erforderliche Reserve.

Tottenhoe sagte brummig zu den Geldboten: »Hoffentlich bringen Sie uns diesmal sauberes Geld, nicht so schmutzige Scheine wie seit Tagen schon.«

»Ich hab' den Jungs in der Zentrale schon erzählt, daß Sie sich immer so über die Schmutzlappen ärgern«, sagte einer der Boten. Er war noch ziemlich jung, lange schwarze Haarsträhnen quollen unter seiner Uniformmütze hervor und ringelten sich über Kragen und Schultern seiner Uniformjacke. Edwina blickte unwillkürlich zu Boden, um zu sehen, ob er Schuhe trug. Er hatte welche an.

»Die sagten, Sie hätten schon angerufen, Mr. Tottenhoe«, fuhr der Bote fort. »Also, was mich betrifft, ich nehme das Geld, ganz egal, ob sauber oder schmutzig.«

»Bedauerlicherweise sind einige unserer Kunden anderer Meinung«, sagte Tottenhoe etwas säuerlich.

Frische Banknoten, die über die Reserve-Bank von der Staatlichen Druck- und Prägeanstalt eintrafen, waren bei allen Banken hoch begehrt. Erstaunlich viele Kunden, genannt »die Luxusindustrie«, wiesen schmutzige Banknoten zurück und verlangten neue oder doch zumindest saubere. Glücklicherweise gab es auch andere, denen es absolut gleichgültig war, wie die Scheine aussahen, und die Kassierer hatten Anweisung, jede Gelegenheit zu nutzen, um besonders schmutzige

Noten loszuwerden, damit sie die frischen, knisternden Scheine für die Kunden aufsparen konnten, die danach fragten.

»Wie man so hört, sollen 'ne Menge prima Fälschungen im Umlauf sein. Vielleicht können wir Ihnen mit einem Pakken aushelfen.« Der zweite Bote feixte und blinzelte seinem Kollegen zu.

Edwina sagte zu ihm: »Danke, auf die Hilfe können wir gern verzichten. Wir haben leider schon zuviel von der Sorte.«

Erst vorige Woche hatte die Bank fast eintausend Dollar in gefälschten Noten entdeckt – Geld, dessen Ursprung nicht mehr festzustellen war. Wahrscheinlich war es an den Kassen eingezahlt worden – von Leuten, die selbst betrogen worden waren und die nun ihre Verluste an die Bank weitergaben, oder auch von Leuten, die keine Ahnung hatten, daß es sich bei ihren Scheinen um Falschgeld handelte. Verwunderlich war das nicht, denn die Fälschungen waren von höchster Qualität.

Agenten vom Falschgelddezernat des Secret Service, die die Angelegenheit mit Edwina und Miles Eastin erörtert hatten, machten kein Hehl aus ihrer Besorgnis. »Wir haben noch nie so gute Blüten gesehen, und es waren auch noch nie so viele davon im Umlauf«, gab einer von ihnen zu. Nach einer vorsichtigen Schätzung waren im vorigen Jahr Falschgeldnoten im Nennwert von dreißig Millionen Dollar hergestellt worden. »Und 'n ganzer Haufen mehr wird nie entdeckt.«

England und Kanada waren die Hauptlieferanten von falscher US-Währung. Die Agenten wußten auch, daß eine unglaubliche Menge davon in Europa umlief. »Da merken sie's nicht so schnell, deshalb warnen Sie Ihre Freunde davor, in Europa amerikanische Banknoten anzunehmen. Sie könnten nichts wert sein.«

Der erste der bewaffneten Boten rückte die Säcke auf seinen Schultern zurecht. »Keine Bange, Leute! Da drin sind echte grüne Scheine. Das gehört bei uns zum Service!«

Beide Boten stiegen die Treppe zum Tresorraum hinunter.

Edwina ging zu ihrem Schreibtisch auf der Plattform. Überall in der Bank herrschte jetzt zunehmende Geschäftigkeit. Der vordere Haupteingang war geöffnet, die ersten Kunden des Tages strömten herein.

Die Plattform, auf der nach alter Tradition die ranghöchsten Bankbeamten arbeiteten, war etwas erhöht und mit karmesinrotem Teppich belegt. Edwinas Schreibtisch, der größte und imposanteste, war von zwei Flaggen flankiert – rechts hinter ihr die Stars and Stripes, zu ihrer Linken der Wimpel des Bundesstaates. Wenn sie daran saß, hatte sie manchmal das Gefühl, im Fernsehen aufzutreten, im Begriff, eine feierliche Erklärung abzugeben, während die Kameras auf sie zurollten.

Die große Cityfiliale wirkte sehr modern. Als der Tower der Zentrale der FMA Bank vor ungefähr einem Jahr errichtet wurde, hatte man auf das benachbarte Bauwerk teuerstes Fachwissen und ein Vermögen an Baukosten für Renovierungsarbeiten verwendet. Das Resultat: Bequemlichkeit für die Kunden, ausgezeichnete Arbeitsbedingungen und Eindruck satten Wohlstands, der durch vorherrschendes Karmesinrot und Mahagoni mit angemessenen Einsprengseln von Gold hervorgerufen wurde. Gelegentlich, gestand Edwina sich ein, wirkte diese Opulenz ein wenig peinlich.

Während sie in dem Drehsessel mit der hohen Lehne Platz nahm, strich sie sich glättend über das kurze Haar – unnötigerweise, da es wie üblich makellos gepflegt war.

Dann griff sie nach einem Stapel von Akten mit Darlehensanträgen über Summen, die so hoch waren, daß kein anderer Angestellter der Filiale die Vollmacht hatte, sie zu genehmigen.

Sie selbst war berechtigt, Darlehen bis zu einer Million Dollar in jedem Einzelfall zu gewähren, vorausgesetzt, daß zwei andere Beauftragte der Filiale zustimmten. Was ausnahmslos geschah. Anträge auf höhere Summen wurden an die Kreditabteilung in der Zentrale weitergeleitet.

Wie in jedem Bankinstitut galt auch in der First Mercantile American die Kredithöhe, die ein Geschäftsleiter genehmigen durfte, als persönliches Statussymbol. Sie bestimmte auch den Rang des Betreffenden in der Bankhierarchie, denn seine Paraphe auf dem Schriftstück bedeutete die endgültige Genehmigung eines Kreditantrages.

Für eine Filialleiterin war Edwinas Zeichen von ungewöhnlich hoher Qualität, denn als Vorsteherin der wichtigen

FMA-Cityfiliale trug sie eine besondere Verantwortung. Der Leiter einer weniger bedeutenden Niederlassung war im allgemeinen nur berechtigt, Kredite bis zur Höhe einer halben Million Dollar zu genehmigen, je nach seiner Befähigung und seinem Dienstalter. Edwina hatte sich oft darüber mokiert, daß diese Zeichnungsqualität einem Kastensystem mit allerlei Vergünstigungen und Privilegien gleichkam. In der Kreditabteilung der Zentrale arbeitete ein Kredit-Unterinspektor, dessen Vollmachten auf magere fünfzigtausend Dollar begrenzt waren, an einem wenig imposanten Schreibtisch zusammen mit anderen in einem Großraumbüro. Als nächsten in der Hack- und Pickordnung hatte er den Kredit-Inspektor über sich, dessen Paraphe für eine Viertelmillion gut war. Ihm stand ein größerer Schreibtisch in einem Glaskasten zu.

Ein solides, richtiges Büro mit Tür und Fenster war das Privileg eines Kredit-Oberinspektors, dessen Zeichnungsberechtigung bis zu einer halben Million Dollar hinaufreichte. Ihm standen außerdem ein geräumiger Schreibtisch, ein Ölbild an der Wand und mit seinem Namen bedrucktes Briefpapier zu sowie täglich ein Exemplar des »Wall Street Journal« und allmorgendlich die kostenlosen Dienste eines Schuhputzers. Er teilte sich mit einem anderen Kredit-Oberinspektor eine Sekretärin.

Ein Kredit-Vizepräsident schließlich, dessen Signatur für eine Million Dollar gut war, arbeitete in einem Eckbüro mit *zwei* Fenstern, *zwei* Ölbildern und einer eigenen Sekretärin. Sein Briefpapier trug seinen Namen in Stahlstich. Auch er bekam Schuhputz und Zeitung gratis, dazu aber noch verschiedene Magazine und Zeitschriften, für Dienstfahrten stand ihm ein Firmenwagen zur Verfügung, und sein Mittagessen konnte er im Kasino für leitende Angestellte einnehmen.

Edwina standen fast alle diese Vergünstigungen zu. Von der Schuhpolitur hatte sie nie Gebrauch gemacht.

An diesem Vormittag prüfte sie zwei Kreditanträge, genehmigte den einen und notierte einige Fragen auf den Rand des anderen. Ein dritter Antrag ließ sie stutzen.

Ihr schoß das Erlebnis vom Vortag wieder durch den Kopf, und ein wenig verstört las sie das Aktenstück noch einmal durch.

Der Kreditbearbeiter, der die Akte zusammengestellt hatte, meldete sich auf Edwinas Anruf über die Sprechanlage sofort.

»Castleman.«

»Cliff, kommen Sie doch bitte mal herüber.«

»Sofort.« Der Mann, der nur ein halbes Dutzend Schreibtische von ihr entfernt saß, warf einen Blick zu ihr hinüber. »Und wetten, daß ich weiß, warum Sie mich sprechen wollen?«

Als er Augenblicke später auf dem Stuhl neben ihrem Schreibtisch Platz nahm, wanderte sein Blick zu dem aufgeschlagenen Aktenstück. »Na bitte, hab' ich's nicht gesagt? Es gibt schon kuriose Sachen bei uns, was?«

Cliff Castleman war klein, pedantisch, mit einem runden rosigen Gesicht und einem sanften Lächeln. Bankkunden, die um ein Darlehen einkamen, mochten ihn, weil er geduldig zuhören konnte und verständnisvoll wirkte. Aber er war zugleich ein erfahrener Kreditmann mit ausgezeichnetem Urteil.

»Ich hatte gehofft«, begann Edwina, »daß sich dieser Antrag als ein Witz herausstellen würde, wenn auch als ein sehr schlechter.«

»Makaber dürfte zutreffender sein, Mrs. D'Orsey. Wenn das Ganze auch den Eindruck erweckt – ich versichere Ihnen, es ist kein Scherz. Der Antrag ist ernstgemeint.« Castleman deutete auf die Akte. »Ich habe alle Unterlagen und Angaben beigefügt, weil ich wußte, daß Sie sie würden sehen wollen. Ich nehme an, Sie haben den Bericht gelesen. Und meine Empfehlung.«

»Wollen Sie mir allen Ernstes empfehlen, soviel Geld für *diesen* Zweck zu gewähren?«

»Ich meine es todernst.« Castleman brach ab. »Verzeihung, das sollte keine Anspielung sein. Aber ich bin wirklich der Meinung, Sie sollten den Kredit bewilligen.«

Es stand alles in der Akte. Ein 43 Jahre alter Handelsvertreter für pharmazeutische Produkte namens Gosburne, wohnhaft und beschäftigt am Ort, beantragte einen Kredit von 25 000 Dollar. Er war verheiratet – in erster Ehe, die schon seit siebzehn Jahren bestand, das kleine Vorstadthaus war Eigentum der Gosburnes, abgesehen von einer kleinen Hypothek. Seit acht Jahren hatte das Ehepaar ein gemeinsames

Konto bei der FMA – alles absolut in Ordnung. Ein früheres, wenn auch kleineres Darlehen war prompt zurückgezahlt worden. Beruflich wie finanziell stand Gosburne gut da.

Die beantragte Summe sollte für den Kauf einer großen Edelstahlkapsel dienen, die das Kind der Gosburnes, Andrea, aufnehmen sollte. Sie war vor sechs Tagen im Alter von fünfzehn Jahren an einem Nierenleiden gestorben. Zur Zeit befand sich die in Trockeneis gelagerte Leiche des Kindes in der Halle eines Bestattungsunternehmens. Das Blut war ihr unmittelbar nach dem Tod entzogen und durch eine blutähnliche »Frostschutz«-Lösung mit der Bezeichnung Dimethylsulfoxid ersetzt worden.

Die Stahlkapsel war eigens zu dem Zweck konstruiert worden, flüssigen Stickstoff bei Temperaturen unter dem Gefrierpunkt aufzunehmen. Die in Aluminiumfolie gehüllte Leiche sollte in diese Flüssigkeit eingetaucht werden.

Kapseln der gewünschten Art – in Wirklichkeit handelte es sich um eine riesige Flasche, die unter der Bezeichnung »Cryo-Crypt« gehandelt wurde – gab es in Los Angeles zu kaufen, und sie sollte mit dem Flugzeug herangeschafft werden, sobald die Bank den Kredit genehmigt hatte. Etwa ein Drittel der beantragten Kreditsumme war für die Vorauszahlung der Kapsel-Lagerkosten bestimmt sowie für die alle vier Monate erforderliche Erneuerung des flüssigen Stickstoffs.

Castleman fragte Edwina: »Sie haben schon von Firmen gehört, die Leichen tiefgekühlt einlagern?«

»Gehört schon. Eine pseudo-wissenschaftliche Sache. Nicht sehr seriös.«

»Das stimmt. Und pseudo ist das rechte Wort. Aber diese Leute haben viele Anhänger, und sie haben Gosburne und seiner Frau eingeredet, daß sie warten müssen, bis die ärztliche Kunst fortgeschrittener sei als heute – sagen wir, in fünfzig oder hundert Jahren. Dann werde man Andrea auftauen, ins Leben zurückrufen und heilen können. Übrigens haben diese Tiefkühl-Leute auch einen eigenen Werbespruch: ›Einfrieren – Warten – Wiederbeleben‹.«

»Grauslich«, sagte Edwina.

»Im Prinzip bin ich auch Ihrer Meinung«, räumte der Kreditbearbeiter ein. »Aber sehen Sie die Sache einmal mit ihren

Augen. Sie glauben daran. Außerdem sind sie erwachsen, ausreichend intelligent und tief religiös. Woher wollen wir Bankleute das Recht nehmen, Richter und Geschworene in einer Person zu sein? Für mich lautet die einzige Frage – kann Gosburne den Kredit zurückzahlen? Ich habe mir die Zahlen angesehen, und ich sage, er kann es, und er wird es. Vielleicht ist der Mann ein Spinner. Aber die Akten zeigen, daß er jedenfalls ein Spinner ist, der seine Rechnungen bezahlt.«

Widerstrebend sah Edwina sich die Angaben über die Einnahmen und Ausgaben an. »Es wird für ihn eine harte finanzielle Belastung.«

»Das weiß der Mann, und er schwört, daß er damit fertig wird. Er will noch eine Nebenbeschäftigung annehmen. Und seine Frau sucht sich auch eine Arbeit.«

»Sie haben noch vier jüngere Kinder«, bemerkte Edwina zögernd.

»Ja.«

»Hat jemand sie darauf hingewiesen, daß die anderen Kinder – die lebenden – bald Geld für ihre Ausbildung und für vieles andere brauchen und daß sie die 25 000 Dollar bestimmt dringender nötig haben werden?«

»Ich habe darauf hingewiesen«, sagte Castleman. »Ich hatte zwei lange Gespräche mit Gosburne. Aber er sagt, die ganze Familie habe den Fall besprochen und die Entscheidung gemeinsam getroffen. Sie glauben, daß es eine Chance gibt, Andrea eines Tages wieder ins Leben zurückzuholen, und das ist ihnen jedes Opfer wert. Die Kinder sagen außerdem, daß sie später die Sorge übernehmen wollen.«

»Mein Gott.« Wieder schweiften Edwinas Gedanken zurück zum vergangenen Tag. Wann immer Ben Rossellis Ende käme, es würde ein würdiger Tod sein. Diese ganze Angelegenheit machte den Tod häßlich und zum Gespött. Durfte man das Geld der Bank – zu einem Teil Bens Geld – für einen solchen Zweck verwenden?

»Mrs. D'Orsey«, sagte Castleman, »ich habe diese Sache seit zwei Tagen auf dem Tisch. Anfangs dachte ich genauso wie Sie – die Angelegenheit hat etwas Krankhaftes. Aber ich habe darüber nachgedacht und meine Meinung geändert. Ich finde, es handelt sich um ein akzeptables Risiko.«

*Akzeptables Risiko.* Edwina war sich bewußt, daß Cliff Castleman im Grunde recht hatte, denn das ganze Bankgeschäft drehte sich um nichts anderes als um akzeptable Risiken. Er hatte auch recht mit seiner Erklärung, daß keine Bank sich als Richter über persönliche Angelegenheiten aufspielen sollte.

Natürlich könnte sich dieses spezielle Risiko doch als zu groß herausstellen. Aber selbst wenn das eintreten sollte, würde man es Castleman nicht anlasten. Er hatte sich in seiner ganzen bisherigen Karriere gut gehalten, seine »Siege« waren weit größer als seine Verluste. Tatsächlich war es so, daß eine ununterbrochene Kette von Erfolgen gar nicht gern gesehen wurde. Von einem aktiven und dynamischen Kleinkreditbearbeiter erwartete man geradezu, daß einige der von ihm vergebenen Darlehen »sauer« wurden. Geschah das nie, konnte sich sein Erfolg ins Gegenteil verkehren, nämlich dann, wenn ein Computertext die Geschäftsleitung darauf aufmerksam machte, dieser Mann bewirke durch übertriebene Vorsicht, daß der Bank Geschäfte entgingen.

»Also gut«, sagte Edwina. »Ich finde die Angelegenheit abscheulich, aber ich schließe mich Ihrem Urteil an.«

Sie kritzelte ihre Initialen. Castleman ging wieder zu seinem Schreibtisch zurück.

So hatte dieser Tag – abgesehen von einem Darlehen für eine eingefrorene Tochter – wie jeder andere begonnen.

Er blieb auch so bis zum frühen Nachmittag.

An Tagen, an denen sie allein zu Mittag aß, ging Edwina in die Cafeteria drüben im Souterrain der FMA-Zentrale. Es war laut dort, das Essen war mittelmäßig, aber es wurde schnell bedient, und sie konnte in fünfzehn Minuten wieder draußen sein.

An diesem Tag hatte sie einen Kunden als Gast, und sie machte von ihrem Privileg als Vizepräsidentin Gebrauch. Sie führte ihn in das Kasino für leitende Angestellte hoch oben im Direktions-Turm. Ihr Gast war Finanzdirektor des größten Warenhauses der Stadt, und er suchte einen kurzfristigen Drei-Millionen-Dollar-Kredit zur Deckung einer Liquiditätslücke, die durch einen schwachen Herbstausverkauf im Verein mit außergewöhnlich kostspieligen Einkäufen für das Weihnachtsgeschäft entstanden war.

»Diese verdammte Inflation!« schimpfte der Finanzdirektor, während er sich seinem Spinat-Soufflé widmete. Dann leckte er sich die Lippen und fügte hinzu: »Aber wir holen unser Geld in den nächsten beiden Monaten wieder herein, und noch einen Batzen dazu. Santa Claus hat es immer gut mit uns gemeint.«

Das Konto dieses Warenhauses war wichtig für die Bank; trotzdem verhandelte Edwina mit Härte und schlug günstige Bedingungen für die FMA heraus. Der Kunde brummte und schimpfte vor sich hin, aber als der Pfirsich Melba zum Nachtisch erschien, hatte er die Bedingungen akzeptiert. Die drei Millionen Dollar überstiegen zwar Edwinas persönliche Vollmacht, aber sie rechnete nicht mit Schwierigkeiten von seiten der Geschäftsleitung. Sollte es nötig werden, würde sie eben mit Alex Vandervoort reden, um die Sache zu beschleunigen; er hatte ihre Entscheidungen in der Vergangenheit immer unterstützt.

Als sie beim Kaffee saßen, brachte die Kellnerin eine Nachricht an ihren Tisch.

»Mrs. D'Orsey«, sagte das Mädchen, »ein Mr. Tottenhoe ist am Telefon und möchte Sie sprechen. Er sagt, es sei dringend.«

Edwina entschuldigte sich bei ihrem Gast und ging in den kleinen Nebenraum, wo das Telefon stand.

Die Stimme des Innenleiters klang gekränkt. »Ich habe überall versucht, Sie aufzutreiben.«

»Das ist Ihnen ja nun gelungen. Was gibt's denn?«

»Wir haben einen erheblichen Fehlbetrag an Bargeld.« Er berichtete: Eine Kassiererin hatte den Verlust vor einer halben Stunde gemeldet. Seither wurde ununterbrochen nachgeprüft. Edwina glaubte aus Tottenhoes Stimme nicht nur tiefe Melancholie, sondern auch Panik herauszuhören und fragte, wie groß der Betrag sei.

Er schluckte vernehmlich. »Sechstausend Dollar.«

»Ich komme sofort.«

In weniger als einer Minute hatte sie sich von ihrem Gast verabschiedet und fuhr im Expreß-Lift abwärts.

## 5

»Das einzige, was bisher feststeht«, sagte Tottenhoe mürrisch, »ist die Tatsache, daß sechstausend Dollar in bar nicht da sind, wo sie sein müßten.«

Der Innenleiter war einer der vier Personen, die jetzt um Edwina D'Orseys Schreibtisch herum saßen. Die anderen waren Edwina selbst, der junge Miles Eastin, Tottenhoes Assistent, und eine Kassiererin namens Juanita Núñez.

Das Geld fehlte in Juanita Núñez' Kassenwagen.

Eine halbe Stunde war seit Edwinas Rückkehr in die City-filiale vergangen. Während die anderen ihr am Schreibtisch gegenübersaßen und sie ansahen, wandte sich Edwina an Tottenhoe. »Es stimmt, was Sie sagen, aber das genügt mir nicht. Ich möchte, daß wir alles noch einmal ganz von vorn durchgehen, langsam und sorgfältig.«

Es war kurz nach 15.00 Uhr. Die letzten Kunden hatten die Bank verlassen, die äußeren Türen waren geschlossen.

Wie üblich ging die emsige Tätigkeit in der Filiale auch nach Ende der Kassenstunden weiter; aber Edwina spürte, wie die Blicke heimlich zu der Plattform herüberhuschten. Die Angestellten hatten inzwischen gemerkt, daß hier ernsthaft etwas nicht in Ordnung war.

Sie rief sich ins Bewußtsein, daß jetzt alles darauf ankam, Ruhe zu bewahren, analytisch zu denken, jede noch so bruchstückhafte Information genau zu prüfen. Sie nahm sich vor, auf jede Nuance in Haltung und Sprache der anderen zu achten – und ganz besonders bei Mrs. Núñez.

Edwina wußte aber auch, daß sie es nicht mehr lange hinauszögern durfte, die Zentrale von dem allem Anschein nach erheblichen Bargeldverlust zu benachrichtigen. Danach würde sich die Sicherheitsabteilung einschalten und wahrscheinlich auch das FBI. Aber solange es noch eine Chance gab, den Fall ohne Aufhebens zu klären, wollte sie es wenigstens versuchen.

»Wenn Sie gestatten, Mrs. D'Orsey«, sagte Miles Eastin, »mache ich den Anfang, denn ich war der erste, dem Juanita es gemeldet hat.« Seine übliche forsche Fröhlichkeit war verschwunden.

Wie Eastin der Gruppe berichtete, war die Möglichkeit eines Defizits im Barbestand wenige Minuten vor 14.00 Uhr zu seiner Kenntnis gelangt. Juanita Núñez war bei ihm erschienen und hatte erklärt, sie glaube, daß aus ihrem Bargeldfach die Summe von sechstausend Dollar verschwunden sei.

Miles Eastin arbeitete gerade selbst als Kassierer an einem Schalter; er war fast den ganzen Tag über eingesprungen, weil zu viele Kassierer fehlten, und da sich sein Arbeitsplatz nur zwei Schalter von Juanita Núñez entfernt befand, hatte sie ihm ihren Verdacht gemeldet; bevor sie zu ihm gegangen war, hatte sie ihr Geldfach verschlossen.

Eastin hatte sofort sein eigenes Geldfach verschlossen und war zu Tottenhoe gegangen.

Mit noch düsterer Miene als üblich nahm Tottenhoe jetzt den Faden auf.

Er war sofort zu Mrs. Núñez gegangen und hatte mit ihr gesprochen. Anfangs hatte er nicht geglaubt, daß genau runde sechstausend Dollar verschwunden sein sollten, denn selbst wenn sie den Verdacht hatte, daß Geld fehlte, so war es doch in diesem Stadium praktisch unmöglich, schon die Höhe des Betrages anzugeben.

Der Innenleiter zählte auf: Juanita Núñez hatte den ganzen Tag gearbeitet. Begonnen hatte sie am Morgen mit etwas mehr als zehntausend Dollar Bargeld aus dem Tresorraum, und seit Öffnung der Schalterhalle um 9.00 Uhr hatte sie die verschiedensten Beträge eingenommen und ausgezahlt. Das bedeutete, daß sie schon fast fünf Stunden lang gearbeitet hatte, ausgenommen die Mittagspause von 45 Minuten Dauer, und während dieser ganzen Zeit hatten sich viele Menschen in der Bank befunden. Alle Kassierer hatten viel zu tun. Außerdem waren die Bareinzahlungen an diesem Tag höher gewesen als üblich; deshalb dürfte der Geldbetrag in ihrem Fach – Schecks nicht mitgerechnet – auf gut und gern zwanzig- oder fünfundzwanzigtausend Dollar angewachsen sein. Wieso also, argumentierte Tottenhoe, konnte Mrs. Núñez so sicher sein, nicht nur, daß Geld fehlte, sondern auch, daß eine ganz bestimmte Summe fehlte?

Edwina nickte. Die gleiche Frage hatte sich ihr auch schon aufgedrängt.

So unauffällig wie möglich beobachtete Edwina die junge Frau. Sie war klein, sehr schlank, dunkelhaarig, nicht eigentlich hübsch, aber doch aufreizend, in einer halb mädchenhaften, halb wissenden Art. Sie sah wie eine Puertorikanerin aus, und das war sie auch. Bei den wenigen Worten, die sie gesagt hatte – sie redete nur, wenn sie gefragt wurde –, sprach sie mit deutlichem Akzent.

Es war nicht leicht zu entscheiden, welche Position Juanita Núñez eigentlich bezog. Kooperativ war ihre Haltung gewiß nicht, jedenfalls nicht nach außen, dachte Edwina, und die junge Frau hatte keinerlei Informationen beigesteuert, die über ihre ursprünglich abgegebene Erklärung hinausgegangen wären. Von Anfang an hatte der Gesichtsausdruck der Kassiererin entweder mürrisch oder ablehnend-feindselig gewirkt. Gelegentlich schienen ihre Gedanken abzuschweifen, so als langweile sie sich und halte die ganze Prozedur für reine Zeitverschwendung. Aber sie war zugleich auch nervös, was sich durch die krampfhaft zusammengepreßten Hände und beständiges Herumdrehen eines dünnen goldenen Eherings verriet. Edwina hatte den auf ihrem Schreibtisch liegenden Personalbogen durchgesehen und wußte, daß Juanita Núñez fünfundzwanzig Jahre alt und verheiratet war, doch getrennt lebte, und daß sie ein drei Jahre altes Kind hatte. Sie arbeitete seit fast zwei Jahren für die First Mercantile American, und zwar von Anfang an als Kassiererin. Was nicht auf dem Personalbogen stand, was Edwina aber irgendwann einmal gehört hatte, war dies: Mrs. Núñez sorgte allein, ohne Hilfe für ihr Kind, und sie war in finanziellen Schwierigkeiten gewesen, war es vielleicht auch jetzt noch, weil ihr Mann sich nicht nur davongemacht, sondern ihr auch Schulden hinterlassen hatte.

Obwohl er bezweifelte, daß Mrs. Núñez die Höhe der möglicherweise fehlenden Summe kennen konnte, fuhr Tottenhoe fort, habe er sie an ihrem Schalter ablösen und sie sogleich »mit ihrem Bargeldbestand einschließen« lassen.

Dieses »Einschließen« war in Wirklichkeit eine Schutzmaßnahme für den betroffenen Angestellten; es handelte sich um eine in Fällen dieser Art übliche Routinemaßnahme. Sie bedeutete lediglich, daß der Kassierer zusammen mit seinem

Geldfach und einer Rechenmaschine in einem kleinen geschlossenen Büro untergebracht und angewiesen wurde, sämtliche Transaktionen des Tages nachzurechnen.

Tottenhoe wartete draußen.

Schon nach kurzer Zeit rief sie den Innenleiter herein. Ihr Bargeldbestand stimme nicht, erklärte sie. Es fehle ein Betrag von sechstausend Dollar.

Tottenhoe zog Miles Eastin hinzu, und gemeinsam nahmen sie eine zweite Kontrolle vor, während Juanita Núñez dabeisaß und zusah. Sie stellten fest, daß ihre Angaben korrekt waren. Ohne Zweifel fehlte Bargeld, und zwar genau die Summe, die sie von Anfang an genannt hatte.

Als die Dinge so weit gediehen waren, hatte Tottenhoe Edwina angerufen.

»Damit sind wir also wieder am Ausgangspunkt angelangt«, sagte Edwina. »Hat vielleicht irgend jemand eine neue Idee?«

Miles Eastin meldete sich zu Wort. »Ich würde Juanita gern ein paar weitere Fragen stellen.«

Edwina nickte.

»Denken Sie bitte genau über meine Frage nach, Juanita«, begann Eastin. »Haben Sie heute irgendwann im Laufe des Tages einem anderen Kassierer mit Geld ausgeholfen?«

Die Gepflogenheit war allen bekannt. Es kam oft vor, daß einem Kassierer Banknoten oder Münzen eines bestimmten Wertes ausgingen, und wenn das mitten im Hochbetrieb geschah, marschierten die Kassierer nicht erst in den Tresorraum, sondern halfen sich gegenseitig durch »Kaufen« oder »Verkaufen« von Bargeld aus. Um die Sache aktenkundig zu machen, füllten sie rasch ein kleines Formular aus. Aber gelegentlich wurden in der Eile oder aus Unachtsamkeit Fehler gemacht, so daß dann am Ende des Geschäftstages der eine Kassierer zu wenig, der andere zuviel Bargeld hatte. Es war jedoch kaum vorstellbar, daß eine Differenz dieser Art sechstausend Dollar betragen sollte.

»Nein«, sagte die Kassiererin. »Kein Kauf, kein Verkauf. Heute nicht.«

Eastin gab nicht auf. »Ist Ihnen heute irgendwann aufgefallen, daß ein anderer Angestellter in die Nähe Ihres Bargeldes gekommen ist, so daß er etwas hätte nehmen können?«

»Nein.«

»Als Sie heute zu mir kamen, Juanita«, sagte Eastin, »und mir meldeten, daß Ihrer Meinung nach Geld fehlte, wie lange hatten Sie da schon etwas davon gewußt?«

»Ein paar Minuten.«

Edwina warf ein: »Wie lange nach Ihrer Mittagspause war das, Mrs. Núñez?«

Die junge Frau zögerte, sie schien sich in diesem Punkt weniger sicher zu sein. »Vielleicht zwanzig Minuten.«

»Reden wir jetzt mal von der Zeit *vor* Ihrer Mittagspause«, sagte Edwina. »Glauben Sie, daß das Geld da auch schon gefehlt hat?«

Juanita Núñez schüttelte verneinend den Kopf.

»Wieso können Sie sich dessen so sicher sein?«

»Ich weiß es.«

Edwina begann sich über die wenig hilfreichen und einsilbigen Antworten zu ärgern. Und die verdrossene Feindseligkeit, die sie von Anfang an gespürt hatte, schien jetzt deutlicher hervorzutreten.

Tottenhoe wiederholte die entscheidende Frage. »Warum waren Sie nach der Mittagspause so sicher, nicht nur, daß Bargeld fehlte, sondern auch, daß eine ganz bestimmte Summe fehlte?«

Das kleine Gesicht der jungen Frau drückte Trotz aus. »Ich wußte es.«

Es herrschte ungläubiges Schweigen.

»Halten Sie es für denkbar, daß Sie irgendwann im Laufe des Tages einem Kunden versehentlich sechstausend Dollar ausgezahlt haben?«

»Nein.«

Miles Eastin fragte: »Als Sie vor der Mittagspause Ihren Schalterplatz verließen, Juanita, da haben Sie doch Ihr Geldfach in den Tresorraum gebracht, das Kombinationsschloß eingestellt und das Geld dort gelassen. Ist das richtig?«

»Ja.«

»Wissen Sie ganz genau, daß Sie das Schloß betätigt haben?«

Die junge Frau nickte entschieden mit dem Kopf.

»War das Schloß des Innenleiters geschlossen?«

»Nein, es war offen.«

Auch das war normal. War die Kombination des Innenleiters am Morgen auf »Offen« eingestellt, so war es üblich, sie tagsüber in dieser Position zu lassen.

»Aber als Sie vom Essen zurückkamen, da war Ihr Geldfach noch im Tresorraum, und es war noch verschlossen?«

»Ja.«

»Kennt außer Ihnen selbst noch irgend jemand Ihre Kombination? Haben Sie sie irgendwann mal einem anderen verraten?«

»Nein.«

Einen Augenblick stockte die Befragung. Die beiden anderen, die an ihrem Schreibtisch saßen, gingen jetzt wohl, wie Edwina vermutete, im Geiste noch einmal Schritt für Schritt das Tresor-Verfahren dieser Filiale durch.

Das Bargeldfach, von dem Miles Eastin gesprochen hatte, war in Wirklichkeit eine tragbare Panzerkassette auf einem ziemlich hohen Ständer mit Rollen, leicht genug, um ohne große Mühe bewegt werden zu können. Einige Banken nannten das Ding auch den Bargeldwagen. Jeder Kassierer besaß seinen eigenen Wagen, der auffällig numeriert war und im allgemeinen immer nur von diesem einen Kassierer benutzt wurde. Ein paar Ersatzwagen standen für Ausnahmefälle zur Verfügung. Einen davon hatte sich Miles Eastin an diesem Tag genommen.

Alle Kassierer-Geldwagen wurden beim Einfahren in den Tresorraum und beim Verlassen genau vom Stahlkammer-Chefkassierer registriert. Es war nicht möglich, einen Geldwagen hineinzubringen oder herauszuholen, ohne daß der Chefkassierer es bemerkte und registrierte; ebenso unmöglich war es, den Wagen eines Kollegen herauszuholen, sei es mit Absicht oder aus Versehen. Nachts und an den Wochenenden war die massive Stahlkammer fester versiegelt als ein Pharaonengrab.

Jeder Geldwagen hatte zwei Kombinationsschlösser, die gegen alle Eingriffe von außen gesichert waren. Das eine Schloß stellte der Kassierer selbst ein, das andere betätigte der Innenleiter oder sein Assistent. Wenn also morgens ein Geldfach geöffnet wurde, dann geschah es in Anwesenheit von zwei Personen – nämlich des Kassierers und eines Betriebsangehörigen.

Die Kassierer hatten Anweisung, sich ihre Kombination einzuprägen und sie keinem anderen Menschen anzuvertrauen; auf Wunsch des Kassierers konnte jedoch seine Kombination jederzeit geändert werden. Es gab nur eine einzige schriftliche Notiz über die Kombination des Kassierers, und die befand sich in einem versiegelten, doppelt gezeichneten Umschlag, der zusammen mit anderen in einem – ebenfalls mit Doppelschloß versehenen – Stahlschließfach verwahrt wurde. Das Siegel dieses Umschlags wurde nur aufgebrochen, wenn ein Kassierer starb, erkrankte oder die Bank verließ.

Auf diese Weise wurde sichergestellt, daß nur der tatsächliche Benutzer des Bargeldfachs die Kombination kannte, mit der es geöffnet werden konnte. Kassierer und Bank waren so gegen Diebstahl geschützt.

Außerdem waren die Bargeldwagen durch ein eingebautes Alarmsystem gesichert. Wurden sie an ihren Platz hinter dem Schalter geschoben, verband eine automatische Steckervorrichtung sie mit einer Signalanlage, die ihre Fühler über die ganze Bank und darüber hinaus ausstreckte. Eine Warntaste war in dem Fach unter einem harmlos wirkenden Stapel von Banknoten verborgen. Das war das »Ködergeld«.

Die Kassierer durften das Ködergeld niemals für normale Transaktionen verwenden; bei einem Banküberfall jedoch hatten sie dieses Geld zuerst auszuhändigen. Durch das einfache Aufnehmen der Noten wurde die lautlose Warntaste betätigt. Sie alarmierte die Sicherheitsabteilung der Bank und die Polizei, die gewöhnlich in Minutenschnelle auf dem Schauplatz erschien; außerdem setzte die Taste die in der Decke verborgenen Filmkameras in Betrieb. Die Nummern der Köder-Banknoten waren notiert und konnten später vor Gericht als Beweismittel dienen.

Edwina fragte Tottenhoe: »Ist das Ködergeld unter den verschwundenen sechstausend Dollar?«

Der Innenleiter schüttelte den Kopf. »Nein. Das Ködergeld ist in Ordnung. Ich habe es geprüft.«

Also auch hier Fehlanzeige, überlegte Edwina.

Miles Eastin wandte sich noch einmal an die Kassiererin.

»Juanita, wenn Sie mal ganz genau überlegen, können Sie sich dann vorstellen, daß irgend jemand, *irgendeiner* das Geld aus Ihrem Fach genommen haben könnte?«

»Nein«, sagte Juanita Núñez.

Edwina beobachtete die junge Frau genau, als sie antwortete, und sie glaubte, so etwas wie Furcht zu entdecken. Grund genug hätte sie ja, denn bei einem Verlust in dieser Größenordnung gab so leicht keine Bank auf.

Edwina glaubte jetzt zu wissen, was mit dem verschwundenen Geld passiert war: Juanita Núñez hatte es gestohlen. Eine andere Erklärung war nicht möglich. Die Schwierigkeit bestand nur darin nachzuweisen, *wie* sie es gestohlen hatte.

Das wahrscheinlichste war, daß Juanita Núñez das Geld einem Komplicen einfach ausgezahlt hatte. Das wäre keinem Menschen aufgefallen. An einem Tag mit lebhaftem Kundenverkehr mußte es wie ein ganz routinemäßiger Auszahlungsvorgang gewirkt haben. Oder die junge Frau konnte das Geld am Körper versteckt und es während der Mittagspause aus der Bank hinausgeschmuggelt haben. Diese Methode war allerdings sehr viel riskanter.

Über eines mußte sich Mrs. Núñez allerdings im klaren gewesen sein, nämlich daß sie ihre Stellung verlieren würde, gleichgültig, ob ihr der Diebstahl nachgewiesen werden konnte oder nicht. Den Kassierern wurden gelegentliche Bargeld-Unstimmigkeiten zugestanden; Irrtümer beim Zählen waren normal und einkalkuliert. Im Laufe eines Jahres hatten die meisten Kassierer einen Durchschnitt von acht Mehr- oder Minderbeträgen. Wenn der Fehlbetrag die Summe von fünfundzwanzig Dollar nicht überschritt, sagte gewöhnlich kein Mensch etwas. Wem aber ein erheblicher Betrag fehlte, dem flatterte die Kündigung ins Haus; das wußte jeder Kassierer.

Es war natürlich denkbar, daß Juanita Núñez das einkalkuliert hatte. Vielleicht waren ihr sechstausend Dollar bar auf der Hand im Augenblick wichtiger als ihr Arbeitsplatz, auch wenn sie es später schwer haben würde, eine neue Anstellung zu finden. Wie dem auch gewesen sein mochte, Edwina tat die junge Frau leid. Sicher war es bei ihr ein Akt der Verzweiflung gewesen. Vielleicht hing ihre Notlage mit ihrem Kind zusammen.

»Ich glaube nicht, daß wir jetzt noch etwas tun können«, sagte Edwina zu der Gruppe. »Ich muß die Zentrale benachrichtigen. Sie wird dann die Untersuchungen weiterführen.«

Als die drei aufstanden, fügte sie hinzu: »Mrs. Núñez, bitte bleiben Sie.« Die junge Frau setzte sich wieder.

Als die anderen außer Hörweite waren, versuchte es Edwina noch einmal in einem ganz persönlichen Ton: »Juanita, ich meine, wir sollten jetzt ganz offen miteinander reden, wie zwei gute Freunde.« Sie hatte ihre anfängliche Ungeduld von sich geschoben. Sie spürte, wie die dunklen Augen der jungen Frau angespannt auf ihrem Gesicht ruhten.

»Zwei Dinge sind Ihnen gewiß längst klar. Erstens, daß es eine sehr gründliche Untersuchung geben wird; man wird das FBI einschalten, denn unsere Bank ist über die Grenzen unseres Bundesstaates hinaus versichert. Zweitens ist es ganz ausgeschlossen, daß man Sie nicht verdächtigen wird.« Edwina machte eine Pause. »Ich spreche in dieser Sache ganz offen. Verstehen Sie?«

»Ich verstehe. Aber ich habe kein Geld genommen.«

Edwina fiel auf, daß die junge Frau noch immer nervös ihren Ehering herumdrehte.

Edwina überlegte sich jedes Wort, das sie jetzt sprach. Sie mußte auf jeden Fall eine direkte Beschuldigung umgehen; sonst könnten der Bank später juristische Schwierigkeiten entstehen.

»Wie lange die Untersuchung auch dauert, Juanita, es ist so gut wie sicher, daß die Wahrheit schließlich herauskommt; das ist eine alte Erfahrungstatsache. Die Ermittler sind gründlich. Sie geben nicht auf.«

Die junge Frau wiederholte, diesmal mit mehr Nachdruck: »Ich habe das Geld nicht genommen.«

»Das habe ich auch nicht behauptet. Aber eins möchte ich Ihnen ans Herz legen: Sollten Sie zufällig etwas wissen, was Sie noch nicht gesagt haben, dann sagen Sie es jetzt, dann sagen Sie es mir hier, wo wir in aller Ruhe beisammensitzen und uns unterhalten. Danach gibt es diese Chance nicht mehr. Dann ist es zu spät.«

Juanita Núñez schien etwas sagen zu wollen. Edwina hob eine Hand. »Nein, hören Sie mich erst zu Ende an. Ich gebe

Ihnen ein Versprechen. Erhält die Bank das Geld zurück, sagen wir, bis morgen, dann wird es keine gerichtlichen Schritte, kein Strafverfahren geben. In aller Fairneß muß ich allerdings sagen, daß jemand, der diese Summe genommen hat, nicht mehr für unsere Bank arbeiten kann. Aber mehr würde auch nicht passieren. Das garantiere ich. Juanita, haben Sie mir *irgend etwas* zu sagen?«

»Nein, nein, nein! *¡Te lo juro por mi hija!*« Die Augen der Kassiererin funkelten, ihr Gesicht hatte sich vor Zorn gerötet. »Ich sage Ihnen doch, ich habe kein Geld genommen, weder jetzt noch sonst irgendwann!«

Edwina seufzte.

»Gut, das wär's dann fürs erste. Aber bitte verlassen Sie die Bank nicht, ohne mir vorher Bescheid zu geben.«

Juanita Núñez schien eine weitere hitzige Antwort auf der Zunge zu liegen, aber dann stand sie mit einem leichten Achselzucken auf und wandte sich zum Gehen.

Von ihrem erhöhten Schreibtisch aus ließ Edwina den Blick über das emsige Treiben rings um sie her schweifen. Das war ihre eigene kleine Welt, ihr persönlicher Verantwortungsbereich. Noch immer wurden die Transaktionen des Tages durchgerechnet und verbucht. Allerdings hatte eine erste Kontrolle bereits ergeben, daß kein Kassierer – wie man zunächst noch gehofft hatte – einen Überschußbetrag von sechstausend Dollar in seiner Kasse hatte.

Alles klang gedämpft in diesem modernen Bau – das Stimmengewirr, das Rascheln von Papieren, das Scheppern von Münzen, das Klicken und Rasseln der Rechenmaschinen. Einen Augenblick nahm sie das alles in sich auf, und plötzlich mußte sie denken, daß sie diese Woche aus zwei Gründen nicht so leicht vergessen würde. Dann erinnerte sie sich an ihre Pflicht. Sie hob einen Telefonhörer ab und wählte einen Hausanschluß.

»Sicherheitsabteilung«, meldete sich eine Frauenstimme.

»Bitte Mr. Wainwright«, sagte Edwina.

## 6

Seit dem vergangenen Tag fiel es Nolan Wainwright schwer, sich auf die normale Alltagsarbeit in der Bank zu konzentrieren.

Den Chef der Sicherheitsabteilung hatte das Treffen am Dienstag morgen im Sitzungssaal tief berührt, nicht zuletzt deshalb, weil ihn im Laufe eines Jahrzehnts Freundschaft und gegenseitiger Respekt mit Ben Rosselli verbunden hatten.

So war es allerdings nicht immer gewesen.

Als er am Vortag vom Direktionsgeschoß in sein eigenes, bescheideneres Büro zurückgekehrt war, dessen Fenster auf einen Lichtschacht hinausgingen, hatte Wainwright seine Sekretärin gebeten, ihn vorläufig nicht zu stören. Dann hatte er sich niedergeschlagen an seinen Schreibtisch gesetzt, und seine Gedanken waren viele Jahre zurückgewandert, in die Zeit, da er zum ersten Mal mit Ben Rossellis Willen kollidiert war.

Zehn Jahre war das nun her. Nolan Wainwright war damals gerade zum Polizeichef einer kleinen Stadt im Norden des Bundesstaates ernannt worden. Davor war er Leutnant der Kriminalpolizei in einer Großstadt gewesen, wo er einen ausgezeichneten Ruf genossen hatte. Er war ohne Zweifel für einen Chefposten befähigt, und in dem allgemeinen Klima, das damals herrschte, konnte es sich für seine Kandidatur nur als nützlich erweisen, daß die Farbe seiner Haut Schwarz war.

Kurz nach der Ernennung des neuen Polizeichefs wurde Ben Rosselli in dieser Stadt von einer Verkehrsstreife gestoppt, da er in einem Tempo von 120 Stundenkilometern durch eine Straße am Rande des kleinen Orts gebraust war. Der Streifenpolizist überreichte ihm den Strafzettel und eine Vorladung vor das Verkehrsgericht.

Vielleicht weil sein Leben in jeder anderen Beziehung eher konservativ verlief, hatte Ben Rosselli eine Vorliebe für schnelle Wagen, und er fuhr sie so, wie ihre Konstrukteure es vorgesehen hatten – mit dem rechten Fuß in Bodennähe.

Eine Vorladung wegen Überschreitung der Höchstgeschwindigkeit war eine Routinesache. Wieder in der Zentrale der First Mercantile American angelangt, schickte er die Vorladung wie üblich an die Sicherheitsabteilung der Bank mit der Weisung, die Sache in Ordnung zu bringen. Für den mächtigsten Geldmann des Bundesstaates ließ sich manches diskret regeln – und meistens auch mit Erfolg.

Die Vorladung wurde am nächsten Tag durch Kurier dem FMA-Filialleiter der Stadt zugestellt, in der man Ben Rosselli erwischt hatte. Es ergab sich zufällig, daß der Filialleiter zugleich auch Mitglied des Gemeinderats war und seinen ganzen Einfluß geltend gemacht hatte, um Nolan Wainwrights Ernennung zum Polizeichef durchzusetzen.

Der Filialleiter und Kommunalpolitiker begab sich zum Büro des Polizeichefs, um die Vorladung vor das Verkehrsgericht annullieren zu lassen. Er war die Liebenswürdigkeit selbst. Aber Nolan Wainwright blieb eisern.

Schon etwas weniger liebenswürdig wies der Politiker den Polizeichef auf die Tatsache hin, daß er ein Neuling in dieser Kommune sei, daß er dringend Freunde brauche und störrisches Verweigern eines kleinen Gefallens ihm keine gewinne. Wainwright lehnte es ab, irgend etwas in der Vorladungssache zu unternehmen.

Der Kommunalpolitiker kehrte jetzt den Bankier heraus und erinnerte den Polizeichef daran, daß er bei der First Mercantile American ein Wohnungsdarlehen beantragt habe, um Frau und Kinder in die Stadt nachholen zu können. Mr. Rosselli, fügte der Filialleiter überflüssigerweise hinzu, sei Präsident der FMA.

Nolan Wainwright entgegnete, er könne keinerlei Zusammenhang zwischen einem Wohnungsdarlehen und einer Vorladung vor das Verkehrsgericht erblicken.

Die Dinge nahmen ihren Lauf, und Mr. Rosselli, der sich vor Gericht durch einen Anwalt vertreten ließ, erhielt eine hohe Geldbuße auferlegt wegen erheblicher Überschreitung der Höchstgeschwindigkeit und außerdem drei Strafpunkte, die in seinen Führerschein eingetragen wurden. Er schäumte vor Wut.

Auch die andere Sache nahm ihren Lauf, und der Antrag Nolan Wainwrights auf Gewährung eines Wohnungsdarlehens wurde von der First Mercantile American Bank abgelehnt.

Es war noch keine Woche vergangen, da erschien Wainwright in Rossellis Büro im 36. Stock des Towers der Zentrale. Ben Rosselli hielt sich immer viel zugute auf seine Politik der offenen Tür.

Als er erfuhr, wer ihn da besuchte, war Ben Rosselli überrascht, daß es sich um einen Schwarzen handelte. Das hatte ihm keiner gesagt. Nicht, daß es den noch immer schwelenden Zorn zu kühlen vermochte, den der Bankier wegen der beschämenden Strafpunkte in seinem Führerschein empfand – es waren immerhin die ersten seines Lebens.

Wainwright sprach kühl und besonnen. Zu Ben Rossellis Ehre muß gesagt werden, daß er weder vom Darlehensantrag des Polizeichefs Kenntnis gehabt hatte noch von der Ablehnung dieses Antrags; mancherlei Dinge wurden auf sehr viel niedrigerer Ebene entschieden. Aber die Sache roch nach einer Ungerechtigkeit, und so ließ er auf der Stelle die Darlehensakte kommen, die er durchsah, während Nolan Wainwright wartete.

»Eins würde mich interessieren«, sagte Ben Rosselli, als er mit der Lektüre zu Ende war, »was werden Sie tun, wenn wir diesen Darlehensantrag ablehnen?«

Wainwrights Antwort fiel kurz und kalt aus. »Ich werde kämpfen. Ich nehme mir einen Anwalt, und dann gehen wir erst einmal zum Bürgerrechtsausschuß. Haben wir da keinen Erfolg, werde ich nacheinander jede Möglichkeit ausnutzen, um Ihnen Schwierigkeiten zu machen.«

Es war zu spüren, daß er es ernst meinte, und der Bankier fauchte ihn an: »Auf Drohungen reagiere ich nicht.«

»Ich habe Ihnen nicht gedroht. Sie haben mir eine Frage gestellt, und ich habe geantwortet.«

Ben Rosselli zögerte. Dann kritzelte er seine Unterschrift auf die Akte. Ohne eine Miene zu verziehen, sagte er: »Der Antrag ist genehmigt.«

Bevor Wainwright ging, erkundigte sich der Bankier: »Was passiert jetzt, wenn ich zu schnell durch Ihre Stadt fahre?«

»Dann werden Sie wieder vorgeladen. Kommt es zu einem Schuldspruch im Wiederholungsfalle, wandern Sie wahrscheinlich ins Gefängnis.«

Als Ben Rosselli dem Polizisten nachblickte, schoß ihm – wie er Wainwright Jahre später anvertraute – der Gedanke durch den Kopf: *Du selbstgerechter Hund. Warte nur, eines Tages kriege ich dich schon!*

Es war ihm nie gelungen, jedenfalls nicht in diesem Sinne – wohl aber in einem anderen. Als die Bank später einen Sicherheitschef suchte, der – wie der Personaldirektor sagte – »hartnäckig, stark und gegen Korruption absolut gefeit« sein mußte, erklärte Ben Rosselli: »Ich kenne so einen Mann.«

Bald darauf wurde Nolan Wainwright das Angebot gemacht, ein Vertrag wurde unterschrieben, und Wainwright arbeitete hinfort für die FMA.

Von diesem Tage an war es nie mehr zu einem Zusammenstoß zwischen Ben Rosselli und Wainwright gekommen. Der neue Sicherheitschef leistete gute Arbeit; in Abendkursen eignete er sich an, was er über Theorie und Praxis des Bank- und Geldgeschäfts wissen mußte. Rosselli seinerseits mutete Wainwright niemals zu, gegen seinen strengen Moralkodex zu handeln, und seine Strafzettel wegen Überschreitung der Höchstgeschwindigkeit ließ er auf anderem Wege, nicht über die Sicherheitsabteilung, in Ordnung bringen, in der Annahme, daß Wainwright nichts davon wußte, was aber in den meisten Fällen ein Irrtum war. Die Freundschaft, die sie füreinander empfanden, wuchs und festigte sich, und nach dem Tode von Ben Rossellis Frau geschah es oft, daß Wainwright bei dem alten Mann zu Abend aß und sie dann bis in die Nacht hinein miteinander Schach spielten.

In gewisser Weise waren diese Abende auch für Wainwright ein Trost, denn kurz nach seinem Eintritt bei der FMA war seine Ehe geschieden worden. Seine neuen Aufgaben und die abendlichen Sitzungen mit dem alten Bankier halfen ihm ein wenig darüber hinweg.

Gelegentlich sprachen sie dabei auch über ihre persönlichen Ansichten und Überzeugungen, und es war ihnen bewußt, daß sie einander in mancher Beziehung beeinflußten. Diese Beeinflussung betraf manchmal aber auch so subtile Dinge, daß es ihnen selber verborgen blieb. Und Wainwright war es auch – was nur diesen beiden Männern bekannt war –, der nicht wenig dazu beitrug, daß der Bankpräsident sein persönliches Prestige und das Kapital der FMA für die Förderung des Projekts Forum East in jenem vernachlässigten Teil der

Stadt einsetzte, in dem Wainwright geboren worden war und in dem er die Jahre seiner Kindheit und frühen Jugend verbracht hatte.

So hatte Nolan Wainwright, wie viele andere in der Bank, seine eigenen privaten Erinnerungen an Ben Rosselli, und so trug auch er seine eigene private Trauer.

Seine Niedergeschlagenheit war auch am Tag darauf nicht gewichen, und nach einem Vormittag, an dem er alles abgewimmelt hatte, was nicht unbedingt wichtig war, und den er hauptsächlich an seinem Schreibtisch verbracht hatte, war Wainwright allein zum Essen gegangen. Er fuhr zu einem kleinen Café am anderen Ende der Stadt, das er bisweilen aufsuchte, wenn ihn das Verlangen überkam, FMA und ihre Angelegenheiten für ein paar Minuten zu vergessen. Er kehrte pünktlich zu einem Treffen mit Vandervoort zurück.

Ort ihres Treffens war die »Keycharge«-Kreditkartenabteilung im Tower der Zentrale.

Das System der Keycharge-Kreditkarten war von der First Mercantile American entwickelt und später dann in Zusammenarbeit mit einer Gruppe anderer Banken in den Vereinigten Staaten, Kanada und vielen anderen Ländern übernommen worden. Der Größenordnung nach rangierte Keycharge unmittelbar hinter den Kreditkartsystemen BankAmericard und MasterCharge. Alex Vandervoort hatte innerhalb der FMA die Gesamtverantwortung für diese Abteilung.

Vandervoort war schon da und beobachtete, als Nolan Wainwright eintraf, den Betrieb im Keycharge-Bewilligungszentrum. Der Sicherheitschef gesellte sich zu ihm.

»Ich sehe hier gern zu«, sagte Alex. »Beste Gratisvorstellung in der ganzen Stadt.«

In einem großen, an einen Hörsaal erinnernden Raum mit schwacher Beleuchtung und schallschluckenden Wänden und Decken saßen rund fünfzig Angestellte – vorwiegend Frauen – an langen Pultreihen. Jedes Pult hatte einen Bildschirm, ähnlich wie bei Fernsehgeräten, und darunter eine Tastatur.

In diesem Saal wurden den Keycharge-Karteninhabern Kredite bewilligt oder verweigert.

Wurden irgendwo Waren oder Dienstleistungen mit einer Keycharge-Karte bezahlt, konnte das betreffende Unternehmen die Karte ohne weiteres entgegennehmen, wenn der Rechnungsbetrag eine vorher vereinbarte Summe nicht überschritt. Diese Grenze schwankte, bewegte sich aber meistens zwischen fünfundzwanzig und fünfzig Dollar. Bei größeren Einkäufen mußte erst die Kreditbewilligung eingeholt werden, aber das nahm nur wenige Sekunden in Anspruch.

Die Anfragen kamen rund um die Uhr, an sieben Tagen in der Woche. Sie kamen aus allen US-Bundesstaaten und aus jeder kanadischen Provinz, während eine Batterie schnatternder Fernschreiber Anfragen aus dreißig fremden Ländern ausspuckte, unter anderem auch aus Ländern des kommunistischen Machtbereichs. Während die Architekten des britischen Weltreiches einst ihr stolzes Hurra auf »Rot, Weiß und Blau« ausgebracht hatten, feierten die Väter des Wirtschafts-Imperiums Keycharge mit gleicher Leidenschaft ihr »Blau, Grün und Gold« – die internationalen Farben der Keycharge-Karte.

Das Bewilligungsverfahren bewegte sich im Tempo eines Düsenflugzeugs.

Ganz gleich, wo sie auch waren, die Geschäftsleute und Unternehmer, denen die Kreditkarte präsentiert wurde, wählten direkt das Keycharge-Nervenzentrum im Tower der FMA-Zentrale an. Jeder Anruf wurde automatisch zu einem Pult geleitet, das gerade frei war, und die ersten Worte des Angestellten lauteten: »Ihre Geschäftsnummer bitte.«

Während sie genannt wurde, tippte der Angestellte sie auf seiner Tastatur, und die Nummer erschien gleichzeitig auf dem Bildschirm. Als nächstes folgten die Nummer der Kreditkarte und die Höhe des gewünschten Kredites. Auch diese beiden Angaben erschienen auf dem Bildschirm.

Der Angestellte drückte dann eine Taste, und die Angaben wurden einem Computer zugeleitet, der in Gedankenschnelle mit dem Signal »ANGENOMMEN« oder »ABGELEHNT« antwortete. Das erste Signal bedeutete, daß der Kunde Kredit hatte und sein Kauf bewilligt war, das zweite, daß der Kreditinhaber ein fauler Kunde war, dem man den Kredit gestrichen hatte. Die Bedingungen waren großzügig, da alle dem System angeschlossenen Banken daran interessiert waren, Geld zu verleihen; deshalb übertrafen die Kreditbewilligungen die Ablehnungen bei weitem. Der Angestellte informierte den Kaufmann, und der Computer registrierte die Transaktion. An einem normalen Geschäftstag liefen rund fünfzehntausend Anrufe ein.

Alex Vandervoort und Nolan Wainwright hatten sich Kopfhörer geben lassen, um die Gespräche zwischen Anrufern und Angestellten mithören zu können.

Der Sicherheitschef berührte Alex am Arm und deutete auf einen Fernsehschirm, dann stöpselte er beide Kopfhörersteckker um. Der Bildschirm, auf den Wainwright gezeigt hatte, blinkte immer wieder ein Signal vom Computer: »KARTE GESTOHLEN.«

Die junge Frau an dem Pult sprach mit ruhiger Stimme, wie sie es gelernt hatte: »Die Ihnen vorgelegte Karte ist als gestohlen gemeldet. Halten Sie nach Möglichkeit denjenigen, der die Karte vorgelegt hat, auf und benachrichtigen Sie das nächste Polizeirevier. Geben Sie die Karte nicht wieder heraus. Keycharge zahlt Ihnen für die Einsendung der Karte eine Belohnung von dreißig Dollar.«

Man hörte ein Flüstern, dann sagte eine laute Stimme: »Der Schuft ist getürmt. Aber seine Karte habe ich festgehalten. Ich schicke sie Ihnen.«

Der Geschäftsmann hörte sich recht vergnügt an wegen der schnell verdienten dreißig Dollar. Aber auch für das Keycharge-System war es ein gutes Geschäft, denn blieb eine gestohlene Karte im Umlauf, konnte sie für betrügerische Einkäufe benutzt werden, deren Gesamtwert die dreißig Dollar Belohnung weit übersteigen würde.

Wainwright nahm seinen Kopfhörer ab, Alex Vandervoort tat es ihm nach. »Es funktioniert gut«, sagte Wainwright, »wenn wir benachrichtigt werden und den Computer programmieren können. Leider passieren die meisten Betrugsfälle, bevor der Verlust einer Karte gemeldet wird.«

»Aber es gibt doch ein Warnsystem bei exzessiven Einkäufen?«

»Das allerdings. Zehn Einkäufe am Tag, und der Computer schlägt Alarm.«

Es gab nicht viele Karteninhaber, das wußten die beiden Männer, die jemals mehr als sechs oder acht Einkäufe an einem einzigen Tag tätigten. Es war also durchaus möglich, eine Karte als »WAHRSCHEINLICH FAUL« aufzuführen, ehe der rechtmäßige Besitzer ihren Verlust überhaupt bemerkt hatte.

Trotz aller Warnsysteme aber konnte eine verlorene oder gestohlene Keycharge-Karte bei einiger Vorsicht für betrügerische Einkäufe im Wert von zwanzigtausend Dollar innerhalb der einen Woche verwendet werden, die im allgemeinen verstrich, bevor der Diebstahl einer Karte gemeldet wurde. Bei den Kreditkarten-Dieben als Einkaufsware besonders beliebt waren Flugscheine für Langstreckenflüge, aber auch ganze Kartons mit Alkoholika. Beides ließ sich fast mühelos mit verlockendem Preisabschlag weiterverkaufen. Ein anderer beliebter Trick bestand darin, mit einer gestohlenen oder gefälschten Kreditkarte einen Wagen zu mieten – nach Möglichkeit ein teures Modell. Der Wagen wurde in eine andere Stadt gebracht, wo er mit neuen Nummernschildern und neuen Papieren versehen und dann verkauft oder ins Ausland exportiert wurde. Der Autoverleih bekam weder den Wagen noch den Kunden jemals wieder zu Gesicht. Andere Gangster hatten sich darauf spezialisiert, mit einer falschen Kreditkarte in Europa teuren Schmuck einzukaufen, wobei sie sich mit einem gefälschten Paß auszuweisen pflegten. Der Schmuck wurde dann zum Wiederverkauf in die Vereinigten Staaten geschmuggelt. Den Verlust trug die Kreditkartengesellschaft.

Wie sowohl Vandervoort als auch Wainwright wußten, war es für den Betrüger nicht schwer festzustellen, ob eine gestohlene Kreditkarte noch einmal verwendbar oder ob sie »heiß« war. Genug Kellner waren für ein Trinkgeld von 25 Dollar bereit, eine Karte zu prüfen. Sie brauchtes nur in der wöchentlich herausgegebenen vertraulichen »Warnliste« nachzusehen, die die Kreditkartengesellschaft allen Kaufleuten, Hotels und Restaurants zustellte. War die Karte nicht auf der Liste geführt, wurde sie zu einem weiteren intensiven Einkaufsbummel benutzt.

»Wir haben in letzter Zeit verdammt viel Geld durch Betrug eingebüßt«, sagte Nolan Wainwright. »Weit über dem sonstigen Durchschnitt. Auch deshalb wollte ich gern mit Ihnen sprechen.«

Sie betraten ein Keycharge-Sicherheitsbüro, das Wainwright sich für diesen Nachmittag hatte reservieren lassen. Er schloß die Tür. Äußerlich waren die beiden Männer denkbar verschieden – Vandervoort war blond, rundlich, unsportlich und hatte einen Bauchansatz; Wainwright war schwarz, groß, durchtrainiert, hart und muskulös. Auch ihrer Persönlichkeit nach unterschieden sie sich, aber das Verhältnis zwischen ihnen war gut.

»So, jetzt veranstalten wir mal ein Ratespiel, aber ohne Preise«, sagte Nolan Wainwright. Nach Art eines Pokerspielers legte er acht Plastik-Kreditkarten vor sich auf den Schreibtisch, eine nach der anderen.

»Vier von diesen Kreditkarten sind gefälscht«, fuhr der Sicherheitschef fort. »Können Sie die herausfischen?«

»Aber sicher. Das ist doch leicht. Die Fälscher verwenden für das Prägen des Namens immer eine andere Schrift als für . . .« Vandervoort stockte, dann beugte er sich vor und betrachtete die Karten aus der Nähe. »Mein Gott! Bei denen hier ist die Schrift auf jeder Karte gleich.«

»Fast. Wenn man weiß, worauf man achten muß, kann man mit der Lupe leichte Abweichungen erkennen.« Wainwright zog eine Lupe hervor. Er trennte die Karten in zwei Gruppen, dann wies er auf Verschiedenheiten in der Prägung auf den vier echten Karten und den anderen hin.

Vandervoort nickte. »Ich sehe jetzt die Unterschiede, aber ohne das Glas hätte ich nichts gemerkt. Wie sehen die Fälschungen unter Ultraviolett aus?«

»Ganz genauso wie die echten.«

»Schlimm.«

Vor etlichen Monaten hatte man, dem Beispiel von American Express folgend, ein Geheimzeichen auf die Vorderseite aller authentischen Keycharge-Kreditkarten gedruckt. Es war nur unter ultravioletter Bestrahlung sichtbar. Sinn der Sache war es, eine schnelle und mühelose Prüfungsmethode für die Echtheit einer jeden Karte zu schaffen. Jetzt hatte man auch diese Sicherung umgangen.

»Allerdings, das ist schlimm«, bestätigte Nolan Wainwright. »Und das hier sind nur Kostproben. Ich habe noch vier Dutzend davon: abgefangen, *nachdem* sie mit Erfolg im Einzelhandel und in Restaurants, für Flugscheine, Alkoholika und andere Dinge gebraucht worden waren. Und von jeder Karte könnte man sagen, daß es die beste Fälschung ist, die uns je unter die Augen gekommen ist.«

»Verhaftungen?«

»Bisher nicht. Wenn die Leute spitzkriegen, daß eine faule Karte überprüft wird, marschieren sie einfach aus dem Laden, verlassen den Flugschalter, verduften, wie gerade eben vor ein paar Minuten.« Er zeigte mit der Hand hinüber zu dem Bewilligungszentrum. »Und außerdem, was hilft es uns schon, wenn wir ein paar Benutzer verhaften; das führt uns nicht unbedingt an den Ursprung der Karten. Die werden gewöhnlich unter allen erdenklichen Vorsichtsmaßnahmen an den Mann gebracht und dann noch etliche Male weiterverkauft, bis jede Spur verwischt ist.«

Alex Vandervoort nahm eine der gefälschten blau-grüngoldenen Karten und drehte sie um. »Auch der Kunststoff scheint genau der gleiche zu sein.«

»Die Dinger werden aus echten Blankostücken gefertigt, die planmäßig gestohlen werden. Das ist die einzige Erklärung; sonst könnten sie nicht so gut sein. Übrigens haben wir, glaube ich, die Quelle selbst aufgespürt«, fuhr der Sicherheitschef fort. »Vor vier Monaten ist bei einem unserer Lieferanten eingebrochen worden. Die Diebe konnten bis in den doppelt und dreifach gesicherten und gepanzerten Lagerraum eindringen, wo die fertigen Plastikplatten verwahrt werden. Dreihundert Bogen fehlten.«

Vandervoort stieß einen leisen Pfiff aus. Ein einziger Plastikbogen ergab sechsundsechzig Keycharge-Kreditkarten. Das konnte im ungünstigsten Fall fast zwanzigtausend gefälschte Karten bedeuten.

»Ich habe auch schon nachgerechnet.« Wainwright deutete wieder auf die Falsifikate auf dem Schreibtisch. »Das ist nur die Spitze des Eisbergs. Okay, die Fälschungen, von denen wir wissen – oder zu wissen glauben –, können zehn Millionen Dollar Verlust bedeuten, bevor wir sie aus dem Verkehr ziehen. Aber die anderen, von denen wir noch nichts ahnen? Das können noch gut und gern zehnmal so viele sein.«

»Das sind ja schöne Aussichten!«

Alex Vandervoort ging in dem kleinen Büro auf und ab, während seine Gedanken Gestalt annahmen.

Er überlegte: Seit Einführung der Kreditkarten waren alle Banken, die sie ausgaben, von schweren Verlusten durch Fälschungen heimgesucht worden. Anfangs wurden ganze Postsäcke voller Karten gestohlen, und die Diebe feierten wahre Einkaufsorgien – auf Kosten der Bank. Einige Postsäcke waren geraubt und den Banken gegen ein Lösegeld zum Rückkauf angeboten worden. Die Banken hatten gezahlt, wohl wissend, daß es sie sehr viel teurer zu stehen kommen würde, wenn die Karten erst einmal in der Unterwelt verteilt und benutzt wurden. Im Jahre 1974 bezogen Pan American Airways Prügel von Presse und Öffentlichkeit, weil sie zugegeben hatten, Verbrechern für die Rückgabe großer Mengen gestohlener Flugschein-Formulare Geld gezahlt zu haben. Die Fluggesellschaft hatte damit enorme Verluste durch mißbräuchliche Benutzung der Flugscheine abwenden wollen. Diejenigen, die PanAm so heftig kritisierten, ahnten nicht, daß einige der Großbanken es seit Jahren in aller Stille ebenso machten.

Im Laufe der Zeit konnte der Diebstahl von Kreditkarten in der Post eingedämmt werden, aber inzwischen war die Unterwelt zu neuen, raffinierteren Methoden übergegangen. Dazu gehörte die Fälschung. Die ersten Kartenfälschungen waren plump und leicht erkennbar, aber die Qualität verbesserte sich laufend, bis – wie Wainwright demonstriert hatte – nur noch Experten den Unterschied entdecken konnten.

Kaum war eine neue Sicherheitsmaßnahme für Kreditkarten entwickelt, fand die kriminelle Intelligenz einen Ausweg oder ging zum Angriff auf einen anderen schwachen Punkt über. So kam zum Beispiel jetzt ein neuer Typ von Kreditkarten auf den Markt, der ein »zerhacktes« Paßbild des Karteninhabers zeigte. Mit bloßem Auge betrachtet, war dieses Foto ein konturenloser Fleck. Erst ein Dechiffrier-Betrachter machte daraus wieder ein scharfes, klar erkennbares Bild, das die Identifizierung des Karteninhabers ermöglichte. Im Augenblick schien das System vielversprechend, aber Alex bezweifelte keinen Moment, daß das organisierte Verbrechen schon bald dahinterkommen würde, wie man »zerhacke« Paßbilder duplizieren konnte.

Von Zeit zu Zeit gelang es, Leute, die gestohlene oder gefälschte Kreditkarten verwendeten, festzunehmen, zu überführen und zu verurteilen, aber das war immer nur ein geringer Prozentsatz. Das Hauptproblem der Banken lag in ihrem Mangel an Spezialisten, die in der Lage waren, diese moderne Form des Betrugs zu bekämpfen. Davon gab es einfach nicht genug.

Alex blieb stehen.

»Glauben Sie, daß bei diesen neuesten Fälschungen eine kriminelle Organisation dahinersteckt?« fragte er.

»Das ist mit Sicherheit der Fall. Bei einem derartig phantastischen Endprodukt muß eine Organisation dahinterstehen. Für Fälschungen dieser Qualität braucht man Kapital, Maschinen, Spezialkenntnisse und ein funktionierendes Verteilernetz. Es gibt andere Zeichen, die in diese Richtung weisen.«

»Zum Beispiel?«

»Wie Sie wissen«, führte Wainwright aus, »halte ich Kontakt zu Polizei und Staatsanwaltschaften. In letzter Zeit ist im ganzen Mittleren Westen eine starke Zunahme an Falschgeld, gefälschten Traveller-Schecks und gefälschten Kreditkarten zu verzeichnen – betroffen sind außer unseren eigenen Karten auch andere Kreditkartensysteme. Außerdem ist ein ungewöhnlich starker Verkehr in gestohlenen und gefälschten Wertpapieren und Schecks festzustellen.«

»Und Sie glauben, daß es da Zusammenhänge gibt, auch mit unseren Keycharge-Verlusten?«

»Sagen wir mal: Es ist durchaus möglich.«

»Was tut die Sicherheitsabteilung dagegen?«

»Soviel wir können. Jeder verlorenen oder sonstwie verschwundenen Keycharge-Karte, die betrügerisch verwendet wird, spüren wir, so gut es geht, nach. Die Sicherstellung von Karten und die Strafverfolgungen wegen Betrugs haben in diesem Jahr von Monat zu Monat zugenommen: die genauen Zahlen sind Ihnen in unseren Berichten vorgelegt worden. Jetzt kommen wir nur noch weiter, wenn wir eine Untersuchung großen Stils organisieren, aber dafür fehlt es mir an Leuten und an Geld.«

Alex Vandervoort lächelte trübe. »Ich wußte doch, daß es letzten Endes auf Ihren Etat hinausläuft.«

Und er konnte sich auch denken, was jetzt kommen würde. Er kannte die Probleme, mit denen Nolan Wainwright zu kämpfen hatte.

Wainwright, einer der Vizepräsidenten der First Mercantile American, war verantwortlich für alle Sicherheitsangelegenheiten in der Zentrale und in sämtlichen Filialen der Bank. Die Sicherheitsabteilung für das Kreditkartensystem war nur ein Teil seines Arbeitsbereiches. In den letzten Jahren waren Rang und Geltung des Sicherheitsdienstes innerhalb der Bank angehoben worden, man hatte auch den Etat vergrößert, aber die zur Verfügung gestellte Summe reichte noch immer nicht aus. Das wußte jeder in der Geschäftsleitung. Aber die Sicherheit warf nun einmal keine Gewinne ab, und deshalb rangierte sie auf der Liste für zusätzlich zu vergebende Geldmittel ziemlich weit unten.

»Sie haben bestimmt schon Vorschläge und Zahlen parat, Nolan. Das kennt man doch bei Ihnen.«

Wainwright legte den braunen Aktendeckel, den er mitgebracht hatte, auf den Tisch. »Da steht alles drin. Am dringendsten ist die Einstellung von zwei weiteren hauptberuflichen Prüfern für die Kreditkartenabteilung. Ich beantrage außerdem Geldmittel für einen getarnt arbeitenden Agenten, dessen Auftrag es sein wird, die Quelle dieser gefälschten Karten ausfindig zu machen und außerdem das Leck innerhalb unserer Bank zu orten.«

Überrascht blickte Vandervoort auf. »Glauben Sie denn, daß Sie jemanden dafür finden?«

Dieses Mal lächelte Wainwright. »Eine Anzeige in der Spalte ›Stellenangebote‹ wird uns wohl nicht weiterhelfen. Aber versuchen kann ich's ja mal.«

»Ich will mir Ihre Vorschläge genau ansehen und mein möglichstes tun. Mehr kann ich nicht versprechen. Darf ich diese Karten behalten?«

Der Sicherheitschef nickte.

»Sonst noch etwas auf dem Herzen?«

»Nur dies: Ich habe den Eindruck, daß die Fälschung von Kreditkarten und ihre betrügerische Benutzung hier von niemandem so recht ernstgenommen wird, nicht einmal von Ihnen selbst, Alex. Wir beglückwünschen uns dazu, daß es gelungen ist, die Verluste auf 0,75 Prozent des Gesamtumsatzes zu begrenzen, aber der Umsatz ist enorm gestiegen, während der Prozentsatz nicht nur der gleiche geblieben ist, sondern sogar zugenommen hat. Wenn ich recht informiert bin, rechnen wir für das nächste Jahr mit einem Keycharge-Gesamtumsatz von drei Milliarden Dollar.«

»Ja. Das hoffen wir zumindest.«

»Das wären dann – wenn man den gleichen Prozentsatz unterstellt – Verluste durch Betrug von mehr als zweiundzwanzig Millionen Dollar.«

Vandervoort sagte trocken: »Wir reden da lieber in Prozentsätzen. Das klingt harmloser, und die Direktoren werden nicht um ihren Schlaf gebracht.«

»Ist das nicht ein bißchen zynisch?«

»Ja, das mag sein.«

Und doch war das die Haltung, wie Alex wußte, die die Banken – alle Banken – bewußt einnahmen. Sie bagatellisierten absichtlich die Kreditkartendelikte und nahmen die daraus resultierenden Verluste als Teil der Geschäftskosten hin. Erwirtschaftete irgendeine andere Abteilung der Bank einen Verlust von 7,5 Millionen Dollar in einem einzigen Jahr, dann wäre sofort die Hölle los. Bei Kreditkarten aber nahm man »drei Viertel Prozent« à conto Kriminalität hin, oder man ignorierte es der Bequemlichkeit halber. Die Alternative – ein energisch und mit allen gesetzlichen Mitteln geführter Kampf gegen das Verbrechen – wäre viel teurer. Natürlich konnte man sich auf den Standpunkt stellen, daß diese Einstellung der Banken durch nichts zu rechtfertigen war, weil am Ende die Kunden – die Kreditkarteninhaber – auf dem Wege über höhere Gebühren für die Verluste aufzukommen hatten. Vom finanziellen Gesichtspunkt aus jedoch war die Rechnung sinnvoll.

»Manchmal«, sagte Alex, »kommt mir das Kreditkartensystem ziemlich unverdaulich vor, jedenfalls zu einem Teil. Aber ich muß in den Grenzen dessen leben, was ich ändern und was ich eben nicht ändern kann. Das gilt auch für die Etat-Festsetzung.«

Er tippte mit dem Finger auf den Aktendeckel, den Wainwright auf den Tisch gelegt hatte. »Lassen Sie mir die Unterlagen da. Ich habe Ihnen ja schon versprochen, daß ich tun will, was ich kann.«

»Wenn ich nichts mehr von Ihnen höre, werde ich erscheinen und mit der Faust auf den Tisch schlagen.«

Alex Vandervoort verabschiedete sich; Nolan Wainwright, der ebenfalls gehen wollte, wurde durch eine Mitteilung aufgehalten. Er möge bitte sofort Mrs. D'Orsey anrufen, die Leiterin der Cityfiliale.

## 7

»Ich habe mit dem FBI gesprochen«, sagte Nolan Wainwright zu Edwina D'Orsey. »Morgen schickt man uns zwei Kriminalbeamte.«

»Warum nicht schon heute?«

Er lächelte. »Wenn bei uns eine Leiche läge ... Es ist ja nicht einmal geschossen worden. Außerdem ringt das FBI mit einem Problem. Einem Problem namens Personalmangel.«

»Kommt mir bekannt vor.«

»Dann kann ich also die Leute nach Hause gehen lassen?« fragte Miles Eastin.

»Alle, bis auf die Kassiererin. Ich möchte noch einmal mit ihr sprechen«, antwortete Wainwright.

Es war früher Abend. Zwei Stunden waren vergangen, seit Wainwright, von Edwina gerufen, herübergekommen war und die Untersuchung aufgenommen hatte. Inzwischen war er noch einmal alles durchgegangen wie vor ihm Edwina D'Orsey. Er hatte mit ihr selbst gesprochen, dann die Kassiererin Juanita Núñez befragt und schließlich den Innenleiter Tottenhoe und dessen Assistenten, den jungen Miles Eastin, vernommen.

Er hatte auch mit anderen Kassierern gesprochen, die in der Nähe von Mrs. Núñez gearbeitet hatten.

Da er nicht gern auf dem Präsentierteller der Plattform arbeiten mochte, hatte Wainwright sich in einem hinteren Konferenzzimmer einquartiert. In diesem Zimmer befand er sich jetzt mit Edwina D'Orsey und Miles Eastin.

Etwas Neues hatte sich nicht ergeben; nur der Verdacht hatte sich erhärtet, daß es sich aller Wahrscheinlichkeit nach um einen Diebstahl handelte. Aus diesem Grund mußte nach geltendem Bundesgesetz das FBI hinzugezogen werden. Nur hielt man sich, wie Wainwright sehr gut wußte, bei Vorfällen dieser Art nicht immer strikt an die Vorschriften. Die First Mercantile American und andere Banken zogen es sehr oft vor, Gelddiebstähle unter der Kategorie »unerklärliches Verschwinden« laufen zu lassen, was ihnen die Möglichkeit gab, die Dinge intern zu regeln und sich das mit einer Strafverfolgung verbundene Aufsehen zu ersparen. Einem des Diebstahls verdächtigen Angestellten der Bank konnte es also geschehen, daß er einfach entlassen wurde – unter irgendeinem Vorwand. Und da ein Schuldiger selten Neigung verspürt, sich an die Öffentlichkeit zu wenden, blieb eine überraschend hohe Zahl von Diebstählen geheim, selbst innerhalb der Bank.

Aber der Verlust, um den es hier ging – angenommen, es handelte sich tatsächlich um Diebstahl –, war zu hoch, die Umstände zu kraß, um die Angelegenheit zu verschweigen.

Es war auch nicht ratsam, weiter abzuwarten in der Hoffnung, daß irgendwelche neuen Tatsachen ans Licht kommen würden. Das FBI schätzte es nämlich gar nicht, wie Wainwright sehr wohl wußte, erst Tage nach dem Ereignis gerufen zu werden, um eine inzwischen kalt gewordene Spur aufzunehmen. Aber bis die Kriminalbeamten erschienen, wollte er selbst tun, was er konnte.

Als Edwina und Miles Eastin das kleine Büro verließen, sagte der Assistent des Innenleiters: »Ich schicke Ihnen Mrs. Núñez herein.«

Einen Augenblick später erschien die kleine, zarte Gestalt der Juanita Núñez in der Bürotür. »Kommen Sie rein«, sagte Nolan Wainwright. »Schließen Sie die Tür. Setzen Sie sich.«

Sein Ton war dienstlich und geschäftsmäßig. Sein Instinkt sagte ihm, daß vorgetäuschte Freundlichkeit bei dieser Frau nichts ausrichten würde.

»Ich möchte Ihre Geschichte noch einmal ganz von vorn hören, Schritt für Schritt.«

Juanita Núñez hatte das gleiche verdrossene und trotzige Gesicht aufgesetzt wie zuvor, aber jetzt zeigte es darüber hinaus auch eine Spur von Erschöpfung. Trotzdem stieß sie in einer plötzlichen Temperamentsaufwallung hervor: »Dreimal habe ich das schon erzählt. Alles!«

»Vielleicht haben Sie die anderen Male etwas vergessen.«

»Nichts habe ich vergessen!«

»Dann gehen wir eben alles ein viertes Mal durch, und wenn das FBI kommt, ein fünftes und danach vielleicht ein sechstes Mal.« Er sprach nicht laut, aber mit Autorität, und die ganze Zeit ließ er Juanita nicht aus den Augen. Wäre er noch bei der Polizei, dachte Wainwright, dann müßte er sie jetzt über ihre gesetzlichen Rechte belehren. Aber da er es nicht war, würde er es auch nicht tun. In solchen Situationen waren private Sicherheitsorgane manchmal der Polizei gegenüber im Vorteil.

»Ich weiß, was Sie jetzt denken«, sagte die junge Frau. »Sie denken, ich werde diesmal was anderes sagen als die ersten drei Male, damit Sie mir nachweisen können, daß ich gelogen habe.«

»Haben Sie denn gelogen?«

»Nein!«

»Warum machen Sie sich dann solche Sorgen?«

Ihre Stimme zitterte. »Weil ich müde bin. Ich möchte gehen.«

»Ich auch. Und wenn da nicht die Kleinigkeit von sechstausend Dollar wäre, die verschwunden sind – und Sie geben zu, daß Sie diese sechstausend Dollar vorher in Ihrem Besitz hatten –, dann hätte ich längst Feierabend gemacht und wäre nach Hause gefahren. Aber das Geld ist nun mal weg, und wir hätten es gern wieder. Erzählen Sie mir also noch einmal, was heute nachmittag war – als Sie, wie Sie sagen, zum ersten Mal bemerkten, daß etwas nicht stimmte.«

»Es war, wie ich Ihnen gesagt habe – zwanzig Minuten nach der Mittagspause.«

Er las Verachtung in ihren Augen. Zu Anfang, als er die ersten Fragen an sie richtete, hatte er gespürt, daß sie ihm gegenüber unbefangener war als bei den anderen. Zweifellos nahm sie an, daß er, der Schwarze, und sie, die Puertorikanerin, gewissermaßen natürliche Verbündete wären oder, wenn

66

das nicht, sie doch leichter mit ihm zurechtkommen würde. Sie konnte nicht ahnen, daß er absolut farbenblind war, wenn es galt, etwas zu untersuchen. Auch konnte er sich nicht um die persönlichen Sorgen kümmern, die dieses Mädchen vielleicht drückten. Edwina D'Orsey hatte so etwas erwähnt. Doch für Wainwright gab es keinen persönlichen Umstand, der Diebstahl oder Unehrlichkeit rechtfertigte.

Natürlich hatte die Núñez recht mit ihrer Behauptung, er wolle sie bei einer Abweichung von ihren ursprünglichen Angaben ertappen. Und das konnte leicht passieren, obwohl sie ungewöhnlich vorsichtig war. Sie hatte über Müdigkeit geklagt. Als erfahrener Untersuchungsleiter wußte Wainwright, daß Schuldige bei einsetzender Ermüdung während der Vernehmung dazu neigten, Fehler zu machen – zuerst einen geringfügigen, dann noch einen und noch einen, bis sie in einem zähen Netz von Lügen und Unstimmigkeiten zappelten und nicht mehr herauskamen.

War es jetzt soweit? Er trieb das Verhör weiter voran.

Es dauerte eine Dreiviertelstunde, und Juanita Núñez gab eine Darstellung der Ereignisse, die in nichts von ihren bisherigen Aussagen abwich. Obwohl er enttäuscht war, daß nichts Neues dabei herausgekommen war, hatte ihn Mrs. Núñez' Beharren auf ihrer Aussage auch nicht sonderlich beeindruckt. Als ehemaliger Polizist wußte er, daß es dafür zwei mögliche Deutungen gab: Entweder sagte sie die Wahrheit, oder sie hatte ihre Aussage so perfekt einstudiert, daß nichts sie aus dem Gleichgewicht zu bringen vermochte. Es sprach sogar einiges für die letztere Annahme, denn bei schuldlosen Personen gab es gewöhnlich leichte Abweichungen zwischen den verschiedenen Aussagen. Es war ein Punkt, auf den erfahrene Kriminalbeamte zu achten gelernt hatten.

Am Ende sagte Wainwright: »Gut, das wär's für heute. Morgen kommt der Lügendetektor dran. Die Bank wird das arrangieren.«

Er sagte das ganz beiläufig, achtete dabei aber genau auf ihre Reaktion. Daß diese so plötzlich und so heftig ausfallen würde, hatte er allerdings nicht erwartet.

Das kleine dunkle Gesicht des Mädchens lief rot an. Mit einem Ruck richtete sie sich kerzengerade auf.

»Nein! Das lasse ich mir nicht gefallen!«

»Warum nicht?«

»Lügendetektor! Das ist eine Beleidigung!«

»I wo. Viele Leute lassen sich mit dem Lügendetektor testen. Wenn Sie schuldlos sind, wird der Apparat es zeigen.«

»Ich traue solchen Apparaten nicht. Auch Ihnen nicht. *¡Basta con mi palabra!*«

Er überhörte das Spanisch; er nahm an, daß es sich um eine Beschimpfung handelte. »Sie haben gar keinen Grund, mir zu mißtrauen. Ich will nichts weiter von Ihnen als die Wahrheit.«

»Die haben Sie gehört! Aber Sie erkennen Sie nicht! Sie sind genauso wie die anderen, Sie glauben, ich habe das Geld genommen. Es hat keinen Zweck, Ihnen zu sagen, daß es nicht wahr ist.«

Wainwright stand auf. Er öffnete die Tür des kleinen Büros und trat zur Seite, um das Mädchen gehen zu lassen. »Vielleicht überlegen Sie sich das mit dem Test noch einmal bis morgen«, riet er ihr. »Es macht einen schlechten Eindruck, wenn Sie sich weigern.«

Sie sah ihm gerade ins Gesicht. »Ich muß doch so einen Test nicht über mich ergehen lassen, oder?«

»Nein.«

»Dann werde ich es auch nicht tun.«

Mit kurzen, hastigen Schritten marschierte sie aus dem Büro. Ein wenig später und ohne Eile folgte ihr Wainwright.

In der großen Schalterhalle waren die Lichter jetzt gedämpft, obwohl hier und da noch einige Angestellte an ihren Schreibtischen saßen. Die meisten waren schon gegangen. Draußen hatte sich die Dunkelheit über den rauhen Herbsttag gesenkt.

Juanita Núñez ging in den Umkleideraum, holte ihre Straßenkleidung aus dem Spind und kam zurück. Wainwright schenkte sie keine Beachtung. Miles Eastin, der mit einem Schlüssel gewartet hatte, schloß ihr das Hauptportal auf.

»Kann ich irgend etwas für Sie tun, Juanita?« fragte er. »Soll ich Sie nach Hause fahren?«

Sie schüttelte stumm den Kopf und ging hinaus.

Vom Fenster aus beobachtete Nolan Wainwright, wie sie zu einer Bushaltestelle auf der anderen Straßenseite ging. Wenn er mehr Leute hätte, dachte er, könnte er sie jetzt beschatten lassen, aber wahrscheinlich würde das auch nicht viel nützen. Mrs. Núñez war zu gerissen, als daß sie sich verraten würde, indem sie einem anderen öffentlich das Geld übergab oder es an einem der üblichen Orte versteckte.

Bestimmt hatte sie das Geld auch nicht bei sich; sie war zu schlau, um so ein Wagnis einzugehen. Außerdem machte diese Summe ein stattliches Päckchen aus, das man nicht so leicht verbergen konnte. Er hatte sie während des Gesprächs und auch hinterher genau angesehen. Ihre Kleider lagen eng an dem kleinen Körper an, und er hatte nirgendwo eine verdächtige Ausbuchtung entdeckt. Die Handtasche, die sie beim Verlassen der Bank trug, war winzig. Päckchen oder Tüten hatte sie nicht bei sich.

Es gab für ihn eigentlich keinen Zweifel mehr an Juanita Núñez' Schuld. Ihre Weigerung, sich einem Test mit dem Lügendetektor zu unterziehen, hatte ihn im Verein mit allen anderen Tatsachen und Anzeichen davon überzeugt. Und was ihren Gefühlsausbruch anging – nun, es war sehr wohl möglich, daß die Szene eingeplant und vielleicht sogar vorher einstudiert worden war. Jeder Bankangestellte wußte, daß bei begründetem Diebstahlsverdacht der Lügendetektor zum Einsatz kam; auch Juanita Núñez konnte es gewußt und sich darauf vorbereitet haben, daß man ihr mit diesem Vorschlag kommen würde.

Als ihm wieder einfiel, mit welcher Verachtung sie ihn angesehen hatte, während ihr vorher anzumerken gewesen war, daß sie ihn als möglichen Verbündeten betrachtete, fühlte Wainwright, wie Zorn in ihm aufstieg. Und er ertappte sich bei dem für ihn ganz ungewöhnlichen Wunsch, daß die Männer vom FBI sie tüchtig in die Mangel nehmen sollten. Allerdings, leicht würde es nicht sein, aus der etwas herauszubekommen. Die war zäh.

Miles Eastin hatte den Haupteingang wieder verschlossen und kam jetzt zurück.

»So«, sagte er fröhlich, »Zeit, daß wir unter die Dusche kommen.«

Der Sicherheitschef nickte. »Das war mal wieder ein Tag . . .«

Eastin schien noch etwas sagen zu wollen, besann sich dann aber anders.

»Haben Sie noch was auf dem Herzen?« fragte Wainwright.

Wieder zögerte Eastin, aber dann gab er zu: »Doch, ja, da wäre noch was. Ich hab's bisher noch nicht erwähnt; vielleicht bilde ich es mir nur ein.«

»Hat es was mit dem verschwundenen Geld zu tun?«

»Ich glaube schon.«

Wainwright sagte mit einiger Schärfe: »Dann raus mit der Sprache, auch wenn Sie nicht ganz sicher sind.«

Eastin nickte. »Bitte, wenn Sie meinen . . . .«

Wainwright wartete.

»Sie haben ja gehört – ich glaube, von Mrs. D'Orsey –, daß Juanita Núñez verheiratet ist. Ihr Mann hat sie verlassen. Er hat sie mit dem Kind sitzenlassen.«

»Ja, ich erinnere mich.«

»Als die beiden noch zusammen lebten, kam er gelegentlich hierher. Um sie zu sprechen, vermute ich. Ich habe ein, zwei Mal ein paar Worte mit ihm gewechselt. Sein Name war – ach ja, jetzt fällt's mir wieder ein. Er hieß Carlos.«

»Und? Was ist mit ihm?«

»Ich glaube, er war heute in der Bank.«

Wainwright sah ihn scharf an. »Sind Sie sicher?«

»Sicher? Na ja, also vor Gericht beschwören würde ich es nicht. Mir ist nur jemand aufgefallen; nanu, hab' ich gedacht, da ist ja Carlos! Aber dann hab' ich die Sache gleich wieder vergessen. Ich hatte viel zu tun. Es gab auch keinen Grund, darüber nachzudenken – erst sehr viel später.«

»Wann war das, als Sie ihn sahen?«

»Das muß so gegen zehn, elf Uhr gewesen sein.«

»Dieser Mann, der Ihrer Meinung nach der Mann von Mrs. Núñez gewesen sein könnte – haben Sie gesehen, daß er zu ihrem Schalter gegangen ist?«

»Nein, das habe ich nicht gesehen.« Eastins hübsches junges Gesicht wirkte zergrübelt und unsicher. »Wie gesagt, ich habe nicht weiter darüber nachgedacht. Ich kann nur eins sagen: Wenn er es wirklich war, dann hat er nicht sehr weit von Juanita gestanden.«

»Das ist alles?«

»Ja.« Und Miles Eastin fügte fast ein wenig zerknirscht hinzu: »Tut mir leid, aber mehr weiß ich wirklich nicht.«

»Gut, daß Sie es mir gesagt haben. Es könnte wichtig sein.«

Wenn Eastin sich nicht geirrt hatte, dachte Wainwright, könnte die Anwesenheit des Mannes zu seiner eigenen Theorie passen, daß die Frau nämlich einen Komplicen gehabt haben müsse; vielleicht lebte sie wieder mit ihrem Mann zusammen, oder die beiden hatten eine Absprache getroffen. Vielleicht hatte sie ihm das Geld am Schalter ausgezahlt, und er hatte damit die Bank verlassen, um die Beute später mit ihr zu teilen. Es war immerhin eine Möglichkeit, die das FBI interessieren würde.

»Von dem verschwundenen Geld mal abgesehen«, sagte Eastin, »reden alle in der Bank von Mr. Rosselli – wir haben gestern davon gehört, von seiner Krankheit. Die Leute sind ganz erschüttert.«

Plötzlich und schmerzlich fiel Wainwright alles wieder ein, als er den jüngeren Mann betrachtete, der gewöhnlich so strahlender Laune war, in diesem Augenblick aber ehrlich niedergeschlagen und traurig aussah.

Gleichzeitig gestand Wainwright sich ein, daß die Untersuchung bei ihm jeden Gedanken an Ben Rosselli verdrängt hatte. Und jetzt, als ihm alles wieder ins Gedächtnis zurückgerufen wurde, empfand er neuen Zorn darüber, daß Diebereien auch zu solcher Zeit ihr jämmerliches Zeichen setzen durften.

Er murmelte einen Abschiedsgruß, wünschte Eastin eine gute Nacht und verließ die Cityfiliale durch den Tunnel. Mit seinem Hauptschlüssel öffnete er die Tür zum Tower der Zentrale.

8

Auf der anderen Straßenseite wartete Juanita Núñez – eine winzige Gestalt vor dem hochaufragenden Gebäudekomplex der First Mercantile American Bank und der Rosselli Plaza – noch immer auf ihren Bus.

Sie hatte gesehen, wie der Sicherheitschef sie von einem Fenster der Bank aus beobachtete, und aufgeatmet, als das Gesicht verschwand, obwohl ihr die Vernunft sagte, daß die Erleichterung nur vorübergehend sein konnte, daß das Elend der letzten Stunden wiederkehren und es am nächsten Tag ebenso schlimm, wenn nicht viel schlimmer sein würde.

Ein kalter Wind, der messerscharf durch die Straßen der Stadt fegte, drang durch ihren dünnen Mantel und ließ sie erschauern. Der Bus, den sie gewöhnlich nahm, war abgefahren. Sie hoffte, daß bald der nächste kam.

Dieses Erschauern kam, wie Juanita wußte, zum Teil auch von ihrer Angst, denn in diesem Augenblick hatte sie eine Angst, die entsetzlicher war als alles, was sie in ihrem Leben bisher durchgemacht hatte.

Sie hatte Angst, und sie war ratlos.

Ratlos, weil sie keine Ahnung hatte, wie das Geld verschwunden war.

Juanita wußte, daß sie das Geld nicht gestohlen hatte, daß sie es nicht versehentlich über den Schaltertisch hinweg ausgezahlt hatte, daß sie es auch nicht auf irgendeine andere Weise beiseite geschafft hatte.

Das Schlimme war nur: kein Mensch würde ihr das glauben.

Sie hätte es wahrscheinlich auch nicht geglaubt, wenn die Sache einer Kollegin passiert wäre, gestand sie sich ein.

Wie konnten die sechstausend Dollar nur verschwunden sein? Es war unmöglich, *unmöglich*. Und doch waren sie verschwunden.

Immer wieder hatte sie sich an diesem Nachmittag jeden einzelnen Augenblick des Tages in die Erinnerung zurückgerufen, um eine Erklärung zu finden. Es gab keine. Sie hatte an jede einzelne Bargeld-Transaktion gedacht, die am Vormittag und am frühen Nachmittag über ihren Schalter gegangen war, und sie hatte dabei ihre, wie sie wohl wußte, ungewöhnlich starke Erinnerungskraft bis aufs äußerste angespannt, aber ihr war keine Lösung eingefallen. Nicht einmal die unwahrscheinlichsten Vermutungen, die sie anstellte, erbrachten irgendeinen Hinweis.

Sie wußte auch ganz genau, daß sie ihr Geldfach sicher verschlossen hatte, ehe sie es vor ihrer Mittagspause in den

Tresorraum brachte, und sie wußte, daß es noch verschlossen war, als sie zurückkam; auch, daß sie die Kombination, die sie sich selbst ausgedacht, die sie selbst eingestellt hatte, keinem Menschen gegenüber je erwähnt hatte. Sie hatte sie auch nie aufgeschrieben; sie verließ sich, wie üblich, auf ihr Gedächtnis.

Und gerade dieses Gedächtnis hatte ihre Lage eigentlich noch verschlimmert.

Als sie um 14.00 Uhr die genaue Summe genannt hatte, die ihr fehlte, hatte ihr, wie sie wohl wußte, niemand geglaubt – weder Mrs. D'Orsey noch Mr. Tottenhoe, noch Miles, der am freundlichsten von allen zu ihr gewesen war. Sie hatten es nicht für möglich gehalten, daß sie den Betrag kennen konnte.

Aber sie *hatte* ihn gekannt. Sie wußte *immer*, wieviel Bargeld sie noch hatte, wenn sie an ihrer Kasse stand. Nur konnte sie es den Leuten nicht erklären, wie oder warum das so war.

Sie war sich nicht einmal selbst genau im klaren darüber, wie sie die laufenden Additionen und Subtraktionen in ihrem Kopf vornahm. Es funktionierte einfach. Es geschah ganz ohne Anstrengung, die Rechenvorgänge waren ihr kaum bewußt. Solange Juanita zurückdenken konnte, waren ihr Addieren und Subtrahieren, Multiplizieren und Dividieren so einfach wie das Atmen erschienen und ebenso natürlich.

Sie tat es automatisch, wenn sie am Schalter Geld von einem Kunden entgegennahm oder Geld auszahlte. Und sie hatte es sich angewöhnt, immer wieder einen Blick auf ihren Barbestand zu werfen, zu kontrollieren, ob das Geld, das sie noch zur Verfügung hatte, auch wirklich vorhanden war, ob die Noten der verschiedenen Werte alle in ausreichender Menge an ihrem vorgeschriebenen Platz lagen. Es klappte sogar bei den Münzen. Da wußte sie zwar die Gesamtsumme nicht so genau wie bei den Noten, aber sie konnte den Betrag jederzeit recht genau überblicken und schätzen. Manchmal, wenn sie am Ende eines besonders lebhaften Tages ihr Geld nachzählte und durchrechnete, konnte die Zahl, die sie im Kopf hatte, um ein paar Dollar von der tatsächlichen Summe abweichen, um mehr aber nie.

Woher hatte sie diese Fähigkeit? Sie wußte es nicht.

Sie hatte in der Schule nie geglänzt, hatte in den meisten Fächern selten über dem unteren Durchschnitt gelegen. Selbst in Mathematik begriff sie im Grunde das Wesentliche nicht; sie konnte nur blitzartig rechnen und Zahlen im Kopfe speichern.

Endlich erschien der Bus mit Dieselgestank und stotterndem Motorengeräusch. Zusammen mit den anderen Wartenden kletterte sie hinein. Sitze waren nicht mehr frei, selbst die Stehenden fanden kaum Platz. Es gelang ihr, sich irgendwo festzuhalten, und während der Bus durch die Straßen der Stadt schwankte, zermarterte sie weiter ihr Gehirn.

Was würde morgen passieren? Miles hatte gesagt, daß Männer vom FBI kommen würden. Die Vorstellung ließ neue Furcht in ihr aufsteigen, und ihr Gesicht verkrampfte sich bei dem Gedanken an ihre aussichtslose Situation – es war der gleiche Ausdruck, den Edwina D'Orsey und Nolan Wainwright für Feindseligkeit gehalten hatten.

Am besten war es, so wenig wie möglich zu sagen, genau wie an diesem Tag. Es glaubte ihr ja doch niemand.

Was nun den Apparat betraf, den Lügendetektor, da würde sie sich weigern. Sie hatte keine Ahnung, wie so ein Ding funktionierte, aber wenn kein Mensch sie verstehen, ihr glauben oder ihr helfen wollte, warum sollte dann ein Apparat – der noch dazu der Bank gehörte – sich anders verhalten?

Sie mußte drei Häuserblocks weit marschieren von der Bushaltestelle bis zu dem Kindergarten, wo sie Estela morgens auf dem Weg zur Arbeit abzuliefern pflegte. Juanita ging, so schnell sie konnte, denn es war später als gewöhnlich.

Das kleine Mädchen lief ihr entgegen, als sie das enge Vorschul-Spielzimmer im Souterrain des Privathauses betrat. Das Haus war, wie alle anderen in dieser Gegend, alt und heruntergekommen, aber die Klassenzimmer waren sauber und fröhlich – und aus diesem Grunde hatte Juanita gerade diesem privaten Kindergarten den Vorzug gegeben, obwohl hier das Schulgeld höher war und ihren Etat stark belastete.

Estela war aufgeregt, voll Lebensfreude wie immer.

»Mammi! Mammi! Guck mal, mein Bild. Das ist eine Puff-Puff.« Sie zeigte mit einem farbverschmierten Finger. »Da ist die Bemse. Das ist ein *Mann*.«

Sie war klein für ihre drei Jahre, dunkel wie Juanita, mit großen, blanken Augen, in denen sich jedes neue von ihr entdeckte Wunder spiegelte.

Juanita drückte sie an sich und sprach ihr liebevoll vor: »Bremse, *amorcito*.«

Die Stille in dem Haus besagte deutlich, daß die anderen Kinder schon alle gegangen waren.

Miss Ferroe, Inhaberin und Leiterin des Kindergartens, kam steif, mit gerunzelter Stirn herein. Sie warf einen vielsagenden Blick auf ihre Armbanduhr.

»Mrs. Núñez, als besonderes Entgegenkommen hat Estela Erlaubnis erhalten, länger zu bleiben als die anderen, aber dies ist wirklich viel zu spät . . .«

»Es tut mir leid, Miss Ferroe. In der Bank ist etwas Unvorhergesehenes passiert.«

»Auch ich habe private Verpflichtungen. Und die anderen Eltern beachten die Schlußzeiten unserer Schule.«

»Es wird nicht wieder vorkommen. Ich verspreche es.«

»Gut. Und da Sie gerade hier sind, Mrs. Núñez – darf ich Sie daran erinnern, daß die letzte Monatsrechnung für Estela noch nicht beglichen ist.«

»Ich zahle am Freitag. Dann bekomme ich mein Gehalt.«

»Ich bedaure, es erwähnen zu müssen, bitte verstehen Sie das. Estela ist ein liebes kleines Mädchen, und wir freuen uns, sie bei uns zu haben. Aber auch ich habe Rechnungen zu begleichen . . .«

»Ich verstehe. Freitag ganz bestimmt. Ich verspreche es.«

»Das ist das zweite Versprechen, Mrs. Núñez.«

»Ja, ich weiß.«

»Also gute Nacht dann. Gute Nacht, Estela.«

Trotz ihrer steifleinenen Art konnte diese Frau hervorragend mit Kindern umgehen, und Estela war glücklich dort. Das Geld, das sie dem Kindergarten noch schuldete, würde sie diese Woche von ihrem Gehalt nehmen müssen. Wie die anderen Kassierer erhielt sie es wöchentlich per Scheck. Irgendwie mußte sie dann eben zurechtkommen. Wie, das wußte sie noch nicht genau. Als Kassiererin verdiente sie 98 Dollar pro Woche. Nach Abzug von Steuern und Sozialabgaben blieben ihr netto 83 Dollar. Davon mußte sie das

Essen für zwei Personen bezahlen, die Miete für die kleine Etagenwohnung in Forum East ebenfalls, und auch die Finanzierungsgesellschaft würde die Zahlung der fälligen Raten verlangen, weil sie die letzte nicht überwiesen hatte.

Bevor Carlos vor einem Jahr einfach weggegangen und nicht wiedergekommen war, hatte Juanita in ihrer Naivität gemeinsam mit ihrem Mann einige Abzahlungsverträge unterschrieben. Er hatte sich Anzüge gekauft, einen Gebrauchtwagen, ein Farbfernsehgerät, und alles hatte er mitgenommen. Juanita zahlte noch immer; die Raten schienen sich grenzenlos in die Zukunft fortzupflanzen.

Es blieb ihr wohl nichts anderes übrig, dachte sie, als zur Finanzierungsgesellschaft zu gehen und um noch niedrigere Raten zu bitten. Man würde wieder unfreundlich reagieren, aber das mußte sie ertragen.

Auf dem Weg nach Hause hüpfte Estela fröhlich neben ihr her, die eine kleine Hand fest in Juanitas gelegt. In der anderen Hand trug Juanita das sorgsam zusammengerollte Bild, das Estela gemalt hatte. In der Wohnung angelangt, würden sie dann Abendbrot essen und hinterher zusammen spielen und lachen. Heute abend würde ihr das Lachen schwerfallen, dachte Juanita.

Die Angst und die Hilflosigkeit, die sie am Nachmittag empfunden hatte, vertieften sich noch, als sie zum ersten Mal daran dachte, was geschehen würde, wenn sie ihre Stellung verlor. Die Wahrscheinlichkeit war groß, das wußte sie.

Sie wußte auch, daß es sehr schwer sein würde, eine andere Arbeit zu finden. Keine andere Bank würde sie einstellen, und andere Arbeitgeber würden sie nach ihrem bisherigen Arbeitsplatz fragen, man würde sich erkundigen, von dem verschwundenen Geld hören und ihre Bewerbung ablehnen.

Was sollte sie machen, wenn sie keine Arbeit hatte? Wie sollte sie Estela versorgen?

Plötzlich blieb Juanita stehen, nahm ihre Tochter in die Arme und preßte sie an sich.

Sie schickte ein Stoßgebet zum Himmel, daß ihr morgen jemand glauben, die Wahrheit erkennen würde . . .

Jemand, *irgend jemand.*

Aber wer?

## 9

Auch Alex Vandervoort war in der Stadt unterwegs.

Als er am Nachmittag von seinem Gespräch mit Nolan Wainwright zurückgekehrt war, hatte Alex, in seiner Büro-Suite auf und ab marschierend, versucht, die neuesten Ereignisse in die rechte Perspektive zu rücken. Ben Rossellis Ankündigung vom Vortag bot genügend Stoff zum Nachdenken. Desgleichen die neue, sich daraus ergebende Situation in der Bank. Und reichlich Stoff zum Nachdenken boten auch die Dinge, die sich in den letzten Monaten in Alex Vandervoorts persönlichem Leben entwickelt hatten.

Auf und ab zu marschieren – zwölf Schritte hin, zwölf Schritte zurück –, das war eine alte Gewohnheit von ihm. Ein- oder zweimal war er stehengeblieben und hatte noch einmal die gefälschten Keycharge-Kreditkarten, die der Sicherheitschef ihm überlassen hatte, genau betrachtet. Kredite und Kreditkarten beschäftigten ihn noch zusätzlich – nicht nur gefälschte Karten, sondern auch die echten.

Die echten waren hier durch Fahnenabzüge von Anzeigen vertreten, die auf seinem Schreibtisch ausgebreitet lagen. Texte und Layout stammten von der Werbeagentur Austin, und die Anzeigen hatten den Zweck, die Inhaber von Keycharge-Kreditkarten zur stärkeren Benutzung ihrer Karten anzuregen.

Eine Anzeige drängte:

GELDSORGEN? WARUM?
BENUTZEN SIE IHRE KEYCHARGE-KARTE
UND
ÜBERLASSEN SIE *UNS* IHRE GELDSORGEN!

Eine andere behauptete:

RECHNUNGEN SIND SCHMERZLOS
WENN SIE SAGEN
»BUCHEN SIE'S VON
MEINEM KEYCHARGE-KONTO AB!«

Eine dritte riet:

WARUM WARTEN?
IHR ZUKUNFTSTRAUM WIRD WIRKLICHKEIT
– SCHON HEUTE!
BENUTZEN SIE KEYCHARGE
– *JETZT!*

Ein halbes Dutzend andere Anzeigen beschäftigte sich mit dem gleichen Thema.

Alex Vandervoort empfand Unbehagen, wenn er die Texte las.

Sein Unbehagen brauchte jedoch nicht in Taten umgesetzt zu werden. Die Anzeigentexte waren schon von der Keycharge-Abteilung der Bank genehmigt und Alex nur zur Kenntnisnahme vorgelegt worden. Außerdem war die generelle Stoßrichtung der Texte schon vor mehreren Wochen vom Direktorium der Bank gebilligt worden, um die Ertragslage bei Keycharge zu steigern, denn das System hatte – wie alle Kreditkarten-Programme – in den ersten Jahren nach der Einführung Verluste gebracht.

Aber hatte das Direktorium wirklich eine so unverhohlen aggressive Werbekampagne im Auge gehabt?

Alex schob die Anzeigenabzüge zusammen und legte sie wieder in den Aktendeckel zurück. Am Abend, zu Hause, wollte er sie sich noch einmal vornehmen, und er würde eine zweite Meinung einholen, wahrscheinlich eine sehr entschiedene. Von Margot.

Margot.

Während er an sie dachte, kam ihm die Erinnerung zurück an das, was Ben Rosselli am Vortag zu ihnen gesagt hatte. Worte, die Alex als Mahnung empfunden hatte, als Mahnung an die Zerbrechlichkeit des Lebens, die Kürze der verbleibenden Zeit, an das unvermeidliche Ende; ein warnend erhobener Finger, daß das Unerwartete immer neben uns steht. Er war bewegt gewesen und traurig, weil es um Ben ging; aber der alte Mann hatte auch, ohne es zu wollen, aufs neue eine Frage heraufbeschworen, die Alex sich wieder und wieder gestellt hatte: Sollte er ein neues Leben mit Margot anfangen? Oder sollte er warten? Und worauf sollte er warten?

Auf Celia?

Diese Frage hatte er sich tausendmal gestellt.

Alex schaute hinaus über die Stadt, dorthin, wo er Celia wußte. Er fragte sich, was sie jetzt wohl tun mochte, wie es ihr ginge.

Die Antwort auf diese Fragen war leicht zu bekommen.

Er kehrte an seinen Schreibtisch zurück und wählte eine Nummer, die er auswendig kannte.

Eine Frauenstimme sagte: »Privates Pflegeheim.«

Er nannte seinen Namen und sagte: »Könnte ich bitte Dr. McCartney sprechen?«

Kurz darauf erkundigte sich eine ruhige und feste Männerstimme: »Wo sind Sie jetzt, Alex?«

»In meinem Büro. Ich habe an meine Frau denken müssen und wie es ihr wohl geht.«

»Ich frage, weil ich Sie heute anrufen und Ihnen vorschlagen wollte, ob Sie Celia nicht besuchen mögen.«

»Letztes Mal sagten Sie, ich sollte lieber davon Abstand nehmen.«

Der Psychiater berichtigte ihn behutsam. »Ich sagte, daß ich weitere Besuche vorläufig für nicht ratsam hielte. Die letzten Besuche, wie Sie sich erinnern werden, haben Ihre Frau eher aufgeregt, anstatt ihr zu helfen.«

»Ich weiß.« Alex zögerte, dann fragte er: »Es ist also eine Änderung eingetreten?«

»Ja, und ich wollte, ich könnte sagen, zum Besseren.«

Es hatte sich so oft etwas geändert, daß er schon ein wenig abgestumpft war. »Was für eine Veränderung?«

»Ihre Frau kapselt sich immer stärker ab. Ihre Flucht vor der Wirklichkeit ist jetzt fast absolut. Deshalb meine ich, daß Ihr Besuch vielleicht nützlich sein könnte.« Gleich darauf korrigierte er sich: »Zumindest dürfte er nicht schaden.«

»Gut. Ich komme heute abend vorbei.«

»Wann Sie wollen, Alex; und schauen Sie bitte zu mir herein. Sie wissen ja, wir haben keine festen Besuchszeiten und keine strengen Hausregeln.«

»Ja, ich weiß.«

Das war einer der Gründe dafür gewesen, dachte er, als er den Hörer auflegte, daß er dieses Heim gewählt hatte, als er vor fast vier Jahren in seiner Verzweiflung entscheiden mußte, was mit Celia geschehen sollte. In dem Heim wurde bewußt jede Anstaltsatmosphäre vermieden. Die Schwestern trugen keine Schwesterntracht. Soweit es zulässig und tragbar war, gestattete man den Patienten, sich frei zu bewegen und eigene Entscheidungen zu treffen. Von wenigen Fällen abgesehen, durften Freunde und Angehörige jederzeit zu Besuch kommen. Selbst der Name »Privates Pflegeheim« war gewählt worden, um möglichst jeden Gedanken an Irrenhaus und Asyl zu vertreiben. Und ein weiterer Grund, dieses Heim zu wählen, war die Tatsache, daß hier Dr. Timothy McCartney, ein junger, glänzender und ideenreicher Psychiater, einem Spezialistenteam vorstand, das schon Fälle geheilt hatte, in denen andere, übliche Behandlungsmethoden versagt hatten.

Es war eine kleine Klinik. Es gab hier nie mehr als einhundertundfünfzig Patienten, dafür war der Stab an Ärzten und Pflegepersonal ungewöhnlich groß. Man konnte sie mit einer Schule vergleichen, in der es nur kleine Klassen gab, so daß dem einzelnen Schüler mehr persönliche Aufmerksamkeit gewidmet werden konnte.

Der moderne Bau selbst und die Gartenanlagen waren so erfreulich, wie Geld und Phantasie es nur zu schaffen vermochten.

Es war eine Privatklinik. Und sie war enorm teuer, aber Alex war damals wie jetzt entschlossen, Celia unter allen Umständen die beste Pflege zu verschaffen. Es war, fand er, das wenigste, was er tun konnte.

Den Rest des Nachmittags widmete er Bankgeschäften. Kurz nach 18.00 Uhr verließ er die FMA-Zentrale, gab seinem Fahrer die Adresse der Klinik und las die Abendzeitung, während sie durch den Verkehr vorankrochen. Limousine und Fahrer aus dem Fuhrpark der Bank standen ihm in seiner Stellung jederzeit zur Verfügung – ein Privileg, das Alex genoß.

Die Klinik bot nach außen die Fassade eines großen Privathauses, durch nichts kenntlich gemacht als durch das übliche Nummernschild.

Eine attraktive Blondine in einem buntgemusterten Kleid ließ ihn ein. Eine kleine Anstecknadel an ihrer linken Schulter wies sie als Krankenschwester aus. Das war der einzige ge-

80

duldete Unterschied in der Kleidung zwischen Personal und Patienten.

»Herr Doktor hat uns schon gesagt, daß Sie kommen, Mr. Vandervoort. Ich bringe Sie zu Ihrer Frau.«

Er ging neben ihr einen freundlichen Korridor entlang. Gelb- und Grüntöne herrschten vor. In Nischen an den Wänden standen frische Blumen.

»Ich höre, daß es meiner Frau nicht besser geht«, sagte er.

»Leider nicht, fürchte ich.« Die Schwester warf ihm von der Seite einen raschen Blick zu; er spürte Mitleid in ihren Augen. Aber – Mitleid mit wem? Wie immer, wenn er hierher kam, merkte er, daß sein normaler optimistischer Schwung ihn im Stich ließ.

Sie befanden sich in einem Seitenflügel, einem der drei, die von der Empfangshalle abzweigten. Die Schwester blieb an einer Tür stehen.

»Ihre Frau ist in ihrem Zimmer, Mr. Vandervoort. Sie hatte heute keinen guten Tag. Bitte bedenken Sie das, falls sie nicht ganz ...« Sie ließ den Satz unvollendet, berührte ihn ganz leicht am Arm und ging dann vor ihm in das Zimmer.

In dieser Klinik wurden die Patienten in Doppel- oder Einzelzimmern untergebracht, je nachdem, was man sich von der Gesellschaft anderer auf ihr Befinden versprach. Als Celia kam, brachte man sie zunächst in einem Zweibettzimmer unter, aber es hatte sich nicht bewährt; jetzt hatte sie ein Einzelzimmer. Der Raum war klein, aber sehr behaglich und persönlich. Er enthielt eine Couch, einen bequemen Lehnstuhl, ein kleines Sofa, einen Spieltisch und Bücherregale. Impressionistendrucke schmückten die Wände.

»Mrs. Vandervoort«, sagte die Schwester mit sehr sanfter Stimme, »Sie haben Besuch, Ihr Mann ist hier.«

Die Gestalt in dem Zimmer reagierte nicht, weder durch ein Wort noch durch eine Bewegung.

Alex hatte Celia zuletzt vor anderthalb Monaten gesehen, und obwohl er mit einer Verschlechterung ihres Zustandes gerechnet hatte, war ihr Anblick wie ein kalter Griff nach seinem Herzen.

Sie saß – wenn man diese Haltung so bezeichnen konnte – etwas seitlich auf der Couch, so daß sie die Zimmertür schräg im Rücken hatte. Mit hängenden Schultern, den Kopf tief gesenkt, die Arme vor der Brust gekreuzt, so daß jede Hand eine Schulter umklammerte. Auch ihr Körper war zusammengekrümmt, die Beine waren angezogen, die Knie aneinandergepreßt. In dieser Haltung verharrte sie ohne die geringste Bewegung.

Er ging auf sie zu und legte ihr sanft eine Hand auf die Schulter. »Hallo, Celia. Ich bin's – Alex. Ich habe an dich gedacht. Deshalb bin ich gekommen, um dich zu besuchen.«

Sie sagte leise, ohne Ausdruck: »Ja.« Sie rührte sich nicht.

Er verstärkte leicht den Druck auf ihre Schulter. »Willst du mich nicht einmal ansehen? Dann können wir uns zusammensetzen und ein bißchen plaudern.«

Die einzige Reaktion war eine spürbar werdende Starre, ein Versteifen der kauernden Position.

Ihre Haut war fleckig und ihr Haar nur flüchtig gekämmt, stellte Alex fest. Doch ihre sanfte, zerbrechliche Schönheit war noch nicht völlig geschwunden; aber lange konnte das nicht mehr dauern.

»Ist sie schon lange so?« fragte er die Schwester leise.

»Heute schon den ganzen Tag, gestern zum Teil; auch an einigen anderen Tagen war es so.« Sachlich fügte die junge Schwester hinzu: »Es ist für sie bequemer so; Sie lassen sich also am besten nichts anmerken. Setzen Sie sich einfach und unterhalten Sie sich mit ihr.«

Alex nickte. Während er in dem Lehnstuhl Platz nahm, ging die Schwester auf Zehenspitzen hinaus und schloß leise die Tür.

»Ich war vorige Woche im Ballett, Celia«, erzählte Alex. »*Coppélia.* Natalia Makarova tanzte die Titelrolle, Ivan Nagy den Franz. Sie waren ganz großartig zusammen, und die Musik war natürlich wunderbar. Ich mußte daran denken, wie sehr du *Coppélia* liebst, daß es immer dein Lieblingsballett war. Weißt du noch, wie du und ich an dem einen Abend, kurz nachdem wir geheiratet hatten, . . .«

*Selbst jetzt noch sah er deutlich vor sich, wie Celia an jenem Abend ausgesehen hatte – in einem langen, blaßgrünen Chiffonkleid mit winzigen Pailletten, die glitzernd das Licht reflektierten. Wie üblich war sie von ätherischer Schönheit, schlank und zart wie Mariengarn, so als könne der nächste leise Windhauch kommen und sie ihm entführen, wenn er gerade nicht hinschaute. Er ließ sie damals nicht oft aus den Augen. Sie waren gerade sechs Monate verheiratet, und sie war noch immer scheu, wenn sie Freunde von Alex kennenlernte; oft, wenn sie mit mehreren von ihnen zusammenstanden, klammerte sie sich fest an seinen Arm. Sie war zehn Jahre jünger als er, und er hatte sich weiter nichts dabei gedacht. Im Gegenteil. Celias Scheu war damals, im Anfang, einer der Gründe gewesen, daß er sich in sie verliebt hatte, und ihre totale Abhängigkeit von ihm hatte ihn mit Stolz erfüllt. Erst viel später, als sie ihre Hilflosigkeit und Unsicherheit nicht ablegte – törichterweise, wie es ihm schien –, war er langsam ungeduldig und schließlich manchmal ärgerlich geworden.*

*Wie wenig hatte er damals begriffen, wie tragisch wenig! Mit etwas mehr Einsicht hätte er begreifen können, daß Celias Leben vor ihrer Begegnung grundverschieden von seinem eigenen verlaufen war und nichts sie auf das aktive gesellschaftliche und häusliche Leben vorbereitet hatte, das er als Selbstverständlichkeit hinnahm. Für Celia war alles neu und verwirrend und nicht selten auch beängstigend. Sie war das einzige Kind zurückgezogen lebender Eltern in bescheidenen Verhältnissen, sie hatte Klosterschulen besucht und nie etwas von dem Sauerteig des robusten College-Lebens gekostet. Bevor sie Alex kennenlernte, hatte sie nie irgendeine eigene Verantwortung getragen; ihre gesellschaftliche Erfahrung war gleich Null. Die Ehe steigerte ihre Unsicherheit; gleichzeitig wuchsen in ihr Spannungen und Zweifel an sich selbst, bis schließlich – wie die Psychiater es erklärten – durch die Last des Schuldgefühls ob ihres vermeintlichen Versagens etwas in ihr zerriß. Jetzt, rückblickend, machte Alex sich die schlimmsten Vorwürfe. Er hätte Celia so leicht helfen können, ihr Ratschläge erteilen, Spannungen abbauen, Beruhigung und Sicherheit geben können. Aber als es darauf ankam, hatte er nichts davon getan. Da hatte er nicht darüber nachgedacht, da war er zu beschäftigt gewesen, mit seiner Arbeit und mit seiner Karriere ...*

»... und es hat mir ehrlich leid getan, Celia, daß wir diese

Vorstellung letzte Woche nicht gemeinsam gesehen haben . . .«

*Dabei war er mit Margot in Coppélia gewesen, Margot, die er jetzt seit anderthalb Jahren kannte und die liebevoll jene Lücke ausfüllte, die es in seinem Leben nun schon so lange gab. Ohne Margot – oder eine andere – wäre Alex, schließlich ein Mann aus Fleisch und Blut, bald selbst ein Fall für den Psychiater geworden. Das jedenfalls redete er sich manchmal ein. Oder war das nur Selbsttäuschung, ein bequemes Argument gegen Schuldgefühle?*

*Jedenfalls war jetzt weder Ort noch Zeit, um Margots Namen zu erwähnen.*

»Ach ja, und neulich habe ich die Harringtons getroffen. Du erinnerst dich doch an John und Elise. Sie haben mir erzählt, daß sie in Skandinavien waren und Elises Eltern besucht haben.«

»Ja«, sagte Celia tonlos.

Sie verharrte noch immer regungslos in ihrer zusammengekauerten Haltung, aber sie schien zuzuhören, deshalb sprach er weiter, in seinen Gedanken nur halb bei der Sache und in Wahrheit sich immer wieder fragend: *Wie konnte es geschehen? Warum?*

»Wir hatten in letzter Zeit viel Arbeit in der Bank, Celia.«

*Einer der Gründe, nahm er an, mochte seine Arbeitswut gewesen sein, die vielen Stunden, die er Celia allein gelassen hatte, während ihre Ehe immer schwereren Schaden nahm. Das war, wie er jetzt wußte, gerade zu jener Zeit gewesen, als sie ihn am meisten brauchte. Celia hatte seine häufige Abwesenheit ohne Klage hingenommen, aber sie war immer furchtsamer geworden, hatte sich immer weiter in sich selbst zurückgezogen, hatte sich in Büchern vergraben oder endlos lange Pflanzen und Blumen betrachtet, als wollte sie ihr Wachsen beobachten; doch gelegentlich war sie – ganz gegen ihre sonstige Art und ohne ersichtlichen Grund – plötzlich von Lebhaftigkeit erfüllt gewesen, hatte endlos und manchmal auch zusammenhanglos geredet. In diesen Phasen schien Celia ganz ungewöhnliche Energien zu besitzen. Aber ebenso plötzlich war die Energie wieder verschwunden, und zurück blieb ein depressives, ganz in sich selbst versunkenes Ge-*

*schöpf. Und währenddessen hatte sich der Kontakt zwischen ihnen fortschreitend vermindert, war jede Gemeinsamkeit geschrumpft.*

*Zu jener Zeit hatte er die Scheidung vorgeschlagen, etwas, woran er jetzt nur noch schamerfüllt zurückdenken konnte. Celia war wie niedergeschmettert gewesen, und er hatte das Thema nie wieder zur Sprache gebracht. Er hatte gehofft, daß sich die Dinge bessern würden, aber sie hatten sich nicht gebessert.*

*Erst spät, als ihm fast beiläufig der Gedanke gekommen war, daß Celia vielleicht psychiatrische Hilfe brauchte, und er ihr diese Hilfe verschafft hatte, war die Art ihres Leidens ans Licht gekommen. Eine Zeitlang hatten Qual und Sorge seine Liebe zu ihr wiederbelebt. Aber da war es schon zu spät.*

*Manchmal dachte er: Vielleicht war es schon immer zu spät gewesen. Vielleicht hätten nicht einmal mehr Freundlichkeit, tieferes Verständnis helfen können. Aber die Wahrheit würde er nie erfahren. Nie mehr durfte er überzeugt sein, sein Bestes getan zu haben, und deshalb würde er auch nie frei werden von dem Gefühl der Schuld, das ihn verfolgte und peinigte.*

»Alle denken sie immer nur an Geld – wie man es ausgibt, wie man es borgt, wie man es verleiht, aber das ist wohl ganz natürlich und letztlich auch die Aufgabe der Banken. Gestern ist allerdings etwas Trauriges geschehen. Ben Rosselli, unser Präsident, hat nicht mehr lange zu leben; er hat eine Sitzung einberufen und es uns mitgeteilt . . .«

Alex fuhr fort und beschrieb, was sich ereignet hatte, er schilderte die Reaktion der Teilnehmer nach dem Treffen, dann brach er plötzlich ab.

Celia hatte angefangen zu zittern. Ihr Körper wiegte sich vor und zurück. Ein Jammerlaut, eine Art Stöhnen, entrang sich ihr.

War sie verstört, weil er die Bank erwähnt hatte? – *die Bank, der er alle seine Energien gewidmet und damit die Kluft zwischen ihnen immer weiter aufgerissen hatte. Es war damals eine andere Bank gewesen, die Bundes-Reserve-Bank, aber für Celia glich eine Bank der anderen.* Oder war es, weil er Ben Rossellis Tod erwähnt hatte?

Bald würde Ben sterben. *Wie lange noch, bis auch Celia starb? Sehr lange vielleicht.*

Sie konnte ihn ohne weiteres überleben, weiter so dahinvegetieren wie jetzt, mußte Alex denken.

*Sie sah aus wie ein Tier!*

Sein Mitleid verrauchte. Zorn packte ihn; die zornige Ungeduld, die ihre Ehe zerstört hatte. »Mein Gott noch mal, Celia, nimm dich doch zusammen!«

Ihr Zittern, ihr Stöhnen hörten nicht auf.

*Er haßte sie! Sie war kein Mensch mehr, und doch versperrte sie ihm den Weg zu einem erfüllten Leben.*

Alex stand auf und drückte heftig einen Klingelknopf an der Wand, der sofort Hilfe herbeiholen würde. Und da er nun schon aufgestanden war, steuerte er auf die Tür zu – um zu gehen.

Und sah mit einem letzten Blick zurück. Auf Celia – seine Frau, die er einst geliebt hatte; sah, was aus ihr geworden war; sah die tiefe Kluft zwischen ihnen, die sie nun nie mehr würden überbrücken können. Er blieb stehen und weinte.

Weinte vor Mitleid, Trauer, Schuld; die Zornesaufwallung war verraucht, sein Haß fortgespült.

Er ging zu der Couch zurück, und vor ihr auf den Knien liegend, flehte er: »Celia, vergib mir! O Gott, vergib mir!«

Er spürte eine sanfte Hand auf der Schulter, hörte die Stimme der jungen Krankenschwester. »Mr. Vandervoort, es ist wohl am besten, wenn Sie jetzt gehen.«


»Wasser oder Soda, Alex?«

»Soda.«

Dr. McCartney holte eine Flasche aus dem kleinen Kühlschrank in seinem Sprechzimmer und hebelte den Kronenkorken mit einer Bewegung des Öffners vom Flaschenhals. Er goß vom Inhalt der Flasche in ein Glas, das schon ein gutes Maß Whisky enthielt, und tat Eis dazu. Er brachte Alex das Glas, dann schenkte er sich den Rest Soda ein, ohne Zusatz von Alkohol.

Für einen so großen Mann – Tim McCartney war gut einsneunzig groß, mit Brust und Schultern eines Football-Spielers und gewaltigen Pranken – waren seine Bewegungen bemerkenswert flink und gewandt. Obwohl der Klinik-Direktor nicht älter als Mitte Dreißig war, wirkten seine Stimme und seine ganze Art wie die eines gesetzteren Mannes, fand Alex. Vielleicht lag es zum Teil auch daran, daß das straff zurückgebürstete braune Haar an den Schläfen schon grau wurde. Und das wieder mochte seine Ursache darin haben, daß er solche Sitzungen wie eben jetzt mit ihm ständig erlebte, dachte Alex. Dankbar trank er einen Schluck Scotch.

Der holzgetäfelte Raum war sanft beleuchtet, die Farben waren insgesamt gedämpfter als draußen die Korridore und die anderen Räume. Zeitschriftenständer und Bücherregale, auf denen vorwiegend die Werke von Freud, Adler, Jung und Rogers vertreten waren, füllten die eine Wand.

Alex hatte sein Gleichgewicht nach der Begegnung mit Celia noch nicht völlig wiedererlangt, doch hatte der Schrecken auf seltsame Art an Wirklichkeit verloren.

Dr. McCartney ging zu seinem Schreibtischstuhl zurück und schwenkte ihn herum zu dem Sofa, auf dem Alex saß.

»Zunächst einmal sollte ich Ihnen sagen, daß die allgemeine Diagnose Ihrer Frau die gleiche bleibt – katatonische Schizophrenie. Darüber haben wir ja schon gesprochen.«

»Ganz richtig, ich habe viele medizinische Fachausdrücke gehört.«

»Ich will Ihnen weitere Proben davon ersparen.«

Alex schwenkte das Eis in seinem Glas herum und nahm noch einen Schluck; der Whisky hatte ihn erwärmt. »Sagen Sie mir jetzt, wie es um Celia steht.«

»Es mag für Sie schwer zu begreifen sein, aber Ihre Frau ist trotz allem, was Sie gesehen haben, relativ glücklich.«

»Allerdings«, sagte Alex, »das ist wirklich nicht leicht zu begreifen.«

Der Psychiater sagte mit ruhigem Nachdruck: »Glück ist für uns alle eine relative Sache. Celia ist im Besitz einer Art Sicherheit, die Pflicht zur Verantwortung fehlt gänzlich, ebenso die Notwendigkeit, sich mit anderen Menschen auseinanderzusetzen. Sie kann sich, so weit sie will oder muß, in sich selbst zurückziehen. Die Körperhaltung, die sie in letzter Zeit einnimmt und die Sie ja gesehen haben, ist die klassische

Fötalstellung. Es ist für sie trostreich, diese Haltung einzunehmen; um ihrer körperlichen Gesundheit willen versuchen wir allerdings, sie nach Möglichkeit davon abzubringen.«

»Trostreich oder nicht«, sagte Alex, »das Wesentliche ist doch wohl, daß sich der Zustand meiner Frau nach vier Jahren der bestmöglichen Behandlung weiter verschlechtert hat.« Er sah Dr. McCartney gerade in die Augen. »Ist das richtig oder nicht?«

»Leider ist es so.«

»Besteht überhaupt eine reelle Chance für eine Heilung, so daß Celia wieder ein normales oder zumindest fast normales Leben führen kann?«

»In der Medizin gibt es immer Möglichkeiten . . .«

»Ich habe von einer *reellen* Chance gesprochen.«

Dr. McCartney seufzte und schüttelte den Kopf. »Nein.«

»Danke für Ihre klare Antwort.« Alex schwieg eine Sekunde, dann fuhr er fort: »Wenn ich es recht verstehe, dann ist Celia jetzt – so nennt man es ja wohl – ›institutionalisiert‹. Sie hat sich von den Menschen zurückgezogen. Sie weiß nichts von Dingen, die sich außerhalb ihres eigenen Ich abspielen, und sie kümmert sich auch nicht darum.«

»Mit dem institutionalisiert haben Sie recht«, sagte der Psychiater, »mit dem anderen nicht. Ihre Frau hat sich nicht total zurückgezogen, jedenfalls bis jetzt noch nicht. Sie weiß immer noch ein wenig von dem, was draußen geschieht. Sie weiß auch, daß sie einen Mann hat, und wir haben über Sie gesprochen. Aber sie glaubt, daß Sie auch ohne ihre Hilfe durchaus in der Lage sind, mit allem fertig zu werden.«

»Sie macht sich also um mich keine Sorgen?«

»Im großen und ganzen, nein.«

»Was würde sie empfinden, wenn sie erführe, daß ihr Mann sich von ihr hat scheiden lassen und daß er wieder geheiratet hat?«

Dr. McCartney zögerte, dann sagte er: »Es würde den totalen Bruch mit dem geringen Kontakt nach außen bedeuten, den sie noch hat. Es könnte sie über die Schwelle treiben, die sie noch von der totalen geistigen Verwirrung trennt.«

In der entstandenen Stille beugte Alex sich vor und bedeckte das Gesicht mit den Händen. Dann ließ er sie wieder sinken und hob den Kopf. Mit einer Spur von Ironie sagte er: »Wenn man offene Antworten verlangt, dann bekommt man sie wohl auch.«

Der Psychiater nickte; sein Gesichtsausdruck war ernst. »Alex, ich habe Ihnen das Kompliment gemacht, davon auszugehen, daß Sie wirklich meinen, was Sie sagen. Nicht jedem gegenüber wäre ich so offen gewesen. Außerdem, das muß ich hinzufügen, ist es durchaus möglich, daß ich mich irre.«

»Tim, *zum Teufel noch mal, was soll man da tun*?«

»Ist das eine Frage oder nur rhetorisch gemeint?«

»Eine Frage. Sie können sie auf meine Rechnung setzen.«

»Heute abend gibt's keine Rechnung.« Der jüngere Mann lächelte kurz, dann dachte er nach. »Sie fragen mich: *Was tut ein Mann, der sich in Ihrer Lage befindet?* Nun, zunächst einmal informiert er sich so gut wie nur irgend möglich – wie Sie es ja getan haben. Dann trifft er Entscheidungen auf der Grundlage dessen, was er allen Beteiligten gegenüber, sich selbst eingeschlossen, für fair und gut hält. Aber während er seine Entscheidung vorbereitet, sollte er zweierlei bedenken. Erstens, wenn er ein anständiger Mensch ist, werden seine eigenen Schuldgefühle wahrscheinlich übertrieben groß sein, denn ein gut entwickeltes Gewissen hat die Angewohnheit, sich selbst über Gebühr hart zu strafen. Zweitens sollte er bedenken, daß sich nur wenige Menschen für das Leben eines Heiligen eignen; den meisten von uns fehlt dazu die Ausrüstung.«

Alex fragte: »Und weiter wollen Sie nicht gehen? Spezifischer wollen Sie sich nicht ausdrücken?«

Dr. McCartney schüttelte den Kopf. »Nur Sie allein können die Entscheidung treffen. Die letzten Schritte geht jeder von uns allein.«

Der Psychiater warf einen Blick auf die Uhr und stand auf. Wenig später gaben sie einander die Hand und sagten gute Nacht.

Draußen vor der Klinik warteten Limousine und Fahrer auf Alex – der Motor lief, im Wagen war es warm und behaglich.

## 10

»Ohne jeden Zweifel«, verkündete Margot Bracken, »ist das ein Sammelsurium von verflucht geschickten Lügen.«

Sie blickte auf die vor ihr liegenden Blätter, die Ellbogen aggressiv abgewinkelt, die Hände in ihre schlanke Taille gestützt, der kleine, aber resolute Kopf vorgeschoben. Sie war körperlich aufreizend, dachte Alex Vandervoort – ein Irrwisch von einem Mädchen, mit angenehm scharfen Gesichtszügen, einem aggressiven Kinn und eher dünnen Lippen, obwohl der Mund insgesamt sinnlich war. Am auffälligsten an Margot waren die Augen; sie waren groß, grün, mit goldenen Flecken und die Wimpern dicht und lang. In diesem Augenblick sprühten ihre Augen Feuer. Ihr kraftvoller Zorn weckte sein Begehren.

Margots vernichtendes Urteil galt der Auswahl von Anzeigen-Abzügen für Keycharge-Kreditkarten, die Alex von der FMA mitgebracht hatte und die jetzt in seiner Wohnung auf dem Wohnzimmerteppich ausgebreitet lagen. Margots Gegenwart und Vitalität schufen außerdem ein dringend benötigtes Gegengewicht zu dem, was Alex vor mehreren Stunden durchgemacht hatte.

»Ich hab's mir gleich gedacht, Bracken, daß dir diese Werbethemen nicht zusagen würden«, sagte er.

»Nicht zusagen! Ich finde sie *ekelhaft.*«

»Warum?«

Sie schob ihr langes kastanienbraunes Haar mit einer vertrauten, ihr aber nicht bewußten Bewegung zurück. Vor einer Stunde hatte Margot ihre Schuhe abgestreift und stand jetzt, zu ihrer ganzen Größe von 1,55 Meter aufgereckt, auf Strümpfen da.

»Bitte, sieh dir das an!« Sie zeigte auf die Anzeige, die mit den Worten begann: WARUM WARTEN? IHR ZUKUNFTSTRAUM WIRD WIRKLICHKEIT – SCHON HEUTE! »Ich will dir sagen, was das ist. Das ist gefährlicher, verlogener Mist; da wird irgendwelchen einfältigen und gutgläubigen Schweinen vorgegaukelt und eingehämmert, wie herrlich es ist, Schulden zu machen! Zukunftsträume haben es an sich, daß sie teuer sind. Deshalb sind es ja auch Träume.

Und *kein Mensch* kann sich solche Träume leisten, es sei denn, er hat das Geld dazu oder wird es mit Sicherheit bald haben.«

»Sollte man es nicht jedem einzelnen überlassen, das zu beurteilen?«

»Nein! – Nicht den Menschen, die sich von der beschissenen Anzeige da beeinflussen lassen, nicht den Menschen, auf die ihr damit abzielt. Das sind die Unkomplizierten, die man leicht überreden kann, Menschen, die alles glauben, was sie schwarz auf weiß sehen. Ich kenne das. Viele von ihnen sind meine Klienten in meiner Anwaltspraxis. In meiner uneinträglichen Anwaltspraxis.«

»Vielleicht ist das nicht die Sorte Mensch, die unsere Keycharge-Karten besitzt.«

»Verdammt noch mal, Alex, du weißt doch selbst, daß das nicht stimmt! Die unwahrscheinlichsten Leute haben heute Kreditkarten, weil ihr so tüchtig seid mit eurer Werbung! Fehlt bloß noch, daß ihr eure Karten gratis an der Straßenecke verteilt, und es würde mich durchaus nicht wundern, wenn ihr demnächst damit anfangt.«

Alex grinste. Ihm machten solche Streitgespräche mit Margot Spaß, und er bemühte sich, sie in Gang zu halten. »Ich werde unseren Leuten sagen, daß sie es sich noch mal überlegen, Bracken.«

»Mir wär's lieber, wenn andere Leute mal über die halsabschneiderischen achtzehn Prozent Zinsen nachdenken würden, die für alle Bankkreditkarten berechnet werden.«

»Das haben wir schon oft genug durchgekaut.«

»Ja, allerdings. Und bis heute habe ich keine zufriedenstellende Erklärung zu hören bekommen.«

Etwas scharf entgegnete er: »Vielleicht, weil du nicht richtig zuhörst.« Streitgespräche mit ihr mochten Spaß machen, aber Margot hatte eine Art, ihm unter die Haut zu gehen. Gelegentlich wuchsen sich ihre Debatten zu echtem Streit aus.

»Ich habe dir doch gesagt, daß Kreditkarten ein Angebotspaket darstellen, das aus einer ganzen Serie von Dienstleistungen besteht«, sagte Alex mit Nachdruck. »Siehst du diese Dienstleistungen als Summe, dann ist unser Zinssatz nicht unmäßig.«

»Er ist verflucht unmäßig, wenn du der bist, der berappen muß.«

»Niemand *muß* berappen. Weil niemand borgen *muß*.«

»Ich hör' dich sehr gut. Du brauchst nicht zu brüllen.«

»Na gut.«

Er holte tief Luft, entschlossen, die Diskussion diesmal nicht in Streit ausarten zu lassen. Außerdem fand er immer wieder, daß Margots Offenheit und die Schärfe ihres Juristenverstandes seinen eigenen Gedanken zugute kamen, wenn er einige ihrer Ansichten anfocht, die sich in Wirtschaft, Politik und allen anderen Gebieten links von der Mitte bewegten. Ihre Praxis verschaffte Margot auch Kontakte, die ihm fehlten – sie kam direkt in Berührung mit den Armen der Stadt und den Unterprivilegierten, deren Nöte den Löwenanteil ihrer Arbeit als Anwältin beanspruchten.

Er fragte: »Noch einen Cognac?«

»Bitte.«

Es ging auf Mitternacht. Ein Feuer aus mächtigen Holzscheiten, das anfangs lichterloh gebrannt hatte, flackerte jetzt nur noch mit kleiner Flamme im Kamin des behaglichen Zimmers in der kleinen, luxuriösen Junggesellenwohnung.

Vor anderthalb Stunden hatten sie sich vom Service-Restaurant des Apartmenthauses ein Dinner heraufschicken lassen. Dazu einen ausgezeichneten Bordeaux – Alex hatte ihn gewählt, Chateau Gruaud Larose 1966.

Abgesehen von der Stelle, an der die Keycharge-Werbetexte ausgebreitet waren, herrschte Dämmerlicht.

Als er Cognac nachgeschenkt hatte, nahm Alex das Gespräch wieder auf. »Wenn die Menschen ihre Kreditkarten-Rechnungen bei Erhalt begleichen, werden *überhaupt* keine Zinsen berechnet.«

»Du meinst, wenn sie den vollen Rechnungsbetrag zahlen.«

»Allerdings.«

»Aber wie viele tun das schon? Zahlen die meisten Kreditkartenbenutzer nicht nur die bequeme ›Mindestsumme‹, die auf den Kontoauszügen angegeben wird?«

»Ziemlich viele zahlen das Minimum, ja.«

»Und tragen den Rest als Kredit auf neue Rechnung vor – und genau das ist euch Bankern am liebsten. Stimmt's?«

Alex gab zu: »Ja, es stimmt. Aber die Banken müssen ja auch irgendwo ihren Gewinn machen.«

»Ich liege nachts wach«, sagte Margot, »und frage mich voller Bangen, ob die Banken auch genug Gewinn erzielen.«

Während er lachte, fuhr sie ernsthaft fort: »Schau, Alex, Tausende von Leuten, die es sich überhaupt nicht leisten können, türmen durch die Benutzung von Kreditkarten langfristige Schuldenberge auf. Oft genug, indem sie irgendwelchen Plunder kaufen – Kosmetika und Wundermittel, Schallplatten, Haushaltsnovitäten, neues Werkzeug, Bücher, ein Abendessen im Restaurant, andere Kleinigkeiten; sie tun es zum Teil, weil sie gar nicht darüber nachdenken, und zum Teil, weil Kleinkredite so lächerlich einfach zu bekommen sind. Und diese kleinen Beträge, die man besser bar bezahlen sollte, summieren sich zu lähmenden Schulden, die unbedachte Leute auf Jahre hinaus belasten.«

Alex nahm sein Cognacglas in beide Hände, um es zu wärmen, trank einen Schluck, stand dann auf und warf ein neues Scheit aufs Feuer. »Du grübelst zuviel, und außerdem ist das Problem so gewaltig nun auch wieder nicht«, protestierte er.

Und doch mußte er sich eingestehen, daß manches von dem, was Margot sagte, seine Richtigkeit hatte. Wo die Leute früher – wie hieß es doch in dem alten Bergarbeiterlied: »owed their souls to the company store« – ihre Seele beim Kramladen der Bergbaugesellschaft verpfändet hatten, da war jetzt eine neue Rasse chronisch Verschuldeter entstanden, die naiv ihre ganze Zukunft mitsamt ihren künftigen Einnahmen bei irgendeiner »freundlichen Bank nebenan« beliehen hatten. Das ging so leicht und mühelos, weil Kreditkarten in hohem Maße an die Stelle der Kleinkredite getreten waren. Während man den Leuten früher vom übermäßigen Borgen abriet, trafen sie jetzt ihre Kreditentscheidungen selber – und oft ließen sie dabei nicht viel Vernunft walten. Alex wußte, daß manche Beobachter der Szene die Ansicht vertraten, daß dieses System die Moral Amerikas unterminiere.

Natürlich war es für die Bank viel billiger, Kleinkredite nach dem Kreditkartensystem zu vergeben; außerdem zahlte der Kleinkreditkunde, der auf dem Weg über seine Karte Geld borgte, ganz wesentlich mehr Zinsen, als er für einen konventionellen Kredit hinblättern müßte. Die *Gesamt*zinsen, die die Bank einstrich, beliefen sich tatsächlich oft auf Sätze bis zu 24 Prozent, weil die Geschäftsleute, die Kreditkarten honorierten, auch noch ihre eigenen Bankgebühren entrichteten, die zwischen zwei bis sechs Prozent lagen.

Deshalb nutzten Banken wie die First Mercantile American das Kreditkartengeschäft zur Ausweitung ihrer Gewinne, und sie beabsichtigten, dieses Geschäft noch viel weiter auszubauen. Gewiß, alle Kreditkartensysteme brachten zu Anfang erhebliche Verluste; wie die Banker zu sagen pflegen, »zu Anfang gehen wir baden«. Aber dieselben Banker waren davon überzeugt, daß der warme Regen nicht lange auf sich warten lassen und dann eine Gewinnzone beginnen würde, die so günstig wäre wie in kaum einem anderen Zweig des Bankgeschäfts.

Außerdem wußten die Banker, daß die Kreditkarten eine notwendige Zwischenstation auf dem Wege zum EGS waren – zum Elektronischen Geldüberweisungs-System, das in anderthalb Jahrzehnten die heutigen Lawinen von Bankpapieren ersetzen und die jetzigen Scheck- und Sparbücher so veraltet erscheinen lassen würde wie das »Model T« des alten Ford.

»Schluß jetzt«, sagte Margot. »Wir beide hören uns ja an wie eine Aktionärs-Hauptversammlung.« Sie ging zu ihm und küßte ihn auf die Lippen.

Die Hitze ihres Streits hatte ihn schon vorher erregt, wie es Gefechte mit Margot oft bei ihm bewirkten. Ihre erste physische Begegnung hatte auf die gleiche Art begonnen. Je wütender beide wurden, so schien es manchmal, um so gewaltiger wuchs ihre körperliche Leidenschaft füreinander. Nach einer Weile murmelte er: »Ich erkläre die Hauptversammlung für geschlossen.«

»Hmmm . . .« Margot rückte von ihm weg und sah ihn herausfordernd an. »Es *gibt* aber noch unerledigte Punkte – diese Anzeigen, mein Schatz. Die willst du doch wohl nicht so, wie sie sind, auf die Öffentlichkeit loslassen?«

»Nein«, sagte er, »ich glaube nicht.«

Diese Keycharge-Anzeigen waren harte Verkaufstaktik – zu hart –, und er wollte seine Position nutzen, um am Morgen ein Veto einzulegen. Ihm wurde klar, daß er das ohnehin beabsichtigt hatte. Margot hatte nur seine eigene Ansicht vom Nachmittag bekräftigt.

Das frische Scheit, das er aufs Feuer gelegt hatte, brannte jetzt lichterloh und knisternd. Sie saßen auf dem Teppich vor dem Kamin, genossen die Wärme, beobachteten die emporzüngelnden Flammen.

Margot lehnte ihren Kopf an seine Schulter. »Für einen muffigen alten Banker bist du eigentlich gar nicht so übel«, murmelte sie.

Er legte seinen Arm um sie. »Ich liebe dich auch, Bracken.«

»Wirklich und wahrhaftig? Auf Bankers Ehre und Gewissen?«

»Ich schwöre bei der Prime Rate!«

»Dann liebe mich jetzt.« Sie begann sich auszuziehen.

Er flüsterte belustigt: »Was, hier?«

»Warum denn nicht?«

Alex seufzte zufrieden. »Warum eigentlich nicht.«

Wenig später verwandelten sich Qual und Sorgen des Tages in ein Gefühl der Befreiung und des Glücks.

Und noch später hielten sie einander in den Armen und spürten die Wärme, die vom Feuer und dem Körper des anderen kam. Endlich rührte Margot sich. »Ich hab's schon oft gesagt und werde es immer wieder sagen: Du bist ein wunderbarer Liebhaber.«

»Na, du bist auch okay, Bracken«, sagte er und lächelte. »Bleibst du heute nacht hier?«

Sie tat das oft, ebenso wie Alex häufig in Margots Wohnung blieb. Manchmal kam es ihnen töricht vor, weiter ihre getrennten Haushalte zu führen, aber er hatte das Zusammenziehen immer wieder hinausgeschoben, weil er Margot vorher lieber geheiratet hätte.

»Ich bleibe noch ein bißchen«, sagte sie, »aber nicht die ganze Nacht. Ich muß morgen sehr früh im Gericht sein.«

Margot hatte oft im Gericht zu tun; dadurch hatten sie sich auch vor anderthalb Jahren kennengelernt. Kurz vor jener ersten Begegnung hatte Margot ein halbes Dutzend Demonstranten verteidigt, die sich während eines Protestmarschs für totale Amnestierung der Vietnam-Deserteure mit der Polizei angelegt hatten. Ihre feurige Verteidigung, nicht nur der

Demonstranten, sondern auch ihrer Sache, hatte allgemeine Aufmerksamkeit erregt. Und noch mehr ihr Sieg am Ende des Prozesses – Einstellung des Verfahrens in allen Punkten der Anklage.

Wenige Tage danach war Margot auf einer Cocktailparty, zu der Edwina und Lewis D'Orsey eingeladen hatten, von Bewunderern und Kritikern umringt. Sie war allein zu der Party gekommen. Das galt auch für Alex, der von Margot gehört hatte, aber erst später entdeckte, daß sie Edwinas Kusine war. Während er den ausgezeichneten Schramsberg der D'Orseys trank, hatte er eine Weile zugehört und sich dann auf die Seite der Kritiker geschlagen. Es dauerte nicht lange, dann traten die anderen zurück und überließen Alex und Margot die Fortsetzung der Debatte. Sie standen einander gegenüber wie Gladiatoren in der Arena.

Irgendwann hatte Margot dann gefragt: »Und wer zum Teufel sind Sie eigentlich?«

»Ein ganz gewöhnlicher Amerikaner, der glaubt, daß es beim Militär nicht ohne Disziplin geht.«

»Sogar in einem unmoralischen Krieg wie in Vietnam?«

»Der Soldat kann nicht über die Moral der erteilten Befehle entscheiden. Er hat zu gehorchen. Die Alternative ist das Chaos.«

»Ich weiß nicht, wer Sie sind, aber Sie reden wie ein Nazi. Nach dem Zweiten Weltkrieg haben wir Deutsche hingerichtet, die uns mit diesem Argument gekommen sind.«

»Die Situation war eine völlig andere.«

»Ganz und gar nicht. Im Nürnberger Prozeß haben die Alliierten auf ihrem Standpunkt beharrt, daß die Deutschen ihrem Gewissen hätten folgen und die Ausführung von Befehlen hätten verweigern müssen. Und genau das haben diejenigen getan, die den Kriegsdienst verweigerten, genau das haben die Vietnam-Deserteure getan.«

»Die amerikanische Armee hat keine Juden ausgerottet.«

»Nein, nur Dorfbewohner. Wie in My Lai und anderswo.«

»Kein Krieg ist sauber.«

»Aber der in Vietnam ist schmutziger als die meisten. Vom Oberbefehlshaber angefangen bis ganz nach unten. Und aus diesem Grunde sind so viele junge Amerikaner, ganz besonders mutige junge Amerikaner, ihrem Gewissen gefolgt und haben sich geweigert, daran teilzunehmen.«

»Sie werden keine bedingungslose Amnestie erhalten.«

»Das sollten sie aber. Eines Tages, wenn der Anstand die Oberhand gewinnt, wird es soweit kommen.«

Sie debattierten immer noch leidenschaftlich, als Edwina sie trennte und sie erst einmal miteinander bekannt machte. Später nahmen sie den Streit wieder auf, und sie setzten ihn fort, während Alex sie nach Hause fuhr. Dort wären sie an einem Punkt ihrer Auseinandersetzung beinahe mit den Fäusten aufeinander losgegangen, aber statt dessen merkten sie, daß physisches Verlangen alles andere überwog, und aufgeregt, hitzig liebten sie einander, bis sie erschöpft waren, und schon in dem Augenblick wußten sie, daß etwas Neues, unendlich Wichtiges in ihr Leben getreten war.

Übrigens revidierte Alex später seine einst so entschieden vertretene Meinung, als er zusammen mit anderen desillusionierten Gemäßigten erkennen mußte, wie hohl Nixons Phrase vom »ehrenvollen Frieden« war. Und noch später, als Watergate und die damit verbundenen Infamien sichtbar wurden, begann es überdeutlich zu werden, daß diejenigen in höchsten Regierungsstellungen, die da verfügt hatten: Keine Amnestie! – daß diese Männer sich weitaus schlimmerer Schurkereien schuldig gemacht hatten als irgendein Vietnam-Deserteur.

Es blieb nicht das einzige Beispiel dafür, daß Margots Argumente ihn zu einer Änderung oder Erweiterung seines Denkens bewogen.

Jetzt, im Schlafzimmer seiner Wohnung, wählte sie aus einem Schubfach, das Alex ihr eingeräumt hatte, ein Nachthemd aus. Als sie es übergestreift hatte, löschte Margot das Licht.

Schweigend lagen sie in der tröstlichen Gemeinsamkeit des dunklen Zimmers nebeneinander. Dann sagte Margot: »Du hast heute Celia besucht, nicht wahr?«

Überrascht drehte er sich zu ihr um. »Woher weißt du das?«

»Man merkt es jedesmal. Es ist nicht leicht für dich.« Sie fragte: »Möchtest du darüber sprechen?«

»Ja«, sagte er, »ich glaube schon.«

»Du machst dir noch immer Vorwürfe, nicht wahr?«

»Ja.« Er erzählte ihr von seiner Begegnung mit Celia, von dem anschließenden Gespräch mit Dr. McCartney und der Meinung des Psychiaters darüber, wie sich eine Scheidung und seine Wiederverheiratung wahrscheinlich auf Celia auswirken würden.

Margot sagte mit Entschiedenheit: »Dann darfst du dich nicht von ihr scheiden lassen.«

»Wenn ich es nicht tue«, erwiderte Alex, »dann kann es für dich und für mich nichts Beständiges geben.«

»Wieso denn nicht? Ich habe dir von Anfang an gesagt, es wird zwischen uns genauso beständig sein, wie wir beide es wollen. Die Ehe ist keine Garantie für Beständigkeit mehr. Wer glaubt denn heute wirklich noch an die Ehe, abgesehen von ein paar alten Bischöfen?«

»Ich glaube dran«, sagte Alex. »Und zwar stark genug, um sie für uns zu wollen.«

»Na gut, dann führen wir eben eine Ehe – auf unsere Art. Liebling, ich brauche absolut kein amtliches Papier, auf dem mir bescheinigt wird, daß ich verheiratet bin, denn amtliche Papiere sehe ich jeden Tag genug, und sie imponieren mir nicht mehr sehr. Ich habe dir gesagt, daß ich bereit bin, mein Leben mit dir zu teilen – von ganzem Herzen und von ganzer Seele. Aber das, was von Celias geistiger Gesundheit noch vorhanden ist, in eine Grube ohne Boden zu stoßen, das will ich nicht auf mein Gewissen laden, und ich will auch nicht, daß du dir so etwas auflädst.«

»Ich weiß, ich weiß. Es stimmt ja alles, was du sagst.« Seine Antwort klang nicht überzeugend.

Mit leiser Stimme versuchte sie ihn zu trösten: »Mit dem, was wir haben, bin ich so glücklich wie noch nie in meinem ganzen Leben. Du bist es, der mehr will; ich nicht.«

Alex seufzte, und wenig später schlief er ein.

Als sie ganz sicher war, daß er fest und tief schlief, zog Margot sich an, küßte ihn ganz zart und verließ die Wohnung.

# 11

Während Alex Vandervoort einen Teil jener Nacht allein schlief, sollte Roscoe Heyward die ganze Nacht in Einsamkeit verbringen.

Noch aber schlief er nicht.

Heyward war zu Hause, in seinem geräumigen zweistöckigen Haus in dem Vorort Shaker Heights. Er saß an einem lederbezogenen Schreibtisch in dem etwas steif möblierten kleinen Zimmer, das ihm als Arbeitszimmer diente. Vor ihm waren Papiere ausgebreitet.

Seine Frau Beatrice war vor fast zwei Stunden nach oben und zu Bett gegangen. Die Schlafzimmertür hatte sie hinter sich verschlossen, wie sie es nun schon seit zwölf Jahren tat, seit dem Tag, an dem sie – in gegenseitiger Übereinstimmung – getrennte Schlafquartiere bezogen hatten.

Daß Beatrice ihre Tür zu verschließen pflegte, und zwar in einer für sie typischen herrischen Art, hatte Heyward nie als Kränkung empfunden. Schon lange vor ihrem Auszug aus dem gemeinsamen Schlafzimmer waren ihre sexuellen Begegnungen immer seltener geworden und hatten sich schließlich im Nichts verloren.

Im wesentlichen, meinte Heyward, wenn er gelegentlich darüber nachdachte, war es Beatrices Entscheidung gewesen, mit dem Sexuellen endgültig Schluß zu machen. Schon in den ersten Jahren ihrer Ehe hatte sie zu verstehen gegeben, daß sie im Prinzip eine Abneigung gegen dieses Tasten und Keuchen empfand, wenn auch ihr Körper zuzeiten danach verlangte. Früher oder später, ließ sie durchblicken, werde ihr Wille dieses ziemlich widerwärtige Verlangen überwinden, und so war es auch gekommen.

In einem seiner seltenen selbstironischen Momente war Heyward die Erkenntnis gekommen, daß Elmer, ihr einziger Sohn, eigentlich genau das widerspiegelte, was Beatrice zum Thema seiner Empfängnis und Geburt empfand – nämlich Abneigung gegen ein ziemlich kränkendes, durch nichts zu rechtfertigendes Eindringen in ihre körperliche Privatsphäre. Elmer, nun bald dreißig Jahre alt und ein staatlich examinierter Wirtschaftsprüfer, verbreitete eine Aura der absoluten

Mißbilligung um sich und stolzierte durchs Leben, als hielte er sich die Nase mit Zeigefinger und Daumen zu, um sich vor dem Gestank zu schützen. Sogar Roscoe Heyward konnte Elmer bisweilen nur schwer ertragen.

Heyward selbst hatte die sexuelle Zwangsabstinenz klaglos hingenommen, teils, weil er vor zwölf Jahren einen Punkt erreicht hatte, an dem er diese Dinge tun, sie aber auch sehr gut lassen konnte; teils, weil sein Ehrgeiz in der Bank inzwischen zu seiner zentralen Antriebskraft geworden war. Wie eine Maschine, die nicht mehr gebraucht wird, war deshalb sein sexuelles Verlangen geschrumpft und geschwunden. Jetzt regte es sich nur noch äußerst selten – und nur in mildester Form; und dann stimmte es ihn ein bißchen traurig in Erinnerung an einen Teil seines Lebens, über dem sich der Vorhang allzufrüh gesenkt hatte.

In anderer Hinsicht aber, gestand sich Heyward ein, war Beatrice gut für ihn gewesen. Sie entstammte einer tadellosen Bostoner Familie, und in ihrer Jugend war sie, wie es sich gehörte, als »Debütantin« in die Gesellschaft eingeführt worden. Auf ihrem Debütantinnenball war Roscoe, steif wie ein Ladestock, in Frack und weißen Handschuhen, ihr in aller Form vorgestellt worden. Später kam es zur einen oder anderen Verabredung, natürlich immer im Beisein von Anstandspersonen; darauf folgte eine Verlobungszeit von angemessener Dauer, und zwei Jahre nach ihrem ersten Tanz waren sie verheiratet. Die gesamte gute Gesellschaft von Boston hatte an der Hochzeit teilgenommen; Heyward erinnerte sich noch heute mit Stolz daran.

Damals wie jetzt teilte Beatrice Roscoes Vorstellungen über den Wert von gesellschaftlicher Stellung und gesellschaftlichem Ansehen. Beides hatte sie weiter gefestigt durch langen Dienst an der Sache der ›Töchter der amerikanischen Revolution‹, zu deren General-Schriftführerin sie inzwischen aufgestiegen war. Roscoe war stolz darauf und entzückt über die hervorragenden gesellschaftlichen Kontakte, die dieses Amt mit sich brachte. Beatrice und ihrer glanzvollen Familie hatte eigentlich nur eines gefehlt – nämlich Geld. In diesem Augenblick wünschte Roscoe Heyward sich, wie schon so oft, mit Inbrunst, daß seine Frau eine reiche Erbin wäre.

Die größte Sorge, die Roscoe und Beatrice im Augenblick belastete, war dieselbe, die sie schon immer begleitet hatte: Es war die Sorge, wie sie ihr Leben mit Roscoes Gehalt bestreiten sollten.

Die Zahlen, mit denen er sich an diesem Abend befaßte, bewiesen Roscoe Heyward, daß ihre Ausgaben in diesem Jahr ihre Einnahmen erheblich übersteigen würden. Im April nächsten Jahres würde er Geld aufnehmen müssen, um seine Einkommensteuer bezahlen zu können. Das war bereits im laufenden Jahr nötig gewesen, wie auch im Jahr zuvor. Es hätte noch mehr solcher Jahre gegeben, wenn er nicht bisweilen Glück bei einigen Investitionen gehabt hätte.

Bestimmt hätten viele mit sehr viel geringerem Einkommen nur gelacht bei dem Gedanken, daß ein Vizepräsidentengehalt von 65 000 Dollar im Jahr nicht für ein gutes Leben und womöglich noch für schöne Rücklagen reichen sollte. Tatsächlich aber reichte es für die Heywards nicht.

Zunächst einmal ging mehr als ein Drittel der Bruttosumme für die Einkommensteuer drauf. Danach verlangten die erste und die zweite Hypothek, die auf dem Hause lagen, jährliche Zahlungen von weiteren 16 000 Dollar, während die Gemeindesteuern 2 500 Dollar verschlangen. Blieben 23 000 Dollar übrig – oder rund 450 Dollar pro Woche – für sämtliche anderen Ausgaben wie Reparaturen, Versicherungen, Lebensmittel, Kleidung, Auto für Beatrice (die Bank stellte Roscoe bei Bedarf einen Wagen mit Fahrer aus dem Fuhrpark zur Verfügung), Lohn für die Haushälterin, die gleichzeitig Köchin war, Spenden für wohltätige Organisationen und dazu eine schier unglaubliche Zahl kleinerer Posten, die sich zu einer deprimierenden Summe addierten.

Wieder einmal, wie immer in solchen Augenblicken, wurde Heyward sich der Tatsache bewußt, daß das Haus eine schwerwiegende Extravaganz darstellte. Von Anfang an hatte es sich gezeigt, daß es größer war als nötig, selbst damals schon, als Elmer noch bei seinen Eltern wohnte, was jetzt nicht mehr der Fall war. Vandervoort, der das gleiche Gehalt bezog, hatte es viel klüger gemacht, indem er in einem Apartment zur Miete wohnte, aber Beatrice liebte das Haus gerade wegen seiner Größe und Ansehnlichkeit und wollte nie etwas davon hören, zur Miete zu wohnen; auch Roscoe hielt nichts davon.

Also mußten sie sich in anderen Dingen einschränken, eine Notwendigkeit, die Beatrice bisweilen nicht zur Kenntnis nehmen mochte. Ihrer Ansicht nach war es ihr angemessen, Geld zu haben; von ihr zu erwarten, selbst über Geldfragen nachzudenken, erschien ihr als eine Art Majestätsbeleidigung. Diese Einstellung drückte sich auf tausenderlei Weise überall im Haus aus. Sie dachte nicht daran, eine Leinenserviette zweimal zu benutzen; ob sie schmutzig war oder nicht, nach einmaliger Benutzung hatte sie in die Wäsche zu wandern. Das gleiche galt für Handtücher, so daß die Wäscherechnungen enorm waren. Ferngespräche führte sie mit nachlässiger Selbstverständlichkeit, und selten ließ sie sich dazu herab, mit eigener Hand Lampen und Geräte wieder auszuschalten. Vor einem Augenblick erst war Heyward in die Küche gegangen, um sich ein Glas Milch zu holen, und hatte dabei feststellen müssen, daß sämtliche Lampen im Erdgeschoß brannten, obwohl Beatrice schon vor zwei Stunden zu Bett gegangen war. Gereizt hatte er die Lichter ausgeschaltet.

Aber wie Beatrice auch eingestellt sein mochte, es gab Tatsachen, an denen nicht zu rütteln war, und es gab Dinge, die sie sich einfach nicht leisten konnten. Ein Beispiel waren Ferien – die Heywards hatten in den beiden letzten Jahren keine Ferien gemacht. Im Sommer hatte Roscoe beiläufig zu Kollegen in der Bank gesagt: »Wir hatten an eine Mittelmeer-Kreuzfahrt gedacht, aber dann fanden wir beide, daß wir lieber zu Hause bleiben wollten.«

Eine weitere höchst unbehagliche Tatsache bestand darin, daß sie beide praktisch keine Rücklagen hatten – nur ein paar FMA-Aktien, die vielleicht bald verkauft werden mußten, auch wenn der Erlös nicht einmal ausreichen würde, um das Defizit dieses Jahres auszugleichen.

An diesem Abend war Heyward zu dem einzigen Schluß gekommen, daß sie ihre Ausgaben nach der Kreditaufnahme, so gut es ging, einschränken müßten, immer in der Hoffnung, daß es in nicht allzu ferner Zukunft finanziell aufwärts ging.

Das wäre – in durchaus befriedigendem Umfang – der Fall, wenn er zum Präsidenten der FMA gewählt wurde.

Wie in den meisten anderen Banken gab es auch bei der First Mercantile American einen beträchtlichen Gehaltsunterschied zwischen dem Präsidenten und dem nächstniedrigeren Rang. Als Präsident bezog Ben Rosselli 130 000 Dollar pro Jahr. Es war so gut wie sicher, daß sein Nachfolger mit der gleichen Summe rechnen konnte.

Für Roscoe Heyward würde es die *sofortige Verdoppelung* seines jetzigen Gehalts bedeuten. Trotz der Steuereskalation würde der Rest sämtliche jetzt vorhandenen Probleme aus der Welt schaffen.

Er packte seine Papiere weg und begann davon zu träumen, ein Traum, der die ganze Nacht währte.

## 12

Freitag morgen.

In ihrer Penthouse-Wohnung auf dem luxuriösen Cayman Manor, einem knapp zwei Kilometer außerhalb der Stadt gelegenen Wohnhochhaus, saßen Edwina und Lewis D'Orsey beim Frühstück.

Drei Tage waren seit der dramatischen Versammlung im Sitzungszimmer vergangen, auf der Ben Rosselli seine Freunde und Mitarbeiter von seinem nahe bevorstehenden Tod unterrichtet hatte, und zwei Tage seit der Entdeckung des erheblichen Bargeldverlustes in der Cityfiliale der First Mercantile American. Von diesen beiden Ereignissen war es der Geldverlust, der Edwina – jedenfalls in diesem Augenblick – schwerer bedrückte.

Seit Mittwoch nachmittag war man keinen Schritt weitergekommen. Gestern hatten zwei Spezialagenten vom FBI den ganzen Tag lang mit unauffälliger Gründlichkeit die Angestellten der Cityfiliale befragt, aber ein greifbares Ergebnis hatten sie nicht erzielt. Die unmittelbar beteiligte Kassiererin, Juanita Núñez, blieb die Hauptverdächtige, aber sie weigerte sich, irgend etwas zuzugeben, sie beteuerte nach wie vor ihre Unschuld und lehnte es ab, sich einem Lügendetektor-Test zu unterziehen.

Obwohl ihre Weigerung den allgemeinen Verdacht gegen sie noch verstärkte, war es doch so, wie einer der FBI-Männer zu Edwina gesagt hatte: »Wir können sie noch so sehr verdächtigen, und das tun wir auch, aber an Beweisen gibt es nicht das Schwarze unterm Fingernagel. Und wenn das Geld in ihrer Wohnung versteckt sein sollte, so brauchen wir erst einmal einen soliden Hinweis, bevor wir einen Haussuchungsbefehl beantragen können. Und wir haben eben nichts. Natürlich behalten wir sie im Auge. Sie rund um die Uhr beschatten zu lassen, dazu sind wir nicht ermächtigt.«

Die FBI-Agenten hatten sich auch für diesen Tag wieder in der Filiale angesagt, aber niemand sah so recht, was sie da eigentlich noch erreichen könnten.

Eines aber konnte und würde die Bank tun: Sie würde das Arbeitsverhältnis mit Juanita Núñez beenden. Edwina wußte, daß sie die junge Frau heute entlassen mußte.

Ein befriedigendes Ende der Affäre war das nicht.

Sie wandte sich wieder ihrem Frühstück zu, das das Hausmädchen gerade serviert hatte – Rührei und getoastete englische Muffins.

Ihr gegenüber saß Lewis hinter dem »Wall Street Journal« verborgen und schimpfte wie üblich leise vor sich hin über den neuesten Washingtoner Schwachsinn. Dort hatte ein Staatssekretär des Finanzministeriums vor einem Senatsausschuß erklärt, daß die Vereinigten Staaten niemals wieder zum Goldstandard zurückkehren würden. Der Staatssekretär hatte Keynes zitiert und Gold als »dieses barbarische gelbe Relikt« bezeichnet. Gold, behauptete er, habe als internationales Zahlungsmittel ausgedient.

»Mein Gott! So ein Vollidiot!« Lewis warf einen wütenden Blick über die stahlgefaßten Halbmondgläser seiner Brille, dann schleuderte er die Zeitung auf den Fußboden, wo schon die »New York Times«, der »Chicago Tribune« und die Londoner »Financial Times« vom Vortag lagen. Alle diese Blätter hatte er überflogen. Er schimpfte weiter über den Beamten vom Finanzministerium: »In fünf Jahrhunderten, wenn dieser Trottel längst zu Staub zerfallen ist, wird das Gold immer noch die einzige solide Basis für alle Zahlungsmittel der Welt sein. Aber bei diesen Ignoranten, die bei uns an der Macht sind, gibt es für uns keine Hoffnung mehr, nicht einen Schimmer!«

Lewis packte eine Tasse Kaffee, hob sie an sein hageres, ergrimmtes Gesicht und schluckte. Dann wischte er sich die Lippen mit einer Leinenserviette.

Edwina hatte den »Christian Science Monitor« durchgeblättert. Sie sah auf. »Wirklich ein Jammer, daß du in fünf Jahrhunderten nicht mehr hier sein wirst, um zu denen sagen zu können: ›Seht ihr, ich hab's euch doch gleich gesagt.‹«

Lewis war ein kleiner Mann mit einem so hageren Körper, daß er zerbrechlich und halbverhungert wirkte; was aber keineswegs der Fall war, weder das eine noch das andere. Sein Gesicht paßte zu seinem Körper, es schien nur aus Knochen zu bestehen. Er hatte flinke Bewegungen, und seine Stimme klang meistens ungeduldig. Gelegentlich witzelte Lewis über seine wenig imposante Statur. Dann tippte er sich an die Stirn und versicherte: »Was die Natur an der Karosserie versäumt hat, das hat sie hier oben wiedergutgemacht.«

Und das stimmte, das gaben selbst diejenigen zu, die ihn nicht ausstehen konnten; er hatte ein bemerkenswert schnell und gut arbeitendes Gehirn, vor allem, wenn es um Geld und Finanzen ging.

Seine morgendlichen Wutausbrüche beeindruckten Edwina kaum. Zum einen hatte sie in ihrer vierzehnjährigen Ehe gelernt, daß sein Zorn sich höchst selten gegen sie richtete; zum anderen wußte sie, daß er sich schon für seine Morgensitzung an der Schreibmaschine in Form brachte, wo er dann zu brüllen anheben würde im gerechten Zorn eines Jeremias, wie es die Leser seines zweimal im Monat erscheinenden Finanz-Informationsbriefes von ihm erwarteten.

Der sehr teure private Informationsbrief, der Lewis D'Orseys Investitionsratschläge unter einer exklusiven Gruppe internationaler Abonnenten verbreitete, diente ihm einerseits als enorme Einkommensquelle und andererseits als sein persönlicher Speer, mit dem er Regierung, Präsidenten, Ministerpräsidenten und assortierte Politiker aufspießte, wenn ihm eine ihrer fiskalischen Entscheidungen mißfiel. Die meisten mißfielen ihm.

Viele der auf moderne Theorien eingeschworenen Finanz-
leute, einschließlich einiger Angehöriger der First Mercantile
American Bank, sahen rot, wenn sie nur an den unabhängi-
gen, bissigen, ultrakonservativen Informationsbrief von Lewis
D'Orsey dachten. Ganz anders urteilte die Mehrheit von
Lewis' begeisterten Abonnenten, die in ihm eine Mischung
von Moses und Midas inmitten einer Generation finanzieller
Hohlköpfe erblickten.

Und das mit gutem Grund, fand Edwina. Hatte man das
Lebensziel, Geld zu machen, dann war es schon vernünftig,
auf Lewis zu hören. Das hatte er viele Male auf geradezu
unheimliche Weise mit Ratschlägen bewiesen, die denen, die
sie beachteten, hübsche Summen eingetragen hatten.

Ein Beispiel dafür war das Gold. Während andere ihn
mitleidig belächelten, hatte Lewis schon lange im voraus
einen geradezu dramatischen Anstieg im freien Marktpreis
prophezeit. Er empfahl auch dringend den Ankauf südafri-
kanischer Goldminen-Aktien, die damals billig zu haben
waren. Seither hatten mehrere seiner Abonnenten geschrieben und mitgeteilt, daß sie es inzwischen zum Millionär gebracht hätten, und zwar allein deshalb, weil sie seinem Rat
gefolgt waren.

Mit ähnlich guter prophetischer Gabe hatte er die Serie
von Dollarabwertungen vorausgesehen und seinen Lesern
empfohlen, jeden Cent, den sie flüssigmachen könnten, in
anderen Währungen anzulegen, vor allem in Schweizer Franken und D-Mark, was viele auch taten – und sehr zu ihrem
Vorteil.

In der letzten Nummer von »The D'Orsey Newsletter«
hatte er geschrieben:

»Der US-Dollar, einst eine stolze und ehrliche Wäh-
rung, ist todgeweiht wie die Nation, die er repräsentiert.
In finanzieller Hinsicht hat Amerika den Punkt ohne
Wiederkehr hinter sich gelassen. Dank einer verrückten
Fiskalpolitik, fehlkonzipiert von unfähigen und korrupten
Politikern, die ausschließlich an sich selbst und ihrer Wie-
derwahl interessiert sind, leben wir in einem finanziellen
Desaster, das sich nur noch verschlimmern kann.

Weil wir nun einmal von Schurken und Schwachsinnigen regiert werden und weil die Öffentlichkeit treu und bieder und ahnungslos zuschaut, ohne einen Finger zu rühren, ist es höchste Zeit, in die finanziellen Rettungsboote zu gehen! Rette sich, wer kann!

Wenn Sie Dollars haben, behalten Sie nur so viele davon, wie Sie für das Taxi, Ihre Mahlzeiten und für Briefmarken brauchen. Und natürlich eine Summe, die für ein Flugticket in ein glücklicheres Land ausreicht.

Der kluge Investor verläßt die Vereinigten Staaten, lebt im Ausland und verzichtet auf seine amerikanische Staatsbürgerschaft. Amtlich heißt es im Internal Revenue Code, Paragraph 877, daß ein Bürger der USA, der seine Staatsbürgerschaft ablegt, um seine Einkommensteuerpflicht zu umgehen, steuerpflichtig bleibt, falls die Steuerbehörde den Sachverhalt beweisen kann. Aber wer sich auskennt, kann der Steuerbehörde auf legale Weise ein Schnippchen schlagen. (Siehe »The D'Orsey Newsletter« vom Juli vorigen Jahres zu dem Thema: »Wie werde ich ein ehemaliger US-Staatsbürger.« *Einzelexemplare sind noch lieferbar zum Preise von 16 US-Dollar oder 40 sfr.*)

Der Grund für den Wechsel in Landschaft und Loyalität: Der Wert des US-Dollars wird weiter schwinden, zusammen mit Amerikas fiskalischer Freiheit.

Und wenn Sie dieses Land aus irgendwelchen Gründen nicht verlassen können, dann schicken Sie wenigstens Ihr Geld ins Ausland. Konvertieren Sie Ihre US-Dollars, solange es noch geht (das wird vielleicht nicht mehr lange dauern!), in D-Mark, Schweizer Franken, holländische Gulden, in österreichische Schilling, in Krüger-Rands.

Und dann packen Sie sie, dem Zugriff der US-Bürokraten entzogen, auf ein europäisches Bankkonto, am besten wohl in der Schweiz . . .«

Lewis D'Orsey hatte dieses Thema in den letzten Jahren schon in vielen Varianten hinaustrompetet. Sein neuester Informationsbrief enthielt noch mehr davon und schloß mit detaillierten Ratschlägen über empfehlenswerte Investitionen. Natürlich empfahl er nur Anlagen in nicht-amerikanischen Währungen.

Ein anderer Vorgang, der Lewis in Rage versetzt hatte, waren die staatlichen Goldverkäufe gewesen. »In der nächsten Generation«, hatte er geschrieben, »wenn die Amerikaner endlich aufwachen und erkennen, daß ihr nationales Erbe zu Schleuderpreisen verkauft wurde, um dem kindischen Ehrgeiz von gewissen Leuten in Washington zu schmeicheln, werden die dafür Verantwortlichen als Verräter gebrandmarkt und für alle Zeiten verdammt werden.«

Lewis' Bemerkungen hatten in ganz Europa starke Beachtung gefunden, waren jedoch in Washington und in der amerikanischen Presse totgeschwiegen worden.

Nun, am Frühstückstisch, setzte Edwina ihre Lektüre des »Monitor« fort. Ein Artikel behandelte eine Gesetzesvorlage im Repräsentantenhaus, die eine Änderung der Steuergesetze mit dem Ziel einer verringerten Abschreibung bei Haus- und Grundbesitz anstrebte. Ein solches Gesetz könnte sich auf die Hypothekengeschäfte der Bank auswirken, und sie fragte Lewis um seine Meinung, ob diese Vorlage Chancen habe, zum Gesetz erhoben zu werden.

»Nie und nimmer«, antwortete er entschieden. »Selbst wenn das Haus zustimmt, kommt die Vorlage nicht durch den Senat. Ich habe gestern ein paar Senatoren angerufen. Die nehmen die Sache nicht ernst.«

Lewis hatte eine staunenswerte Zahl von Freunden und Informanten – und das war einer der Gründe für seinen Erfolg. Er hielt sich auch stets in Steuerfragen auf dem laufenden, so daß er seinen Lesern raten konnte, wie sich bestimmte Situationen zu ihrem Vorteil nutzen ließen.

Lewis selbst zahlte im Jahr nur eine quasi symbolische Einkommensteuer – niemals mehr als ein paar hundert Dollar, und damit brüstete er sich auch. Dabei hatte er tatsächlich ein siebenstelliges Einkommen. Er schaffte das, indem er alle gesetzlichen Steuervorteile, alle Vergünstigungen geschickt ausnutzte und dort anlegte, wo es Steuerschutzwälle gab – Öl, Land, Holzwirtschaft, Landwirtschaft, steuerfreie Staatspapiere, steuerbegünstigte Teilhaberschaften. Ein kompliziertes

Gebäude aus ineinander verzahnten Vorteilen dieser Art ermöglichte es ihm, mit vollen Händen Geld auszugeben, ein großartiges Leben zu führen und dennoch – auf dem Papier – in jedem Jahr immer Verlust zu machen.

Diese Steuerinstrumente waren, wie gesagt, samt und sonders legal. »Nur Dummköpfe verheimlichen Einnahmen oder hinterziehen Steuern auf andere Weise«, hatte Edwina ihn oft sagen hören. »Warum denn ein Risiko eingehen, wenn das Steuergesetz mehr legale Notausgänge hat als ein Schweizer Käse Löcher? Man braucht dazu nichts weiter als Fleiß, um sich mit dem Thema vertraut zu machen, und Unternehmungsgeist, um die gewonnenen Erkenntnisse zu nutzen.«

Bislang hatte Lewis seinen eigenen Ratschlag, im Ausland zu leben und auf die amerikanische Staatsbürgerschaft zu verzichten, nicht befolgt. Aber er verabscheute New York, wo er einst gelebt und gearbeitet hatte, und nannte es jetzt »ein verkommenes, eitles, bankrottes Banditennest, das von Solipsismus lebt und einen schlechten Atem hat«. Außerdem sei es eine »von arroganten New Yorkern propagierte Illusion, daß man die besten Gehirne in dieser Stadt versammelt findet. Das ist nicht der Fall.« Ihm war der Mittlere Westen lieber, wohin er dann übergesiedelt war und wo er vor anderthalb Jahrzehnten Edwina kennengelernt hatte.

Obwohl ihr Mann ihr vorexerzierte, wie man Steuern vermeiden konnte, ging Edwina hier ihre eigenen Wege, füllte ihre eigenen Steuererklärungen aus und zahlte höhere Steuern als Lewis, obwohl sie weit weniger verdiente als er. Aber die gemeinsamen Rechnungen bezahlte Lewis – er zahlte für das Penthouse, für die Angestellten, für die beiden Mercedeswagen und andere Luxusdinge.

Edwina gestand sich selbst gegenüber ehrlich ein, daß der großartige Lebensstil, den sie aus Herzenslust genoß, bei ihrer Entscheidung, Lewis zu heiraten und sich auf diese Ehe einzustellen, eine Rolle gespielt hatte. Doch sie hatten sich beide arrangiert, es funktionierte gut, sie behielten ihre Unabhängigkeit und ihre getrennten Karrieren.

»Im Augenblick wünschte ich«, sagte sie, »deine tiefe Einsicht reichte so weit, daß du mir sagen könntest, wohin am Mittwoch all das viele Geld bei uns verschwunden ist.«

Lewis blickte von seinem Frühstück auf, das er ingrimmig attackiert hatte, so als seien die Eier seine persönlichen Feinde. »Das Geld ist noch immer verschwunden? Dann hat das wackere FBI mal wieder nichts rausgekriegt?«

»So könnte man es auch nennen.« Sie erzählte ihm von der Sackgasse, in der die Ermittlungen jetzt steckten, und von ihrer Absicht, die Kassiererin noch heute zu entlassen.

»Und danach wird wohl keiner sie je wieder einstellen.«

»Eine andere Bank ganz bestimmt nicht.«

»Sagtest du nicht, daß sie ein Kind hat?«

»Ja, leider.«

»Zwei neue Anwärter für die langen Listen der Fürsorge«, bemerkte Lewis düster.

»Ach, nun mach mal 'n Punkt und spar dir die Birch-Klagen für deine Leser auf.«

Ein zerklüftetes Lächeln erschien – was äußerst selten geschah – auf dem Gesicht ihres Mannes. »Verzeih. Aber ich bin es nicht gewöhnt, daß du Rat brauchst. Kommt nicht sehr oft vor.«

Das war ein Kompliment, wie Edwina wohl wußte. Zu den Vorzügen ihrer Ehe gehörte es, daß Lewis sie immer als intellektuell gleichberechtigt behandelt hatte. Er hatte es zwar nie ausgesprochen, aber sie wußte, daß er auf ihren hohen Rang in der FMA-Hierarchie sehr stolz war – schließlich gab es in jenen Höhen auch heute noch nicht viele Frauen in der männerchauvinistischen Welt des Bankgewerbes.

»Natürlich kann ich dir auch nicht verraten, wo das Geld ist«, sagte Lewis; er schien nachgedacht zu haben. »Aber ich gebe dir einen Rat, der mir in ähnlich vertrackten Situationen schon geholfen hat.«

»Ja? Ich höre.«

»Er lautet: Mißtraue dem Offensichtlichen.«

Edwina war enttäuscht. Vielleicht hatte sie unlogischerweise so etwas wie eine Wunderlösung erwartet. Statt dessen hatte Lewis eine lendenlahme alte Bauernweisheit verkündet.

Sie warf einen Blick auf die Uhr. Es war beinahe acht. »Danke«, sagte sie. »Ich muß gehen.«

»Ach, ich fliege übrigens heute abend nach Europa«, sagte er. »Ich bin Mittwoch wieder da.«

»Gute Reise.« Im Gehen gab Edwina ihm einen Kuß. Die beiläufige Mitteilung hatte sie nicht überrascht. Lewis hatte Büros auch in Zürich und London, und sein Kommen und Gehen war das Selbstverständlichste von der Welt.

Sie fuhr in dem Privat-Lift, der das Penthouse mit der Kellergarage verband, nach unten.

Obwohl sie den Ratschlag, den Lewis ihr gegeben hatte, nicht für besonders wertvoll hielt, wollten ihr während der Fahrt zur Bank seine Worte: *Mißtraue dem Offensichtlichen* nicht aus dem Sinn gehen.

Ein Gespräch mit den beiden FBI-Agenten am Vormittag war kurz und unergiebig.

Es fand im Konferenzraum im hinteren Teil der Bank statt. Hier hatten die FBI-Männer während der vorangegangenen beiden Tage Angestellte vernommen. Am heutigen Gespräch nahmen Edwina und Nolan Wainwright teil.

Der Ranghöhere der beiden Beamten, der Innes hieß und mit dem typischen Akzent der Leute aus New England sprach, gestand Edwina und dem Sicherheitschef der Bank: »Unsere Untersuchung hat sich festgefahren. Der Fall bleibt offen, und Sie hören von uns, wenn neue Tatsachen ans Licht kommen«, setzte er hinzu. »Falls sich hier etwas ergibt, benachrichtigen Sie sofort das Federal Bureau of Investigation.«

»Natürlich«, sagte Edwina.

»Ach, etwas wäre da doch noch, allerdings etwas Negatives.« Der FBI-Mann schlug sein Notizbuch auf. »Der Mann dieser Mrs. Núñez – Carlos. Einer von Ihren Leuten glaubte, ihn an dem Tag, an dem das Geld verschwunden ist, in der Bank gesehen zu haben.«

Wainwright sagte: »Miles Eastin. Er hat es mir gemeldet. Ich habe die Information weitergegeben.«

»Ja, wir haben Eastin danach gefragt; er gab zu, daß er sich geirrt haben könnte. Wir haben Carlos Núñez ausfindig gemacht. Er lebt jetzt in Phoenix, Arizona; hat da einen Job als Autoschlosser. Unsere Agenten in Phoenix haben ihn befragt. Nach ihren Feststellungen war er am Mittwoch an seinem Arbeitsplatz, wie jeden Tag in dieser Woche. Damit scheidet er als Komplice aus.«

Nolan Wainwright begleitete die FBI-Agenten hinaus. Edwina kehrte zu ihrem Schreibtisch auf der Plattform zurück. Wie die Vorschrift es verlangte, hatte sie den Verlust des Geldes ihrem unmittelbaren Vorgesetzten in der Hauptverwaltung gemeldet, und die Sache schien weiter nach oben bis zu Alex Vandervoort gedrungen zu sein. Alex hatte gegen Abend angerufen und gefragt, ob er ihr in irgendeiner Weise behilflich sein könne. Sie hatte es dankend abgelehnt, da sie schließlich die Verantwortliche war und was zu tun war selber erledigen mußte.

An diesem Morgen hatte sich an der ganzen Sache nichts geändert.

Kurz vor Mittag wies Edwina Tottenhoe an, die Gehaltsabteilung davon in Kenntnis zu setzen, daß das Angestelltenverhältnis von Juanita Núñez mit diesem Tage enden würde. Die Abteilung möge die letzte Gehaltsabrechnung fertigmachen und herüberschicken. Der Scheck, von einem Boten gebracht, lag auf Edwinas Schreibtisch, als sie vom Essen zurückkam.

Zögernd und mit einem unguten Gefühl wendete Edwina den Scheck hin und her.

In diesem Augenblick arbeitete Juanita Núñez noch. Das hatte Edwina gestern entschieden, sehr zum Verdruß Tottenhoes, der brummig eingewandt hatte: »Je eher wir sie los sind, desto sicherer sind wir vor Wiederholungen.« Sogar Miles Eastin, der nun wieder an seinem Schreibtisch saß und seine Arbeit als stellvertretender Innenleiter fortsetzte, hatte die Augenbrauen verwundert hochgezogen. Trotzdem war Edwina bei ihrer Entscheidung geblieben.

Sie wunderte sich über sich selbst. Warum machte sie sich solche Gedanken, wo doch offensichtlich die Zeit gekommen war, einen Schlußstrich zu ziehen und die ganze Sache zu vergessen.

*Offensichtlich* die Zeit gekommen war . . . Die *offensichtliche* Lösung. Wieder fiel ihr ein, was Lewis gesagt hatte – *mißtraue dem Offensichtlichen.*

Aber wie? Wo sollte sie anfangen mit dem Mißtrauen?

Edwina befahl sich selbst: Durchdenke alles noch einmal. Fange ganz von vorn an.

Welches waren die *offensichtlichen* Aspekte des Zwischenfalles? Das erste Offensichtliche war die Tatsache, daß Geld verschwunden war. *Hier gab es nichts zu deuteln.* Das zweite Offensichtliche war die Summe von sechstausend Dollar. Das hatten vier Personen übereinstimmend festgestellt: Juanita Núñez selbst, Tottenhoe, Miles Eastin, schließlich noch der Tresorraum-Kassierer. *Nicht strittig.*

Das dritte offensichtlich gewordene Moment bezog sich auf die Angabe der Mrs. Núñez, daß sie um 13.50 Uhr die genaue Summe des Geldes kannte, das aus ihrem Fach verschwunden war; sie hatte diese Angabe nach fast fünfstündiger lebhafter Schaltertätigkeit gemacht und *bevor* sie ihren Bestand durchgezählt und nachgerechnet hatte. Alle anderen in der Filiale, die von dem Verlust wußten, Edwina selbst inbegriffen, erklärten das übereinstimmend für offensichtlich unmöglich; das war von Anfang an ein wichtiges Belastungsmoment gegen Juanita Núñez gewesen.

Belastung . . . *offensichtliche* Belastung . . . *offensichtlich* unmöglich.

Aber war es wirklich so unmöglich? . . . Edwina hatte plötzlich eine Idee.

Die Uhr an der Wand zeigte 14.10 Uhr. Sie bemerkte, daß der Innenleiter an seinem Schreibtisch saß. Edwina stand auf. »Mr. Tottenhoe, würden Sie bitte mal mitkommen?«

Verdrossen trottete Tottenhoe hinter ihr her, als sie den großen Schalterraum durchquerte, hier und da kurz einen Kunden begrüßend. Es herrschte reger Betrieb, es waren viele Menschen in dem Raum, wie üblich während der letzten Schalterstunden vor einem Wochenende. Juanita Núñez nahm gerade eine Einzahlung entgegen.

Edwina sagte mit ruhiger Stimme: »Mrs. Núñez, wenn Sie diesen Kunden bedient haben, stellen Sie bitte das Schild ›Schalter geschlossen‹ auf und verschließen Sie dann Ihr Geldfach.«

Juanita reagierte nicht, sie sagte auch nichts, als sie die Transaktion beendet und das kleine Metallschild in ihr Schalterfenster gestellt hatte. Als sie sich zur Seite wandte, um das Geldfach abzuschließen, sah Edwina, warum sie nichts sagte. Juanita weinte lautlos, Tränen liefen ihr über die Wangen.

Der Grund war nicht schwer zu erraten. Sie hatte an diesem Tag mit ihrer Entlassung gerechnet, und Edwinas plötzliches Auftauchen hatte ihr die Gewißheit gebracht.

Edwina ignorierte die Tränen. »Mr. Tottenhoe«, sagte sie, »stimmt es, daß Mrs. Núñez seit Beginn der Schalterstunden heute früh Bargeld eingenommen und ausgezahlt hat?«

Er nickte. »Ja.«

Die Zeitspanne war ungefähr die gleiche wie am Mittwoch, dachte Edwina; allerdings hatte heute mehr Betrieb in der Filiale geherrscht.

Sie zeigte auf das Geldfach. »Mrs. Núñez, Sie haben behauptet, daß Sie jederzeit genau wissen, wieviel Bargeld sie haben. Wissen Sie, wieviel Geld jetzt in dem Fach ist?«

Die junge Frau zögerte. Dann nickte sie; sprechen konnte sie wegen der Tränen noch immer nicht.

Edwina nahm einen Zettel vom Schaltertisch und hielt ihn ihr hin. »Schreiben Sie die Summe darauf.«

Wieder sichtliches Zögern. Dann nahm Juanita Núñez einen Bleistift und kritzelte *23 765 Dollar.*

Edwina gab Tottenhoe den Zettel. »Bitte begleiten Sie Mrs. Núñez und bleiben Sie bei ihr, während sie ihren heutigen Bargeldbestand durchrechnet. Kontrollieren Sie das Ergebnis. Vergleichen Sie es mit dieser Zahl.«

Skeptisch betrachtete Tottenhoe den Zettel. »Ich hab' zu tun, und wenn ich bei jedem einzelnen Kassierer bleiben wollte . . .«

»Bleiben Sie bei dieser Kassiererin«, sagte Edwina und ging durch die Schalterhalle zu ihrem Platz zurück.

Drei Viertelstunden später erschien Tottenhoe neben ihrem Schreibtisch.

Er machte einen nervösen Eindruck. Edwina bemerkte, daß die Hand zitterte, mit der er ihr den Zettel hinlegte. Die Zahl, die Juanita Núñez darauf geschrieben hatte, war mit einem Bleistift abgehakt.

»Wenn ich es nicht mit eigenen Augen gesehen hätte«, sagte der Innenleiter, »dann hätte ich es wahrscheinlich nicht geglaubt.« Zum ersten Mal seit langer Zeit verriet seine Miene nicht die gewohnte Niedergeschlagenheit, sondern Erstaunen.

»Die Zahl hat gestimmt?«

»Sie hat *genau* gestimmt.«

Edwina saß angespannt da und versuchte, ihre Gedanken zu ordnen. Mit einem Schlage, das wußte sie, hatte sich fast der gesamte Stand der Untersuchung verändert. Bis zu diesem Augenblick war man fast immer von der Annahme ausgegangen, daß Mrs. Núñez unmöglich habe fertigbringen können, was sie soeben überzeugend und schlüssig vorgeführt hatte.

»Mir ist etwas eingefallen, als ich eben auf dem Weg zu Ihnen war«, sagte Tottenhoe. »Ich habe mal jemanden gekannt, das war in einer kleinen Filiale auf dem Lande im Norden – muß zwanzig Jahre her sein oder länger –, der konnte beim Schalterdienst den ganzen Tag lang im Kopf mitrechnen. Und jetzt erinnere ich mich, von anderen Leuten gehört zu haben, die das auch können. Das ist, als ob die eine Rechenmaschine im Kopf hätten.«

Edwina sagte scharf: »Mir wäre es lieber gewesen, wenn Ihre Erinnerung schon am Mittwoch so gut funktioniert hätte.«

Tottenhoe kehrte zu seinem Schreibtisch zurück, Edwina zog einen Schreibblock heraus und kritzelte Zusammenfassungen von dem, was ihr jetzt durch den Kopf ging.

*Núñez noch nicht entlastet, aber glaubwürdiger. Vielleicht schuldlos verdächtigt?*

*Wenn Núñez nicht, wer dann?*

*Jemand, der den Arbeitsablauf kennt, der nach günstiger Gelegenheit Ausschau halten kann.*

*Angestellter? Jemand aus dieser Filiale?*

*Aber wie?*

»Wie« *später. Erst Motiv finden, dann Person.*

*Motiv? Jemand, der dringend Geld braucht?*

Sie wiederholte in Blockbuchstaben: *BRAUCHT GELD.* Und sie fügte hinzu: *Persönliche Giro-/Sparkonten kontrollieren, gesamtes Personal der Filiale – HEUTE ABEND!*

## 13

Freitagnachmittag blieben alle Filialen der First Mercantile American drei Stunden länger als gewöhnlich geöffnet.

So schloß an diesem Freitag ein bewaffneter Sicherheitsbeamter das Straßenportal der Hauptfiliale um 18.00 Uhr zu. Ein paar Kunden, die sich im Augenblick des Schalterschlusses noch in der Bank befunden hatten, wurden von demselben Wächter einzeln durch eine Panzerglastür hinausgelassen.

Genau um 18.05 Uhr klopfte es ein paar Mal nacheinander scharf von außen an diese Glastür. Als sich der Wächter verwundert umdrehte, sah er die Gestalt eines jung wirkenden Mannes, der einen schwarzen Mantel und einen dunklen Anzug darunter trug. In der Hand hatte er eine Aktentasche. Um gleich gehört zu werden, hatte er ein in ein Taschentuch gewickeltes 50-Cent-Stück als Klopfer benutzt.

Als der Wächter näher kam, drückte der Mann mit der Aktentasche einen Ausweis flach an die Scheibe. Der Wächter prüfte den Ausweis, schloß dann die Tür auf, und der junge Mann betrat die Filiale.

Bevor der Wächter die Tür wieder schließen konnte, geschah etwas, das so verblüffend und erstaunlich war wie ein glänzend einstudierter Zaubertrick. Wo ein Mann mit Aktentasche gestanden und seinen Ausweis präsentiert hatte, da standen plötzlich sechs, und hinter ihnen weitere sechs, wiederum gefolgt von einer anderen Phalanx. Geschwind wie eine Flutwelle strömten sie in die Bank.

Ein Mann, älter als die meisten anderen und Autorität ausstrahlend, sagte kurz: »Revisionsstab der Hauptverwaltung.«

»Yessir«, sagte der bewaffnete Wächter; er war ein alter Bankhase, der das alles schon einmal mitgemacht hatte, und er ließ die anderen Ausweisinhaber Mann für Mann herein. Zwanzig waren es insgesamt, meistens Männer, aber auch vier Frauen waren dabei. Alle begaben sich unverzüglich zu bestimmten Punkten innerhalb der Bank.

Der ältere Mann, der an der Tür gesprochen hatte, steuerte auf Edwinas Schreibtisch zu. Als sie sich erhob, um ihn zu begrüßen, betrachtete sie den Strom der Hereinkommenden mit unverhohlener Überraschung.

»Mr. Burnside, soll das eine Groß-Revision werden?«

»Allerdings, Mrs. D'Orsey.« Der Chef der Revision zog seinen Mantel aus und hängte ihn in der Nähe der Plattform an einen Haken.

Die Angestellten in den verschiedenen Abteilungen der Bank zogen ein saures Gesicht; resignierte Bemerkungen wurden hörbar. »Ausgerechnet Freitag abend!« . . . »Verdammt, ich bin zum Essen verabredet!« . . . »Wer sagt, daß Revisoren auch Menschen sind?«

Die meisten wußten, was der Besuch einer Revisorengruppe bedeutete. Kassierer wußten, daß ihr Bargeld, ebenso wie die Bar-Reserve im Tresorraum, noch ein weiteres Mal nachgezählt werden würde, bevor sie endlich gehen konnten. Buchhalter würden bleiben müssen, bis ihre sämtlichen Eintragungen abgehakt waren, und die leitenden Angestellten der Filiale würden sich glücklich preisen können, wenn sie bis Mitternacht mit allem fertig waren.

Die Neuankömmlinge hatten bereits flink und höflich sämtliche Hauptbücher an sich genommen. Von diesem Augenblick an konnte jede Eintragung, jede Änderung nur noch unter Aufsicht vorgenommen werden.

»*Damit* habe ich nicht gerechnet, als ich um eine Prüfung der Angestellten-Konten bat«, sagte Edwina. Normalerweise fand alle anderthalb Jahre eine Bankrevision statt, manchmal auch nur alle zwei Jahre, und die jetzige Revision war doppelt unerwartet, da die Filiale erst vor acht Monaten eine große Revision erlebt hatte.

»*Wir* entscheiden über das Wie, Wo und Wann einer Revision, Mrs. D'Orsey.« Wie stets wahrte Hal Burnside kühle Distanz, wie es sich für einen Bankprüfer gehörte. Die Revisionsabteilung ist innerhalb jeder großen Bank eine selbständige Einheit mit den Aufgaben eines vorzüglich dressierten Wachhundes, ausgestattet mit Autorität und etwa den gleichen Vorrechten, wie sie der Generalinspekteur eines modernen Heeres besitzt. Kein Revisor ließ sich je durch Rang und Namen einschüchtern, und selbst leitende Manager mußten Mängelrügen einstecken, wenn die gründliche Inspektion einer Filiale irgendwelche Unregelmäßigkeiten aufdeckte – und ein paar davon gab es immer.

»Das ist mir bekannt«, sagte Edwina. »Ich staune nur, wie Sie das alles so schnell organisieren konnten.«

Der Chefrevisor lächelte eine Spur selbstgefällig. »Wir haben unsere Methoden und Möglichkeiten.«

Für sich behielt er die Tatsache, daß an diesem Abend die überraschende Revision einer anderen FMA-Filiale geplant gewesen war. Nach Edwinas Anruf vor drei Stunden hatte man den Plan fallenlassen, die getroffenen Vorbereitungen rasch umgepolt und zusätzliche Leute für den neuen Einsatzort mobilisiert.

Solche Nacht-und-Nebel-Aktionen waren keineswegs ungewöhnlich. Ein wesentliches Element jeder Revision bestand darin, unangekündigt die zu prüfende Filiale zu besetzen. Die kompliziertesten Geheimhaltungsmaßnahmen wurden jedesmal getroffen, und ein Revisor, der gegen die absolute Schweigepflicht verstieß, mußte mit ernsten Folgen für sich rechnen. Was darum, und sei es auch nur aus Fahrlässigkeit, höchst selten vorkam.

Zu dem derzeitigen Unternehmen hatten sich die zwanzig Revisoren im Salon eines Hotels versammelt; selbst dieser Treffpunkt war ihnen erst im letztmöglichen Augenblick bekanntgegeben worden. Dort gab es eine rasche Einsatzbesprechung, jeder erhielt seine Spezialaufgabe zugewiesen, und dann begaben sie sich unauffällig zu zweit oder zu dritt zur FMA-Cityfiliale. Bis zur allerletzten, entscheidenden Minute hatten sie sich in den Foyers benachbarter Geschäftshäuser aufgehalten, waren scheinbar harmlos herumspaziert oder hatten Schaufenster betrachtet. Nach alter Tradition hatte dann das jüngste Mitglied der Gruppe herrisch an die Tür der Bank geklopft und Einlaß gefordert. Kaum war der Weg in die Bank frei, waren die anderen ihm, wie auf ein Signal, in die Schalterhalle gefolgt.

Jetzt waren sämtliche Schlüsselpositionen der Bank von je einem Mann des Revisorenteams besetzt.

Ein wegen Bankunterschlagung in den siebziger Jahren verurteilter Mann, der seine gewaltigen Betrügereien mehr als zwanzig Jahre lang immer wieder hatte tarnen können, sagte, als er sich endlich doch auf der Fahrt ins Gefängnis befand: »Wenn die Bankprüfer zu uns kamen, haben sie in den

ersten vierzig Minuten nichts anderes getan als rumzuquat-
schen. In der Hälfte der Zeit hatte ich alles kaschiert, was es
zu kaschieren gab.«

Die Revisionsabteilungen der First Mercantile American
und anderer großer Banken in Nordamerika ließen es nicht
darauf ankommen. Es vergingen keine fünf Minuten zwischen
der überraschenden Ankunft des Revisoren-Teams und dem
Beziehen der ihnen zugewiesenen Positionen, von denen aus
sie alles beobachten konnten.

Resigniert fuhren die Angestellten der Bankfiliale fort, ihre
Tagesarbeit abzuschließen, um sich dann, falls nötig, den
Revisoren helfend zur Verfügung zu stellen.

Hatte die Prüfung erst einmal begonnen, ging es die ganze
folgende Woche damit weiter und noch einige Tage der über-
nächsten. Der eigentlich kritische Teil jedoch fand innerhalb
der ersten Stunden statt.

»Ich schlage vor, daß Sie und ich jetzt an die Arbeit gehen,
Mrs. D'Orsey«, sagte Burnside. »Wir fangen bei den Sparkonten an, bei den längerfristigen ebenso wie bei den sofort
kündbaren.« Er stellte seine Aktentasche auf Edwinas
Schreibtisch und klappte sie auf.

Gegen 20.00 Uhr hatte sich die Überraschung über die so
unerwartet anberaumte Revision gelegt, ein bemerkenswertes
Arbeitspensum war geschafft, und die Reihen der noch anwesenden Angestellten hatten sich gelichtet. Alle Kassierer
waren gegangen, auch etliche Buchhalter. Das gesamte Bargeld war gezählt, die Inspektion der verschiedenen Bücher,
Karten und Akten hatte gute Fortschritte gemacht. Die Gäste
waren höflich aufgetreten und in einigen Fällen sogar hilfsbereit, indem sie auf den einen oder anderen kleinen Fehler
hingewiesen hatten; das alles gehörte zu ihren Aufgaben.

Von den leitenden Angestellten waren Edwina, Tottenhoe
und Miles Eastin in der Bank zurückgeblieben. Die beiden
Männer waren vollauf damit beschäftigt gewesen, gewünschte
Informationen zu beschaffen und Anfragen zu beantworten.
Bei Tottenhoc machten sich inzwischen Anzeichen von Ermüdung bemerkbar. Der junge Eastin aber, der gut gelaunt
und beflissen auf jede Bitte der Revisoren eingegangen war,

wirkte so frisch und energisch wie zu Anfang des Abends. Miles Eastin organisierte auch Sandwiches und Kaffee für die Revisoren und die noch anwesenden Angestellten.

Von den verschiedenen Arbeitsgruppen der Revisoren konzentrierte sich ein kleines Team auf Spar- und Girokonten; ein Teamangehöriger erschien von Zeit zu Zeit beim Chefrevisor an Edwinas Schreibtisch und übergab ihm eine Aktennotiz. Jedesmal warf er einen Blick auf die Notiz, nickte und tat das Blatt zu anderen Papieren in seiner Aktentasche.

Um 20.50 Uhr übergab man ihm eine offenbar längere Notiz mit mehreren beigehefteten Schriftstücken. Dieses Mal las Burnside alles sehr aufmerksam durch und verkündete: »Ich glaube, Mrs. D'Orsey und ich legen jetzt eine Pause ein. Wir gehen irgendwohin und essen Abendbrot.«

Minuten später begleitete er Edwina durch dieselbe Glastür, durch die er und seine Revisoren vor fast drei Stunden das Haus betreten hatten.

Draußen auf der Straße sagte der Chefrevisor entschuldigend: »Tut mir leid, das war eben nur Theater! Ich fürchte, unser Abendbrot muß warten – wenn wir überhaupt dazu kommen.« Als Edwina ihn fragend ansah, fügte er hinzu: »Sie und ich werden jetzt an einer Sitzung teilnehmen, das brauchte aber niemand zu erfahren.«

Burnside wies den Weg. Sie wandten sich nach rechts, gingen die Straße einen halben Block weit hinunter, nahmen dann eine Fußgängerstraße zurück zur Rosselli Plaza und der Zentrale der FMA. Es war eine kalte Nacht, und Edwina wickelte sich fest in ihren Mantel ein. Durch den Tunnel, dachte sie, wäre es kürzer und wärmer gewesen. Warum diese Geheimniskrämerei?

Im Hauptverwaltungsgebäude angelangt, trug Hal Burnside sich in das Nacht-Gästebuch ein, dann geleitete ein Wächter sie zum Fahrstuhl und brachte sie in den elften Stock. Schild und Pfeil wiesen den Weg zur Sicherheitsabteilung. Dort warteten Nolan Wainwright und die beiden FBI-Männer, die den Bargeldverlust bearbeiteten, auf sie.

Fast im selben Augenblick gesellte sich ein Mitglied des Revisoren-Teams zu ihnen, das Edwina und Burnside vermutlich von der Bank hierher gefolgt war.

Rasch machten sich alle miteinander bekannt. Der zuletzt Eingetroffene war ein noch recht junger Mann namens Gayne, dessen kühle und wache Augen hinter einer dickrandigen Brille ihm ein strenges Aussehen verliehen. Gayne hatte auch die verschiedenen Aktennotizen und Dokumente zu Burnside gebracht, als der Chefrevisor an Edwinas Schreibtisch arbeitete.

Jetzt gingen sie auf Nolan Wainwrights Vorschlag in ein Konferenzzimmer und nahmen an einem runden Tisch Platz.

Hal Burnside wandte sich an die FBI-Agenten. »Ich hoffe, meine Herren, daß unsere Entdeckung es rechtfertigt, Sie zu dieser nächtlichen Stunde hergebeten zu haben.«

Dieses Treffen war offenbar schon vor etlichen Stunden geplant worden, schoß es Edwina durch den Kopf. »Sie *haben* also etwas entdeckt?« Es war weniger eine Frage als eine Feststellung.

»Leider sogar mehr als erwartet, Mrs. D'Orsey.«

Auf ein Kopfnicken von Burnside begann Revisionsassistent Gayne, Papiere auf dem Tisch auszubreiten.

»Auf Ihre Anregung hin«, begann Burnside im Tone eines Dozierenden, »wurden die persönlichen Bankkonten aller Angestellten der Cityfiliale überprüft, und zwar die Sparkonten sowie die Girokonten. Zweck unserer Suche war es, Hinweise auf etwaige individuelle finanzielle Schwierigkeiten zu finden. Wir haben schlüssige Hinweise dieser Art gefunden.«

Er redet wie ein Schulmeister, dachte Edwina. Aber sie hörte weiter gespannt zu.

»Ich sollte vielleicht erläuternd hinzufügen«, fuhr der Chefrevisor zu den beiden FBI-Männern gewandt fort, »daß die meisten Bankangestellten ihre persönlichen Konten bei der Filiale einrichten, in der sie arbeiten. Hauptsächlich, weil solche Konten gratis sind, das heißt, es werden keine Kontoführungs- und Buchungsgebühren erhoben. Ein weiterer – und wichtigerer – Grund besteht darin, daß Angestellten bei Inanspruchnahme von Krediten ein besonders niedriger Zinssatz berechnet wird, der gewöhnlich um ein Prozent unter der Prime Rate liegt.«

Innes, der Ranghöhere der beiden FBI-Agenten, nickte. »Das ist uns bekannt.«

»Sie werden also auch verstehen, daß ein Angestellter, der seinen speziellen Bankkredit ausgenutzt hat – ja, ihn bis zur höchstmöglichen Grenze ausgeschöpft hat – und der darüber hinaus weitere Summen an anderer Stelle, etwa bei einer Finanzierungsgesellschaft, zu notorisch hohen Zinssätzen aufnimmt, sich in eine prekäre finanzielle Lage bringt.«

Innes sagte mit einem Hauch von Ungeduld: »Natürlich.«

»Allem Anschein nach sind wir auf einen Bankangestellten gestoßen, auf den das eben Gesagte genau zutrifft.« Er gab Gayne einen Wink, und der drehte jetzt mehrere entwertete Schecks um, die bisher mit der Oberseite nach unten auf dem Tisch gelegen hatten.

»Wie Sie bemerken, sind diese Schecks auf drei verschiedene Finanzierungsgesellschaften ausgestellt. Wir haben uns übrigens schon mit zwei dieser Gesellschaften telefonisch in Verbindung gesetzt und erfahren, daß beide Darlehenskonten, ungeachtet der Zahlungen, die, wie Sie sehen, erfolgt sind, erheblich mit ihren Raten im Rückstand sind. Es ist anzunehmen, daß uns die dritte Gesellschaft morgen früh eine ähnliche Geschichte erzählen wird.«

Gayne warf ein: »Und diese Schecks beziehen sich nur auf die Raten des laufenden Monats. Morgen werden wir uns die Mikrofilme über die erfolgten Kontoumsätze der zurückliegenden Monate ansehen.«

»Etwas Weiteres kommt noch hinzu«, fuhr der Chefrevisor fort. »Die betreffende Person hätte diese Zahlungen« – er zeigte auf die entwerteten Schecks – »auf keinen Fall auf der Grundlage eines Bankangestellten-Gehalts vornehmen können, dessen Höhe uns bekannt ist. Deshalb haben wir in den letzten Stunden nach Hinweisen auf einen Diebstahl innerhalb der Bank gesucht, und die haben wir jetzt gefunden.«

Wieder begann Gayne, der Assistent, neue Papiere auf den Konferenztisch zu legen.

... *Hinweise auf einen Diebstahl innerhalb der Bank* ... *jetzt gefunden.* Edwina, die kaum noch zuhörte, starrte wie gebannt auf die Unterschrift auf den Scheckformularen – es war eine Unterschrift, die sie jeden Tag sah, die ihr vertraut war, kühn und klar in den Schriftzügen. Daß sie diese Unterschrift hier und jetzt sehen mußte, war ein Schock für sie.

Es war Eastins Unterschrift, die Unterschrift des jungen Miles, den sie so gern hatte, der sich als Assistent des Innenleiters so gut gemacht hatte, der so hilfsbereit und so unermüdlich fleißig war, auch heute abend noch, und den sie zu Tottenhoes Nachfolger hatte bestimmen wollen, sobald dieser in den Ruhestand trat.

Der Chefrevisor führte inzwischen weiter aus: »Unser Dieb hat heimlich in aller Stille ruhende Konten gemolken. Als wir heute abend erst einmal in einem Fall darauf gestoßen sind, waren andere nicht mehr schwer zu finden.«

Noch immer in der Art eines Vortragsredners begann er jetzt, zur Information der FBI-Männer ein ruhendes Konto zu definieren. Es handelte sich dabei um ein Spar- oder Girokonto, erklärte Burnside, auf dem selten oder nie eine Bewegung stattfand. Alle Banken hatten Kunden, die ihre Konten aus den verschiedensten Gründen über lange Zeit hinweg nicht anrührten, manchmal über viele Jahre hin, und oft waren die Beträge auf diesen Konten überraschend hoch. Auf den Sparkonten sammelten sich natürlich bescheidene Zinserträge an, und manche Leute mochten das als ausreichend betrachten, aber andere – so unwahrscheinlich es klingen mochte – nahmen von ihren Konten praktisch keine Notiz.

Wurde festgestellt, daß ein Girokonto inaktiv wurde – das heißt, es wurden weder Ein- noch Auszahlungen verbucht –, dann schickten die Banken keine monatlichen Kontenauszüge mehr, sondern nur noch jährliche. Selbst die kamen manchmal zurück mit dem postalischen Vermerk: Empfänger unbekannt verzogen.

Es gab routinemäßige Sicherheitsmaßnahmen, um den Mißbrauch von ruhenden Konten zu verhindern, fuhr der Chefrevisor fort. Die Kontenblätter wurden getrennt verwahrt; fand dann plötzlich eine Transaktion statt, wurde sie von einem Innenleiter geprüft, um sicherzustellen, daß es sich um eine legitime Geldbewegung handelte. Normalerweise hatten sich diese Sicherheitsmaßnahmen bewährt. *Als stellvertretender Innenleiter war Miles Eastin berechtigt, Transaktionen auf ruhenden Konten zu prüfen und zu genehmigen. Er hatte diese Vollmacht genutzt, um sich selber an diesen Konten zu bereichern.*

»Eastin ist recht geschickt vorgegangen; er hat Konten ausgewählt, die aller Wahrscheinlichkeit nach nie Schwierigkeiten machen würden. Hier haben wir eine Reihe gefälschter Lastschriftzettel, sie sind allerdings nicht sehr geschickt gefälscht, denn es sind deutliche Spuren seiner Handschrift zu erkennen. Die Beträge scheinen auf ein Tarnkonto übertragen worden zu sein, das er unter einem falschen Namen eröffnet hat. Es besteht sogar eine auf den ersten Blick erkennbare Ähnlichkeit der Handschrift, doch hier wird man natürlich das Gutachten eines Sachverständigen einholen müssen.«

Stück um Stück betrachteten sie die Lastschriftzettel und verglichen die Handschrift mit derjenigen auf den Schecks, die sie vorhin geprüft hatten. Eine gewisse Verstellung war versucht worden, aber die Ähnlichkeit war unverkennbar.

Der zweite FBI-Agent, Dalrymple, hatte sich aufmerksam Notizen gemacht. Jetzt blickte er auf und sagte: »Ist schon die Gesamtsumme der Beträge ermittelt, um die es geht?«

Gayne antwortete: »Bisher haben wir nahezu achttausend Dollar festgestellt. Morgen prüfen wir ältere Buchungen per Mikrofilm und Computer; möglicherweise wird sich die Summe dann erhöhen.«

Burnside fügte hinzu: »Wenn wir Eastin mit dem konfrontieren, was wir jetzt schon wissen, wird er sich vielleicht entschließen, uns die Arbeit zu erleichtern, indem er den Rest gesteht. Das haben wir in ähnlichen Fällen von Untersuchungen schon oft erlebt.«

Er scheint das zu genießen, dachte Edwina, wirklich zu genießen! Gegen jede Vernunft hätte sie Miles Eastin am liebsten verteidigt, doch dann fragte sie: »Haben Sie eine Vorstellung, wie lange das schon im Gange ist?«

»Soweit wir das bis jetzt beurteilen können, sieht es nach mindestens einem Jahr aus, möglicherweise auch länger«, antwortete Gayne.

Edwina wandte sich Hal Burnside zu. »Sie haben also bei der letzten Revision überhaupt nichts gemerkt. Gehört die Prüfung von ruhenden Konten nicht auch zu Ihren Aufgaben?«

Es war, als hätte sie mit einer Nadel in einen aufgeblasenen Luftballon gestochen. Der Chefrevisor lief dunkelrot an, als er zugab: »Doch, das gehört dazu. Aber selbst uns entgeht gelegentlich etwas, wenn einer seine Spuren gut tarnt.«

»Offensichtlich. Allerdings haben Sie eben erst gesagt, daß die Handschrift verräterisch sei.«

Mit saurer Miene sagte Burnside: »Na gut, dann haben wir's jetzt eben entdeckt.«

Sie erinnerte ihn: »Nachdem ich Sie gerufen hatte.«

FBI-Agent Innes durchbrach die entstandene Stille. »Das führt uns aber alles keinen Schritt weiter, was das am Mittwoch verschwundene Bargeld betrifft.«

»Nur, daß Eastin jetzt der Hauptverdächtige ist«, sagte Burnside, erleichtert, daß er dem Gespräch eine neue Richtung geben konnte. »Vielleicht gesteht er die Sache ja ein.«

»Kaum«, sagte Nolan Wainwright unwirsch. »Der Typ ist viel zu schlau. Warum sollte er auch? Wir wissen noch immer nicht, wie er das eigentlich geschafft hat.«

Bis jetzt hatte der Sicherheitschef der Bank wenig gesagt. Allerdings hatte seine Miene Überraschung verraten, und dann war sie erstarrt, als die Revisoren nacheinander ihre Dokumente und die Schuldbeweise vorlegten. Edwina fragte sich, ob er jetzt wohl auch daran dachte, wie sie beide zusammen die Kassiererin, Juanita Núñez, unter Druck gesetzt hatten, weil sie den Unschuldsbeteuerungen der jungen Frau nicht glaubten. Natürlich bestand auch jetzt immer noch die Möglichkeit, sagte Edwina, daß Mrs. Núñez und Eastin gemeinsame Sache gemacht hatten, wenn es auch wenig wahrscheinlich war.

Hal Burnside schloß seine Aktentasche und stand auf, um zu gehen. »Damit wäre die Aufgabe der Revisionsabteilung erledigt, und der Arm des Gesetzes kann in Aktion treten.«

»Wir brauchen diese Papiere und ein unterschriebenes Protokoll«, sagte Innes.

»Mr. Gayne bleibt hier und steht Ihnen zur Verfügung.«

»Noch eine Frage. Hat Eastin Ihrer Meinung nach bemerkt, daß man ihm auf die Schliche gekommen ist?«

»Das bezweifle ich.« Burnside sah seinen Assistenten an, der den Kopf schüttelte.

»Ich bin sicher, daß er keine Ahnung hat. Wir achten immer sorgsam darauf, daß niemand merkt, wonach wir eigentlich suchen; zur Tarnung haben wir uns vieles zeigen lassen, was uns gar nicht interessierte.«

»Ich glaube es auch nicht«, sagte Edwina. Bedrückt dachte sie daran, wie eifrig und gut gelaunt Miles Eastin noch gewesen war, als sie die Filiale zusammen mit Burnside verließ. *Warum hatte er das nur getan? Warum?*

Innes nickte zufrieden. »Dann wollen wir es weiter so halten. Wir holen Eastin zur Vernehmung ab, sobald wir hier fertig sind, aber er darf nicht vorgewarnt werden. Er ist noch in der Bank?«

»Ja«, sagte Edwina. »Er bleibt mindestens so lange, bis wir wieder da sind, und normalerweise gehört er zu den letzten, die nach Hause gehen.«

Nolan Wainwright griff mit ungewöhnlich rauher und harter Stimme ein. »Ich bin dagegen. Behalten Sie ihn so lange wie möglich dort. Lassen Sie ihn dann nach Hause gehen in der Annahme, daß er mit einem blauen Auge davongekommen ist.«

Die anderen sahen den Sicherheitschef der Bank verblüfft an. Vor allem die beiden FBI-Männer warfen Wainwright einen forschenden Blick zu. Etwas Unausgesprochenes schien zwischen ihnen hin- und herzugehen.

Innes zögerte, dann gab er nach. »Also gut. Machen Sie es so.«

Wenige Minuten später fuhren Edwina und Burnside mit dem Fahrstuhl nach unten.

Höflich sagte Innes zu dem Revisor, der bei ihnen geblieben war: »Bevor wir das Protokoll aufnehmen, sind Sie vielleicht so freundlich und lassen uns einen Augenblick allein.«

»Gewiß.«

Gayne verließ den Konferenzraum.

Der zweite FBI-Agent klappte sein Notizbuch zu und legte den Bleistift aus der Hand.

Innes sah Nolan Wainwright an. »Sie haben etwas Bestimmtes vor?«

»Ja.« Wainwright zögerte, wog verschiedene Möglichkeiten ab, rang mit seinem Gewissen. Seine Erfahrung sagte ihm, daß die gegen Eastin vorliegenden Beweise lückenhaft waren und daß diese Lücken ausgefüllt werden mußten. Um sie jedoch auszufüllen, mußte das Gesetz in einer Weise gehandhabt werden, die seinen eigenen Überzeugungen zuwiderlief. Er fragte den FBI-Mann: »Wollen Sie es wirklich wissen?«

Die beiden sahen einander in die Augen. Sie kannten sich seit Jahren und respektierten einander.

»Heutzutage Beweise zu beschaffen, ist eine knifflige Sache«, sagte Innes. »Früher hat man sich schon mal gewisse Freiheiten erlaubt, tut man das aber heute, kann man sich dabei verdammt in die Finger schneiden.«

Alle schwiegen, schließlich sagte der zweite FBI-Mann: »Sagen Sie zumindest so viel, wie wir Ihrer Meinung nach wissen sollten.«

Wainwright verhakte seine Finger ineinander und betrachtete sie. Die innere Anspannung, die sich vorhin aus seiner Stimme mitgeteilt hatte, schien jetzt seinen ganzen Körper erfaßt zu haben. »Okay, wir haben genug Beweise, um Eastin auf Diebstahl festzunageln. Sagen wir, bei der gestohlenen Summe handelt es sich um achttausend Dollar, vielleicht mehr, vielleicht weniger. Was wird er dafür vom Richter bekommen?«

»Wenn er nicht vorbestraft ist, kommt er mit Bewährung davon«, sagte Innes. »Um das Geld wird sich das Gericht wenig Gedanken machen. Die sind ganz bestimmt der Meinung, Banken hätten doch genug davon, und außerdem seien sie versichert.«

»Stimmt.« Wainwrights Finger spannten sich weiter an und knackten leise. »Aber wenn wir beweisen können, daß er auch das andere Geld genommen hat – die sechstausend vom Mittwoch, wenn wir nachweisen können, daß er den Verdacht auf das Mädchen lenken wollte und ihm das auch um ein Haar gelungen . . .«

Innes brummte zustimmend. »*Wenn* Sie das nachweisen könnten, würde jeder vernünftige Richter ihn prompt ins Gefängnis stecken. Aber können Sie es beweisen?«

»Ich habe es vor. Weil ich das Schwein hinter Gittern sehen möchte.«

»Ich verstehe«, sagte der FBI-Mann nachdenklich. »Mir geht es ebenso.«

»Dann lassen Sie mir freie Hand. Holen Sie Eastin heute nicht ab. Geben Sie mir bis morgen Zeit.«

»Ich weiß nicht«, sagte Innes. »Ich weiß nicht, ob das möglich ist.«

Keiner der drei sagte ein Wort; jeder war sich der Fakten, seiner Pflicht und seines Gewissenskonflikts bewußt. Die FBI-Männer ahnten ungefähr, was Wainwright im Sinne hatte. Aber wann und bis zu welchem Ausmaß durfte der Zweck die Mittel heiligen? Anders ausgedrückt: Welche Freiheiten durfte sich heute ein Fahndungsbeamter herausnehmen, um gerade noch damit durchzukommen?

Doch die FBI-Männer hatten lange genug in dem Fall ermittelt, um sich engagiert zu haben, und sie teilten Wainwrights Zielvorstellungen.

»Wenn wir wirklich bis morgen früh warten«, sagte der zweite Agent mit einem warnenden Unterton, »dann möchten wir auf keinen Fall erleben, daß Eastin getürmt ist. Das könnte für alle Beteiligten erheblichen Ärger bedeuten.«

»Und Tomaten mit Druckstellen mag ich auch nicht«, sagte Innes bedeutungsvoll.

»Er wird nicht türmen. Er wird auch keine Druckstellen haben. Das garantiere ich Ihnen.«

Innes sah seinen Kollegen an; der zuckte die Achseln.

»Also gut«, sagte Innes. »Dann bis morgen früh. Aber merken Sie sich eins, Nolan – dieses Gespräch hat nie stattgefunden.« Er ging zur Tür des Konferenzraumes hinüber und öffnete sie. »Sie können hereinkommen, Mr. Gayne. Mr. Wainwright verläßt uns, und wir können jetzt Ihre Aussage zu Protokoll nehmen.«


14


Aus einer Angestelltenliste sämtlicher Bankfilialen, die für Notfälle in der Sicherheitsabteilung aufbewahrt wurde, ging Miles Eastins Privatadresse und Telefonnummer hervor. Nolan Wainwright notierte sich beides.

Er kannte die Gegend. Ein Wohnviertel für Leute mittleren Einkommens, ungefähr drei Kilometer vom Zentrum entfernt. Eastin bewohnte das »Apartment 2 G«.

Der Sicherheitschef verließ das Gebäude der Bankzentrale und wählte von einer Telefonzelle auf der Rosselli Plaza aus die Nummer. Am anderen Ende läutete es, aber niemand nahm ab. Er wußte inzwischen, daß Miles Eastin Junggeselle war. Wainwright hoffte nur, daß er das Apartment auch allein bewohnte.

Hätte sich jemand gemeldet, dann hätte Wainwright irgend etwas von einer falschen Nummer gemurmelt und seine Pläne revidiert. So aber ging er zu seinem Wagen, der in der Kellergarage der Zentrale geparkt war.

Bevor er die Garage verließ, holte er ein flaches Wildlederetui aus dem Kofferraum des Wagens und steckte es in eine Innentasche seines Jacketts. Dann machte er sich auf die Fahrt durch die Innenstadt.

Gemächlich schlenderte er auf das Apartmenthaus zu und prägte sich dabei alle Einzelheiten ein. Es war ein zweistöckiger Bau, wahrscheinlich vor vierzig Jahren gebaut, und seither schien nicht viel daran gemacht worden zu sein. Er mochte zwei Dutzend Wohnungen enthalten. Ein Portier war nirgends zu sehen. Im Hausflur konnte Nolan eine entsprechende Anzahl von Hausbriefkästen und Klingelknöpfen erkennen. Doppelte Glastüren führten von der Straße in den Hausflur; dahinter befand sich eine massivere Tür, die wahrscheinlich verschlossen war.

Es war 22.30 Uhr. Auf der Straße herrschte kaum Verkehr. Fußgänger waren nicht zu sehen. Er ging hinein.

Neben den in Dreierreihen angebrachten Briefkästen befanden sich die dazugehörigen Summer und eine Sprechanlage. Wainwright fand den Namen »Eastin« und drückte den Knopf. Wie erwartet, passierte gar nichts.

Das Apartment 2 G befand sich wahrscheinlich im ersten Stock. Wainwright suchte irgendeinen Klingelknopf mit der Vorzahl 3 und drückte ihn. Eine blecherne Männerstimme kam aus dem Lautsprecher. »Ja, wer ist da?«

Der Name neben dem Knopf lautete Appleby.

»Western Union«, sagte Wainwright. »Telegramm für Appleby.«

»Okay, kommen Sie rauf.«

Hinter der schweren Innentür summte es, ein Schloß schnappte auf. Wainwright stieß die Tür auf und ging rasch hinein.

Unmittelbar vor sich sah er einen Fahrstuhl, den er ignorierte. Er wendete sich rechts zur Treppe, und zwei Stufen auf einmal nehmend, erreichte er den ersten Stock.

Unterwegs dachte Wainwright über die erstaunliche Harmlosigkeit der Leute im allgemeinen nach. Er hoffte, daß Mr. Appleby, wer immer das sein mochte, nicht allzu lange auf sein Telegramm wartete. In dieser Nacht würde Mr. Appleby nichts weiter passieren, als daß er sich wunderte, vielleicht auch ärgerte. Es hätte ihm viel übler mitgespielt werden können. Aber überall verhielten sich Mieter so wie er, trotz wiederholter Warnungen. Es war natürlich nicht auszuschließen, daß Appleby Verdacht schöpfte und die Polizei anrief, aber Wainwright bezweifelte es. Außerdem brauchte er nur noch ein paar Minuten, dann konnte es ihm egal sein.

Das Apartment 2G befand sich fast am Ende des Korridors im ersten Stock, und das Schloß erwies sich als unkompliziert. Wainwright probierte eine Reihe dünner Klingen aus dem mitgebrachten Lederetui aus, und beim vierten Versuch drehte sich der Zylinder des Schlosses. Die Tür sprang auf, er trat ein und machte die Tür hinter sich wieder zu.

Er wartete, bis sich seine Augen an die Dunkelheit gewöhnt hatten, dann ging er zum Fenster und zog die Vorhänge zu. Er fand einen Lichtschalter und knipste ihn an.

Die Wohnung war klein, auf eine Person zugeschnitten; sie bestand nur aus einem Zimmer: Der Wohn- und Eßteil war mit einem Sofa, einem Sessel, einem tragbaren Fernsehgerät und einem Eßtisch möbliert. Hinter einer Art Zwischenwand stand ein Bett; die Küchenecke war durch eine durchbrochene Falttür von dem übrigen Raum abgetrennt. Zwei andere Türen, die Wainwright entdeckte, führten in ein Bad und eine Abstellkammer. Die Wohnung war ordentlich und sauber. Mehrere Bücherregale und ein paar gerahmte Drucke gaben ihr die persönliche Note.

Ohne Zeit zu verlieren, begann Wainwright mit einer systematischen, gründlichen Suche.

Während er arbeitete, versuchte er den peinigenden Gedanken beiseite zu schieben, daß er an diesem Abend mehr als einmal gegen die Gesetze verstoßen hatte. Ganz gelang ihm das nicht. Nolan Wainwright war sich der Tatsache bewußt, daß alles, was er bisher getan hatte, seinen sonstigen moralischen Grundsätzen zuwiderlief und seinen Glauben an Recht und Ordnung negierte. Doch der Zorn trieb ihn voran. Zorn und die Erinnerung daran, daß er vor drei Tagen versagt hatte.

Selbst jetzt erinnerte er sich immer noch mit quälender Klarheit des stummen Appells in den Augen der jungen Puertorikanerin, als er Juanita Núñez am Mittwoch zum ersten Mal erblickt und mit seiner Befragung begonnen hatte. Es war ein Appell, der ganz eindeutig und klar besagte: *Du und ich . . . du bist schwarz, ich bin braun. Deshalb solltest gerade du begreifen, daß ich hier allein bin, daß ich im Nachteil bin, daß ich verzweifelt Hilfe brauche und Fairneß.* Er hatte diesen Appell wahrgenommen, aber er hatte ihn barsch beiseite gefegt, so daß später etwas anderes aus den Augen der jungen Frau gesprochen hatte – und auch daran erinnerte er sich genau. Dieses andere war Verachtung.

Diese Erinnerung, verbunden mit der Wut darüber, daß Miles Eastin ihn getäuscht hatte, festigte Wainwrights Entschlossenheit, Eastin zu überführen – und wenn er dabei selber das Recht beugen mußte.

Deshalb setzte Wainwright methodisch, wie er es bei der Polizei gelernt hatte, seine Suche fort, entschlossen, Beweise zu finden, wenn es Beweise gab.

Eine halbe Stunde später wußte er, daß es nur noch wenige Stellen gab, an denen etwas versteckt sein konnte. Er hatte Schränke untersucht, Schubfächer und deren Inhalt, er hatte Möbel abgeklopft, Koffer geöffnet, Bilder an den Wänden inspiziert und die Rückwand des Fernsehgeräts abgeschraubt. Er hatte auch Bücher durchgeblättert und zur Kenntnis genommen, daß es stimmte, was irgend jemand ihm über Eastins Hobby erzählt hatte – ein ganzes Regal war voll mit Büchern zum Thema »Geld im Lauf der Geschichte«. Außer diesen Büchern gab es noch eine Mappe, die Skizzen und Fotos alter Münzen und Banknoten enthielt. Nirgendwo aber fand sich das geringste Belastungsmaterial. Am Ende stapelte er Möbel in einer Ecke des Zimmers auf und rollte den Teppich zusammen. Mit einer Taschenlampe suchte er den Fußboden Zentimeter um Zentimeter ab.

Ohne die Taschenlampe hätte er das sorgsam zersägte Brett übersehen, aber zwei Linien, heller in der Farbe als das übrige Holz, verrieten, wo saubere Schnitte gemacht worden waren. Behutsam löste er das ungefähr dreißig Zentimeter lange Brettstück zwischen den beiden Linien heraus. In dem Hohlraum darunter lagen ein kleines schwarzes Kontobuch und Bargeld in Zwanzig-Dollar-Scheinen.

Schnell arbeitend, brachte er Brettstück, Teppich und Möbel wieder an ihren ursprünglichen Platz.

Er zählte das Geld; es waren insgesamt sechstausend Dollar. Dann befaßte er sich kurz mit dem kleinen schwarzen Kontobuch, begriff, daß es sich um Wett-Aufzeichnungen handelte, und pfiff leise durch die Zähne, als er sah, wie viele und wie hohe Beträge es waren.

Er legte das Buch – er würde es später genauer studieren – und das Geld auf ein Tischchen vor dem Sofa.

Daß er das Geld gefunden hatte, war eine Überraschung. Er hegte keinen Zweifel, daß es sich um die sechstausend Dollar handelte, die am Mittwoch aus der Bank verschwunden waren, aber er hätte eigentlich erwartet, daß Eastin es inzwischen umgetauscht oder woanders untergebracht hätte. Seine Polizeierfahrung hatte ihn gelehrt, daß Verbrecher gelegentlich Törichtes und Unvermutetes tun, und das hier war ein Beispiel dafür.

Jetzt blieb noch in Erfahrung zu bringen, wie Eastin das Geld an sich genommen und wie er es hierher gebracht hatte.

Wainwright sah sich noch einmal in der Wohnung um, dann knipste er alle Lampen aus. Er zog die Vorhänge wieder zurück, ließ sich bequem auf dem Sofa nieder und wartete.

In dem Halbdunkel, das nur gelegentlich vom Widerschein der Straße aufgehellt wurde, begannen seine Gedanken zu wandern. Er dachte wieder an Juanita Núñez und wünschte, er könnte sein Verhalten irgendwie wiedergutmachen. Dann fiel ihm der FBI-Bericht über ihren verschwundenen Mann, diesen Carlos, ein, den man in Phoenix, Arizona, aufgespürt

hatte, und Wainwright kam der Gedanke, daß man die Information vielleicht nützen könnte, um dem Mädchen zu helfen.

Natürlich war Miles Eastins Geschichte, er habe Carlos
Núñez am Tag, an dem das Geld verschwunden war, in der
Bank gesehen, eine Erfindung, um den Verdacht noch stärker
auf Juanita zu lenken.

Was für ein *gemeiner Schuft*! Was war das für ein Mann,
erst den Verdacht auf das Mädchen zu lenken und später ihn
dann noch zu verstärken? Der Sicherheitschef merkte, daß
seine Fäuste sich fester zusammenballten, dann rief er sich
selbst zur Ordnung; er durfte seine Gefühle nicht mit sich
durchgehen lassen.

Dieser Ordnungsruf war erforderlich, und er wußte auch,
warum: wegen eines Zwischenfalls, der tief in seinem Gedächtnis vergraben war und den er selten wieder in sein Bewußtsein kommen ließ. Ohne es eigentlich zu wollen, mußte
er jetzt wieder daran denken.

Nolan Wainwright, jetzt fast fünfzig Jahre alt, war in den
Slums der Stadt gezeugt, und von Geburt an hatte er feststellen müssen, daß sich alles im Leben gegen ihn verschwo-
ren zu haben schien. Er wuchs heran in einer Welt, in der
das nackte Überleben täglich neu errungen werden wollte und
in der das Verbrechen – das geringfügige, aber auch das gar
nicht so geringfügige – zum Alltäglichen gehörte. Als junger
Bursche hatte er sich einer Gettobande angeschlossen, in der
es als Männlichkeitsbeweis galt, sich kleine Gefechte mit der
Polizei zu liefern.

Wie andere aus der gleichen Welt der Slums vor ihm und
nach ihm fühlte er sich von dem Verlangen getrieben, jemand
zu sein, aufzufallen, ganz gleich wie, um sich ein Ventil für die
verzehrende innere Wut auf die eigene Anonymität zu verschaffen. Er kannte nichts anderes und wurde auch von keiner
Moral angetrieben, eventuell Alternativen abzuwägen, deshalb erschien ihm die Teilnahme am Straßenverbrechen als
einziger Weg. Jede Wahrscheinlichkeit sprach dafür, daß er
es wie viele seines Alters im Laufe der Zeit zu Eintragungen
im Polizeiregister bringen würde.

Daß es nicht dazu kam, lag zu einem Teil am Zufall, zu
einem anderen Teil an Büffelkopf Kelly.

Büffelkopf war ein nicht allzu aufgeweckter, träger, freundlicher, schon ältlicher Polizist aus der Nachbarschaft, der begriffen hatte, daß sich die Überlebenschancen eines Polizeibeamten im Getto wesentlich verbesserten, wenn es ihm gelang, in kritischen Augenblicken woanders zu sein und nur einzuschreiten, wenn sich ein Problem ausgerechnet direkt unter seiner Nase auftat. Seine Vorgesetzten klagten darüber, daß er die wenigsten Verhaftungen von allen Beamten des Reviers aufzuweisen hatte, aber Büffelkopf tröstete sich in solchen Augenblicken mit dem Gedanken, daß seine Pensionierung von Jahr zu Jahr ein erfreuliches Stück näher rückte.

Aber der Teenager Nolan Wainwright *war* nun einmal in jener Nacht genau unter Büffelkopfs Nase aufgetaucht, als die Bande versuchte, ein Lagerhaus aufzubrechen. Ahnungslos war der Streifenbeamte hinzugekommen, und alles rannte weg, bis auf Wainwright, der gestolpert war und Büffelkopf genau vor die Füße stürzte.

»Du dämlicher Bengel«, beklagte Büffelkopf sich. »Kannst du nicht ein bißchen aufpassen? Jetzt muß ich mich die ganze Nacht mit Papierkram herumschlagen.«

Kelly haßte es, Formulare auszufüllen, Protokolle aufzunehmen, Berichte zu schreiben und als Zeuge vor Gericht zu erscheinen, was jedesmal einen klaren und ärgerlichen Verlust an Freizeit bedeutete.

Am Ende ließ er sich auf einen Kompromiß ein. Anstatt Wainwright festzunehmen und die Strafanzeige auszuarbeiten, nahm er ihn noch in derselben Nacht mit in die Polizeiturnhalle, und da prügelte er ihm, wie Büffelkopf es selber ausdrückte, im Boxring »die gottverdammten Flausen aus dem Kopf«.

Nolan Wainwright, geschwollen, wund, das eine Auge fast geschlossen – wenn auch noch ohne Vorstrafe –, reagierte mit Haß. Bei der nächstbesten Gelegenheit wollte er Büffelkopf Kelly zu Mus schlagen, eine Absicht, die ihn wieder in die Turnhalle – und zu Büffelkopf – zurückführte, von dem er lernen wollte, wie man so etwas macht. Viel später begriff Wainwright, daß er hier das Ventil für seine unheilige Wut gefunden hatte. Er lernte schnell. Als die Zeit reif war, um den nicht übermäßig intelligenten, trägen Bullen wie einen

Punchingball zusammenzuschlagen, merkte er plötzlich, daß er gar kein Verlangen mehr danach hatte. Statt dessen mochte er den alten Mann plötzlich gern, ein Gefühl, das den Jungen selbst erstaunte.

Es verging ein ganzes Jahr, in dem Wainwright weiter Boxunterricht nahm, regelmäßig zur Schule ging und es fertigbrachte, nicht mit dem Gesetz in Konflikt zu geraten. Eines späten Abends geschah es dann, daß Büffelkopf auf einer seiner Runden zufällig einen Raubüberfall in einem Kramladen störte. Zweifellos war der Polizist selbst erschrockener als die beiden kleinen Ganoven, und er hätte ihnen auch nichts getan, denn beide waren bewaffnet. Wie die spätere Rekonstruktion ergab, hatte Büffelkopf nicht einmal versucht, seine Dienstwaffe zu ziehen.

Aber einer der beiden Räuber geriet in Panik, und bevor er weglief, feuerte er eine Schrotflinte, deren Lauf abgesägt war, auf Büffelkopfs Bauch ab.

Die Kunde von der Schießerei verbreitete sich blitzartig, und bald hatte sich eine neugierige Menge versammelt. Einer in der Menge war Nolan Wainwright.

Nie mehr konnte er das Bild vergessen, das ihm auch jetzt wieder vor Augen trat – wie der harmlose, träge Büffelkopf da bei vollem Bewußtsein auf dem Pflaster lag, sich krümmte und sich wand, wie er weinte und wie er vor wahnsinniger Qual aufschrie, während Blut und Gedärm aus der riesigen tödlichen Wunde quollen.

Der Krankenwagen ließ lange auf sich warten. Sekunden bevor er hielt, starb Büffelkopf, immer noch schreiend.

Das Ereignis zeichnete Nolan Wainwright für immer, wenn es auch nicht Büffelkopfs Tod selbst war, der ihn am tiefsten traf. Auch schienen ihm die Verhaftung und die spätere Hinrichtung des kleinen Diebs, der den Schuß abgefeuert hatte, und seines Komplicen nicht mehr zu sein als ein ziemlich flaues Nachspiel.

Was ihn am meisten berührte und ihn hauptsächlich beeinflußte, das war die sinnlose, fürchterliche Verschwendung. Das ursprüngliche Verbrechen war böse gewesen, dumm und zum Scheitern verurteilt; doch im Scheitern hatte es eine empörende, ungeheure Verwüstung bewirkt. Dieser Gedanke blieb fest im Geist des jungen Wainwright haften. Das war seine Katharsis, die ihm half, das Verbrechen überhaupt als negativ, als destruktiv zu erkennen – und später als ein Übel, das es zu bekämpfen galt. Vielleicht hatte es von Anfang an tief in ihm einen tüchtigen Schuß Puritanismus gegeben. War das der Fall, dann drang er jetzt an die Oberfläche.

Er wuchs zum Manne heran und wurde zu einem Menschen, der sich kompromißlose Maßstäbe setzte, und deswegen wurde er zu einem Einzelgänger, erst unter seinen Freunden, später dann auch als Polizist. Aber er wurde ein tüchtiger Polizist. Er lernte viel, begriff schnell und stieg auf, und er war nicht zu bestechen, wie Ben Rosselli und seine Helfer einst erfahren mußten.

Auch später noch, als er schon für die First Mercantile American Bank arbeitete, bewahrte sich Wainwright seine starken Empfindungen und Überzeugungen.

Vielleicht war der Sicherheitschef eingeschlummert. Aber ein Schlüssel, der in das Türschloß der Wohnung gesteckt wurde, machte ihn wieder hellwach. Behutsam richtete er sich auf. Die Leuchtziffern seiner Armbanduhr zeigten ihm, daß es kurz nach Mitternacht war.

Eine Schattengestalt kam herein. Im Schein des von draußen einfallenden Lichts wurde Eastin erkennbar. Dann fiel die Tür wieder ins Schloß, und Wainwright hörte, wie Eastin nach dem Lichtschalter tastete. Das Licht ging an.

Eastin sah Wainwright sofort – er erstarrte. Sein Mund klappte auf, das Blut wich aus seinem Gesicht. Er versuchte, etwas zu sagen, brachte aber kein Wort hervor und schluckte nur.

Wainwright stand auf und funkelte ihn an. Seine Stimme klang messerscharf. »Wieviel haben Sie heute gestohlen?«

Bevor Eastin antworten oder sich fassen konnte, packte Wainwright ihn an den Mantelaufschlägen, drehte ihn um und gab ihm einen Stoß, daß er der Länge nach auf das Sofa fiel.

Als seine Überraschung sich legte und der Empörung wich, brach es aus dem jungen Mann hervor: »Wer – wer hat Sie hier reingelassen? Was zum Teufel haben Sie . . .« Sein Blick wanderte zu dem Geld und dem kleinen schwarzen Kontobuch, und er verstummte.

»Jawohl«, sagte Wainwright barsch. »Ich bin gekommen, um das Geld der Bank zu holen oder wenigstens das, was davon noch übriggeblieben ist.« Er zeigte auf die Banknoten, die auf dem Tisch aufgestapelt waren. »Das da, das haben Sie am Mittwoch genommen, das wissen wir. Und falls Sie sich fragen, ob wir auch über die gemolkenen Konten Bescheid wissen, kann ich Sie beruhigen: Wir wissen auch das.«

Miles Eastin starrte ihn an, sprachlos. Ein krampfhaftes Zittern durchlief seinen Körper. Unter dem neuen Schock ließ er den Kopf auf die Brust sinken und schlug die Hände vors Gesicht.

»Lassen Sie das!« Wainwright packte ihn, zog ihm die Arme herunter und versetzte ihm einen Stoß unters Kinn, aber nicht zu hart, eingedenk des Versprechens, das er dem FBI-Mann gegeben hatte. Keine Druckstellen an den Tomaten.

»So und jetzt werden Sie mir einiges erzählen. Los, fangen Sie an«, sagte er hart.

»Keine Pause?« sagte Eastin bittend. »Geben Sie mir eine Minute Zeit zum Überlegen.«

»Nichts da!« Zeit zum Nachdenken wäre das letzte gewesen, was Wainwright dem jungen Mann zugebilligt hätte. Das war ein heller Kopf, der nur zu leicht auf die richtige Idee kommen könnte, jetzt kein Wort zu sagen. Der Sicherheitschef wußte, daß er im Augenblick zwei Vorteile auf seiner Seite hatte. Er hatte Miles Eastin aus dem Gleichgewicht gebracht, und keine Regeln und Vorschriften engten ihn ein.

Wären die FBI-Agenten hier, müßten sie Eastin über seine Rechte belehren – das Recht, auf Fragen nicht zu antworten, und das Recht, einen Anwalt hinzuzuziehen. Wainwright war nicht mehr bei der Polizei und brauchte ihn auf nichts hinzuweisen.

Dem Sicherheitschef ging es nur um eins. Er brauchte hieb- und stichfeste Beweise dafür, daß Miles Eastin und niemand anders die sechstausend Dollar gestohlen hatte. Ein von ihm unterschriebenes Geständnis würde ausreichen.

Er setzte sich Eastin gegenüber, und seine Augen durchbohrten den jüngeren Mann. »Wir können den langen und harten Weg wählen oder es schnell hinter uns bringen.«

Als eine Antwort ausblieb, nahm Wainwright das kleine schwarze Buch in die Hand und schlug es auf. »Fangen wir damit an.« Er legte den Finger auf die Liste von Summen und Daten; neben jeder Eintragung standen andere Zahlen, offenbar chiffriert. »Das sind Wetten. Stimmt's?«

Eastin, noch immer verwirrt und wie betäubt, nickte.

»Erklären Sie mir das da.«

Es handelte sich um eine Wette über zweihundertfünfzig Dollar, murmelte Miles Eastin verdrossen. Es ging um ein Football-Spiel zwischen Texas und Notre Dame. Er erläuterte die Quoten. Er hatte auf Notre Dame gesetzt. Texas hatte gewonnen.

»Und das da?«

Wieder kam eine gemurmelte Antwort. Ein anderes Football-Spiel. Eine andere verlorene Wette.

»Weiter.« Wainwright ließ nicht locker, sein Finger blieb auf der Seite, und er preßte ihn fest auf das Papier.

Die Antworten kamen langsam. Bei manchen Eintragungen ging es auch um Korbball. Ein paar Wetten standen auf der Haben-Seite, aber die Verluste überwogen. Der Mindesteinsatz waren hundert Dollar, der höchste dreihundert.

»Haben Sie allein gewettet oder in einer Gruppe?«

»In einer Gruppe.«

»Wer war dabei?«

»Vier andere Jungs. Arbeiten auch. Wie ich.«

»Arbeiten sie in der Bank?«

Eastin schüttelte den Kopf. »Woanders.«

»Haben die auch verloren?«

»Etwas. Aber sie lagen im Durchschnitt besser als ich.«

»Die Namen der vier anderen.«

Keine Antwort. Wainwright überging es.

»Keine Pferdewetten dabei. Warum nicht?«

»Wir haben uns geeinigt. Weiß doch jeder, daß Pferderennen frisiert werden. Football und Korbball sind sauber. Wir haben ein System ausgearbeitet. Bei sauberen Spielen, dachten wir, können wir mit Gewinnen rechnen.«

Die Summe der Verluste zeigte, wie katastrophal falsch diese Hoffnung gewesen war.

»Haben Sie immer beim selben Buchmacher gesetzt?«

»Ja.«

»Sein Name?«

Eastin blieb stumm.

»Das übrige Geld, das Sie der Bank gestohlen haben – wo ist es?«

Der junge Mann zog die Mundwinkel herab. »Futsch«, antwortete er kläglich.

»Anderes auch?«

Ein zustimmendes, verzweifeltes Kopfnicken.

»Damit befassen wir uns später. Jetzt reden wir über *das* Geld.« Wainwright berührte die sechstausend Dollar, die zwischen ihnen lagen. »Wir wissen, daß Sie es am Mittwoch genommen haben. Wie?«

Eastin zögerte, dann zuckte er die Achseln. »Jetzt kann ich's Ihnen ja wohl sagen.«

Mit Schärfe sagte Wainwright: »Sie liegen absolut richtig, aber Sie vertrödeln unsere Zeit.«

»Am Mittwoch«, sagte Eastin, »fehlten Leute mit Grippe. Ich bin als Kassierer eingesprungen.«

»Weiß ich. Sagen Sie endlich, was dann passiert ist.«

»Vor Beginn der Schalterstunden bin ich in den Tresorraum gegangen, um mir einen Bargeldwagen zu holen – einen von den Reservewagen. Juanita Núñez war auch da. Sie schloß ihren Wagen auf. Ich habe genau neben ihr gestanden. Ohne daß Juanita was merkte, habe ich sie beobachtet, als sie ihre Kombination einstellte.«

»Und?«

»Ich habe mir die Zahlen gemerkt. Sobald ich konnte, habe ich sie aufgeschrieben.«

Wainwright gab die Stichworte, und das Bild begann sich zu runden.

Die Cityfiliale hatte einen sehr großen, gepanzerten Tresorraum. Tagsüber arbeitete ein Tresorraum-Kassierer in einer Art Käfig unmittelbar hinter der schweren, mit einem Zeitschloß versehenen Panzertür. Dieser Kassierer hatte fast unterbrochen zu tun, er zählte Banknoten, gab Bündel davon aus oder nahm andere Bündel entgegen, er registrierte Kassierer und ihre Geldwagen, die hereinkamen oder die Stahlkammer verließen. Niemand konnte den Tresorraum-Kassierer passieren, ohne daß er ihn sah, aber war man erst einmal in der Tresoranlage, kümmerte er sich kaum noch um einen.

An dem Morgen gab Miles Eastin sich gut gelaunt und fröhlich wie immer, aber er war in verzweifelter Geldnot. Er hatte in der Vorwoche schwere Wettverluste hingenommen, und man drängte ihn, endlich die Schulden zu bezahlen.

Wainwright unterbrach: »Sie hatten schon einen Angestelltenkredit bekommen. Sie hatten Schulden bei Finanzierungsgesellschaften. Auch beim Buchmacher. Stimmt's?«

»Stimmt.«

»Hatten Sie noch andere Schulden?«

Eastin nickte.

»Bei einem Geldverleiher? Einem Kredithai?«

Der jüngere Mann zögerte, dann gab er zu: »Ja.«

»Hat der Kerl Ihnen gedroht?«

Miles Eastin feuchtete die Lippen an. »Ja. Der Buchmacher auch. Beide drohen mir auch jetzt noch.« Seine Augen wanderten zu den sechstausend Dollar.

Das Puzzle hatte sich zum erkennbaren Bild zusammengefügt. Wainwright zeigte auf die Banknoten. »Sie haben dem Kredithai und dem Buchmacher versprochen, ihnen das da zu geben?«

»Ja.«

»Wieviel jedem?«

»Dreitausend.«

»Wann?«

»Morgen.« Eastin warf einen nervösen Blick auf die Uhr an der Wand und korrigierte sich. »Heute.«

Wainwright sagte: »Kommen wir zum Mittwoch zurück. Sie kannten also die Kombination vom Geldwagen Ihrer Kollegin Núñez. Was haben Sie damit angefangen?«

Miles Eastin schilderte die Einzelheiten, und es war alles ganz unglaublich einfach. Nach der Arbeit des Vormittags nahm er seine Mittagspause zur gleichen Zeit wie Juanita Núñez. Bevor sie zum Essen gingen, schoben sie beide ihren Geldwagen in den Tresorraum. Die beiden Bargeldwagen blieben nebeneinander stehen, beide vorschriftsmäßig verschlossen.

Eastin kehrte früher als üblich vom Essen zurück und ging in den Tresorraum. Der Kassierer dort registrierte ihn und setzte dann seine Arbeit fort. Niemand sonst befand sich im Tresorraum.

Miles Eastin trat sofort an Juanita Núñez' Geldwagen und öffnete das Fach mit der Kombination, die er sich notiert hatte. Es dauerte nur Sekunden, um drei Päckchen Banknoten im Gesamtwert von sechstausend Dollar herauszunehmen, das Fach zuzumachen und wieder zu verschließen. Er ließ die Banknotenbündel in die Innentaschen seines Jacketts gleiten; es zeigte sich kaum eine Ausbuchtung. Er schob dann seinen eigenen Kassenwagen hinaus, ließ sich an der Panzertür ordnungsgemäß registrieren und kehrte an die Arbeit zurück.

Es trat Stille ein. Dann sagte Wainwright: »Während also am Nachmittag die Vernehmung im Gange war – zum Teil von Ihnen selbst geführt – und während Sie und ich dann später, am Mittwoch abend, miteinander sprachen – da hatten Sie die ganze Zeit das Geld bei sich?«

»Ja«, sagte Miles Eastin. Als er daran dachte, wie einfach das alles gewesen war, spielte ein leichtes Lächeln um seinen Mund.

Wainwright bemerkte das Lächeln. Ohne zu zögern, beugte er sich vor, und in einer einzigen ausholenden Bewegung schlug er Eastin rechts und links ins Gesicht. Den ersten Schlag führte er mit der offenen Handfläche aus, den zweiten mit dem Handrücken – mit solcher Gewalt, daß ihn die Hand schmerzte. Auf Miles Eastins Gesicht entstanden zwei hellrote Striemen. Er zuckte auf dem Sofa zurück und blinzelte, während ihm Tränen in die Augen schossen.

Ingrimmig sagte der Sicherheitschef: »Damit Sie wissen, daß ich es nicht komisch finde, was Sie der Bank und Mrs. Núñez angetan haben. Nicht die Spur komisch.« Etwas anderes hatte er soeben entdeckt. Er hatte entdeckt, daß Miles Eastin sich vor physischer Gewaltanwendung fürchtete.

Er bemerkte, daß es 1.00 Uhr war.

»Der nächste Punkt der Tagesordnung«, verkündete Nolan Wainwright, »ist eine schriftliche Erklärung. In Ihrer eigenen Handschrift und mit allen Einzelheiten, die Sie mir eben mitgeteilt haben.«

»Nein! Das mache ich nicht!« Eastin begann, vorsichtig zu werden.

Wainwright zuckte die Achseln. »In diesem Falle hat es keinen Sinn, daß ich noch länger hierbleibe.« Er griff nach den sechstausend Dollar und begann, sie sich in die Taschen zu stopfen.

»Das können Sie nicht machen!«

»Ach nein? Dann versuchen Sie, mich daran zu hindern. Ich bringe das Geld wieder zur Bank – in das Nachtschließfach.«

»Hören Sie! – Sie können nicht beweisen . . .« Der jüngere Mann zögerte. Er dachte jetzt nach, ihm fiel ein, daß die Seriennummern der Geldscheine nie irgendwo verzeichnet worden waren.

»Vielleicht kann ich beweisen, daß es sich um dasselbe Geld handelt, das am Mittwoch gestohlen worden ist; vielleicht auch nicht. Wenn nicht, können Sie ja jederzeit die Bank auf Herausgabe des Geldes verklagen.«

Eastin sagte flehentlich: »Ich brauche es jetzt! Heute!«

»Aber ja doch, etwas für den Buchmacher und etwas für den Herrn Geldverleiher. Oder vielmehr für die Gorillas, die sie zum Kassieren zu Ihnen schicken werden. Aber da können Sie denen doch ganz einfach erklären, wie Ihnen das Geld abhanden gekommen ist, und ich bin sicher, man wird Mitgefühl haben.« Zum ersten Mal betrachtete der Sicherheitschef Eastin mit einer gewissen sarkastischen Belustigung. »Sie sitzen *wirklich* in der Tinte. Vielleicht kommen die zur selben Zeit. Dann wird Ihnen jeder einen Arm und ein Bein brechen. Die neigen zu solchen Scherzen. Oder wußten Sie das nicht?«

Angst, richtige Angst trat in Eastins Augen. »Ja. Ich weiß. Sie müssen mir helfen! Bitte!«

Von der Wohnungstür her sagte Wainwright kalt: »Ich werd's mir überlegen. *Nachdem* Sie Ihre Erklärung geschrieben haben.«

Der Sicherheitschef der Bank diktierte, während Eastin gehorsam die Worte niederschrieb.

*Ich, Miles Broderick Eastin, gebe diese Erklärung aus eigenem freien Willen ab. Gegen mich ist keine Gewalt angewen-*

*det worden, mir ist auch nicht mit Gewaltanwendung gedroht
worden . . .*

*Ich gestehe, die Summe von sechstausend Dollar von der
First Mercantile American Bank gestohlen zu haben, und
zwar am Mittwoch, den . . . Oktober, gegen 13.30 Uhr . . .*

*Ich habe das Geld auf folgende Weise an mich gebracht
und dann verborgen: . . .*

Eine Viertelstunde zuvor war Miles Eastin nach Wainwrights Drohung, ihn jetzt zu verlassen, endgültig und vollständig zusammengebrochen. Er wehrte sich nicht mehr, ge-
duckt saß er da und tat, was ihm befohlen wurde.

Während Eastin jetzt weiter damit beschäftigt war, sein
Geständnis niederzuschreiben, rief Wainwright den FBI-
Mann Innes zu Hause an.

## 15

In der ersten Novemberwoche verschlechterte sich Ben Rossellis Zustand. Seit der Bankpräsident vor vier Wochen bekanntgegeben hatte, daß er an einer unheilbaren Krankheit
leide, war seine Kraft rasch geschwunden, und sein Leib wurde
aufgezehrt, während die wuchernden Krebszellen ihren Wür-
gegriff festigten.

Wer den alten Ben zu Hause besuchte – unter ihnen Roscoe
Heyward, Alex Vandervoort, Edwina D'Orsey, Nolan Wainwright und verschiedene Direktoren der Bank –, sah mit Bestürzung Ausmaß und Geschwindigkeit seines Niedergangs.
Auch ein Laie konnte sehen, daß ihm nur noch eine sehr
kurze Spanne Lebens geblieben war.

Während Mitte November ein wilder Sturm mit Orkanböen
über die Stadt herfiel, brachte ein Krankenwagen Ben Rosselli in den Privatpavillon des Mount Adams Hospital. Es war
eine kurze Reise, und es sollte die letzte sein, die er in seinem
Leben unternahm. Er stand jetzt fast ununterbrochen unter
schmerzstillenden Drogen, so daß die Augenblicke klaren
Bewußtseins von Tag zu Tag seltener wurden.

Die letzte Spur einer Kontrolle über die First Mercantile

American Bank war ihm entglitten, und eine Gruppe rang-
hoher Direktoren wurde sich in einer vertraulichen Sitzung
rasch einig, daß das Gesamtdirektorium einberufen und ein
Nachfolger des Präsidenten benannt werden müsse.

Die entscheidende Direktoriumssitzung wurde für den
4. Dezember anberaumt.

Die ersten Direktoren trafen kurz vor 10.00 Uhr ein. Sie begrüßten einander herzlich, alle traten mit zwanglosem Selbst-
bewußtsein auf – jener Patina des erfolgreichen Geschäfts-
mannes in Gesellschaft von seinesgleichen.

Die allgemeine Herzlichkeit war nur wenig gedämpfter als
üblich, aus Respekt vor dem sterbenden Ben Rosselli, der
sich, knapp zwei Kilometer von hier entfernt, noch immer
schwach an das Leben klammerte. Aber die sich versammeln-
den Direktoren waren Admirale und Feldmarschälle des Handels, wie Ben selbst einer gewesen war, und sie wußten, daß,
was auch kommen mochte, Handel und Wandel weitergehen
mußten, denn sie waren das unerläßliche Schmiermittel einer
funktionierenden Zivilisation. Die Stimmung, in der sie zu-
sammenkamen, schien auszudrücken: *Der Grund für die Entscheidungen, die wir heute treffen müssen, ist beklagenswert,
aber wir müssen unsere ernste und feierliche Pflicht gegenüber
dem System erfüllen.*

So begaben sie sich entschlossen in das nußbaumgetäfelte
Sitzungszimmer, in dem Porträts und Fotos bekannter Vor-
gänger hingen, die, einst selbst von Bedeutung, längst dahin-
geschieden waren.

Das Direktorium jeder größeren Gesellschaft hat Ähnlichkeit mit einem exklusiven Club. Dem amerikanischen Direktorium, dem »Board«, gehören, abgesehen von drei oder vier
hauptberuflichen Direktoren des Spitzenmanagements, rund
zwanzig hervorragende Geschäftsleute aus anderen Branchen
an, die oft genug selbst Direktoriumsvorsitzende oder Präsidenten eigener Gesellschaften sind.

Diese Direktoriumsmitglieder werden gewöhnlich aus einem oder mehreren Gründen ernannt – wegen ihrer Leistungen in anderen Häusern, wegen des Prestiges der Institution,
die sie vertreten, oder auch wegen einer starken – meist finan-

ziellen – Verbindung mit der Gesellschaft, deren Direktoriumsmitglieder sie sind.

Unter Geschäftsleuten gilt es als hohe Ehre, einem Direktorium anzugehören, und der Ruhm wächst entsprechend dem Prestige der Gesellschaft. Deshalb gibt es Geschäftsleute, die Direktorentitel sammeln, wie die Indianer einst Skalps sammelten. Auch werden Direktoren mit höchst schmeichelhafter Ehrerbietung behandelt und großzügig entschädigt – größere Gesellschaften zahlen jedem Direktor für die Teilnahme an einer Sitzung ein- bis zweitausend Dollar bei normalerweise zehn Sitzungen im Jahr.

Besonders hohen Prestigewert hat es, Mitglied im Direktorium einer führenden Bank zu werden; das ist für den amerikanischen Geschäftsmann ungefähr das gleiche wie ein Ritterschlag durch die Königin von England. Die First Mercantile American leistete sich, wie es einer der zwanzig größten Banken des Landes geziemte, ein imposantes Direktorium.

Jedenfalls empfand man es als imposant.

Alex Vandervoort betrachtete die anderen Direktoren, als sie ihre Plätze an der langen, ovalen Sitzungstafel einnahmen, und fand, daß der Prozentsatz an totem Holz groß sei. Auch Interessenkonflikte waren vertreten, denn einige Direktoren, oder ihre Gesellschaften, waren gewichtige Kreditnehmer der Bank. Sollte er Präsident werden, so wollte er das FMA-Direktorium härter der Wirklichkeit anpassen und es weniger als gemütlichen Club sehen.

Wer aber würde Präsident? Er oder Heyward?

Sie kandidierten beide. Beide würden bald, wie jeder, der sich um ein Amt bemüht, ihre Ansichten im einzelnen darlegen. Jerome Patterton, der Stellvertretende Direktoriumsvorsitzende, der heute den Vorsitz führte, hatte sich vor zwei Tagen an Alex gewandt. »Sie wissen so gut wie jeder von uns, daß wir uns zwischen Ihnen und Roscoe zu entscheiden haben. Sie sind beide gute Männer; hier eine Wahl zu treffen ist nicht leicht. Deshalb helfen Sie uns bitte. Sagen Sie uns, wie Sie zur FMA stehen, in irgendeiner Form, die Sie für richtig halten. Das Was und Wie bleibt Ihnen überlassen.«

Roscoe Heyward, das wußte Alex, hatte eine ähnliche Einladung erhalten.

Heyward, der Alex genau gegenüber saß, hatte sich bezeichnenderweise mit einem sorgsam ausgearbeiteten Text bewaffnet und studierte ihn jetzt. Sein Adlergesicht drückte inneren Ernst aus, die grauen Augen hinter den randlosen Brillengläsern waren ruhig und fest auf die Maschinenschrift gerichtet. Zu Heywards Qualitäten gehörten ein seziermesserscharfer Verstand und intensive Konzentrationsfähigkeit, besonders wenn es um Zahlen ging. Ein Kollege hatte einmal gesagt: »Roscoe kann eine Gewinn- und Verlustrechnung so lesen wie ein Dirigent die Partitur einer Symphonie – er wittert die Nuancen, erkennt schwierige Noten, unvollständige Passagen, Crescendi und Möglichkeiten, die andere übersehen.« Ohne Zweifel würden Zahlen in dem, was Heyward zu sagen hatte, eine Rolle spielen.

Alex war sich nicht schlüssig, ob er in seinen eigenen Ausführungen Zahlen erwähnen sollte oder nicht. Entschied er sich für Zahlen, so mußte er sie aus dem Gedächtnis zitieren, denn er hatte keine Unterlagen mitgebracht. Er hatte bis weit in die Nacht hinein überlegt und dann beschlossen zu warten, bis der Augenblick gekommen war. Dann wollte er sich von der Atmosphäre leiten und Worte und Gedanken sich ihren eigenen Weg suchen lassen.

Er rief sich in die Erinnerung zurück, daß Ben in diesem Raum vor kurzer Zeit erst erklärt hatte: »*Ich werde bald sterben. Die Ärzte geben mir nicht mehr viel Zeit.*« Die Worte waren und blieben eine Mahnung, daß alles im Leben einmal ein Ende hat. Sie enthüllten die Eitelkeit des ehrgeizigen Strebens – seines eigenen, Roscoe Heywards, aller anderen.

Aber mochte Ehrgeiz am Ende auch eitel sein, es verlangte ihn dennoch sehr danach, Präsident dieser Bank zu werden. Er sehnte sich nach der Möglichkeit – wie Ben sie zu seiner Zeit gehabt hatte –, Richtungen vorzugeben, Grundsätze zu formulieren, Prioritäten zu setzen und, als Summe aller Entscheidungen, einen eigenen Beitrag zum Ganzen zu hinterlassen, der alle Mühen wert war. Und ob nun das, was vollbracht wurde, über eine größere Spanne von Jahren hinweg betrachtet, viel oder wenig bedeuten mochte, so trug doch die Schaffensfreude ihren eigenen Lohn in sich – das Tun, das Führen, das Streben, der täglich neue Wettstreit.

Auf der anderen Seite des Direktoriumstisches, zur Rechten, glitt The Hon. Harold Austin auf seinen angestammten Platz. Er war in einem großgemusterten Cerruti-Anzug erschienen, dazu ein konservatives Hemd und eine Krawatte im Hahnentrittmuster, was ihn alles zusammen wie einen ältlichen Dressman aus einem Herrenmagazin aussehen ließ. In den Fingern hielt er eine dicke Zigarre. Alex nickte Austin zu. Das Kopfnicken wurde erwidert, wenn auch merklich kühl.

Vor einer Woche war The Hon. Harold vorbeigekommen, um gegen das Veto zu protestieren, das Alex gegen die von der Agentur Austin erarbeiteten Anzeigen für Keycharge-Kreditkarten eingelegt hatte. »Die Erweiterung im Marketing der Keycharge-Karten ist vom Direktorium genehmigt worden«, hatte The Hon. Harold eingewandt. »Außerdem hatten die Abteilungsleiter bei Keycharge diese Anzeigenkampagne schon genehmigt, bevor die Abzüge überhaupt zu Ihnen gelangt sind. Ich bin mir noch nicht schlüssig, ob ich das Direktorium auf Ihre eigenmächtige Handlungsweise aufmerksam machen soll oder nicht.«

Alex hatte auf einen groben Klotz einen groben Keil gesetzt. »Zunächst einmal weiß ich genau, was die Direktoren in bezug auf Keycharge beschlossen haben, weil ich bei der Besprechung dabei war. Sie haben *keineswegs* zugestimmt, daß das erweiterte Marketing auch eine Anzeigenkampagne einschließen soll, die unseriös, irreführend, halbwahr und dieser Bank nicht würdig ist. Ihre Leute können Besseres leisten, Harold. Das haben sie übrigens auch schon getan – ich habe die revidierten Fassungen gesehen und gebilligt. Was die Eigenmächtigkeit betrifft, so habe ich eine Entscheidung getroffen, die innerhalb meiner Vollmachten liegt, und wenn nötig, werde ich wieder so handeln. Wenn Sie die Sache vor das Direktorium bringen wollen, so steht es Ihnen frei. Falls Sie Wert auf meine Meinung legen, würde ich sagen, daß man es Ihnen nicht danken wird – wahrscheinlich eher mir.«

Harold Austin hatte ein beleidigtes Gesicht gemacht, es dann aber doch vorgezogen, das Thema fallenzulassen. Schließlich würde sich die revidierte Werbekampagne für die Austin-Agentur ebenso gut auszahlen. Doch Alex wußte, daß er sich einen Feind geschaffen hatte. Am Ausgang des heutigen Tages würde das allerdings nichts ändern, denn The Hon. Harold zog offensichtlich Roscoe Heyward vor und würde ohnehin für ihn stimmen.

Einer seiner stärksten Anhänger war, wie Alex genau wußte, Leonard L. Kingswood, der energische Vorsitzende von Northam Steel, der nie ein Blatt vor den Mund nahm. Er saß ganz vorn am Kopf des Tisches und unterhielt sich gerade angeregt mit seinem Nachbarn. Len Kingswood hatte Alex vor mehreren Wochen angerufen und ihn darauf aufmerksam gemacht, daß Roscoe Heyward aktiv um die Stimmen von Direktoren warb und sie geradezu aufrief, ihn als Kandidaten für das Amt des Bankpräsidenten zu unterstützen. »Ich sage ja nicht, daß Sie es ebenso machen sollten, Alex. Das müssen Sie selber wissen. Aber ich will Sie darauf hinweisen, daß Roscoe mit seiner Taktik möglicherweise etwas erreicht. Mir macht er nichts vor. Er ist kein Führer, und ich habe ihm das auch gesagt. Aber er versteht etwas von Überredungskunst, und vielleicht geht mancher ihm auf den Leim.«

Alex hatte Len Kingswood für die Information gedankt, aber nicht versucht, Heywards Taktik nachzuahmen. Das Werben um Stimmen konnte in manchen Fällen nützlich sein, in anderen Fällen aber, bei Leuten, die sich in solchen Dingen nicht gern unter Druck setzen ließen, das genaue Gegenteil bewirken. Außerdem widerstrebte es Alex, sich aktiv um Bens Position zu bewerben, während der alte Mann noch am Leben war.

Alex erkannte aber die Notwendigkeit der heutigen Sitzung an; es mußten jetzt Entscheidungen getroffen werden.

Das Stimmengewirr der Gespräche im Sitzungszimmer wurde leiser. Zwei, die erst jetzt eingetroffen waren, setzten sich auf ihren Plätzen zurecht. Jerome Patterton schlug einmal leicht mit dem Holzhammer auf den Tisch und verkündete: »Meine Herren, ich eröffne die Direktoriumssitzung.«

Patterton, heute von den Umständen auf den prominentesten Platz gesetzt, war normalerweise zurückhaltend und galt in der Führungsspitze der Bank eher als jemand, der nur noch seine Jahre absitzen will. Er war in den Sechzigern, und die Zeit seiner Pensionierung rückte näher. Vor einigen Jahren war er anläßlich des Zusammenschlusses mit einer anderen, kleineren Bank ins Direktorium gerutscht; seither war sein Pflichtenkreis in aller Stille und in gegenseitigem Einvernehmen immer weiter eingeengt worden. Zur Zeit befaßte er sich fast ausschließlich mit Treuhandangelegenheiten sowie damit, Golf mit Kunden zu spielen. Vorrang hatte dabei das Golfspiel, und zwar in so starkem Maße, daß Jerome Patterton an einem normalen Arbeitstag selten nach 14.30 Uhr noch in seinem Büro anzutreffen war. Sein Titel als Stellvertretender Direktoriumsvorsitzender war im wesentlichen ein Ehrentitel.

Er wirkte wie ein Großfarmer, der gelegentlich seine Ländereien inspiziert, im übrigen aber das Leben eines wohlbetuchten Gentleman führt. Er war fast kahl, abgesehen von einem schlohweißen, heiligenscheinähnlichen Haarkranz, und sein spitz zulaufender rosa Schädel hatte eine fatale Ähnlichkeit mit dem dünnen Ende eines Eies. Paradoxerweise hatte er wild wuchernde, buschige und verfilzte Augenbrauen; die Augen darunter waren grau, wässerig und etwas hervorquellend. Es paßte zum Eindruck des Ländlichen, daß er am liebsten Tweed trug. Alex Vandervoorts Einschätzung nach verfügte der Stellvertretende Direktoriumsvorsitzende über ein ausgezeichnetes Gehirn, das er aber in den letzten Jahren kaum noch benutzt hatte; es arbeitete eher wie ein Hochleistungsmotor im Leerlauf.

Wie allgemein erwartet, begann Patterton mit einer Ehrung Ben Rossellis und seiner Verdienste. Danach verlas er das neueste Bulletin; die Ärzte sprachen von »schwindenden Kräften und vermindertem Bewußtsein«. Die zuhörenden Direktoren schoben die Lippen vor und schüttelten ergeben die Köpfe. »Aber das Leben unserer Gemeinschaft geht weiter.« Der Stellvertretende Vorsitzende zählte die Gründe für die Einberufung der Sitzung auf und nannte an erster Stelle die Notwendigkeit, schnell einen neuen Präsidenten und Generaldirektor für die First Mercantile American Bank zu benennen.

»Die meisten von Ihnen, meine Herren, sind mit den Verfahrensregeln vertraut, auf die wir uns geeinigt haben.« Er gab dann bekannt, was jeder schon wußte – daß Roscoe Heyward und Alex Vandervoort das Wort an das Direktorium richten würden. Danach würden beide die Sitzung verlassen, während ihre Kandidaturen erörtert wurden.

»Was die Reihenfolge der Redner betrifft, so werden wir uns dem alten Gesetz des Zufalls beugen, unter dem wir alle geboren sind – dem Gesetz der alphabetischen Reihenfolge.« Jerome Patterton blinzelte Alex zu. »Ich habe manchmal darunter leiden müssen, daß ich ein ›P‹ bin. Ich hoffe, Ihr ›V‹ hat sich nicht nachteilig für Sie ausgewirkt.«

»Nur ganz selten, Herr Vorsitzender«, sagte Alex. »Gelegentlich verschafft es mir das letzte Wort.«

Ein Gelächter, das erste an diesem Tag, ging um den Tisch. Roscoe Heyward lachte auch, allerdings wirkte es ein bißchen gezwungen.

»Roscoe«, entschied Jerome Patterton, »wenn es Ihnen recht ist, fangen Sie bitte an.«

»Ich danke Ihnen, Herr Vorsitzender.« Heyward erhob sich, schob seinen Stuhl weit zurück und musterte mit ruhigem Blick die neunzehn anderen Männer an diesem Tisch. Er trank einen Schluck Wasser aus dem vor ihm stehenden Glas, räusperte sich flüchtig und begann mit präziser und gleichmäßiger Stimme zu sprechen.

»Meine Herren vom Direktorium, da es sich hier um eine geschlossene und vertrauliche Sitzung handelt, über deren Verlauf weder die Presse noch die anderen Aktionäre etwas erfahren werden, kann ich heute und hier in aller Offenheit hervorheben, was ich für den wichtigsten Punkt in meinem Verantwortungsbereich und in demjenigen dieses Direktoriums halte – nämlich die Ertragssteigerung der First Mercantile American Bank.« Er wiederholte mit Nachdruck: »Ertragssteigerung, meine Herren – unsere Priorität Nummer eins.«

Heyward warf einen kurzen Blick auf seinen Text. »Gestatten Sie mir, das weiter auszuführen.

Im Bankwesen wie auch im allgemeinen Geschäftsleben wird meiner Meinung nach heutzutage, wenn es um große Entscheidungen geht, viel zuviel Rücksicht auf soziale Fragen und andere Kontroversen unserer Zeit genommen. Ich halte das in meiner Eigenschaft als Bankier für falsch. Ich bitte, mich nicht mißzuverstehen, ich will in keiner Weise die Bedeutung des sozialen Gewissens des einzelnen herabsetzen; mein eigenes, so hoffe ich wenigstens, ist gut entwickelt. Ich meine auch, daß jeder von uns von Zeit zu Zeit gehalten ist, seine persönlichen Werte zu überprüfen, Justierungen im Lichte neuer Gedanken vorzunehmen und, wenn möglich, private Verbesserungsvorschläge einzubringen. Etwas anderes aber ist die Unternehmenspolitik. Sie darf nicht jedem umschlagenden sozialen Wind, jeder neuen Laune ausgesetzt sein. Wäre das der Fall, ließen wir zu, daß unsere geschäftlichen Entscheidungen von einer derartigen Denkweise beherrscht würden, dann wäre das gefährlich für die Freiheit des amerikanischen Unternehmertums und katastrophal für diese Bank, weil damit nämlich unsere Kraft vermindert, unser Wachstum gehemmt und die Gewinne geschmälert würden. Mit anderen Worten: Wir sollten uns wieder, wie andere Institutionen es auch tun, von der sozio-politischen Szene fernhalten, die uns nichts angeht, es sei denn insofern, als sie die finanziellen Angelegenheiten unserer Kunden berührt.«

Der Redner gestattete sich bei allem Ernst seiner Ausführungen ein dünnes Lächeln. »Ich gestehe, daß diese Worte, in der Öffentlichkeit gesprochen, undiplomatisch und unpopulär wären. Ich will noch einen Schritt weitergehen und erklären, daß ich derartige Äußerungen nie und nimmer in der Öffentlichkeit machen würde. Aber wir sind hier unter uns, hier werden reale Entscheidungen getroffen, hier wird Geschäftspolitik gemacht, und hier halte ich sie für ganz und gar realistisch.«

Mehrere Direktoren nickten zustimmend. Einer schlug begeistert mit der geballten Faust auf den Tisch. Andere, unter ihnen der Stahlmann Leonard Kingswood, verzogen keine Miene.

Alex Vandervoort überlegte: Roscoe Heyward hatte sich also für die direkte Konfrontation entschieden, für den frontalen Zusammenstoß der Meinungen. Heyward mußte wissen, daß alles, was er gerade gesagt hatte, sämtlichen Überzeugungen Alex Vandervoorts zuwiderlief, aber auch Ben Rossellis, wie die zunehmende Liberalisierung der Bank zeigte, die Ben in den letzten Jahren in die Wege geleitet hatte. Ben selbst hatte für die Beteiligung der FMA an kommunalpolitischen Entwicklungen gesorgt, und zwar nicht nur in der Stadt, sondern überall im ganzen Bundesstaat. Ein Beispiel war das Projekt Forum East. Aber Alex gab sich keinen Selbsttäuschungen hin. Eine nicht unerhebliche Anzahl der Direktoriumsmitglieder hatte Bens Politik mit Unbehagen, ja, gelegentlich mit Bestürzung beobachtet und würde Heywards harte Linie des klaren Geschäftsinteresses begrüßen. Die Frage war nur – wie stark war diese Gruppe der harten Linie?

Mit einer Äußerung Roscoe Heywards stimmte Alex allerdings völlig überein. Heyward hatte gesagt: *Dies ist eine geschlossene und vertrauliche Sitzung . . . wo reale Entscheidungen getroffen und Geschäftspolitik gemacht wird.*

Der Akzent lag auf dem Wort »real«.

Während man den Aktionären und der Öffentlichkeit später eine beruhigende, verzuckerte Darstellung der Bankpolitik in Gestalt umständlicher gedruckter Jahresberichte auftischen mochte, wurde hier, hinter den geschlossenen Türen des Sitzungszimmers, über die wirklichen Ziele entschieden, und zwar in kompromißlos harter Sprache. Deshalb gehörten Diskretion und eine gewisse Verschwiegenheit zu den wichtigen Eigenschaften jedes Direktors.

»Es gibt quasi bei uns vor der Haustür eine Parallele«, erläuterte Heyward, »zwischen dem, was ich gesagt habe, und Ereignissen innerhalb der Kirche, der ich angehöre und die mir Gelegenheit gibt, einen gewissen eigenen sozialen Beitrag zu leisten.

In den sechziger Jahren verwendete unsere Kirche Geld, Zeit und Arbeitskraft für bestimmte soziale Ziele, vor allem für die Förderung der Schwarzen. Das geschah zum Teil als Reaktion auf Druck von außen; aber einige unserer Gemeindemitglieder empfanden es auch als richtig und notwendig. Unsere Kirche wurde zu einer Art Sozialbehörde. In jüngerer Zeit jedoch haben einige von uns die Kontrolle wieder in die Hand genommen und erklärt, daß ein derartiger Aktivismus nicht Sache der Kirche sei und wir uns wieder auf die Grundlagen des eigentlichen Gottesdienstes besinnen sollten. Wir haben uns deshalb wieder verstärkt den religiösen Feierlichkeiten zugewandt – was unserer Meinung nach die Hauptaufgabe unserer Kirche ist – und überlassen die aktive Sozialarbeit der Regierung und den Behörden.«

Alex fragte sich unwillkürlich, ob die anderen Direktoren die Rolle der Kirche ebenso sahen wie Roscoe.

»Ich habe Gewinnstreben als unser erstes Ziel genannt«, fuhr Roscoe fort, »und ich bin mir wohl bewußt, daß einige dagegen Einwände erheben werden. Sie werden mir entgegenhalten, daß alleiniges Zielen auf Gewinn kurzsichtig, unsozial und verächtlich sei.« Der Redner gestattete sich ein nachsichtiges Lächeln. »Ihnen, meine Herren, sind all diese Argumente bekannt.

Aber als Banker muß ich da widersprechen. Streben nach Gewinn ist keineswegs kurzsichtig, und wenn diese Bank, und auch andere Banken, die Rentabilität steigern wollen, so ist das von großer sozialer Wichtigkeit.

Lassen Sie mich das näher erläutern.

Alle Banken messen den Gewinn an der Höhe des Ertrags pro Aktie. Dieser Ertrag – der öffentlich ausgewiesen wird – unterliegt der genauen Beobachtung durch Aktionäre, Einleger, Investoren und der nationalen sowie internationalen Geschäftswelt. Ein Steigen oder Fallen des Bank-Ertrags wird als Zeichen ihrer Stärke oder Schwäche gewertet.

Ist der Ertrag hoch, so bleibt das Vertrauen zum Bankgeschäft stark. Lassen Sie aber einmal ein paar Großbanken einen sinkenden Ertrag pro Aktie ausweisen, meine Herren, was hätte das zur Folge? Allgemeine Unruhe, die sich rasch bis zur Alarmstimmung steigert – eine Situation, in der die Einleger ihre Einlagen und die Aktionäre ihre Anlagen auflösen würden, so daß die Kurse weiter fallen und die Banken selbst in Gefahr geraten. Kurz, eine öffentliche Krise ernstester Art.«

Roscoe Heyward nahm seine Brille ab und polierte die Gläser mit einem weißleinenen Taschentuch.

»Und komme mir niemand und sage: Das kann gar nicht passieren. Es ist schon einmal passiert in der Depression, die im Jahre 1929 ihren Anfang nahm; sollte es sich heute wiederholen, wo die Banken sehr viel größer sind, wären die Folgen, verglichen mit damals, geradezu katastrophal.

Deshalb muß eine Bank wie die unsere wachsam bleiben in ihrer Pflicht, für sich selbst und für ihre Aktionäre Geld zu machen.«

Wieder lief zustimmendes Gemurmel rund um den Direktoriumstisch. Heyward schlug eine neue Seite seines Textes auf.

»Nun aber – wie erzielen wir als Bank ein Maximum an Profit? Ich werde Ihnen erst einmal darlegen, wie wir dieses Ziel *nicht* erreichen.

Wir erreichen es nicht, indem wir uns auf Projekte einlassen, die vielleicht bewundernswert in ihrer Absicht sein mögen, aber entweder finanziell unsolide sind oder die Gelder der Bank bei geringen Ertragsraten auf viele Jahre hinaus festlegen. Ich denke hier, wie Sie wohl erraten haben, an die Finanzierung des Wohnungsbaus für untere Einkommensschichten. Wir sollten auf keinen Fall mehr als einen minimalen Teil von Bankmitteln in Hypotheken anlegen, die ja notorisch geringe Gewinne abwerfen.

Eine andere Möglichkeit, keine Rentabilität zu erzielen, besteht darin, Konzessionen zu machen und die Darlehenszinssätze zu senken, wie es zum Beispiel bei den sogenannten Aufbaukrediten für Minderheiten verlangt wird. Auf diesem Gebiet sind die Banken heutzutage enormem Druck ausgesetzt, und wir müssen hier energischen Widerstand leisten, nicht aus rassischen Gründen, sondern aus Gründen der Geschäftsvernunft. Bitte, auch ich bin dafür, Minderheiten nach Möglichkeit Kredite zu gewähren, aber dann zu den gleichen Bedingungen, wie sie für jeden anderen Kreditnehmer gelten.

Auch sollten wir uns als Bank nicht über Gebühr mit Dingen befassen, die etwas verschwommen als ›Umweltangelegenheiten‹ bezeichnet werden. Es kann nicht *unsere* Sache sein, ein Urteil über die Art und Weise zu fällen, in der unsere Kunden *ihr* Geschäft in bezug auf ökologische Erwägungen betreiben; uns interessiert einzig und allein, wie gesund sie in finanzieller Hinsicht sind.

Kurz und gut, wir erzielen Profit *nicht,* indem wir uns als unseres Bruders Hüter aufspielen – oder als sein Richter oder Kerkermeister.

O ja, wir dürfen diese öffentlichen Ziele durchaus gelegentlich mit unserer Stimme unterstützen – Billigwohnungen, städtebauliche Sanierung, Umweltverbesserung, Energie, Naturschutz und andere Forderungen, die von Zeit zu Zeit in den Vordergrund treten. Schließlich besitzt diese Bank Einfluß und Prestige, die wir in die Waagschale werfen können, ohne daß wir dadurch finanziell Schaden nehmen. Wir können sogar Minimalbeträge einsetzen, und unsere Public-Relations-Abteilung kann dafür sorgen, daß unser Beitrag auch bekannt wird – ja«, er kicherte in sich hinein, »ihn gelegentlich wohl auch ein wenig übertreiben. Wollen wir aber reellen Profit, dann müssen wir unsere Stoßkraft in andere Richtungen lenken.«

Alex Vandervoort dachte: Welche Kritik man später auch an Heyward üben mochte, niemand konnte ihm vorwerfen, er habe seine Ansichten nicht deutlich genug dargelegt. Auf seine Weise war seine Rede eine offene und ehrliche Deklaration. Doch sie war auch klug, ja, sogar zynisch berechnet.

Viele führende Geschäftsleute und Finanziers – einschließlich eines nicht geringen Teils der hier in diesem Raum versammelten Direktoren – stöhnten über Einschränkungen ihrer Freiheit beim Geldmachen. Es gefiel ihnen auch nicht, in der Öffentlichkeit jedes Wort auf die Goldwaage legen zu müssen, um nicht in die Schußlinie von Verbrauchergruppen oder anderen Kritikern zu geraten. So war es geradezu befreiend für sie, hier einmal ihre innersten Überzeugungen laut und eindeutig ausgesprochen zu hören.

Diese Reaktion hatte Roscoe Heyward ganz sicher einkalkuliert. Er hatte sicherlich auch, meinte Alex, die Häupter am Direktoriumstisch gezählt und berechnet, wer seine Stimme für wen abgeben würde, bevor er sich festlegte.

Aber Alex hatte seine eigenen Berechnungen angestellt. Er glaubte auch jetzt noch, daß es eine gewisse Gruppe von Direktoren gab, die stark genug war, um das Pendel dieser Sitzung wieder von Heyward weg und in seine Richtung hin ausschlagen zu lassen. Aber es würde einiger Überredungskunst bedürfen.

»Vor allem«, erklärte Heyward, »muß diese Bank sich auf ihre Zusammenarbeit mit der amerikanischen Industrie stützen, wie sie es traditionsgemäß immer getan hat. Damit meine ich jene Art von Industrie, die auf eine Geschichte hoher Gewinne zurückblicken kann, die ihrerseits geeignet sind, unsere eigene Ertragslage günstig zu beeinflussen.

Anders ausgedrückt, ich bin überzeugt, daß die First Mercantile American Bank gegenwärtig zu wenig flüssige Geldmittel für große Industriekredite zur Verfügung hat und wir umgehend ein Programm zur Steigerung derartiger Kredite ausarbeiten sollten...«

Es war ein vertrautes Thema, über das Roscoe Heyward, Alex Vandervoort und Ben Rosselli in der Vergangenheit oft debattiert hatten. Die Argumente, die Heyward jetzt vortrug, waren nicht neu, auch wenn er sie überzeugend präsentierte und mit Zahlen und Diagrammen illustrierte. Alex spürte, daß die Direktoren beeindruckt waren.

Heyward sprach noch weitere dreißig Minuten über die Notwendigkeit, Industriekredite auszuweiten und Verpflichtungen auf sozialpolitischem Gebiet zu drosseln. Er schloß mit einem – wie er es nannte – »Appell an die Vernunft«.

»Am dringendsten brauchen wir heute im Bankgeschäft die pragmatische Führung. Eine Führung, die sich weder durch Emotionen noch durch Druck von irgendwelcher Seite oder Rücksicht auf die Öffentlichkeit dazu verleiten läßt, unser Geld ›weich‹ anzulegen. Als Banker müssen wir uns ganz nüchtern fragen: Lohnt sich ein Geschäft in finanzieller Hinsicht, oder lohnt es sich nicht. Nie dürfen wir uns billige Popularität zu Lasten unserer Aktionäre erkaufen. Statt dessen müssen wir unser eigenes Geld und das unserer Einleger einzig und allein auf der Grundlage des besten Ertrages verleihen, und wenn wir infolge einer solchen Politik als ›kaltschnäuzige Banker‹ verschrien werden, nun denn, so sei es. Ich habe nichts dagegen, mich in diese Schar einreihen zu lassen.«

Heyward setzte sich unter Beifall.

»Herr Vorsitzender!« Der Stahlmann, Leonard Kingswood, beugte sich mit erhobener Hand vor. »Ich habe mehrere Fragen und muß einige Meinungsverschiedenheiten anmelden.«

Weiter unten vom Tisch konterte The Hon. Harold Austin. »Für das Protokoll, Herr Vorsitzender, ich habe *keine* Fragen und befinde mich in völliger *Übereinstimmung* mit dem eben Gesagten.«

Gelächter erhob sich, und eine frische Stimme – die von Philip Johannsen, Präsident der MidContinent Rubber – fügte hinzu: »Ich bin ganz Ihrer Meinung, Harold. Ich finde ebenfalls, daß es höchste Zeit ist, einen härteren Kurs zu steuern.«

»Ich auch«, warf ein anderer ein.

»Meine Herren, aber meine Herren!« Jerome Patterton pochte leicht mit seinem Holzhammer auf den Tisch. »Wir haben erst einen Teil unserer Tagesordnung abgeschlossen. Sie werden später Gelegenheit haben, Ihre Fragen anzubringen; was die Meinungsverschiedenheiten betrifft, so schlage ich vor, daß wir uns diesen Punkt für unsere Diskussion aufheben, wenn Roscoe und Alex sich zurückgezogen haben. Zunächst aber wollen wir Alex hören.«

»Die meisten von Ihnen kennen mich gut, als Menschen und als Banker«, begann Alex. Er hatte sich erhoben und stand in seiner üblichen lässigen Haltung da; er beugte sich nur einen Moment vor, um außer dem Blick der ihm gegenüber sitzenden Direktoren auch den derjenigen aufzufangen, die rechts und links von ihm saßen. Er redete im ganz normalen Gesprächston.

»Sie wissen auch, oder Sie sollten wissen, daß ich als Banker der zähen Sorte gelte – als kaltschnäuzig, falls Ihnen dies Wort lieber sein sollte. Beweis dafür sind die Finanzierungsgeschäfte, die ich für die FMA getätigt habe; sie haben sämtlich Gewinn erbracht, kein einziges endete mit Verlust. Für das Bankgeschäft wie auch für jedes andere gilt die Regel: Je profitbringender ein Unternehmen, desto stärker seine Position. Wenn man den Satz etwas abwandelt – je profitbringender ein Bankier arbeitet . . . –, trifft er auch für die Menschen im Bankgeschäft zu.

Ich freue mich, daß Roscoe dieses Thema angeschnitten hat, denn es gibt mir Gelegenheit, mich ausdrücklich hier zum Prinzip der Ertragssteigerung zu bekennen. Dito zu Freiheit, Demokratie, Liebe und Mutterschaft.«

Irgend jemand kicherte. Alex lächelte ungezwungen. Er

schob den Stuhl etwas weiter zurück, um sich einen oder zwei Schritte Bewegungsfreiheit zu verschaffen.

»Noch etwas zur Ertragssteigerung in der FMA: Ich meine, hier müßten drastische Maßnahmen ergriffen werden. Doch später darüber mehr.

Im Augenblick möchte ich über gewisse prinzipielle Dinge sprechen, zu denen ich mich bekenne: Die Zivilisation hat sich in diesem Jahrzehnt bedeutungsvoller und rascher verändert als zu irgendeiner anderen Zeit seit der industriellen Revolution. Wir erleben zur Zeit eine neue Revolution, eine soziale Revolution des Gewissens und des Verhaltens.

Ich bin im Gegensatz zu anderen froh darüber. Doch ob sie einem zusagt oder nicht, sie ist da; sie existiert; sie wird sich weder zurückentwickeln, noch wird sie sich aufhalten lassen.

Denn die treibende Kraft hinter dieser Entwicklung ist die Entschlossenheit einer Mehrheit der Menschen, die Qualität des Lebens zu verbessern, der Ausbeutung unserer Umwelt Einhalt zu gebieten und zu bewahren, was von den Schätzen aller Art noch vorhanden ist. Aus diesem Grunde werden von Industrie und Gewerbe neue Maßstäbe gefordert, und der Name des neuen Spiels lautet ›korporative soziale Verantwortung‹. Mehr noch, die Menschen sind dabei, höhere Maßstäbe der Verantwortung zu setzen, ohne daß es zu einer erheblichen Gewinneinbuße kommt.«

Alex bewegte sich rastlos in dem begrenzten Raum hinter dem Direktoriumstisch. Er fragte sich, ob er direkt auf eine weitere Herausforderung von Heyward eingehen sollte, dann entschied er sich: *Ja.*

»Zu dem Thema Verantwortung und Anteilnahme griff Roscoe das Beispiel seiner Kirche auf. Er sagte uns, daß diejenigen, die – wie er sich ausdrückte – ›die Kontrolle wieder in die Hand genommen haben‹, sich zurückziehen und eine Politik der Nichtbeteiligung propagieren. Nun, meiner Meinung nach marschieren Roscoe und seine Kirchenmänner entschlossen rückwärts. Ihre Einstellung hilft weder dem Christentum noch dem Bankgeschäft.«

Heyward richtete sich kerzengerade auf. Er protestierte: »Wir wollen hier doch nicht persönlich werden, außerdem ist das eine falsche Interpretation.«

Alex sagte ruhig: »Das bezweifle ich – beides.«

Harold Austin klopfte scharf mit den Knöcheln auf den Tisch. »Herr Vorsitzender, ich protestiere dagegen, daß Alex sich auf die Ebene des Persönlichen begibt.«

»Roscoe hat seine Kirche hier hereingeschleppt«, sagte Alex. »Ich kommentiere nur.«

»Das sollten Sie lieber bleiben lassen.« Die Stimme Philip Johannsens, des Präsidenten der MidContinent Rubber, fuhr schneidend dazwischen. »Sonst könnten wir auf den Gedanken kommen, Sie beide nach der Gesellschaft zu beurteilen, in der Sie sich bewegen; da lägen dann Roscoe und seine Kirche sehr weit vorn.«

Alex lief rot an. »Darf ich fragen, was Sie damit sagen wollen?«

Johannsen zuckte die Achseln. »Nach allem, was ich höre, haben Sie sich, in Abwesenheit Ihrer Frau, an eine Linksaktivistin angeschlossen. Vielleicht ist das der Grund, warum Sie diese Vorliebe fürs Engagement haben.«

Jerome Patterton hämmerte auf den Tisch, dieses Mal mit Macht. »Das genügt, meine Herren. Als Vorsitzender untersage ich alle weiteren Anspielungen dieser Art, von beiden Seiten.«

Johannsen lächelte zufrieden. Trotz der Zurechtweisung hatte er seine Pointe angebracht.

Alex Vandervoort kochte. Er überlegte, ob er in aller Entschiedenheit erklären sollte, daß sein Privatleben seine eigene Angelegenheit sei, besann sich dann aber anders. Das mochte sich später einmal als erforderlich erweisen. Nicht jetzt. Er erkannte, daß es ein Fehler gewesen war, auf Heywards Kirchenbeispiel einzugehen.

»Ich möchte auf meine ursprüngliche Frage zurückkommen«, fuhr er fort, »wie können wir als Banker es uns leisten, diesen Wandel der Szene einfach zu ignorieren? Wir wären nicht anders als ein Mann, der in einem schweren Sturm steht und einfach so tut, als existiere der Wind nicht.

Allein aus pragmatischen, finanziellen Gründen dürfen wir uns nicht abseits stellen. Wir alle, die wir hier an diesem Tisch versammelt sind, wissen aus persönlicher Erfahrung, daß man geschäftlichen Erfolg niemals dadurch erzielt, daß man den Wandel nicht zur Kenntnis nimmt, sondern einzig und allein dadurch, daß man ihn rechtzeitig kommen sieht und sich darauf einstellt. Als Hüter des Geldes, mit einem Gespür für die Wetterumschläge des Investitionsklimas ausgerüstet, werden wir deshalb am meisten profitieren, wenn wir jetzt zuhören, aufmerken und uns auf neue Gegebenheiten einstellen.«

Er spürte, daß seine Eröffnungssätze, abgesehen von dem Ausrutscher, der ihm gerade unterlaufen war, durch ihren Akzent auf dem Praktischen die Aufmerksamkeit seiner Zuhörer erregt hatten. Fast alle Mitglieder des Direktoriums, die der Bank selbst nicht angehörten, hatten schon ihre Erfahrungen mit Gesetzen zum Umweltschutz, zum Verbraucherschutz, über wahrheitsgemäße Werbung, über die Förderung der Beschäftigung von Minderheiten und über die Gleichberechtigung der Frau gesammelt. Oft waren derartige Gesetze gegen den heftigen Widerstand von Gesellschaften verabschiedet worden, an deren Spitze hier anwesende Direktoren standen. Waren diese Gesetze aber erst einmal in Kraft, dann hatten dieselben Gesellschaften es gelernt, mit den neuen Maßstäben zu leben, und stolz posaunten sie dann ihren Beitrag zum Gemeinwohl in die Welt hinaus. Einige, wie Leonard Kingswood zum Beispiel, hatten daraus den Schluß gezogen, daß korporative Verantwortung gut für das Geschäft ist, und sie hatten sich deshalb mit Nachdruck dazu bekannt.

»Es gibt vierzehntausend Banken in den Vereinigten Staaten«, rief Alex den FMA-Direktoren ins Bewußtsein zurück, »und sie üben durch die Vergabe von Krediten eine enorme wirtschaftliche Macht aus. Ich meine, diese Macht sollte bei der Gewährung von Krediten an Industrie und Handel auch mit Verantwortung unsererseits gekoppelt sein. Ich meine, zu den Kriterien der Kreditwürdigkeit sollte auch das Niveau des öffentlichen Verhaltens unserer Geldnehmer gehören! Wenn eine Fabrik finanziert werden soll – wird sie die Umwelt verschmutzen? Wenn ein neues Produkt entwickelt werden soll – wird es den Sicherheitsanforderungen genügen? Wie hält es die Firma mit der Wahrheit in der Werbung? Haben wir zu entscheiden, ob wir der Gesellschaft A oder

der Gesellschaft B einen Kredit gewähren – welche der beiden ist freier von Rassendiskriminierung?«

Er beugte sich vor, um nacheinander jedem Direktoriumsmitglied an dem großen ovalen Tisch in die Augen zu sehen.

»Es stimmt, diese Fragen werden jetzt nicht immer gestellt, und wenn sie gestellt werden, wird nicht immer der Antwort entsprechend gehandelt. Aber Großbanken fangen an, und sie beweisen damit ihren guten Gemeinsinn, diese Fragen zu stellen – ein Beispiel, das die FMA nachahmen sollte, wenn sie gut beraten ist. Denn genauso, wie es hohe Dividenden abwerfen kann, wenn ein Unternehmen die Führungsposition in seiner Branche innehat, genauso wird es sich für eine Großbank auszahlen, wenn sie sich wegweisend an die Spitze stellt.

Nicht weniger wichtig ist die Einsicht: Es ist besser, diese Dinge jetzt freiwillig zu tun, als sie sich später durch Gesetz und Vorschrift aufzwingen zu lassen.«

Alex machte eine Pause, entfernte sich einen Schritt vom Tisch, um gleich darauf herumzufahren und zu fragen: »Auf welchem anderen Gebiet sollte unsere Bank korporative Verantwortung übernehmen?

Ich bin mit Ben Rosselli der Meinung, daß wir an der Verbesserung der Lebensbedingungen dieser Stadt und dieses Bundesstaates Anteil nehmen sollten. Ein unmittelbar wirksamer Beitrag ist die Finanzierung der Billigwohnungen, eine Verpflichtung, die dieses Direktorium schon in den ersten Stadien von Forum East übernommen hat. Ich bin sogar der Meinung, daß unser Beitrag im Laufe der Zeit vergrößert werden sollte.«

Er warf einen Blick zu Roscoe Heyward hinüber. »Natürlich weiß ich, daß Hypothekengeschäfte keine sonderlich hohen Erträge abwerfen. Doch es gibt Wege, auch dieses Engagement mit ausgezeichneten Profiten zu verknüpfen.«

Einer dieser Wege, erklärte er den lauschenden Direktoren, führe über eine entschlossene Expansion der Sparkontenabteilung der Bank.

»Traditionsgemäß werden die Mittel für Bau- und Wohnungsdarlehen aus den Spareinlagen genommen, weil Hypotheken langfristige Anlagen sind und Spareinlagen ihrem

Wesen nach ebenfalls stabil und langfristig sind. Die Rentabilität werden wir durch schieres Volumen erzielen – das viel größer sein wird als unser jetziges Sparvolumen. Dergestalt werden wir ein dreifaches Ziel erreichen – Profit, finanzielle Stabilität und einen bedeutenden sozialen Beitrag.

Es sind noch nicht viele Jahre vergangen, seit große Geschäftsbanken wie wir selbst das Verbrauchergeschäft einschließlich kleiner Spareinlagen als unwichtig verschmähten. Und während wir schliefen, haben Spar- und Darlehenskassen mit klarem Blick die von uns ignorierte Chance genutzt und sind an uns vorbei nach vorn gepresst und unser Hauptkonkurrent geworden. Trotzdem liegen noch gigantische Möglichkeiten auf dem Gebiet der persönlichen Sparkonten. Ich rechne sogar damit, daß das Verbrauchergeschäft im Verlauf des nächsten Jahrzehnts die kommerziellen Einlagen übertreffen und damit zur gewaltigsten überhaupt bestehenden Geldmacht wird.«

Das Spargeschäft, führte Alex weiter aus, sei nur eins von mehreren Gebieten, auf denen die Interessen der FMA in geradezu dramatischer Weise ausgebaut werden könnten.

Unverändert lebhaft in Gestik und Bewegung, behandelte er andere Abteilungen der Bank und beschrieb Änderungen, die er für ratsam hielt. Das meiste davon hatte schon in einem Bericht gestanden, den Alex Vandervoort auf Bens Veranlassung wenige Wochen vor jenem Tag erarbeitet hatte, da der Bankpräsident von seinem bevorstehenden Tod sprach. Im Drang der Ereignisse war dieser Bericht, soweit es Alex bekannt war, ungelesen geblieben.

Eine der Empfehlungen betraf die Eröffnung von neun weiteren Filialen in Wohnvororten in allen Teilen des Bundesstaates. Eine andere riet zu einer drastischen Überprüfung der gesamten FMA-Organisation. Alex schlug vor, eine Spezial-Beratungsfirma mit der Ausarbeitung von Änderungsempfehlungen zu beauftragen, »da unsere Leistungsfähigkeit geringer ist, als sie sein könnte. Bei uns ist Sand im Getriebe«, wie er dem Direktorium erklärte.

Gegen Ende kehrte er zu seinem ursprünglichen Thema zurück. »Natürlich müssen wir weiterhin an unserer Beziehung zur Industrie festhalten. Industriekredite und das kommerzielle Geschäft werden Stützpfeiler unserer Arbeit bleiben. Nicht aber die einzigen Pfeiler. Auch sollten sie nicht die bei weitem mächtigsten sein. Und wir sollten unseren Blick nicht so ausschließlich an der Größe orientieren, daß die Bedeutung kleiner Konten, auch privater Sparkonten, uns weitgehend verschlossen bleibt.

Der Gründer unserer Bank hat sie geschaffen, um dem Kleinverdiener zu helfen, dem die Einrichtungen der Großbanken verschlossen waren. Es konnte nicht ausbleiben, daß sich Zweck und Arbeitsweise im Laufe eines Jahrhunderts erweitert haben, doch weder der Sohn noch der Enkel des Gründers haben jene Ursprünge aus den Augen verloren, und sie haben nie die Erkenntnis ignoriert, daß das Vielfache einer kleinen Menge die allergrößte Macht darstellen kann.

Ein massives und sofortiges Wachstum der kleinen Spareinlagen, das ich dem Direktorium nicht eindringlich genug als Zielvorstellung empfehlen kann, hieße, unseren Ursprüngen gerecht zu werden, unsere finanzielle Kraft auszubauen und – gemäß dem Klima unserer Zeit – das öffentliche Wohl zu fördern und damit auch unser eigenes Wohl.«

So wie es Heyward Beifall gespendet hatte, so applaudierte das Direktorium auch Alex, als er sich wieder setzte. Zu einem Teil war es nur Höflichkeitsapplaus, wie Alex wohl wußte; aber etwa die Hälfte der Direktoren schien mit mehr Enthusiasmus zu klatschen. Er hatte den Eindruck, daß er und Heyward noch immer gleich im Rennen lagen.

»Ich danke Ihnen, Alex.« Jerome Patterton warf einen Blick in die Runde. »Fragen, meine Herren?«

Eine weitere halbe Stunde verging mit Fragen und Antworten, dann verließen Roscoe Heyward und Alex Vandervoort gemeinsam das Sitzungszimmer. Sie kehrten beide in ihre Büros zurück, um die Entscheidung des Direktoriums abzuwarten.

Die Direktoren debattierten bis zum Mittag, ohne eine Einigung zu erzielen. Sie zogen sich dann in einen für andere Gäste gesperrten Raum des Kasinos zum Mittagessen zurück; sie setzten während des Essens die Diskussion fort. Der Ausgang des Treffens war noch immer offen, als ein

Kasinokellner leise zu Jerome Patterton trat. Er trug ein silbernes Tablett. Auf dem Tablett lag ein gefaltetes Blatt Papier.

Der Stellvertretende Vorsitzende nahm das Papier entgegen, schlug es auf und las es. Nach einer Pause erhob er sich und wartete, bis die Gespräche am Tisch verstummten.

»Meine Herren.« Pattertons Stimme zitterte. »Von Trauer erfüllt, muß ich Ihnen mitteilen, daß unser geliebter Präsident, Ben Rosselli, vor wenigen Minuten verstorben ist.«

Wenig später wurde die Direktoriumssitzung in gegenseitigem Einvernehmen und ohne weitere Diskussion geschlossen.


## 16

Die internationale Presse berichtete über den Tod Ben Rossellis, und einige Journalisten griffen nach dem naheliegenden Klischee und schrieben vom »Ende einer Ära«.

Ob richtig oder unrichtig, so signalisierte sein Ableben doch die Tatsache, daß die letzte amerikanische Großbank, die noch mit einem einzigen Unternehmer identifiziert war, sich jetzt den Organisationsformen der Mitte des zwanzigsten Jahrhunderts anglich und sich anschickte, von Komitees und angestelltem Management regiert zu werden. Die Entscheidung darüber, wer an der Spitze des angestellten Managements stehen würde, war bis nach der Beerdigung Rossellis vertagt worden. Das Direktorengremium der Bank wollte dann neu zusammentreten.

Das Begräbnis fand am Mittwoch der zweiten Dezemberwoche statt.

Begräbnis und vorangegangene Aufbahrung waren mit dem ganzen Pomp der katholischen Kirche vorgenommen worden, wie es einem Ritter vom Heiligen Stuhl und einem großzügigen Wohltäter der Kirche, wie Ben Rosselli es gewesen war, zustand.

Zwei Tage war er in der St. Matthews Cathedral aufgebahrt; Matthäus – vormals Levi, der Steuereintreiber – gilt als Schutzheiliger der Bankiers. Rund zweitausend Menschen, unter ihnen ein Vertreter des Präsidenten, der Gouverneur des Bundesstaates, Gesandte, prominente Bürger der Stadt, Bankangestellte und viele einfache Leute, defilierten am offenen Sarg vorbei.

Am Morgen des Begräbnisses konzelebrierten – um auch das geringste Risiko auszuschließen – ein Erzbischof, ein Bischof und ein Monsignore eine Auferstehungsmesse. Ein großer Chor respondierte im Gebet mit überzeugender Stimmgewalt. In der Kathedrale, die bis auf den letzten Platz gefüllt war, hatte man in der Nähe des Altars Stühle für Verwandte und Freunde Rossellis reserviert. Unmittelbar hinter ihnen saßen Direktoren und leitende Angestellte der First Mercantile American Bank.

Roscoe Heyward, ganz in Schwarz, saß in der ersten Reihe der Leidtragenden der Bank. Begleitet wurde er von seiner Frau Beatrice, einer gebieterischen, starken Erscheinung, und seinem Sohn Elmer. Heyward, Mitglied der Episkopalkirche, hatte sich vorher über korrektes katholisches Verhalten informiert und beugte elegant das Knie, sowohl vor dem Platznehmen als auch später beim Hinausgehen – letzteres eine Übung, die viele Katholiken sich schenkten. Die Heywards kannten sich auch im Respondieren während der Messe aus, so daß ihre Stimmen fest und klar diejenigen ihrer uninformierten Nachbarn übertönten.

Alex Vandervoort, der Anthrazit trug und zwei Reihen hinter den Heywards saß, gehörte zu denjenigen, die nicht respondierten. Als Agnostiker fühlte er sich in dieser Umgebung deplaciert. Er fragte sich, was wohl Ben, seiner ganzen Anlage nach ein eher schlichter Mensch, von der prunkvollen Zeremonie gehalten hätte.

Neben Alex saß Margot Bracken, die sich voller Neugier umschaute. Ursprünglich hatte Margot zusammen mit einer Gruppe aus Forum East an der Beerdigung teilnehmen wollen, aber sie war die Nacht in Alex' Wohnung geblieben, und er hatte sie überredet, ihn heute zu begleiten. Die Delegation aus Forum East – stattlich an Zahl – befand sich irgendwo hinter ihnen in der Kirche.

Neben Margot saßen Edwina und Lewis D'Orsey, dieser

wie üblich hager und verhungert aussehend und unverhohlen gelangweilt. Wahrscheinlich entwarf er im Geiste schon die nächste Ausgabe seines Informationsbriefes für Investoren, mußte Alex unwillkürlich denken. Die D'Orseys waren mit Margot und Alex in einem Wagen gekommen – die vier waren oft zusammen, nicht nur wegen der Verwandtschaft der beiden Frauen, sondern weil sie sich aufrichtig schätzten. Nach dem feierlichen Hochamt wollten sie auch gemeinsam zu dem Gottesdienst am Grabe gehen.

In der Reihe vor Alex saßen Jerome Patterton, der Stellvertretende Vorsitzende, und seine Frau.

Obwohl die Liturgie ihm innerlich fremd war, spürte Alex, daß ihm die Tränen in die Augen traten, als der Sarg an ihm vorüberkam und aus der Kirche hinausgetragen wurde. Das, was er für Ben empfand, kam, wie er in den letzten Tagen begriffen hatte, dem Gefühl der Liebe sehr nahe. In mancher Hinsicht war der alte Mann für ihn eine Vatergestalt gewesen; sein Tod hinterließ in seinem Leben eine Lücke, die nicht wieder ausgefüllt werden konnte.

Margot nahm sanft seine Hand.

Als die Trauergemeinde die Kirche zu verlassen begann, sah er, wie Roscoe und Beatrice Heyward zu ihnen herüberschauten. Alex nickte, und der Gruß wurde erwidert. Heywards Miene entspannte sich im Zeichen der Trauer, die sie beide empfanden; in der Erkenntnis ihrer eigenen wie der Sterblichkeit Bens war ihre Fehde für diesen kurzen Augenblick vergessen.

Draußen, vor der Kathedrale, war der normale Alltagsverkehr umgeleitet. Der Sarg befand sich schon in dem blumenüberladenen Leichenwagen. Die Verwandten und die leitenden Angestellten der Bank stiegen jetzt in die Limousinen, die von Polizisten eingewiesen wurden. An der Spitze des sich formierenden Trauerzuges befand sich eine Motorrad-Eskorte der Polizei, deren Motoren geräuschvoll warmliefen.

Der Tag war grau und kalt, und plötzliche Windstöße wirbelten den Staub der Straße auf. Hoch reckten sich die Türme der Kathedrale empor, deren ganze gewaltige Fassade vom Ruß und Schmutz der Jahre geschwärzt war. Es war Schnee vorausgesagt worden, aber noch war keine Flocke gefallen.

Während Alex seinem Fahrer ein Zeichen gab, lugte Lewis D'Orsey über die Halbmondgläser seiner Brille in die Kameras von Fernsehen und Presse, die auf die herauskommenden Trauergäste gerichtet waren. »Wenn ich dies als bedrückend empfinde, was der Fall ist, so werden sich die Berichte darüber morgen auf die FMA-Aktien noch drückender auswirken«, bemerkte er düster.

Alex murmelte etwas widerstrebend Zustimmendes. Ebenso wie Lewis wußte er nur zu gut, daß die an der New Yorker Börse notierten Aktien der First Mercantile American seit der Nachricht von Bens Krankheit um fünfeinhalb Punkte gefallen waren. Der Tod des letzten Rosselli – Träger eines Namens, der seit Generationen synonym war mit der Bank – hatte, im Verein mit der Ungewißheit über den Kurs des künftigen Managements, das letzte Absacken der Kurse bewirkt. So unlogisch es auch war, konnte die Berichterstattung über das Begräbnis die Aktien noch weiter rutschen lassen.

»Unsere Aktien werden sich wieder erholen«, sagte Alex. »Die Ertragslage ist gut, und es hat sich im Grunde gar nichts geändert.«

»Das weiß ich«, stimmte Lewis zu. »Deshalb werde ich morgen nachmittag verkaufen.«

Edwina sah schockiert aus. »Was? Du stößt FMA ab?«

»Aber gewiß. Habe auch ein paar Kunden geraten, das gleiche zu tun. Im Moment ist da ein hübscher Profit rauszuholen.«

Aufgebracht sagte sie: »Du weißt ganz genau, daß ich nie mit dir über etwas Vertrauliches spreche, Lewis. Die andern aber wissen das nicht. Wenn du jetzt verkaufst, kann es heißen, du hättest irgendwelche Informationen von mir bekommen.«

Alex schüttelte den Kopf. »In diesem Falle nicht, Edwina. Bens Krankheit war ja allgemein bekannt.«

»Wenn wir später das kapitalistische System überwunden haben«, prophezeite Margot, »dann werden Baisse-Spekulationen an der Börse als erstes verschwinden.«

Lewis hob die Augenbrauen in die Höhe. »Warum?«

»Weil sie *total* negativ sind. Sie sind eine zerstörerische Spekulation, die darauf basiert, daß ein anderer Verluste erleidet. Es ist reine Leichenfledderei und das genaue Gegenteil eines konstruktiven Beitrags. Solche Verkäufe schaffen nichts, sie zerstören.«

»Sie schaffen einen blitzblanken Kapitalgewinn.« Lewis grinste breit; er hatte sich mit Margot schon oft und gern gestritten. »Und den heimst man heute nicht mehr so leicht ein, am wenigsten mit amerikanischen Papieren.«

»Trotzdem will es mir nicht gefallen, daß du es ausgerechnet mit FMA-Aktien machst«, sagte Edwina. »Dafür steht mir die Sache doch zu nahe.«

Lewis D'Orsey sah seine Frau mit großem Ernst an. »Wenn dem so ist, meine Liebe, dann werde ich nach meinen Verkäufen von morgen keine FMA-Aktien mehr anrühren.«

Margot warf ihm einen scharfen Blick zu.

»Du weißt doch, daß er es ernst meint«, sagte Alex.

Alex dachte manchmal darüber nach, wie Edwina und ihr Mann wohl miteinander standen. Rein äußerlich schienen sie schlecht zueinander zu passen – Edwina, elegant, attraktiv und selbstbewußt; Lewis, hager, unansehnlich, introvertiert gegenüber allen, die er nicht sehr gut kannte, wenn auch niemand diese persönliche Zurückhaltung unter dem Löwengebrüll seines Finanz-Informationsbriefes vermutete. Aber ihre Ehe schien gut zu funktionieren, und jeder respektierte den anderen und empfand deutliche Zuneigung zu ihm, wie es sich eben wieder bei Lewis gezeigt hatte. Vielleicht, dachte Alex, ziehen Gegensätze sich nicht nur an; sie bleiben wohl auch miteinander verheiratet.

Alex' Cadillac aus dem Fuhrpark der Bank reihte sich in die lange Wagenschlange vor der Kathedrale ein, und die vier gingen dem Wagen entgegen.

»Es wäre schon ein zivilisierteres Versprechen gewesen«, bemerkte Margot, »wenn Lewis sich bereit erklärt hätte, nun überhaupt nicht mehr auf Baisse zu spekulieren.«

»Alex«, sagte Lewis, »zum Teufel noch mal, was finden Sie eigentlich an dieser roten Zicke?«

»Wir sind fabelhaft im Bett«, sagte Margot zu ihm. »Reicht das nicht?«

»Und ich würde sie gern bald heiraten«, setzte Alex hinzu.

Edwina sagte mit Wärme in der Stimme: »Dann hoffe ich, daß ihr es bald tut.« Seit ihrer Kindheit war sie eng mit Margot befreundet, trotz gelegentlicher Differenzen in Temperament und Einstellung. Gemeinsam war ihnen, daß es in beider Familien immer Frauen gegeben hatte, die starke Persönlichkeiten waren und traditionell Aufgaben im öffentlichen Leben übernommen hatten. Edwina fragte Alex leise: »Irgend etwas Neues über Celia?«

Er schüttelte den Kopf. »Es hat sich nichts geändert. Es ist eher noch schlimmer geworden mit ihr.«

Sie waren jetzt bei dem Wagen angelangt. Alex bedeutete dem Chauffeur, er solle am Steuer sitzen bleiben, dann öffnete er die hintere Tür für die anderen und folgte ihnen in den Wagen. Drinnen war die Glasscheibe geschlossen, die den Fahrer von den Mitfahrern trennte. Sie setzten sich zurecht, während der sich noch immer formierende Trauerzug schrittweise vorrückte.

Für Alex hatte die Erwähnung Celias die Traurigkeit des Augenblicks noch vertieft; außerdem empfand er sie schuldbewußt als Mahnung, daß er sie bald wieder besuchen sollte. Seit dem deprimierenden Gespräch im Pflegeheim Anfang Oktober war er noch einmal dort gewesen, aber Celia hatte sich noch weiter in sich selbst zurückgezogen; sie hatte nicht durch das leiseste Zeichen zu erkennen gegeben, daß sie ihn wahrnahm, und hatte die ganze Zeit lautlos vor sich hin geweint. Noch Tage später war er niedergeschlagen, und es graute ihm vor einer Wiederholung dieses Erlebnisses.

Ihm kam der Gedanke, daß Ben Rosselli da vorn in seinem Sarg besser daran war als Celia, denn sein Leben hatte ein schlüssiges Ende gefunden. *Wenn Celia doch sterben würde . . .* Voller Scham erstickte Alex den Gedanken in sich.

Auch zwischen ihm und Margot hatte sich nichts Neues ereignet. Sie blieb eisern gegen eine Scheidung eingestellt, jedenfalls so lange, bis eindeutig feststand, daß Celia nicht mehr davon berührt werden würde. Margot schien bereit, ihr Arrangement unbegrenzt fortzusetzen. Alex hatte sich noch nicht damit abgefunden.

Zu Edwina gewandt sagte Lewis: »Ich wollte dich schon längst fragen, was aus eurem jungen Assistenten geworden ist. Du weißt doch, der bei euch in die Kasse gelangt hat. Wie hieß er doch noch?«

»Miles Eastin«, antwortete Edwina. »Er muß nächste Woche vor Gericht erscheinen, und ich soll als Zeugin aussagen. Schön ist das nicht.«

»Wenigstens hat's den Richtigen erwischt«, sagte Alex. Er hatte den Bericht des Chefrevisors über die Unterschlagung und den Bargeldverlust gelesen; auch den Bericht von Nolan Wainwright kannte er. »Was ist eigentlich aus der Kassiererin geworden – Mrs. Núñez? Ist mit ihr alles in Ordnung?«

»Es scheint so. Ich fürchte, wir haben ihr ganz schön zugesetzt, und zu Unrecht, wie sich gezeigt hat.«

Margot, die nur halb zugehört hatte, merkte auf. »Ich kenne eine Juanita Núñez. Nette junge Frau, wohnt in Forum East. Ich glaube, ihr Mann hat sie sitzenlassen. Sie hat ein Kind.«

»Das scheint unsere Mrs. Núñez zu sein«, sagte Edwina. »Ja, jetzt fällt es mir wieder ein. Sie wohnt in Forum East.«

Obwohl Margots Neugier erwacht war, spürte sie, daß jetzt nicht der rechte Augenblick für weitere Fragen war.

Während sie schweigend dasaßen, hing Edwina ihren Gedanken nach. Die beiden Ereignisse der letzten Zeit – Ben Rossellis Tod und Miles Eastins törichte Zerstörung seines eigenen Lebens – waren zu dicht aufeinander gefolgt. Betroffen waren in beiden Fällen Menschen, die sie gern mochte, und es erfüllte sie mit Trauer.

Bens Tod, meinte sie, sollte sie wohl näher berühren; ihm verdankte sie viel. Ihren raschen Aufstieg in der Bank verdankte sie zwar ihrer eigenen Tüchtigkeit, aber Ben hatte nie – wie viele andere Arbeitgeber – gezögert, einer Frau die gleichen Chancen einzuräumen wie einem Mann. Heutzutage war Edwina das ewige Geschrei der Women's Lib zuwider. Ihrer Meinung nach wurden Frauen im Geschäftsleben *wegen* ihres Geschlechts bevorzugt, was ihnen im Konkurrenzkampf Vorteile verlieh, die Edwina weder gesucht noch gebraucht hatte. Aber dennoch war Ben in all den Jahren, die sie ihn gekannt hatte, die lebende Garantie für gleichberechtigte Behandlung.

Ebenso wie Alex waren auch Edwina in der Kathedrale die Tränen in die Augen gestiegen, als Bens sterbliche Reste auf ihrem letzten Weg vorübergetragen wurden.

Ihre Gedanken schweiften zu Miles zurück. Er war wohl noch jung genug, dachte sie, um sich ein neues Leben aufzubauen, aber leicht würde das nicht sein. Keine Bank würde ihn je anstellen; und nie würde ihm jemand wieder eine Vertrauensstelle geben. Trotz seiner Tat hoffte sie, daß man ihn nicht ins Gefängnis stecken würde.

Laut sagte Edwina: »Ich fühle mich immer irgendwie schuldbewußt, wenn ich bei einer Beerdigung von anderen Dingen rede.«

»Völlig unnötig«, sagte Lewis. »Ich jedenfalls wünsche mir, daß bei meiner Beerdigung einmal etwas Vernünftiges geredet wird und nicht nur dummes Geschwätz.«

»Dafür kannst du ja selber rechtzeitig sorgen«, schlug Margot vor, »indem du eine Abschiedsnummer von *The D'Orsey Newsletter* herausgibst. Die Leichenträger könnten die Briefe an die Trauergäste verteilen.«

Lewis strahlte. »Vielleicht tue ich das.«

Der Trauerzug begann sich jetzt zielbewußter zu bewegen. Die Motorradeskorte an der Spitze hatte ihre Motoren auf Touren gebracht und fuhr an; zwei Beamte schossen voraus, um den Verkehr an Kreuzungen anzuhalten. Die anderen Fahrzeuge gewannen an Tempo, und Augenblicke später ließ der Zug die Kathedrale hinter sich und rollte durch die Straßen der Stadt.

Der angekündigte Schnee setzte jetzt leicht ein.

»Mir gefällt Margots Idee«, sann Lewis. »Ein ›Bon Voyage Bulletin‹. Und eine Schlagzeile habe ich auch schon. ›Beerdigt den US-Dollar zusammen mit mir! Es ist auch höchste Zeit – er ist tot und erledigt.‹ In dem Artikel, der dann folgt, werde ich für die Schaffung einer neuen Währungseinheit plädieren, die den Dollar ersetzt – den ›US-D'Orsey‹. Der basiert natürlich auf Gold. Und wenn er erst einmal eingeführt ist, wird der Rest der Welt hoffentlich Vernunft annehmen und es ebenso machen.«

»Dann wirst du zum Denkmal für den Rückschritt werden«, sagte Margot, »und auf allen Abbildungen darfst du nur mit rückwärts gewandtem Blick gezeigt werden. Beim Goldstandard würde eine noch kleinere Clique als jetzt den Hauptteil des Reichtums der Welt unter sich aufteilen, und die ganze übrige Menschheit säße mit nackten Ärschen da.«

Lewis zog eine Grimasse. »Gräßliche Aussichten – jedenfalls letztere. Aber für ein stabiles Geldsystem wäre vielleicht selbst dieser Preis nicht zu hoch.«

»Und warum das?«

»Weil immer dann, wenn Währungssysteme zusammenbrechen, wie es im Augenblick geschieht«, erklärte Lewis, »es stets die Armen sind, die am meisten darunter zu leiden haben.«

Alex, der auf einem Klappsitz vor den anderen drei saß, drehte sich halb um, um an der Unterhaltung teilzunehmen. »Lewis, ich versuche objektiv zu sein, und manchmal ist Ihre Schwarzseherei, was den Dollar und das Geldsystem betrifft, tatsächlich angebracht. Aber Ihren totalen Pessimismus kann ich nicht teilen. Der Dollar wird sich eines Tages wieder erholen. Ich kann nicht glauben, daß alles Monetäre einfach auseinanderfällt.«

»Das kommt, weil Sie es nicht glauben wollen«, erwiderte Lewis. »Sie sind ein Banker. Bricht das Geldsystem zusammen, sind Sie mitsamt Ihrer Bank aus dem Geschäft. Sie könnten das wertlose Papiergeld dann nur noch als Tapetenersatz oder als Toilettenpapier verkaufen.«

Margot sagte: »Ach, nun mach aber mal Schluß!«

Edwina seufzte. »Du weißt doch, daß es immer passiert, wenn du ihn provozierst, warum tust du's also?«

»Das stimmt nicht!« sagte ihr Mann eigensinnig. »Bei allem Respekt, meine Liebe, möchte ich darauf bestehen, ernstgenommen zu werden. Ich brauche keine Toleranz, und ich will auch keine.«

»Was willst du dann?« erkundigte sich Margot.

»Ich will, daß man der Wahrheit ins Auge sieht und anerkennt, daß Amerika sein eigenes Geldsystem und das der ganzen Welt durch Politik, Gier und Verschuldung ruiniert hat. Ich will die klare Erkenntnis, daß Nationen ebenso Bankrott machen können wie einzelne Menschen und Gesellschaften. Ich will die Einsicht, daß die Vereinigten Staaten kurz *vor* dem Bankrott stehen, weil es – weiß Gott! – genügend Beispiele in der Geschichte gibt, die uns zeigen, wie und warum so etwas passiert. Seht euch doch nur New York an! Die Stadt ist bereits bankrott, erledigt, wird nur noch mühsam zusammengehalten, und hinter den Kulissen lauert die Anarchie. Und das ist nur der Anfang. Was heute in New York passiert, wird sich schon bald im ganzen Land ausbreiten.

Der Zusammenbruch von Währungen«, fuhr Lewis fort, »ist nichts Neues. In unserem eigenen Jahrhundert wimmelt es von Beispielen, und in jedem einzelnen Fall kann man es auf ein und dieselbe Ursache zurückführen – auf eine Regierung, die mit der Syphilis der Inflation angefangen hat, indem sie per Dekret Geld druckt, das weder durch Gold noch irgendeinen anderen Wert gedeckt ist. Und genau das haben die Vereinigten Staaten in den letzten fünfzehn Jahren getan.«

»Es sind mehr Dollars im Umlauf, als eigentlich sein dürften«, gab Alex zu. »Daran ist leider nicht zu zweifeln.«

Lewis nickte ingrimmig. »Und wir haben mehr Schulden, als jemals zurückgezahlt werden können; Schulden, die sich ausweiten wie ein ungeheurer Luftballon. Die amerikanischen Regierungen haben wie wild die Milliarden ausgegeben, sie haben wie verrückt geborgt, sie haben einen unvorstellbaren Schuldenberg aufgehäuft, und dann haben sie die Druckerpressen angeworfen und mehr Geld und immer mehr Inflation produziert. Und die Menschen, jeder einzelne, sind diesem Beispiel gefolgt.« Lewis zeigte in Richtung des Leichenwagens, der ihnen jetzt voranfuhr. »Banker wie Ben Rosselli haben nach Kräften mitgeholfen und neue, verrückte Schulden auf schon vorhandene Schulden getürmt. Und auch Sie, Alex, mit Ihren inflationären Kreditkarten und Ihren leicht gewährten Darlehen. Wann werden die Leute endlich wieder lernen, daß man *nicht* mühelos und ungestraft auf Pump lebt? Ich sage euch, als Volk und als Individuen haben die

Amerikaner verloren, was sie früher einmal besaßen – nämlich die finanzielle Einsicht.«

»Falls du dich fragst, Margot«, sagte Edwina, »Lewis und ich sprechen sonst nicht oft über das Bankgeschäft. Es ist friedlicher so zu Hause.«

Margot lächelte. »Lewis, du hörst dich genauso an wie dein Informationsbrief.«

»Oder«, sagte er, »wie ein Flügelschlag in einem leeren Raum, den kein Mensch hört.«

Edwina sagte unvermittelt: »Es wird ein weißes Begräbnis.« Sie beugte sich vor und betrachtete durch die beschlagenen Fenster des Wagens den Schnee, der jetzt in schweren, dicken Flocken fiel. Die Vorstadtstraßen, die sie nun erreicht hatten, waren glatt und rutschig von dem frisch gefallenen Schnee, und der Trauerzug kam nur noch langsam voran, da die Motorradeskorte an der Spitze aus Sicherheitsgründen das Tempo verringerte.

Alex sah, daß es jetzt nicht einmal mehr einen Kilometer bis zum Friedhof war.

Lewis D'Orsey fügte noch ein Postskriptum an. »Für die meisten Menschen ist deshalb alle Hoffnung dahin, das Spiel mit dem Geld ist aus. Ersparnisse, Renten und festverzinsliche Papiere werden wertlos; die Uhr ist fünf nach Mitternacht. Jetzt heißt es, rette sich, wer kann, es geht ums Überleben, es wird Zeit, sich um die finanziellen Schwimmwesten zu balgen. Und es gibt tatsächlich Möglichkeiten, vom allgemeinen Unglück zu profitieren. Falls du interessiert bist, Margot, du findest die genaue Beschreibung in meinem neuesten Buch, ›Depressionen und Katastrophen, und wie man mit ihnen Geld macht‹. Es verkauft sich übrigens sehr gut.«

»Wenn's dir nichts ausmacht, passe ich«, sagte Margot. »Ich käme mir dabei vor wie jemand, der während einer Beulenpest-Epidemie die Weltvorräte an Impfstoff aufkauft.«

Alex hatte den anderen den Rücken zugewandt und starrte durch die Windschutzscheibe nach vorn. Manchmal, dachte er, wurde Lewis theatralisch und ging dann zu weit. Meistens allerdings basierte das, was er sagte, auf einem soliden Fundament von Vernunft und logischem Denken. Das war auch heute wieder der Fall. Und Lewis konnte durchaus recht haben mit seiner Prophezeiung, daß ein finanzieller Zusammenbruch bevorstand. Kam es dazu, dann mußte es der katastrophalste der Geschichte werden.

Und Lewis D'Orsey stand nicht etwa allein da. Es gab etliche Finanzpropheten, die seine Meinung teilten, wenn sie auch wenig populär waren und oft verspottet wurden, zum Teil wohl deshalb, weil kein Mensch gern an die Apokalypse glaubt – schon gar nicht die Banker.

Aber es fügte sich so, daß Alex neuerdings in zweifacher Hinsicht ähnlich dachte wie Lewis. Einmal war er überzeugt davon, daß Sparsamkeit und maßvolles Wirtschaften dringend nötig seien – aus diesem Grunde hatte Alex vor einer Woche in seiner Rede vor dem Direktorium die Bedeutung von Spareinlagen so stark herausgestrichen. Zum anderen empfand er Unbehagen angesichts der Aufblähung der individuellen Schuldenlast infolge der sich rasch vermehrenden Kreditnahme, insbesondere und vor allem auf dem Wege über jene kleinen Karten aus Plastik.

Er drehte sich wieder um und sah Lewis ins Gesicht. »Nehmen wir einmal an, Sie seien ein kleiner Sparer, der sein bißchen Geld in US-Dollar angelegt hat, und nehmen wir weiter an, Sie glauben fest an den bevorstehenden Zusammenbruch. Bei was für einer Bank hätten Sie dann Ihr Geld am liebsten?«

Ohne zu zögern, sagte Lewis: »Bei einer großen. Kommt der Krach, dann brechen die kleinen Banken zuerst zusammen. So war es in den zwanziger Jahren, als die Kleinbanken wie die Kegel purzelten, und so wird es wieder sein, denn die kleinen Banken haben nicht genug Bargeld, um eine Panik und einen Run auf die Schalter überleben zu können. Übrigens können Sie die Bundes-Einlagenversicherung ruhig vergessen. Das Geld macht weniger als ein Prozent aller Bankeinlagen aus, nicht annähernd genug, um eine Kettenreaktion von Bankkrächen im ganzen Land abzufangen.«

Lewis dachte einen Augenblick lang nach und fuhr dann fort: »Aber nächstes Mal werden nicht nur die kleinen Banken kaputtgehen. Es wird auch ein paar von den großen treffen – und zwar diejenigen, die zu viele Millionen in großen Industriekrediten stecken haben; die einen zu hohen Prozentsatz an internationalen Einlagen haben – heißes Geld, das über Nacht verschwinden kann; die nicht liquide genug sind, wenn verängstigte Sparer Bargeld sehen wollen. Wäre ich also der Sparer, von dem Sie reden, Alex, dann würde ich die Bilanzen der Großbanken studieren und mir eine aussuchen, bei der das Verhältnis Kredite zu Einlagen niedrig ist und die über eine breite Basis an einheimischen Sparern verfügt.«

»Na, das ist ja fein«, sagte Edwina. »Es fügt sich so, daß FMA alle diese Voraussetzungen erfüllt.«

Alex nickte. »Im Augenblick.« Aber dieses Bild konnte sich ändern, dachte er, wenn das Direktorium Roscoe Heywards Plänen für neue und massive Industriekredite zustimmte.

Dieser Gedanke erinnerte ihn daran, daß sich die Direktoren der Bank in zwei Tagen versammeln würden, um ihre vor einer Woche unterbrochene Sitzung wiederaufzunehmen.

Jetzt verlangsamte der Wagen seine Fahrt, stoppte, fuhr wieder ein kleines Stück und hielt dann erneut. Sie hatten den Friedhof erreicht.

Türen der anderen Wagen öffneten sich, Menschen stiegen aus. Sie trugen Schirme oder hielten Mantelkragen vorn zusammen, vorgebeugt gegen Kälte und dicht fallenden Schnee. Der Sarg wurde vom Leichenwagen gehoben. Bald war auch er von Schnee bedeckt.

Margot nahm Alex' Arm und schloß sich mit den D'Orseys der stillen Prozession an, die Ben Rosselli zu seinem Grabe folgte.


# 17

Einer vorherigen Absprache gemäß, nahmen Roscoe Heyward und Alex Vandervoort an der wiederaufgenommenen Sitzung des Direktoriums nicht teil. Jeder wartete in seinem Büro darauf, daß man ihn rief.

Der Ruf kam kurz vor Mittag, zwei Stunden, nachdem das

Direktorium die Diskussion eröffnet hatte. Ebenfalls gerufen wurde der Vizepräsident für die Öffentlichkeitsarbeit der Bank, Dick French, der eine Presseerklärung über den neuen FMA-Präsidenten herauszugeben haben würde.

Der Public-Relations-Chef hatte schon zwei Presseerklärungen, komplett mit Porträtfotos, vorbereiten lassen.

Die Schlagzeilen der beiden Erklärungen lauteten:

ROSCOE D. HEYWARD
NEUER PRÄSIDENT DER FIRST MERCANTILE
AMERICAN BANK

ALEXANDER VANDERVOORT
NEUER PRÄSIDENT DER FIRST MERCANTILE
AMERICAN BANK

Die Briefumschläge waren fertig adressiert. Die Boten standen bereit. Vorrangexemplare der einen oder der anderen Erklärung sollten noch an diesem Nachmittag den Nachrichtenagenturen, den Wirtschaftsredaktionen der Zeitungen sowie den Fernseh- und Rundfunkstationen zugestellt werden. Mehrere hundert andere Exemplare würden mit der Abendpost per Eilboten hinausgehen.

Heyward und Alex trafen gleichzeitig im Sitzungszimmer ein. Sie glitten auf ihre angestammten Plätze.

Der PR-Chef stand abwartend hinter dem Vorsitzenden Jerome Patterton.

The Hon. Harold Austin, der diesem Gremium am längsten angehörte, gab die Entscheidung des Direktoriums bekannt.

Jerome Patterton, erklärte er, bislang Stellvertretender Vorsitzender des Direktoriums, werde mit sofortiger Wirkung die Präsidentschaft der First Mercantile American Bank übernehmen.

Während diese Erklärung abgegeben wurde, schien der soeben Ernannte selbst wie betäubt zu sein.

Der PR-Chef formte mit den Lippen unhörbar die Worte: »Oh, Scheiße!«


Später an diesem Tag führte Jerome Patterton getrennte Gespräche mit Heyward und Vandervoort.

»Ich bin ein Interimspapst«, sagte er zu beiden. »Ich habe mich, wie Sie wissen, nicht um diesen Posten bemüht. Sie wissen ferner – ebenso wie die Direktoren –, daß mich nur noch dreizehn Monate von der Pensionierung trennen.

Aber das Direktorium konnte sich nicht auf einen von Ihnen einigen; durch meine Ernennung gewinnt es die Zeit, um sich endgültig zu entscheiden.

Was dann geschieht, weiß ich ebensowenig wie Sie. Inzwischen aber will ich mein Bestes geben, und dazu brauche ich Ihre Hilfe. Ich weiß, daß ich sie von Ihnen bekommen werde, da es ja auch zu Ihrem eigenen Vorteil ist.

Davon abgesehen, kann ich nur eins versprechen, und das ist ein interessantes Jahr.«

## 18

Schon vor Beginn der Ausschachtungsarbeiten hatte sich Margot Bracken aktiv bei Forum East engagiert. Zu Anfang als Rechtsberaterin einer Bürgergruppe, die darum kämpfte, das Projekt aus der Taufe zu heben, und später übernahm sie die gleiche Funktion für einen Mieterverband. Darüber hinaus erteilte sie Familien im Entwicklungsgebiet Rechtsauskünfte – für geringes oder gar kein Entgelt. Margot ging oft nach Forum East, und dabei lernte sie viele der in diesem Viertel lebenden Menschen kennen; unter anderen Juanita Núñez.

Drei Tage nach Ben Rossellis Beerdigung – an einem Samstagmorgen – traf Margot die junge Frau in einem Feinkostgeschäft, das sich in einer der Ladenstraßen von Forum East befand.

Der Komplex Forum East war als homogene Wohngemeinschaft mit Billigmieten geplant – attraktiven Apartments, Einzelhäusern und renovierten Altbauten. Es gab Sportanlagen, ein Kino, einen Konzert-, Vortrags- und Theatersaal sowie Ladengeschäfte und Cafés. Die bisher fertiggestellten neuen Gebäude waren durch baumbestandene Alleen und Fußgängerbrücken verbunden – man hatte viele

Ideen vom Golden Gateway in San Francisco entlehnt und vom Barbican-Projekt in London. Andere Abschnitte des Projekts waren im Bau, wieder andere befanden sich noch im Planungsstadium und warteten auf die Finanzierung.

»Hallo, Mrs. Núñez«, sagte Margot. »Trinken Sie eine Tasse Kaffee mit mir?«

Auf einer Terrasse neben dem Feinkostgeschäft tranken sie ihren Espresso und plauderten – über Juanita, ihre Tochter Estela, die an diesem Vormittag an dem von der Gemeinschaft eingerichteten Ballettunterricht teilnahm, und über die Fortschritte in Forum East. Juanita und Carlos, ihr Mann, hatten zu den ersten Mietern des Entwicklungsprojekts gehört. Sie hatten eine winzige Wohnung in einem der renovierten Altbauten bezogen; aber kurz danach war Carlos mit unbekanntem Ziel verschwunden. Bisher war es Juanita gelungen, die Wohnung zu halten.

Aber es war nicht leicht, gestand sie. »Jeder hier hat die gleichen Sorgen. Von Monat zu Monat verliert unser Geld an Kaufkraft. Diese Inflation! Wie soll das enden?«

Wenn Lewis D'Orsey recht behielt, dachte Margot, dann würde es in Katastrophe und Anarchie enden. Sie behielt den Gedanken für sich, aber ihr fiel die Unterhaltung wieder ein, die vor drei Tagen zwischen Lewis, Edwina und Alex stattgefunden hatte.

»Ich hab' von den Schwierigkeiten gehört«, sagte sie, »die Sie kürzlich in Ihrer Bank gehabt haben.«

Juanitas Miene verdüsterte sich. Einen Augenblick lang schien sie den Tränen nahe zu sein, und Margot sagte eilig: »Es tut mir leid. Ich hätte den Mund halten sollen.«

»Nein, nein! Mir ist nur plötzlich wieder eingefallen . . . Ach was, es ist ja jetzt vorbei. Aber wenn Sie wollen, erzähle ich es Ihnen.«

»Eines sollten Sie über uns Rechtsanwälte wissen – wir sind immer neugierig«, bemerkte Margot.

Juanita lächelte, dann wurde sie ernst, als sie von den verschwundenen sechstausend Dollar in bar berichtete und von dem achtundvierzigstündigen Alptraum des Verdachts und der Vernehmungen. Beim Zuhören kam Margot der Zorn hoch, der bei ihr nie tief unter der Oberfläche wartete.

»Die Bank hatte kein Recht, Sie immer weiter unter Druck zu setzen, ohne daß Sie einen Anwalt zur Seite hatten. Warum haben Sie mich nicht gerufen?«

»Daran hab' ich überhaupt nicht gedacht«, gestand Juanita.

»Das ist es ja gerade. Unschuldige denken meistens gar nicht an so was.« Margot überlegte einen Augenblick, dann fügte sie hinzu: »Edwina D'Orsey ist meine Kusine. Ich werde mal mit ihr darüber sprechen.«

Juanita sah sie erschrocken an. »Das wußte ich nicht. Bitte tun Sie's nicht! Schließlich war es ja Mrs. D'Orsey selbst, die der Wahrheit auf die Spur gekommen ist.«

»Na schön«, sagte Margot, »wenn es Ihnen lieber ist, halte ich den Mund. Aber ich werde mit jemand anderem reden, den Sie nicht kennen. Und merken Sie sich eins: Wenn Sie mal wieder in Schwierigkeiten geraten, ganz gleich, wie und wodurch, dann rufen Sie mich. Ich werde Ihnen helfen.«

»Danke«, sagte Juanita. »Das will ich tun, wenn es dazu kommen sollte. Bestimmt.«


»Wenn Juanita Núñez tatsächlich entlassen worden wäre«, sagte Margot am Abend jenes Tages zu Alex Vandervoort, »dann hätte ich ihr geraten, euch zu verklagen, und wir hätten kassiert – und das nicht schlecht.«

»Das mag schon sein«, gab Alex zu. Sie waren auf dem Weg zu einer Party, und er steuerte Margots Volkswagen. »Vor allem dann, wenn die Wahrheit über unseren Langfinger herausgekommen wäre – und sie wäre todsicher herausgekommen. Zum Glück hat Edwinas fraulicher Instinkt funktioniert – und uns vor deinem gerettet.«

»Das ist kein bißchen komisch!«

Er schlug einen anderen Ton an. »Du hast recht, es ist wirklich nicht komisch. Wir haben uns der jungen Frau gegenüber schäbig benommen, das wissen alle Beteiligten. Ich, weil ich sämtliche Akten über den Fall gelesen habe; Edwina weiß es, und auch Nolan Wainwright weiß es. Zum Glück ist die Sache ja am Ende noch gutgegangen. Mrs. Núñez hat ihren Job behalten, und unsere Bank hat einiges dazugelernt. Es wird in Zukunft so leicht nicht wieder passieren.«

»Das hört sich schon besser an«, sagte Margot.

Damit beendeten sie das Thema, was angesichts ihrer Vorliebe für Streitgespräche eine nicht unbeträchtliche Leistung war.

## 19

In der Woche vor Weihnachten erschien Miles Eastin vor dem zuständigen Bundesgericht unter der Anklage der Unterschlagung in fünf Fällen. Vier Anklagepunkte bezogen sich auf betrügerische Transaktionen in der Bank zur eigenen Bereicherung in Höhe einer Gesamtsumme von dreizehntausend Dollar. Der fünfte Anklagepunkt bezog sich auf den Diebstahl von sechstausend Dollar Bargeld.

Den Vorsitz führte Richter Winslow Underwood; zwölf Geschworene verfolgten das Verfahren und sollten am Ende ihren Spruch über Schuld oder Unschuld fällen.

Auf den Rat des Verteidigers, eines eifrigen, aber wenig erfahrenen jungen Mannes, den das Gericht zum Pflichtverteidiger bestellt hatte, da Eastin über keine persönlichen Mittel verfügte, bekannte sich der Angeklagte als »nicht schuldig« in allen Punkten der Anklage. Wie sich dann herausstellte, war es ein schlechter Rat. Ein Anwalt von größerer Erfahrung hätte in Anbetracht des vorliegenden Beweismaterials dringend empfohlen, sich schuldig zu bekennen und so vielleicht zu einem das ganze Verfahren überflüssig machenden Arrangement mit der Anklagevertretung zu gelangen, anstatt gewisse Einzelheiten – in erster Linie Eastins Versuch, Juanita Núñez fälschlich zu belasten – vor Gericht und Geschworenen zur Sprache kommen zu lassen.

So aber kam alles ans Licht.

Edwina D'Orsey machte ihre Aussage, ebenso Tottenhoe, Gayne von der Revisionszentrale und ein anderer Revisor. FBI-Spezialagent Innes legte als Beweismittel das von Miles Eastin unterzeichnete schriftliche Geständnis des Diebstahls vor; das Dokument war im städtischen FBI-Hauptquartier aufgesetzt worden, nachdem Nolan Wainwright in

Eastins Wohnung das vorläufige Schuldgeständnis aufgenommen hatte.

Zwei Wochen vor Prozeßbeginn hatte der Anwalt des Angeklagten während eines Untersuchungstermins gegen das FBI-Dokument protestiert und beantragt, es nicht als Beweismaterial zuzulassen. Der Antrag war abgelehnt worden. Richter Underwood wies darauf hin, daß Eastin in Gegenwart von Zeugen auf seine gesetzlichen Rechte hingewiesen worden war, bevor er dieses schriftliche Geständnis ablegte.

Das frühere Geständnis, das Nolan Wainwright ihm in seiner Wohnung abgerungen hatte und dessen Rechtmäßigkeit wirksamer hätte angefochten werden können, wurde nicht mehr benötigt und war deshalb gar nicht erst als Beweis eingebracht worden.

Der Anblick Miles Eastins vor Gericht war für Edwina sehr deprimierend. Er sah blaß und eingefallen aus und hatte dunkle Ringe unter den Augen. Von seiner gewohnten guten Laune war nichts übriggeblieben, und er, der sonst immer äußerst gepflegt gewesen war, erschien mit unordentlichen Haaren und einem zerknitterten Anzug vor Gericht. Er schien gealtert seit der Nacht der Revision.

Edwinas eigene Aussage war kurz. Sie bezog sich auf den Ablauf der Ereignisse, und sie sprach ohne Umschweife. Während sie vom Anwalt der Verteidigung in ein sanftes Kreuzverhör genommen wurde, sah sie mehrfach zu Miles Eastin hinüber, aber er hielt den Kopf gesenkt und vermied es, ihrem Blick zu begegnen.

Juanita Núñez war ebenfalls als Zeugin der Anklage aufgerufen worden, obwohl es ihr sehr zuwider war. Sie war nervös und machte ihre Aussage mit so leiser Stimme, daß der Richter sie zweimal ermahnen mußte, lauter zu sprechen, aber in aller Freundlichkeit, da mittlerweile bekanntgeworden war, was sie schuldlos hatte mitmachen müssen.

Juanitas Aussage verriet weder Haß noch Feindseligkeit gegen Eastin. Sie antwortete in ganz kurzen Sätzen, so daß der Staatsanwalt sie immer wieder bitten mußte, sich ausführlicher zu äußern. Sie war sichtlich nur von dem einen Wunsch erfüllt, den Saal möglichst bald wieder verlassen zu dürfen.

Der Anwalt der Verteidigung traf endlich eine kluge Entscheidung und verzichtete auf sein Recht, sie ins Kreuzverhör zu nehmen.

Unmittelbar nach Juanitas Aussage und nach einer im Flüsterton geführten kurzen Besprechung mit seinem Mandanten bat der Verteidiger um die Erlaubnis, sich mit dem Gericht beraten zu dürfen. Die Erlaubnis wurde erteilt. Staatsanwalt, Richter und Verteidiger hielten daraufhin mit leiser Stimme ein Kolloquium, in dessen Verlauf der Anwalt Miles Eastins Wunsch vortrug, seine ursprüngliche Erklärung, »nicht schuldig«, in ein »schuldig« umwandeln zu dürfen.

Richter Underwood, ein Patriarch mit ruhiger Stimme, aber einer gewissen inneren Härte, musterte den Verteidiger und dann den Staatsanwalt. Ebenso leise sprechend wie sie, so daß die Geschworenen seine Worte nicht verstehen konnten, sagte er: »Nun gut, das Gericht läßt die Änderung der Erklärung zu, wenn der Angeklagte es wünscht. Aber ich weise den Herrn Verteidiger darauf hin, daß es in diesem Stadium wenig oder gar nichts mehr bewirkt.«

Der Richter schickte die Geschworenen aus dem Saal und befragte Eastin, ob er sich tatsächlich jetzt als »schuldig« bekennen wolle und ihm die Folgen einer solchen Erklärung bekannt seien. Auf alle Fragen antwortete der Untersuchungsgefangene mit einem dumpfen: »Ja, Euer Ehren.«

Der Richter rief die Geschworenen wieder in den Saal zurück und teilte ihnen mit, daß sie entlassen seien.

Der Verteidiger beschwor das Gericht, Milde walten zu lassen, zumal sein Mandant nicht vorbestraft sei. Der Richter entschied, daß Miles Eastin bis zur Verkündung des Urteils in der nächsten Woche in Untersuchungshaft zu bleiben habe.

Nolan Wainwright war nicht als Zeuge vernommen worden, hatte aber das ganze Verfahren im Gerichtssaal verfolgt. Als der Gerichtsdiener jetzt den nächsten Fall aufrief und die kleine Gruppe der Bankangehörigen den Saal verließ, nahm der Sicherheitschef der Bank kurz neben Juanita Platz.

»Mrs. Núñez, darf ich Sie einen Augenblick sprechen?«

Sie sah ihn mit einer Mischung aus Gleichgültigkeit und Abneigung an, dann schüttelte sie den Kopf. »Es ist alles vorbei. Außerdem muß ich jetzt wieder an meine Arbeit.«

Als sie draußen vor dem Bundesgerichtsgebäude waren, nur wenige Straßenblocks von der Zentrale der FMA und der Cityfiliale entfernt, blieb er hartnäckig an ihrer Seite. »Sie gehen zur Bank zurück? Jetzt?«

Sie nickte.

»Bitte. Ich möchte gern mit Ihnen gehen.«

Juanita zuckte die Achseln. »Wenn es sein muß.«

Wainwright sah, wie Edwina D'Orsey, Tottenhoe und die beiden Revisoren, ebenfalls auf ihrem Weg zur Bank, eine Kreuzung überquerten. Er ging absichtlich langsam, so daß die Fußgängerampel wieder auf Rot sprang und er und Mrs. Núñez zurückbleiben mußten.

»Mrs. Núñez«, begann Wainwright, »mir ist es noch nie besonders leicht gefallen, mich zu entschuldigen.«

Juanita sagte spitz: »Warum machen Sie sich dann die Mühe? Es sind ja nur Worte, die nicht viel bedeuten.«

»Weil ich es sagen will. Deshalb sage ich es – zu Ihnen. Es tut mir leid. Daß ich Ihnen solchen Kummer gemacht habe. Daß ich nicht geglaubt habe, daß Sie die Wahrheit sagten, obwohl es doch die Wahrheit war und Sie jemand brauchten, der Ihnen half.«

»So, fühlen Sie sich jetzt erleichtert? Sie haben Ihr Sprüchlein aufgesagt, und nun ist alles wieder gut?«

»Sie machen es einem nicht leicht.«

Sie blieb stehen. »Haben Sie es mir leichtgemacht?« Das kleine Gesicht schaute nach oben, ihre dunklen Augen hielten seinen Blick fest, und zum ersten Mal spürte er die Kraft und die Unabhängigkeit ihres Wesens. Zu seiner eigenen Überraschung wurde er sich auch ihrer starken körperlichen Anziehungskraft bewußt.

»Nein, das habe ich nicht, und deshalb möchte ich Ihnen jetzt gern helfen, wenn ich kann.«

»Wobei?«

»Dabei, daß Ihr Mann seinen Verpflichtungen nachkommt und Ihnen und dem Kind Unterhaltszahlungen leistet.« Er erzählte ihr von den Erkundigungen, die das FBI über ihren verschwundenen Mann eingezogen und daß man ihn schließlich in Phoenix, Arizona, aufgespürt hatte. »Er hat dort einen Job als Autoschlosser und verdient offenbar Geld.«

»Das freut mich für Carlos.«

»Ich dachte an folgendes«, sagte Wainwright. »Sie sollten einen der Anwälte unserer Bank konsultieren. Ich könnte das arrangieren. Er würde Sie beraten, welche gerichtlichen Schritte Sie gegen Ihren Mann einleiten können, und wenn alles geregelt ist, werde ich dafür sorgen, daß Ihnen keine Anwaltsgebühren berechnet werden.«

»Warum sollten Sie das wohl tun?«

»Wir schulden es Ihnen.«

Sie schüttelte den Kopf. »Nein.«

Er fragte sich, ob sie ihn auch richtig verstanden habe.

»Es würde bedeuten«, erklärte Wainwright, »daß Ihr Mann eine gerichtliche Auflage erhält und daß er Ihnen Geld schicken muß als seinen Anteil an den Unterhaltskosten für Ihr kleines Mädchen.«

»Und wird das einen Mann aus Carlos machen?«

»Spielt das eine Rolle?«

»Es spielt eine Rolle, ob er gezwungen wird oder nicht. Er weiß, daß ich hier bin und daß Estela bei mir ist. Wenn Carlos wollte, daß wir sein Geld bekommen, dann würde er es schicken. *¿Si no, para qué?*« fügte sie leise hinzu.

Das Ganze glich einem Schattenboxen. Ungeduldig und ein bißchen verärgert sagte er: »Ich werde Sie nie verstehen.«

Ganz unerwartet lächelte Juanita. »Das ist auch gar nicht nötig.«

Schweigend gingen sie den kurzen Rest des Weges bis zur Bank, und Wainwright versuchte, sein Gefühl der Hilflosigkeit zu überwinden. Hätte sie ihm doch für sein Angebot gedankt; das hätte wenigstens bedeutet, daß sie es ernst nahm. Er versuchte, sich ihre Logik und ihre Wertvorstellungen klarzumachen. Ganz offensichtlich maß sie der Unabhängigkeit einen hohen Wert bei. Und alles, was danach kam, dachte er, das nahm sie wohl so hin, Glück oder Unglück, aufkeimende Hoffnungen oder zerschlagene Sehnsüchte. In gewisser Weise beneidete er sie; aus diesem Grunde und auch wegen der sexuellen Anziehung, die ihm vorhin bewußt geworden war, wünschte er sich, mehr über sie zu wissen.

»Mrs. Núñez«, nahm Nolan Wainwright das Gespräch wieder auf, »ich möchte Sie um etwas bitten.«

»Ja?«

»Wenn Sie ein Problem haben, ein wirkliches Problem, eine Sache, in der ich Ihnen helfen könnte, würden Sie mich dann rufen?«

Es war das zweite derartige Angebot, das ihr in diesen Tagen gemacht worden war. »Vielleicht.«

Das blieb – bis sehr viel später – die letzte Unterhaltung zwischen Wainwright und Juanita. Er fand, er habe alles getan, was in seinen Kräften stand, und er hatte auch noch andere Dinge im Kopf. Da war zum Beispiel das Thema, das er vor zwei Monaten in seinem Gespräch mit Alex Vandervoort angeschnitten hatte – einen Agenten einzusetzen, der versuchen sollte, den Ursprung der gefälschten Kreditkarten aufzuspüren, die dem Keycharge-System noch immer schwere finanzielle Verluste einbrachten.

Wainwright hatte einen entlassenen Strafgefangenen aufgespürt, den er nur unter dem Namen »Vic« kannte und der bereit war, das beträchtliche Risiko für Geld auf sich zu nehmen. Unter umständlichen Sicherheitsmaßnahmen hatten sie sich heimlich getroffen; ein zweites Treffen war vorgesehen.

Wainwright hoffte inbrünstig, die Kreditkarten-Betrüger vor Gericht bringen zu können, so, wie er Miles Eastin vor Gericht gebracht hatte.

Als Eastin in der folgenden Woche wieder vor Richter Underwood erschien – dieses Mal zur Urteilsverkündung –, war Nolan Wainwright der einzige Vertreter der First Mercantile American Bank im Gerichtssaal.

Stehend, den Blick auf die Richterbank gewandt, wartete der Untersuchungsgefangene. Der Richter suchte in aller Ruhe seine Papiere zusammen, dann breitete er sie vor sich aus und betrachtete Eastin mit kaltem Blick.

»Haben Sie noch etwas zu sagen?«

»Nein, Euer Ehren.« Eastins Stimme war kaum zu vernehmen.

»Mir liegt ein Bericht des zuständigen Bewährungshelfers vor« – Richter Underwood machte eine Pause und überflog eines der Papiere, das er vorhin herausgesucht hatte –, »den Sie anscheinend davon überzeugt haben, daß Sie die kriminellen Handlungen, zu denen Sie sich bekannt haben, ehrlich bereuen.« Der Richter betonte die letzten Worte, als halte er sie angewidert zwischen Daumen und Zeigefinger, und er ließ keinen Zweifel daran, daß er selbst nicht naiv genug sei, um diese Meinung zu teilen.

Er fuhr fort: »Die Reue, sei sie nun aufrichtig oder nicht, kommt jedoch sehr spät; sie kann auch Ihren bösartigen, überaus verächtlichen Versuch nicht abmildern, die Schuld für Ihre eigene Missetat einer unschuldigen und arglosen Person aufzuladen, einer jungen Frau, für die Sie außerdem noch als gehobener Mitarbeiter der Bank verantwortlich waren und die Ihnen, als ihrem Vorgesetzten, Vertrauen schenkte.

Auf der Grundlage des vorgelegten Beweismaterials ist kein Zweifel möglich, daß Sie diese Absicht weiter verfolgt hätten, ja, daß Sie es sogar zugelassen hätten, daß Ihr unschuldiges Opfer an Ihrer Stelle angeklagt, schuldig gesprochen und verurteilt worden wäre. Glücklicherweise ist es dank der Wachsamkeit anderer nicht dazu gekommen. Aber Ihrer Einkehr oder Ihrer ›Reue‹ verdanken wir das keineswegs.«

Von seinem Platz mitten im Gerichtssaal aus konnte Nolan Wainwright Eastins Gesicht, das dunkelrot angelaufen war, zu einem Teil sehen.

Richter Underwood blätterte erneut in seinen Papieren, dann sah er auf. Wieder durchbohrte er den Untersuchungsgefangenen mit seinen Blicken.

»Damit hätte ich mich zu dem Teil geäußert, den ich für den verächtlichsten Ihrer Handlungsweise halte. Es gibt dann noch die eigentliche Tat selbst – Ihr Vertrauensbruch als verantwortlicher Bankmann, nicht nur in einem Einzelfall, sondern in fünf, zeitlich weit auseinanderliegenden Fällen. Bei einem einzigen derartigen Fall hätte man vielleicht noch von einer unbedachten impulsiven Handlung sprechen können. Für fünf sorgfältig geplante und mit kriminellem Geschick ausgeführte Diebstähle kann diese Entschuldigung jedoch nicht geltend gemacht werden.

Eine Bank hat als kommerzielles Unternehmen das Recht, von Angestellten, die – wie es bei Ihnen der Fall war – für eine besondere Vertrauensstellung ausgewählt werden, absolute Redlichkeit zu erwarten. Aber eine Bank ist mehr als nur ein kommerzielles Unternehmen. Sie ist ein Institut des öffentlichen Vertrauens, und deshalb hat die Öffentlichkeit ein Recht darauf, vor denjenigen geschützt zu werden, die dieses Vertrauen mißbrauchen – vor Individuen also, wie Sie eines sind.«

Der Blick des Richters wanderte zu dem jungen Verteidiger hinüber, der pflichtgemäß neben seinem Mandanten ausharrte. Jetzt wurde der Ton des Richters schärfer und formeller.

»Wäre dies ein gewöhnlicher Fall, und auch angesichts der Tatsache, daß Sie nicht vorbestraft sind, hätte ich auf Bewährung erkannt, wofür Ihr Verteidiger in der vorigen Woche so beredt plädiert hat. Aber dies ist kein gewöhnlicher Fall. Es ist aus den von mir genannten Gründen ein exzeptioneller Fall. Deshalb, Eastin, werden Sie ins Gefängnis gehen, wo Sie Zeit haben werden, über Ihre eigene Handlungsweise nachzudenken, die Sie dorthin gebracht hat.

Das Urteil des Gerichts lautet, daß Sie dem Gewahrsam des Justizministers für eine Dauer von zwei Jahren überstellt werden.«

Auf ein Kopfnicken des Gerichtsbeamten hin trat ein Strafvollzugsbeamter vor.

Wenige Minuten nach dem Urteilsspruch fand in einem der kleinen, verschlossenen und bewachten Zimmer hinter dem Gerichtssaal, die für Gefangene und deren Anwälte bereitstanden, eine kurze Besprechung statt.

»Als Wichtigstes müssen Sie sich vor Augen halten«, sagte der junge Anwalt zu Miles Eastin, »daß eine Verurteilung zu zwei Jahren Gefängnis keine zweijährige Gefängnishaft bedeutet. Nach Verbüßung eines Drittels der Strafe kommen Sie für eine Begnadigung in Frage. Das heißt also, schon nach weniger als einem Dreivierteljahr.«

Miles Eastin, versunken in Elend und Unwirklichkeit, nickte stumpf.

»Sie können natürlich Berufung gegen das Urteil einlegen, und Sie brauchen sich jetzt noch nicht zu entscheiden. Aber offen gesagt, ich würde Ihnen nicht dazu raten. Einmal glaube ich nicht, daß man Sie bis zur Berufungsverhandlung auf freien Fuß setzen würde. Zweitens haben Sie sich schuldig bekannt, was die Möglichkeiten einengt, den Berufungsantrag zu begründen. Außerdem haben Sie Ihre Strafe wahrscheinlich schon verbüßt, ehe es zur Berufungsverhandlung kommt.«

»Nein, nein. Keine Berufung.«

»Ich bleibe in Kontakt mit Ihnen für den Fall, daß Sie es sich anders überlegen. Und weil wir gerade davon sprechen – es tut mir leid, daß die Sache so gelaufen ist.«

Eastin sagte mit einem blassen Lächeln: »Mir auch.«

»Hereingerissen hat uns natürlich Ihr Geständnis. Ohne dieses Geständnis, meine ich, hätte die Staatsanwaltschaft Ihnen nichts beweisen können – jedenfalls nichts, was den Diebstahl der sechstausend Dollar angeht, und der ist beim Richter am schwersten ins Gewicht gefallen. Natürlich ist mir klar, warum Sie die zweite Erklärung unterschrieben haben – die beim FBI; Sie glaubten, die erste sei gültig, deshalb würde es auf die zweite nun auch nicht mehr ankommen. Aber es ist auf dieses zweite Geständnis entscheidend angekommen. Ich glaube, der Sicherheitsboß, dieser Wainwright, hat Sie ganz schlicht reingelegt.«

Der Gefangene nickte. »Ja, jetzt weiß ich das auch.«

Der Anwalt warf einen Blick auf die Uhr. »Tja, ich muß jetzt gehen. Ich habe heute abend eine anstrengende Verabredung. Sie wissen ja, wie das ist.«

Ein Vollzugsbeamter ließ ihn hinaus.

Am nächsten Tag wurde Miles Eastin in das Bundesgefängnis eines anderen Bundesstaates verlegt.

Als die Nachricht von Miles Eastins Verurteilung in der First Mercantile American Bank eintraf, empfanden einige, die ihn gekannt hatten, Bedauern; andere waren der Auffassung, daß er nur bekommen habe, was er verdient hatte. Einhelligkeit herrschte darüber: Nie wieder würde man in der Bank etwas von Eastin zu hören bekommen.

Die Zeit sollte zeigen, wie irrig diese letzte Annahme war.

# ZWEITER TEIL

1

Wie eine Luftblase, die an die Oberfläche steigt, machte sich Mitte Januar die erste Andeutung nahenden Unheils bemerkbar. In der Sonntagsausgabe einer Zeitung war folgende Notiz erschienen:

> ... In der Stadt wird gemunkelt, daß Forum East bald ganz erheblich gedrosselt werden soll. Es heißt, dieses gigantische Sanierungsprojekt habe Sorgen mit der Bankseite. Nun ja, wer hat die heute nicht? ...

Alex Vandervoort erfuhr von dieser Notiz erst am Montag vormittag; seine Sekretärin hatte die Notiz rot umrandet und ihm die Zeitung zusammen mit anderen Papieren auf den Schreibtisch gelegt.

Am Montag nachmittag rief Edwina D'Orsey an und fragte Alex, ob er schon von dem Gerücht gehört habe und ob er wisse, was oder wer dahinterstecken könnte. Daß Edwina sich dafür interessierte, war nicht verwunderlich. Ihre Filiale war von Anfang an für die gesamten Baudarlehen, einen großen Teil der Hypotheken und den damit verbundenen Schriftverkehr verantwortlich gewesen. Mittlerweile beanspruchte das Projekt Forum East einen erheblichen Teil des Gesamtarbeitsvolumens ihrer Filiale.

»Wenn da etwas in der Luft liegt«, sagte Edwina energisch, »dann möchte ich informiert werden.«

»Soviel ich weiß«, sagte Alex beruhigend, »hat sich nichts verändert.«

Sekunden später hatte er schon begonnen, Jerome Pattertons Nummer zu wählen, doch dann legte er den Hörer wieder auf. Falschinformationen über Forum East waren nichts Neues. Das Projekt hatte starke Beachtung in der Öffentlichkeit gefunden; unweigerlich mußte manches, was darüber geschrieben wurde, falsch oder bösartig sein.

Es hatte keinen Zweck, fand Alex, den neuen Bankpräsidenten mit Bagatellen zu belästigen, vor allem, da er Patter-

ton für eine sehr bedeutende Angelegenheit gewinnen wollte
– eine erhebliche Ausweitung der FMA-Sparabteilung, die
jetzt geplant wurde und dem Direktorium bald zur Prüfung
vorgetragen werden sollte.

Doch der längere Artikel, der einige Tage später erschien,
und dieses Mal in den normalen Nachrichtenspalten der
Tageszeitung »Times-Register«, war schon etwas besorgnis-
erregender, fand Alex.

Der Text lautete:

> Die Sorge über die Zukunft von Forum East hält an;
> Gerüchte verstärken sich, daß die Finanzierung in Kürze
> drastisch eingeschränkt oder ganz zurückgezogen wird.
>
> Das Projekt Forum East, dessen langfristiges Ziel die
> Sanierung des gesamten Stadtkerns, der Geschäfts-
> ebenso wie der Wohnviertel, ist, wird von einem Kon-
> sortium finanziert, an dessen Spitze die First Mercantile
> American Bank steht.
>
> Ein Sprecher der First Mercantile American gab heute
> zu, Kenntnis von den Gerüchten zu haben, lehnte aber
> jede Stellungnahme ab. Er sagte lediglich: »Zu angemes-
> sener Zeit werden wir eine Erklärung abgeben.«
>
> Als Teil des geplanten Forum East-Projekts sind eini-
> ge Wohngebiete im Stadtkern bereits modernisiert oder
> neu erbaut worden. Ein Hochhaus-Komplex mit Billig-
> wohnungen ist fertiggestellt, ein zweiter befindet sich im
> Bau.
>
> Der auf zehn Jahre projizierte Generalplan sieht Pro-
> gramme für Ausbau und Verbesserung der Schulen, Un-
> terstützung für Geschäfte und Unternehmen im Besitz
> von Minderheiten, berufliche Fortbildungsstätten, ein
> Programm für die Arbeitsplatzbeschaffung sowie die
> Errichtung von Kultur- und Freizeitstätten vor. Sämt-
> liche Großbauarbeiten, die vor zweieinhalb Jahren be-
> gonnen wurden, sind bisher pünktlich nach Terminplan
> ausgeführt worden.

Alex las die Meldung beim Frühstück in seinem Apartment.
Er war allein; Margot war seit einer Woche in Rechtsan-
gelegenheiten verreist.

In der Zentrale eingetroffen, bat er sofort Dick French zu sich. French, Vizepräsident für Public Relations, verstand als ehemaliger Wirtschafts-Ressortchef einer Tageszeitung eine Menge von seinem Job; der stämmige, untersetzte Mann nahm nie gern ein Blatt vor den Mund.

»Erstens«, sagte Alex, »wer war dieser Sprecher der Bank?«

»Das war ich«, sagte French. »Und ich will Ihnen gleich von vornherein sagen, daß mir diese ›Erklärung zu angemessener Zeit‹ verdammt gegen den Strich gegangen ist. Aber Mr. Patterton hat diese Formulierung wörtlich verlangt. Ich durfte auch kein Wort mehr dazu sagen.«

»Was gibt's denn noch mehr zu sagen?«

»Das würde ich gern von Ihnen wissen, Alex. Offensichtlich ist da was im Busch, und ganz gleich, ob's gut oder schlecht ist, würde ich dringend empfehlen, die Katze aus dem Sack zu lassen, je früher, desto besser.«

Alex unterdrückte seinen aufsteigenden Zorn. »Und warum bin ich in der ganzen Angelegenheit überhaupt nicht gefragt worden?«

Der PR-Chef schien überrascht zu sein. »Ja, wußten Sie denn nichts davon? Als ich gestern mit Mr. Patterton telephonierte, war Roscoe bei ihm; ich konnte seine Stimme hören. Ich dachte, Sie wären auch dabei.«

»Nächstes Mal«, sagte Alex, »denken Sie lieber gar nichts.«

Er entließ French und wies seine Sekretärin an nachzufragen, ob Jerome Patterton Zeit für ihn habe. Er erfuhr, daß der Präsident noch nicht in der Bank eingetroffen, aber auf dem Wege dorthin sei, und Alex könne ihn um 11.00 Uhr sprechen. Er grunzte ungeduldig und machte sich wieder an die Arbeit mit seinem Spar-Expansionsprogramm.

Um 11.00 Uhr ging Alex die paar Schritte zur Präsidentensuite – zwei Eckräume, und jeder mit einem Blick über die Stadt. Seit der neue Präsident sein Amt übernommen hatte, blieb die Tür zum zweiten Raum gewöhnlich geschlossen, und Besucher wurden nicht hineingebeten. Über die Sekretärinnen war nach außen gedrungen, daß Patterton in diesem Raum Golfschläge zu üben pflegte.

An diesem Tag strahlte heller Sonnenschein von einem wolkenlosen Himmel durch die wandbreiten Fenster auf Jerome Pattertons rosigen, nahezu haarlosen Kopf. Er saß am Schreibtisch, ausnahmsweise in einem leicht gemusterten Anzug statt in dem gewohnten Tweed. Eine vor ihm liegende Zeitung war so gefaltet, daß der Artikel sichtbar wurde, der Alex hergeführt hatte.

Auf einem Sofa, im Schatten, saß Roscoe Heyward.

Die drei begrüßten sich.

»Ich habe Roscoe gebeten, noch zu bleiben, weil ich ahne, was Sie zu mir führt.« Patterton legte eine Hand auf die Zeitung. »Sie haben das da natürlich gelesen.«

»Das habe ich«, sagte Alex. »Ich habe mir auch schon Dick French kommen lassen. Er sagte, daß Sie und Roscoe gestern über die Presse-Anfragen gesprochen haben. Meine erste Frage lautet deshalb, warum bin ich nicht informiert worden? Ich habe mit Forum East mehr zu tun als jeder andere.«

»Sie hätten informiert werden sollen, Alex.« Jerome Patterton schien die Sache peinlich zu sein. »Es war wohl so, glaube ich, daß wir ein bißchen nervös geworden sind, als wir aus den Anfragen der Presse schließen mußten, daß etwas durchgesickert ist.«

»Durchgesickert – worüber?«

Jetzt antwortete Heyward. »Es gibt einen Vorschlag, den ich dem finanzpolitischen Ausschuß am Montag vortragen werde – daß wir unsere Beteiligung an der Forum East-Finanzierung um annähernd fünfzig Prozent kürzen sollten.«

Eingedenk der Gerüchte, die in den letzten Tagen umgegangen waren, konnte ihn die Bestätigung eigentlich nicht mehr überraschen. Erstaunt war Alex nur über das Ausmaß der vorgeschlagenen Kürzung.

Er wandte sich an Patterton. »Jerome, verstehe ich recht, daß Sie diesen unglaublich törichten Vorschlag unterstützen?«

Röte breitete sich über das Gesicht des Präsidenten und seinen eiförmigen Schädel aus. »Bisher habe ich mich weder positiv noch negativ geäußert. Ich behalte mir meine Entscheidung bis Montag vor. Roscoe hat hier – gestern und heute – nichts anderes getan, als im voraus um Stimmen zu werben.«

»Stimmt«, sagte Roscoe Heyward und fügte ungerührt hinzu: »Eine durchaus legitime Taktik, Alex. Falls Sie was dagegen einzuwenden haben, darf ich Sie daran erinnern, daß Sie sehr oft mit Ihren eigenen Ideen zu Ben gezogen sind, bevor wir eine finanzpolitische Sitzung abhielten.«

»Mag sein«, sagte Alex, »aber dann waren meine Ideen auch verdammt viel vernünftiger als diese.«

»Das ist Ihre Privatmeinung.«

»Nicht ganz. Sie wird auch von anderen geteilt.«

Heyward blieb ganz unbewegt. »Meiner Meinung nach können wir die Gelder der Bank sehr viel besser nutzen.« Er wandte sich Patterton zu. »Was ich noch sagen wollte, Jerome, die Gerüchte, die da jetzt im Umlauf sind, könnten uns sogar nützlich sein, wenn der Vorschlag für eine Verringerung gebilligt wird. Dann kommt die Entscheidung doch wenigstens nicht wie ein Blitz aus heiterem Himmel.«

»Wenn Sie es so sehen«, sagte Alex, »dann haben Sie die Sache vielleicht selbst nach außen durchsickern lassen.«

»Ich versichere Ihnen, daß das nicht der Fall ist.«

»Wie erklären Sie es sich dann?«

Heyward zuckte die Achseln. »Reiner Zufall, vielleicht.«

Konnte das wirklich Zufall sein, überlegte Alex, oder hatte jemand aus Roscoe Heywards Umgebung einen Versuchsballon an seine, Alex', Adresse losgelassen? Harold Austin, der als Inhaber einer Werbeagentur schließlich die besten Verbindungen zur Presse hatte, wäre das durchaus zuzutrauen. Aber die Wahrheit würde man wohl nie erfahren.

Jerome Patterton hob die Hände. »Heben Sie doch beide Ihre Argumente bitte bis Montag auf. Wir werden sie dann Stück für Stück besprechen.«

»Wir wollen uns doch nichts vormachen«, sagte Alex Vandervoort mit Nachdruck. »Was heute zur Entscheidung ansteht, ist die Frage, wieviel Profit vernünftig, wieviel Profit exzessiv ist.«

Roscoe Heyward lächelte. »Offen gesagt, Alex, ich habe noch *keinen* Profit je für exzessiv gehalten.«

»Ich auch nicht«, warf Tom Straughan ein. »Ich gebe aber zu, daß es zu Schwierigkeiten Anlaß geben kann, wenn man einen exzeptionell hohen Gewinn einstreicht. So etwas gibt den Leuten Grund zur Kritik. Am Ende des Finanzjahres müssen wir es schließlich veröffentlichen.«

»Was ein weiterer Grund für uns sein sollte«, sagte Alex, »ein Gleichgewicht zwischen Gewinnsucht und Bereitschaft zum Dienst an der Allgemeinheit anzustreben.«

»Gewinn erzielen heißt, unseren Aktionären einen Dienst erweisen«, sagte Heyward. »Das ist der Dienst, dem ich den Vorrang gebe.«

Der finanzpolitische Ausschuß der Bank tagte in einem Direktions-Konferenzzimmer. Der aus vier Personen bestehende Ausschuß versammelte sich jeden zweiten Montag unter Roscoe Heywards Vorsitz. Die anderen Mitglieder waren Alex und zwei leitende Vizepräsidenten – Straughan und Orville Young.

Aufgabe des Ausschusses war es zu entscheiden, wie die Geldmittel der Bank genutzt werden sollten. Größere Entscheidungen wurden dem Direktorium zur Genehmigung vorgelegt, das sich allerdings meistens den Empfehlungen des Ausschusses anschloß.

Einzelbeträge, die hier zur Diskussion standen, waren selten geringer als zweistellige Millionensummen.

Der Präsident der Bank nahm kraft seines Amtes an den wichtigeren Sitzungen des Ausschusses teil, gab seine Stimme jedoch nur ab, wenn es andernfalls zu einem Unentschieden kommen würde. Jerome Patterton war auch an diesem Tag anwesend, hatte bisher aber noch nichts zur Diskussion beigetragen.

Zur Debatte stand jetzt Roscoe Heywards Vorschlag, die Finanzierung des Projekts Forum East drastisch einzuschränken.

Sollte das Projekt programmgemäß weitergeführt werden, dann bedurfte es innerhalb der nächsten Monate neuer Baukredite und neuer Hypothekendarlehen. Für die First Mercantile American wurde mit einem Finanzierungsanteil von fünfzig Millionen Dollar gerechnet. Heyward hatte eine Reduzierung dieses Betrages um die Hälfte vorgeschlagen.

Er hatte schon erklärt: »Wir werden allen Beteiligten gegenüber klarstellen, daß wir uns keinesfalls, weder jetzt noch in Zukunft, aus Forum East zurückzuziehen beabsichtigen. Wir werden unseren Schritt ganz einfach damit begründen, daß wir die Vergabe unserer Mittel im Lichte anderer Verpflichtungen neu orientiert haben. Das Projekt wird damit nicht zum Stillstand kommen. Es wird lediglich langsamer voranschreiten, als ursprünglich geplant war.«

»Wenn Sie es einmal an dem vorhandenen Bedarf messen«, hatte Alex eingewandt, »dann kommt es schon jetzt viel zu langsam voran. Es noch weiter zu bremsen, wäre in jeder Beziehung das Schlimmste, was wir tun könnten.«

»Ich messe es am vorhandenen Bedarf«, sagte Heyward. »Am Bedarf unserer Bank.«

Eine für Roscoe ungewöhnlich schnippische Entgegnung, dachte Alex; wahrscheinlich fühlte er sich seiner Sache diesmal absolut sicher. Alex vertraute darauf, daß Tom Straughan sich mit ihm gegen Heyward verbünden würde. Straughan war der Chef-Volkswirtschaftler der Bank – jung und eifrig, dabei vielseitig interessiert und aufgeschlossen. Alex selbst hatte ihn über andere Köpfe hinweg befördert.

Orville Young jedoch, der Finanzchef der First Mercantile American, war Heywards Mann und würde ihm zweifellos auch seine Stimme geben.

Wie in jeder anderen Großbank waren auch in der FMA die wahren Machtbefugnisse nicht immer an den Organisations-Diagrammen abzulesen. Die wirkliche Autorität verlief manchmal seitlich oder auf Umwegen, je nach den derzeitigen Loyalitätsverhältnissen, so daß diejenigen, die sich an Machtkämpfen nicht beteiligen mochten, links liegengelassen wurden.

Der Machtkampf zwischen Alex Vandervoort und Roscoe Heyward war längst überall bekannt. Etliche FMA-Manager hatten auch schon ganz klar Partei ergriffen, ihre eigenen Hoffnungen auf den Sieg des einen oder anderen der beiden Gegner gesetzt. Diese Spaltung wurde auch an der Frontenbildung innerhalb des finanzpolitischen Ausschusses sichtbar.

Alex argumentierte: »Unser Gewinn betrug im letzten Jahr dreizehn Prozent. Das ist verdammt gut für ein Unternehmen, wie wir alle wissen. Dieses Jahr sind die Aussichten noch besser – ein Investitionsertrag von fünfzehn, vielleicht sogar sechzehn Prozent. Sollen wir den Ertrag immer weiter in die Höhe zu schrauben versuchen?«

»Warum nicht«, warf Finanzchef Orville Young ein.

»Die Frage habe ich schon beantwortet«, schoß Straughan zurück. »Weil es kurzsichtig wäre.«

»Wir müssen uns eines immer wieder klar vor Augen führen«, sagte Alex beschwörend. »Im Bankgeschäft ist es nicht schwer, große Profite zu erzielen, und eine Bank, die das nicht schafft, wird von Einfaltspinseln geleitet. Momentan sind Banken in vielerlei Hinsicht begünstigt. Wir haben eine Fülle von Möglichkeiten, wir haben Erfahrung, und wir stützen uns auf recht vernünftige Bankgesetze. Letzteres ist wahrscheinlich das wichtigste von allem. Aber die Gesetze werden nicht immer so bleiben – jedenfalls nicht, wenn wir die Situation weiterhin mißbrauchen und unsere Pflichten gegenüber der Gemeinschaft vernachlässigen.«

»Ich kann nicht einsehen, was es mit Vernachlässigung zu tun haben soll, wenn wir uns weiter an Forum East beteiligen«, bemerkte Roscoe Heyward. »Selbst nach der von mir vorgeschlagenen Reduzierung werden wir das Projekt noch immer mit einer ganz beträchtlichen Summe unterstützen.«

»Beträchtlich nennen Sie das? Daß ich nicht lache! Es wäre minimal, so minimal, wie der soziale Beitrag amerikanischer Banken schon immer gewesen ist. Allein auf dem Gebiet der Finanzierung von Billigwohnungen hat diese Bank, wie alle anderen auch, verflucht wenig getan. Machen wir uns doch nichts vor, meine Herren! Seit Generationen haben die Banken öffentliche Probleme einfach ignoriert. Auch heute versuchen wir doch immer noch, mit dem absoluten Minimum davonzukommen.«

Der Chef-Volkswirtschaftler Straughan wühlte in seinen Papieren und zog einige handschriftliche Notizen zu Rate. »Ich wollte das Thema Hypotheken sowieso anschneiden, Roscoe. Jetzt hat Alex es schon getan, aber ich möchte noch darauf hinweisen, daß zur Zeit nur fünfundzwanzig Prozent unserer Spareinlagen für Hypotheken verwendet werden. Das ist wenig. Wir könnten den Satz glatt auf fünfzig Prozent der

Einlagen heraufsetzen, ohne unsere Liquidität zu gefährden. Ich finde, wir sollten das auch tun.«

»Ich schließe mich dem an«, sagte Alex. »Unsere Filialleiter beschwören uns, mehr Hypotheken zu geben. Der Investitionsertrag ist gut. Wir wissen aus Erfahrung, daß es bei Hypotheken praktisch kein Risiko gibt.«

»Aber wir legen unser Geld dadurch langfristig fest, Geld, mit dem wir auf andere Weise wesentlich höhere Erträge erzielen können«, wandte Orville Young ein.

Alex hieb ungeduldig mit der flachen Hand auf den Konferenztisch. »Es gibt gelegentlich so etwas wie eine Verpflichtung der Öffentlichkeit gegenüber, sich mit einem geringeren Ertrag zufriedenzugeben. Das ist es ja gerade, was ich hier deutlich zu machen versuche. Deshalb protestiere ich ja dagegen, daß wir uns um Forum East herumdrücken.«

»Es gibt noch einen weiteren Grund«, sagte Tom Straughan. »Alex hat ihn schon kurz erwähnt – die Gesetzgebung. Im Kongreß rumort es bereits. Es gibt nicht wenige Senatoren und Abgeordnete, die sich ein ähnliches Gesetz wie das mexikanische wünschen – jenes Gesetz, das den Banken vorschreibt, einen festen Prozentsatz der Bankeinlagen für die Finanzierung von Billigwohnungen zu verwenden.«

Heyward schnaubte verächtlich. »Das würden wir nie und nimmer zulassen. Die Banklobby ist die stärkste in Washington.«

Der Volkswirtschaftler schüttelte den Kopf. »Darauf würde ich mich nicht unbedingt verlassen.«

»Tom«, sagte Roscoe Heyward, »ich gebe Ihnen ein Versprechen. Heute in einem Jahr reden wir noch einmal über das Thema; vielleicht tun wir dann, was Sie empfehlen; vielleicht drehen wir Forum East wieder auf. Nicht aber in diesem Jahr. Ich möchte in diesem Jahr Rekordgewinne erzielen.« Er warf dem Bankpräsidenten, der sich noch immer nicht an der Diskussion beteiligt hatte, einen Blick zu. »Jerome möchte das auch.«

Jetzt erst ging Alex auf, welche Strategie Heyward da verfolgte. Ein außergewöhnlich fettes Gewinnjahr würde Jerome Patterton als Präsidenten zum Helden der Aktionäre und Direktoren machen. Am Ende einer recht mäßigen Karriere hatte Patterton nur dies eine Jahr, in dem er regieren konnte: danach aber würde er, umgeben von Trompetenschall und einer Gloriole des Ruhms, in die Pensionierung gehen. Und Patterton war kein Übermensch. Begreiflich, daß ihm der Gedanke zusagte.

Ähnlich leicht zu erraten war das, was danach folgen würde. Jerome Patterton, von Dankbarkeit gegenüber Roscoe Heyward erfüllt, würde Heyward als seinen Nachfolger propagieren. Und mit einem profitablen Jahr im Hintergrund würde Pattertons Wort Gewicht haben.

Es war ein gut ausgedachter Plan, dem Alex nur schwer etwas entgegenzusetzen haben würde.

»Etwas habe ich noch nicht erwähnt«, sagte Heyward. »Nicht einmal Ihnen gegenüber, Jerome. Es könnte von Bedeutung sein für die Entscheidung, die wir heute zu treffen haben.«

Die anderen sahen ihn mit neu erwachtem Interesse an.

»Ich hoffe, ja, die Wahrscheinlichkeit ist groß, daß wir in Kürze substantiell mit Supranational Corporation ins Geschäft kommen. Das ist ein weiterer Grund, warum ich zögere, Gelder anderswo festzulegen.«

»Das ist ja eine phantastische Nachricht«, sagte Orville Young.

Selbst Tom Straughan reagierte überrascht und beifällig.

Die Supranational – oder SuNatCo, wie die weltweit bekannte Kurzform lautete – war ein multinationaler Riese, ein General Motors der globalen Kommunikation. Außerdem besaß oder kontrollierte SuNatCo Dutzende anderer Gesellschaften, die etwas mit ihrer ursprünglichen Aufgabe zu tun haben mochten oder auch nicht; ihr vielfältiger Einfluß auf Regierungen aller Schattierungen, von Demokratien bis hin zu Diktaturen, war angeblich größer als der irgendeines anderen Unternehmens in der Geschichte. Gelegentlich wurde behauptet, daß die SuNatCo mehr reale Macht besäße als die meisten souveränen Staaten, in denen sie operierte.

Bis jetzt hatte die SuNatCo sich in ihren amerikanischen Bankgeschäften auf die großen Drei beschränkt – die Bank of America, die First National City und die Chase Manhattan. Sich diesem exklusiven Trio zugesellen zu dürfen, das würde den Status der First Mercantile American unermeßlich steigern.

»Das sind aufregende Aussichten, Roscoe«, sagte Patterton.

»Weitere Einzelheiten hoffe ich auf unserer nächsten finanzpolitischen Sitzung bekanntgeben zu können«, fügte Heyward hinzu. »Allem Anschein nach wünscht die Supranational, daß wir eine bedeutende Kreditlinie eröffnen.«

Tom Straughan erinnerte sie: »Wir brauchen noch eine Abstimmung über Forum East.«

»Richtig«, bestätigte Heyward. Er lächelte zuversichtlich. Nach dieser Eröffnung bestand für ihn kein Zweifel mehr, wie die Forum East-Entscheidung ausfallen würde.

Erwartungsgemäß sprachen sich Alex Vandervoort und Tom Straughan gegen die Verringerung der Mittel aus, Roscoe Heyward und Orville Young dafür.

Alle Köpfe wandten sich Jerome Patterton zu, dessen Votum den Ausschlag geben mußte.

Der Bankpräsident zögerte nur ganz kurz, dann sagte er: »Alex, in dieser Sache gehe ich mit Roscoe.«

## 2

»Hier herumzusitzen und Trübsal zu blasen, nützt überhaupt nichts«, erklärte Margot. »Wir müssen uns von unseren versammelten Hintern erheben und zur Tat schreiten.«

»Zum Beispiel die gottverdammte Bank in die Luft sprengen?« fragte einer.

»Nix da! Ich habe Freunde in dem Bau. Außerdem ist das Sprengen von Banken absolut ungesetzlich.«

»Wer sagt denn, daß wir nichts Ungesetzliches tun dürfen?«

»Ich zum Beispiel«, erklärte Margot mit Schärfe. »Und wenn irgendein neunmalkluger Kläffer hier was anderes meint, dann kann er sich einen anderen Sprecher suchen und eine andere Bude.«

Margot Brackens Anwaltskanzlei war an diesem Donnerstagabend der Schauplatz einer Sitzung des Exekutivausschusses des Mieterverbandes von Forum East. Der Verband war einer von vielen Gruppen der Innenstadt, denen Margot als Rechtsberaterin zur Seite stand und die ihre Kanzlei als Versammlungslokal benutzten, wofür sie manchmal Geld bekam, meistens aber nicht.

Glücklicherweise war ihre Kanzlei bescheiden – zwei Räume, die einmal einen Kramladen beherbergt hatten. Ein paar übernommene alte Regale waren jetzt mit ihren juristischen Büchern gefüllt. Im übrigen bestand das Mobiliar, das nicht recht zueinander paßte, aus allerlei Gerümpel, das sie irgendwo billig erstanden hatte.

Es war typisch für die Gegend, daß zwei andere ehemalige Läden zu beiden Seiten ihrer Kanzlei verlassen und mit Brettern vernagelt waren. Mit Glück und einiger Initiative der Anwohner würde die Sanierungsflut von Forum East auch diesen Winkel erreichen. Bisher war das noch nicht der Fall.

Aber die Neuigkeiten über Forum East hatten sie hier zusammengeführt.

Vor zwei Tagen hatte die First Mercantile American in einer öffentlichen Erklärung bestätigt, was bisher nur ein Gerücht gewesen war. Die Finanzierungsmittel künftiger Forum East-Projekte sollten mit sofortiger Wirkung auf die Hälfte reduziert werden.

Die Erklärung der Bank war in offiziellem Jargon abgefaßt und strotzte von euphemistischen Phrasen – es herrsche eine »befristete Knappheit von langfristig verfügbarem Kapital«, und man werde das Thema »periodisch überprüfen und gegebenenfalls die Summen variieren«. Jeder, ob Angestellter der Bank oder nicht, wußte genau, was die Sache bedeutete – man zog sich langsam aus den Verpflichtungen zurück.

Zweck der jetzigen Versammlung war es zu untersuchen, ob man etwas dagegen tun könne, und wenn ja, was.

Das Wort »Mieter« im Namen des Verbandes war mehr allgemein zu verstehen. Ein großer Teil der Verbandsmitglieder war tatsächlich Mieter in Forum East; viele andere waren es nicht, hofften aber, es möglichst bald zu werden. Deacon Euphrates, ein baumlanger Stahlarbeiter, hatte es vorhin so formuliert: »'ne Masse Leute wollen da rein, aber da können sie lange drauf warten, wenn die da oben die Piepen nicht lockermachen.«

Margot wußte, daß Deacon mit seiner Frau und seinen fünf Kindern in einer Bruchbude von Mietskaserne, in der es von Ratten wimmelte und die vor Jahren hätte abgerissen werden müssen, eine winzige und hoffnungslos überfüllte Wohnung hatte; ein paar Mal hatte sie versucht, ihm bei der Suche nach einer anderen Bleibe zu helfen, aber ohne Erfolg. Deacon Euphrates lebte von der Hoffnung, eines Tages mit seiner Familie in eine der neuen Forum East-Wohnungen einziehen zu können, aber der Name der Euphrates stand in der Mitte einer sehr langen Warteliste, und eine Verzögerung der Bauarbeiten mußte bedeuten, daß er da auch noch sehr lange bleiben würde.

Die FMA-Bekanntmachung war auch für Margot ein Schock gewesen. Alex, das wußte sie, hatte gewiß gegen jeden Vorschlag einer Reduzierung gekämpft, war aber offensichtlich überstimmt worden. Aus diesem Grunde hatte sie noch nicht mit ihm darüber gesprochen. Außerdem – je weniger Alex von einigen noch nicht ganz ausgereiften Plänen Margots wußte, um so besser war es für sie beide.

»Ich sehe das so«, sagte Seth Orinda, ebenfalls Mitglied des Komitees. »Was wir aufstellen, ob legal oder nicht, es gibt keine Möglichkeit, auch nicht die geringste, den Banken das Geld aus der Nase zu ziehen. Nicht, wenn die es sich erst mal in den Kopf gesetzt haben, das Portemonnaie zuzumachen.«

Seth Orinda war ein schwarzer Oberschullehrer, der schon in Forum East wohnte. Er verfügte über einen stark ausgeprägten Gemeinschaftssinn, und die Tausende, die draußen voller Hoffnung darauf warteten, endlich auch einziehen zu können, waren ihm nicht gleichgültig. Seine Verläßlichkeit und Hilfsbereitschaft waren Margot schon oft eine große Stütze gewesen.

»Da würde ich nicht so sicher sein, Seth«, erwiderte sie. »Auch Banken haben ihre empfindlichen Stellen. Eine Harpune in so eine Stelle gepiekt – und es können die überraschendsten Dinge passieren.«

»Was für 'ne Harpune denn?« fragte Orinda. »Ein Umzug? Ein Sit-in? Eine Demonstration?«

»Nein«, sagte Margot. »Schlagen Sie sich das alles aus dem Kopf. Das ist alter Schnee. Konventionelle Demonstrationen locken keinen Hund mehr hinter dem Ofen hervor. Man empfindet sie höchstens noch als Belästigung. Damit erreicht man nichts.«

Ihr Blick schweifte über die Gruppe, die vor ihr in dem unordentlichen, verqualmten Büro hockte. Es waren ungefähr ein Dutzend Leute, schwarz und weiß gemischt, alle Formen, Größen und Physiognomien waren vertreten. Einige hockten unbequem auf wackligen Stühlen und auf Kisten, andere hatten sich auf dem Fußboden niedergelassen. »Hört mal gut zu, alle. Ich sagte, wir brauchen Taten. Ich glaube, es gibt da was, das könnte funktionieren.«

»Miss Bracken.« Eine zierliche junge Frau ganz hinten im Raum hatte sich erhoben. Es war Juanita Núñez, die Margot begrüßt hatte, als sie hereinkam.

»Ja, Mrs. Núñez?«

»Ich möchte mithelfen. Aber Sie wissen ja, daß ich bei der FMA arbeite. Vielleicht sollte ich nicht dabeisein, wenn Sie es den anderen erklären . . .«

Margot sagte anerkennend: »Das stimmt, und ich hätte selber daran denken können, anstatt Sie hier in Verlegenheit zu bringen.«

Es gab ein allgemeines verständnisvolles Gemurmel. Juanita schob sich zur Tür.

»Das, was Sie bis jetzt schon mitgekriegt haben«, sagte Deacon Euphrates, »das bleibt 'n Geheimnis, klar?«

Während Juanita nickte, sagte Margot rasch: »Wir alle hier können uns auf Mrs. Núñez verlassen. Ich hoffe nur, daß ihre Arbeitgeber ebensoviel Anstand besitzen wie sie.«

Als wieder Ruhe in die Versammlung eingekehrt war, baute Margot sich vor den Verbandsmitgliedern auf. Ihre Haltung war charakteristisch für sie: Hände auf der schmalen Taille, die Ellbogen aggressiv nach vorn geschoben. Kurz vorher hatte sie ihr langes kastanienbraunes Haar zurückgeworfen – es war eine Gewohnheit von ihr, wenn sie zu Taten schritt, wie das Hochziehen eines Vorhangs. Während sie sprach, wuchs das Interesse ihres Publikums spürbar. Hier und da verzog sich ein Mund zum Lächeln. An einer Stelle kicherte Seth Orinda tief in sich hinein. Gegen Ende grinsten Deacon Euphrates und andere breit und begeistert.

»Mann«, sagte Deacon. »Mann, o Mann!«

»Das ist verdammt gerissen«, warf ein anderer ein.

Margot erinnerte sie: »Wenn der Plan funktionieren soll, dann brauchen wir eine Menge Leute – für den Anfang mindestens tausend, und mehr im Laufe der Zeit.«

Eine frische Stimme fragte: »Wie lange brauchen wir die denn?«

»Wir planen für eine Woche. Das heißt, für eine Bankwoche – also fünf Tage. Wenn das nicht hinhaut, müssen wir die Operation vielleicht ausdehnen. Ich glaube aber, ehrlich gesagt, nicht, daß es nötig sein wird. Noch eins: Jeder, der mitmacht, muß ganz genau eingewiesen werden.«

»Da bin ich dabei«, sagte Seth Orinda.

»Ich auch«, stimmte sofort ein ganzer Chor ein.

Die Stimme von Deacon Euphrates übertönte die anderen. »Ich hab' noch 'n paar Tage Urlaub. Verdammt, ich nehm' 'ne Woche frei, und ich weiß andere, die auch bestimmt mitmachen.«

»Gut!« sagte Margot. Entschlossen fuhr sie fort: »Wir brauchen einen genau ausgearbeiteten Plan. Den werde ich morgen abend fertig haben. Und ihr andern, ihr könnt gleich anfangen mit dem Anwerben. Und vergeßt nicht: Unbedingte Geheimhaltung!«

Eine halbe Stunde später löste sich die Versammlung auf. Die Mitglieder des Komitees waren weitaus froher und optimistischer als zu Beginn des Treffens.

Auf Margots Bitte blieb Seth Orinda noch zurück. »Seth, Ihre Hilfe brauche ich ganz speziell.«

»Wenn ich helfen kann – immer, Miss Bracken.«

»Wenn es losgeht«, sagte Margot, »bin ich gewöhnlich in der ersten Reihe. Das wissen Sie.«

»Allerdings.« Der Oberschullehrer strahlte über das ganze Gesicht.

»Diesmal möchte ich unsichtbar bleiben. Mein Name darf weder in Zeitungen, im Fernsehen noch im Rundfunk genannt werden. Das könnte nämlich zwei besondere Freunde von mir in peinlichste Verlegenheit bringen – Freunde in der Bank, ich habe sie ja vorhin erwähnt. Das will ich verhindern.«

Orinda nickte verständnisvoll. »Das dürfte kein Problem sein.«

»Worum ich bitten wollte«, sagte Margot, »ist, daß Sie und die anderen dieses Mal die Leitung der Aktion übernehmen. Ich werde natürlich hinter den Kulissen mitmachen. Und wenn es unbedingt nötig wird, dann können Sie mich auch rufen, aber ich hoffe, daß es dazu nicht kommt.«

»Aber das ist doch albern«, sagte Seth Orinda. »Wie können wir Sie rufen, wenn keiner von uns je Ihren Namen gehört hat?«

Am Samstag abend, zwei Tage nach dem Treffen des Mieterverbandes von Forum East, waren Margot und Alex zu Gast bei Freunden, die ein kleines Abendessen gaben, und später fuhren sie gemeinsam zu Margot. Ihre Wohnung befand sich in einem weniger teuren Teil der Stadt als Alex' elegantes Apartment, und kleiner war sie auch, aber Margot hatte sie freundlich eingerichtet mit allerlei Antiquitäten, die sie im Laufe der Zeit zu günstigen Preisen zusammengekauft hatte. Alex fühlte sich wohl bei ihr.

Die Wohnung bildete einen starken Kontrast zu Margots Anwaltskanzlei.

»Du hast mir gefehlt, Bracken«, sagte Alex. Er saß bequem in Pyjama und Hausmantel, die er in Margots Wohnung aufbewahrte, in einem Queen Anne-Ohrensessel. Margot hatte sich auf den Teppich vor ihn hingekuschelt, den Kopf an seine Knie zurückgelehnt, während er sanft ihr langes Haar streichelte. Gelegentlich verirrten seine Finger sich – behutsam und erfahren begann er sie zu wecken, wie er es immer tat, und auf eine Weise, die sie liebte. Margot seufzte zufrieden. Bald würden sie ins Bett gehen. In beiden wurde das Verlangen größer, doch es lag ein exquisites Vergnügen darin, sich selbst das Warten aufzuerlegen.

Anderthalb Wochen hatten sie sich aufgrund ihrer Terminpläne nicht mehr gesehen.

»Wir holen die verlorenen Tage nach«, sagte Margot.

Alex schwieg. Dann sagte er: »Ich war den ganzen Abend darauf vorbereitet, daß du mich auf einem glühenden Rost grillst wegen Forum East. Aber du hast kein Wort davon erwähnt.«

Margot beugte ihren Kopf noch weiter zurück und betrachtete ihn jetzt verkehrt herum. Voller Unschuld fragte sie: »Warum sollte ich dich auf einem glühenden Rost grillen, Liebling? Die Geldbremse war doch wohl nicht deine Idee.« Ihre kleine Stirn legte sich in Falten. »Oder?«

»Du weißt verdammt gut, daß es nicht meine Idee gewesen ist.«

»Natürlich. Ebenso fest war ich davon überzeugt, daß du dich dagegen ausgesprochen hast.«

»Ja, allerdings.« Und resigniert fügte er hinzu: »Was dann ja auch sehr viel genützt hat.«

»Du hast getan, was du konntest. Mehr kann man von keinem verlangen.«

Alex betrachtete sie argwöhnisch. »Das alles paßt überhaupt nicht zu dir.«

»Inwiefern denn nicht?«

»Du bist eine Kämpfernatur. Das mag ich ja gerade so an dir. Du gibst nicht auf. Du nimmst eine Niederlage nicht so gelassen hin.«

»Vielleicht sind manche Niederlagen unvermeidlich. In dem Fall kann man überhaupt nichts tun.«

Alex richtete sich kerzengerade auf. »Du führst etwas im Schilde, Bracken! Ich weiß es. Jetzt raus mit der Sprache: Was ist es?«

Margot überlegte, dann sagte sie langsam: »Ich gebe nichts zu. Aber selbst wenn du recht hättest mit deiner Vermutung, könnte es doch sein, daß du von manchen Dingen lieber nichts wissen solltest. Ich habe nicht die geringste Lust, Alex, dich in Verlegenheit zu bringen.«

Er lächelte, und seine ganze Zuneigung zu ihr sprach aus diesem Lächeln. »Du *hast* mir ja schon was gesagt. Gut, wenn du nicht magst, daß ich weiter bohre, dann lasse ich es. Eine Zusicherung von dir brauche ich aber: daß das, was du da vorhast, legal ist.«

Einen Augenblick lang schäumte Margots Temperament auf. »Der Anwalt hier bin ich. Was legal ist und was nicht, entscheide ich.«

»Selbst kluge weibliche Anwälte machen gelegentlich Fehler.«

»Dieses Mal nicht.« Sie schien den Streit fortsetzen zu wollen, dann gab sie nach. Ihre Stimme wurde sanft. »Du weißt doch, daß ich nichts unternehme, was gegen das Gesetz ist. Und du weißt auch, warum.«

»Ja, ich weiß es«, sagte Alex. Wieder ganz entspannt, strich er ihr weiter über das Haar.

Sie hatte ihm einmal, als sie sich schon gut kannten, anvertraut, wie sie zu ihrer Einstellung gelangt war, Jahre zuvor und als Folge von Tragik und Tod.

Während ihres juristischen Studiums, das Margot im übrigen mit allen Ehren und Auszeichnungen absolvierte, hatte sie sich, wie es damals üblich war, an Aktivismus und Protest beteiligt. Es war die Zeit der zunehmenden amerikanischen Verstrickung in Vietnam und der erbitterten, tiefen Spaltung der Nation. Es war auch der Anfang von Unruhe und Wandel innerhalb der juristischen Berufe, eines Rebellierens der Jugend gegen die alteingesessenen Vertreter der Rechtsgelehrsamkeit und des Establishment. Es war die Zeit, die den Typ des kämpferischen Anwalts hervorbrachte, für den Ralph Nader als berühmtes und vielgelobtes Symbol stand.

Schon im College und später an der juristischen Fakultät hatte Margot ihre avantgardistischen Ansichten, ihren Aktivismus und sich selbst mit einem Kommilitonen geteilt – der einzige Name, den Alex je zu hören bekam, war Gregory –, und Gregory und Margot schliefen miteinander, wie es ebenfalls üblich war.

Schon seit mehreren Monaten war es immer wieder zu Konfrontationen zwischen Studenten und Fakultät gekommen, und eine der schlimmsten entzündete sich am offiziellen Auftauchen von Rekrutenwerbern der amerikanischen Marine und des Heeres auf dem Campus. Eine Mehrheit der Studenten, unter ihr Gregory und Margot, forderten die Verweisung der Werber vom Universitätsgelände. Die Universität lehnte das entschieden ab.

Militante Studenten besetzten daraufhin das Verwaltungs-gebäude, verbarrikadierten sich dort und sperrten alle anderen aus. Gregory und Margot, angesteckt von den allgemeinen Leidenschaften, gehörten zu den Besetzern.

Verhandlungen wurden eingeleitet, scheiterten aber, nicht zuletzt deshalb, weil die Studenten »unrealistische Forderungen« stellten. Nach zwei Tagen rief die Verwaltung die Polizei des Bundesstaates, die später unklugerweise durch die Nationalgarde verstärkt wurde. Ein Sturmangriff wurde gegen das jetzt belagerte Gebäude vorgetragen. Während der Kämpfe wurden Schüsse abgefeuert und Köpfe blutig geschlagen. Es schien ein Wunder, daß die Schüsse niemanden trafen. Aber ein tragisches Mißgeschick wollte es, daß einer der blutig geschlagenen Köpfe – es war Gregorys – eine Gehirnblutung erlitt, die binnen Stunden zum Tode führte.

Am Ende wurde dann wegen der öffentlichen Empörung ein unerfahrener, junger und verängstigter Polizist, der den tödlich wirkenden Schlag geführt hatte, vor Gericht gestellt. Sämtliche Anklagepunkte gegen ihn wurden fallengelassen.

Trotz ihrer Trauer und des Schocks, unter dem sie stand, war Margot als Juristin objektiv genug, um zu begreifen, warum das Verfahren eingestellt wurde. Später, als sich die Gemüter wieder beruhigt hatten, half ihre juristische Ausbildung ihr außerdem, die eigenen Überzeugungen zu beurteilen und zu kodifizieren. Der Druck der Aufregungen und der Emotionen hatte bewirkt, daß dieser längst überfällige Prozeß erst jetzt in Gang kam.

Von keiner ihrer politischen und sozialen Überzeugungen machte Margot damals oder jetzt Abstriche. Aber ihr Blick war klar und scharf genug, um zu erkennen, daß die militanten Studenten anderen genau die Freiheiten vorenthalten hatten, die zu verteidigen sie vorgaben. Sie hatten in ihrem Eifer auch das Gesetz gebrochen, jenes System, dessen Erkenntnis doch ihr Studium und mutmaßlich ihr ganzes späteres Leben geweiht waren.

Dann war es für Margot nur noch ein gedanklicher Schritt bis zu der Einsicht, daß man nicht weniger, sondern sehr wahrscheinlich viel mehr erreicht hätte, wäre man innerhalb der Grenzen des Gesetzes geblieben.

Wie sie Alex später während des einzigen Gesprächs, das sie je über diesen Abschnitt ihrer Vergangenheit führten, anvertraute, war das seither zu ihrem Leitprinzip bei jeglichem Aktivismus geworden.

Immer noch eng an ihn gekuschelt, fragte sie ihn: »Wie steht's denn in der Bank?«

»An manchen Tagen komme ich mir wie Sisyphus vor. Wie es ihm ergangen ist, weißt du ja.«

»War das nicht der alte Grieche, der einen schweren Felsblock bergauf rollte? Und jedesmal, wenn er den Gipfel nahezu erreicht hatte, rollte der Felsblock wieder ins Tal.«

»Richtig. Er hätte Bankmanager werden sollen, der Veränderungen einführen will. Kennst du das Geheimnis der Banker, Bracken?«

»Sag's mir.«

»Wir haben Erfolg trotz unseres Mangels an Weitblick und Phantasie.«

»Darf ich dich zitieren?«

»Wenn du das wagst, werde ich es ganz energisch bestreiten.« Nachdenklich fuhr er fort: »Aber ganz unter uns, Banken reagieren immer nur auf sozialen Wandel, anstatt sich schon vorher darauf einzustellen. Sämtliche Probleme, die uns jetzt direkt berühren – Umwelt, Ökologie, Energie, die Minderheiten –, gibt es schon seit langem. Was auf diesen Gebieten geschehen ist und sich direkt auf uns ausgewirkt hat, das hätte man im voraus erkennen können. Wir Banker könnten richtungsweisend sein. Statt dessen hinken wir hinterher und rühren uns nur, wenn wir gestoßen werden.«

»Warum bleibst du dann Banker?«

»Weil es wichtig ist. Was wir tun, ist der Mühe wert, und ob wir nun freiwillig mit der Zeit gehen oder nicht, wir sind Profis und werden gebraucht. Das Geldsystem ist so gewaltig angewachsen, so kompliziert und vielschichtig geworden, daß nur Banken damit umgehen können.«

»Was ihr also am dringendsten braucht, ist gelegentlich ein tüchtiger Knuff. Ist das richtig?«

Er sah sie gespannt an, und seine Neugier regte sich wieder. »*Irgend etwas* brütest du in deinem vertrackten kleinen Hexenverstand aus.«

»Ich gebe nichts zu.«

»Was es auch sein mag, ich hoffe nur, es hat nichts mit Zahlschloß-Toiletten zu tun.«

»O Gott, nein!«

Beide mußten laut lachen, als sie sich daran erinnerten, was vor einem Jahr passiert war. Es war einer der siegreichen Kämpfe gewesen, die Margot ausgefochten hatte, und dieser Kampf hatte größtes Aufsehen erregt.

Ihr Gegner war damals der Flughafen-Ausschuß der Stadt gewesen, der seinen mehreren hundert Hausmeistern, Pförtnern und Putzfrauen sehr viel geringeren Lohn zahlte, als ortsüblich war. Die Gewerkschaft der betroffenen Arbeiter war korrupt, hatte sich unter der Hand und nicht zu ihrem Schaden mit dem Ausschuß geeinigt und dachte nicht daran, den Mitgliedern bei ihrem Lohnkampf zu helfen. Verzweifelt hatte sich eine Gruppe der Flughafen-Arbeiter an Margot gewandt, die gerade dabei war, sich einen Ruf in solchen Angelegenheiten zu schaffen.

Ein frontaler Vorstoß Margots beim Ausschuß trug ihr nur eine kalte Zurückweisung ein. Sie gelangte deshalb zu dem Schluß, daß die Aufmerksamkeit der Öffentlichkeit erregt werden müsse und man das unter anderem dadurch erreichen könne, indem man den Flughafen und seine Herrscher lächerlich machte. Als Teil ihrer Vorbereitungen veranstaltete sie mit Hilfe mehrerer Sympathisanten, die sie schon bei früheren Anlässen unterstützt hatten, eine gründliche Betriebsstudie des großen, stark frequentierten Flughafens an einem besonders verkehrsreichen Abend.

Ein Faktor, der in der Studie vermerkt wurde, betraf die Beobachtung, daß die Passagiere von Abendmaschinen, denen während des Fluges Abendessen und Getränke serviert worden waren, beinahe geschlossen sofort nach der Landung die Toiletten des Flughafens zu stürmen pflegten, so daß mehrere Stunden lang ein Maximalbedarf an diesen Anstalten herrschte.

Am nächsten Freitagabend, zur Zeit des besonders starken Luftverkehrs, erschienen mehrere hundert Freiwillige, in erster Linie dienstfreie Pförtner und Putzfrauen, unter Margots Führung auf dem Flughafen. Von diesem Augenblick an bis zu dem sehr viel später liegenden Zeitpunkt, als sie abrückten, verhielten sie sich sämtlich ruhig, ordentlich und streng gesetzestreu.

Ihre Aufgabe war es, ohne Pause den ganzen Abend lang jede einzelne öffentliche Toilette des ganzen Flughafens zu besetzen. Und das taten sie. Margot und ihre Helfer hatten einen detaillierten Plan aufgestellt, und die Freiwilligen begaben sich zu den ihnen angewiesenen Örtlichkeiten, wo sie eine 10-Cent-Münze in den Schlitz steckten und sich niederließen, versorgt mit reichlicher Lektüre, Kofferradios und auch Proviant, den viele sich mitgebracht hatten. Einige Frauen hatten sogar Handarbeiten in Körbchen dabei. Es war die Ultima ratio auf dem Gebiete des legalen Sit-in.

In den Herrentoiletten bildeten andere Freiwillige lange Schlangen vor den Pissoirs, und jede der zu hinhaltender Taktik entschlossenen Schlangen rückte mit entsetzlicher Langsamkeit vor. Gesellte sich ein nicht zum Komplott Gehörender zu den Wartenden, so verging eine Stunde, bis er die Spitze der Schlange erreicht hatte. Nur wenige hielten so lange aus.

Ein ambulantes Aufklärungskommando informierte jeden, der zuhören wollte, über Natur und Ursache des Geschehens.

Im Nu herrschte auf dem Flughafen ein Chaos. Hunderte von ergrimmten und gepeinigten Passagieren beschwerten sich bitterlich und hitzig bei den Fluggesellschaften, die ihrerseits die Flughafenverwaltung bestürmten. Diese aber zeigte sich ratlos und außerstande, Abhilfe zu schaffen. Andere Beobachter, die weder beteiligt waren noch sich in Leibesnöten befanden, erklärten die ganze Sache für eine Mordsgaudi. Gleichgültig und innerlich unbeteiligt blieb keiner.

Die Reporter der Nachrichtenmedien, die von Margot im voraus einen Tip bekommen hatten, waren in Bataillonsstärke zur Stelle. Journalisten wetteiferten darin, Reportagen zu schreiben, die von den Nachrichtenagenturen über die gesamte Nation verbreitet, dann international aufgegriffen und von so gegensätzlichen Publikationsorganen wie der »Iswestija«, dem Johannesburger »Star« und der Londoner »The Times« gedruckt wurden. Am nächsten Tag lachte die ganze Welt.

In den meisten Berichten erschien der Name Margot Brakken an prominenter Stelle. Es gab Andeutungen, daß weitere »Sit-ins« folgen würden.

Margots Rechnung, daß die Lächerlichkeit eine der schärfsten Waffen in jedem Arsenal ist, ging auf. Am Wochenende erklärte sich der Flughafen-Ausschuß zu Verhandlungen über die Lohnzahlungen an Pförtner, Hausmeister und Putzfrauen bereit, und wenig später wurden die Löhne heraufgesetzt. Ein weiteres Ergebnis bestand darin, daß die korrupte Gewerkschaft abgewählt wurde und eine pflichtbewußtere an ihre Stelle trat.

Jetzt rekelte Margot sich, rückte näher an Alex heran und murmelte dann: »Was war das für ein Verstand, den ich deiner Meinung nach habe?«

»Ein vertrackter Hexenverstand.«

»Ist das was Schlimmes? Oder was Gutes?«

»Für mich ist es gut. Erfrischend. Und meistens gefallen mir auch die Ziele, für die du kämpfst.«

»Aber nicht immer?«

»Nein, nicht immer.«

»Manchmal bewirken die Dinge, die ich tue, Feindschaft und Widerspruch. Und nicht zu knapp. Nehmen wir mal an, ich habe mich wegen einer Sache mißliebig gemacht, von der du nichts hältst, die dir vielleicht sogar lebhaft gegen den Strich geht. Nehmen wir mal an, unsere Namen würden bei so einem Anlaß in einem Atemzug genannt, wenn du ganz und gar nicht meiner Meinung bist und mit mir auf keinen Fall in Verbindung gebracht werden willst?«

»Na, ich werd's ertragen müssen. Außerdem habe ich das Recht auf ein Privatleben, ebenso wie du.«

»Und wie jede Frau«, stellte Margot fest. »Aber manchmal frage ich mich, ob du es wirklich ertragen könntest. Das heißt, wenn wir für immer zusammen wären. Ich werde mich nämlich nicht ändern; das mußt du von vornherein begreifen, Alex. Meine Unabhängigkeit könnte ich nicht aufgeben, und ich könnte auch nicht darauf verzichten, Initiativen zu ergreifen, wann immer ich will.«

Er dachte an Celia, die niemals irgendwelche Initiativen ergriffen hatte, wie sehr er es sich auch gewünscht hatte.

Und er erinnerte sich, wie immer mit tiefem Bedauern, daran, was aus Celia geworden war. Aber er hatte etwas von ihr gelernt: Daß der Mann nie zu seinem Selbst findet, wenn die Frau, die er liebt, innerlich nicht frei ist, mit ihrer Freiheit nichts anzufangen weiß und sie nicht nutzt, um selbst Erfüllung zu finden.

Alex ließ die Hände auf Margots Schultern fallen. Durch das dünne seidene Nachthemd konnte er ihre duftende Wärme spüren, ihren weichen Leib fühlen. Sanft sagte er: »So, wie du bist, so liebe ich dich, und so will ich dich. Wenn du dich änderst, heuere ich sofort eine andere Anwältin an und verklage dich wegen Bruchs des Liebesversprechens.«

Seine Hände wanderten von ihren Schultern langsam und liebkosend tiefer herab. Er hörte, wie sie schneller atmete; einen Augenblick später wandte sie sich ihm drängend zu: »Zum Teufel noch mal, worauf warten wir noch?«

»Weiß Gott«, sagte er. »Komm ins Bett.«

## 3

Der Anblick war so ungewöhnlich, daß einer der Kreditbearbeiter der Filiale, Cliff Castleman, auf Edwinas Schreibtisch zusteuerte.

»Mrs. D'Orsey, haben Sie zufällig schon mal aus dem Fenster geschaut?«

»Nein«, sagte Edwina. Sie hatte sich auf die morgendliche Post konzentriert. »Warum denn?«

Es war Mittwoch, und die Uhr in der Cityfiliale der First Mercantile American zeigte fünf vor neun.

»Ich dachte, es würde Sie vielleicht interessieren«, sagte Castleman. »Da draußen steht eine Menschenschlange, wie ich sie noch nie vor Beginn der Schalterstunden erlebt habe.«

Edwina sah hoch. Mehrere Angestellte reckten die Hälse, um einen Blick aus den Fenstern werfen zu können. Es herrschte im Raum ein stärkeres Stimmengewirr, als es sonst zu dieser frühen Stunde üblich war. Sie spürte Unruhe und Besorgnis mitschwingen.

Edwina stand von ihrem Schreibtisch auf und ging die paar Schritte zu einem der riesigen Fenster hinüber, die Teil der Straßenfront des Gebäudes waren. Was sie da sah, war verblüffend. Eine lange Menschenschlange, in Vierer- oder Fünferreihen, wand sich vom Hauptportal an der gesamten Länge des Gebäudes entlang; wo die Schlange endete, konnte sie von hier aus nicht sehen. Allem Anschein nach warteten alle diese Leute auf die Öffnung der Bank.

Sie starrte ungläubig hinaus. »Was soll denn das, um alles in der Welt . . .«

»Einer von uns ist vorhin rausgegangen«, berichtete Castleman. »Die Schlange reicht bis halb über die Rosselli Plaza, und immer neue Menschen stellen sich an.«

»Hat irgend jemand gefragt, was die alle wollen?«

»Einer der Sicherheitsbeamten soll gefragt haben. Die Antwort war, sie wollten ein Konto einrichten.«

»Das ist doch lächerlich! *Die alle?* Allein von hier aus kann ich an die dreihundert Menschen sehen. Wir haben noch nie so viele neue Kunden an einem einzigen Tag gehabt.«

Der Kreditbearbeiter zuckte die Achseln. »Ich gebe nur wieder, was ich gehört habe.«

Tottenhoe, der Innenleiter, trat mit der üblichen brummigen Miene zu ihnen ans Fenster. »Ich habe die Sicherheitszentrale benachrichtigt«, sagte er zu Edwina. »Sie schicken mehr Wächter, und Mr. Wainwright ist auf dem Weg hierher. Sie haben auch die städtische Polizei benachrichtigt.«

Edwina konstatierte: »Nichts deutet auf Krawall hin. Die Leute machen einen friedlichen Eindruck.«

Es war eine gemischte Schar, wie sie erkennen konnte; etwa zwei Drittel waren Frauen, wobei Schwarze in der Überzahl waren. Viele von ihnen hatten Kinder dabei. Einige der Männer trugen einen Overall und sahen aus, als hätten sie gerade ihren Arbeitsplatz verlassen oder als seien sie auf dem Weg dahin. Andere trugen, was sie gerade vom Haken gegriffen hatten; einige wenige waren ausgesprochen gut gekleidet.

Die Menschen in der Schlange unterhielten sich miteinander, zum Teil lebhaft, aber niemand schien in feindseliger

Stimmung zu sein. Einige bemerkten, daß sie beobachtet wurden, lächelten und nickten den Bankangestellten zu.

»Sehen Sie sich das an!« Cliff Castleman zeigte auf die Straße. Ein Fernseh-Team mit Kamera war auf der Szene erschienen. Während Edwina und die anderen zusahen, begannen die Männer zu filmen.

»Friedlich oder nicht«, sagte der Kreditmann, »es muß was dahinterstecken, daß alle diese Leute auf einmal herkommen.«

Wie ein Blitz kam Edwina die Erkenntnis. »Das ist Forum East«, sagte sie. »Ich gehe jede Wette ein, daß es mit Forum East zu tun hat.«

Mehrere andere, die ihren Schreibtisch in der Nähe hatten, waren herübergekommen und hörten zu.

Tottenhoe sagte: »Wir sollten erst öffnen, wenn die zusätzlichen Wächter hier sind.«

Alle Augen richteten sich auf die Wanduhr. Sie zeigte eine Minute vor neun.

»Nein«, entschied Edwina. Sie sprach lauter, so daß die anderen sie hören konnten. »Wir öffnen wie üblich, um Punkt neun. Bitte gehen Sie alle an Ihre Arbeit.«

Tottenhoe verschwand eilig, Edwina kehrte an ihren Schreibtisch zurück.

Von ihrem Beobachtungsposten aus sah sie, wie die Haupteingangstür geöffnet wurde und die ersten Menschen hereinströmten. Die an der Spitze der Schlange gestanden hatten, hielten nach Betreten der Schalterhalle einen Augenblick lang Umschau, dann gingen sie rasch weiter, und andere hinter ihnen drängten herein. Augenblicklich war die ganze große Schalterhalle der Filiale mit einer schnatternden und lauten Menschenmenge gefüllt. Das Gebäude, vor weniger als einer Minute noch relativ ruhig, war zu einem lärmenden Babel geworden. Edwina sah, wie ein riesiger, schwerer schwarzer Mann ein paar Dollarnoten schwenkte und mit lauter Stimme verkündete: »Ich will mein Geld hier auf die Bank bringen.«

Ein Sicherheitsbeamter zeigte ihm den Weg: »Da drüben werden neue Konten eingerichtet.«

Der Beamte zeigte auf einen Schreibtisch, an dem eine

Angestellte – ein junges Mädchen – wartete. Sie wirkte nervös. Der große Mann marschierte zu ihr hinüber, lächelte beruhigend und setzte sich. Sofort drängte eine Traube von anderen nach und stellte sich in ungeordneter Reihe hinter ihm auf, geduldig wartend, bis auch sie an die Reihe kämen.

Tatsächlich schien es so, als seien sie alle gekommen, um ein Konto zu eröffnen.

Edwina sah, wie der große Mann sich behaglich zurücklehnte, die Dollarscheine noch immer in der Hand. Seine Stimme erhob sich über das Gewirr der anderen Gespräche, und sie hörte, wie er erklärte: »Ich hab's nicht eilig, ganz und gar nicht. Da ist so einiges, was ich Sie fragen wollte. Vielleicht können Sie mir das erklären.«

Weitere zwei Schreibtische wurden rasch von anderen Angestellten besetzt. Ebenso rasch bildeten sich breite und lange Menschenschlangen auch vor diesen Tischen.

Gewöhnlich reichten drei Angestellte völlig aus, um neue Konten zu eröffnen, aber diesen Massenandrang konnten sie sichtlich nicht bewältigen. Edwina erblickte Tottenhoe auf der anderen Seite der Halle und rief ihn über die Sprechanlage an. Sie gab Anweisung: »Mehr Schreibtische für Kontoeröffnungen, besetzen Sie die Tische mit allen Angestellten, die Sie überhaupt entbehren können.«

Selbst wenn man sich dicht über den Lautsprecher der Anlage beugte, war es schwer, in dem allgemeinen Lärm die Worte zu verstehen.

Ingrimmig erwiderte Tottenhoe: »Es ist Ihnen natürlich klar, daß wir diese Leute heute nicht alle abfertigen können, und die, die wir schaffen, blockieren alle Arbeitskräfte, die wir haben.«

»Und genau das will irgend jemand auch erreichen«, meinte Edwina. »Sorgen Sie dafür, daß so schnell wie irgend möglich abgefertigt wird.«

Aber sie wußte genau, daß die Einrichtung eines neuen Kontos etwa zehn bis fünfzehn Minuten erforderte, ganz gleich, wie schnell man arbeitete. Schreibarbeit dauerte nun mal ihre Zeit.

Zunächst mußte ein Antrag ausgefüllt werden mit Adresse, Arbeitgeber, Sozialversicherung, anderen Angaben zur Person und zur Familie. Eine Unterschriftenprobe mußte gegeben werden. Dann mußte ein Identitätsnachweis erbracht werden. Danach mußte sich der Angestellte mit allen Unterlagen zu einem höheren Angestellten der Bank begeben, damit er die Neueröffnung genehmigte und das Formular abzeichnete. Am Ende wurde das Sparbuch ausgestellt oder ein provisorisches Scheckbuch ausgegeben.

Deshalb schaffte kein Bearbeiter mehr als fünf Kontoeinrichtungen pro Stunde. Die drei jetzt damit beschäftigten Angestellten würden also zusammen maximal neunzig Konten eröffnen, wenn sie ununterbrochen mit Höchstgeschwindigkeit arbeiteten, was nicht anzunehmen war.

Selbst eine Verdreifachung der Angestellten würde nur wenig mehr als zweihundertfünfzig Neueinrichtungen pro Tag bedeuten, aber schon jetzt, in den allerersten Minuten dieses Geschäftstages, drängten sich mindestens vierhundert Personen in der Bank, und immer neue strömten herein. Edwina stand auf, um sich die draußen wartende Schlange anzusehen; sie schien überhaupt nicht kürzer geworden zu sein.

Der Lärm in der Bank schwoll an. Er war zu einem Brausen geworden.

Ein weiteres Problem bestand darin, daß die anderen Kunden der Bank durch die immer noch anwachsende Menschenmenge in der Hauptschalterhalle daran gehindert wurden, zu den Schaltern vorzudringen. Edwina sah einige von ihnen draußen stehen und konsterniert die turbulente Szene betrachten. Und sie sah auch, daß etliche von ihnen aufgaben und weggingen.

Drinnen in der Bank hatten einige der Neuankömmlinge Gespräche mit Kassierern begonnen, und die Kassierer, die wegen des Gedränges arbeitslos waren, gingen darauf ein.

Zwei leitende Angestellte hatten sich in die Halle begeben und versuchten, den Verkehr einigermaßen zu regeln, um den Zugang wenigstens zu einigen Schaltern freizumachen. Aber ohne viel Erfolg.

Noch immer machte sich keinerlei Feindseligkeit bemerkbar. Jeder, der jetzt in der nun überfüllten Halle von Angestellten angesprochen wurde, antwortete höflich und mit einem freundlichen Lächeln. Edwina konnte sich des Eindrucks nicht erwehren, daß alle, die sich da drängten, strenge Anweisung erhalten hatten, sich tadellos zu benehmen.

Doch jetzt fand sie es an der Zeit, selbst einzugreifen.

Edwina verließ die Plattform und den nur für Angestellte vorgesehenen Teil der Halle und bahnte sich mit Mühe einen Weg bis an die Haupteingangstür. Sie gab zwei Sicherheitsbeamten ein Zeichen, die sich mit kräftigen Ellbogen zu ihr vorkämpften, und wies sie an: »Es sind jetzt genug Leute in der Bank. Lassen Sie von nun an nur jeweils so viele hinein wie herauskommen. Das betrifft natürlich nicht unsere Stammkunden, die müssen sich auch nicht an die Schlange anstellen.«

Der ältere der beiden Wächter schob seinen Kopf weit vor, damit Edwina ihn verstehen konnte. »Das wird nicht leicht sein, Mrs. D'Orsey. Einige Kunden kennen wir ja, aber nicht alle. Man kann sich schließlich nicht alle Gesichter merken.«

»Außerdem, wenn jemand ankommt, rufen die andern da draußen: ›Hinten anstellen! Vordrängen gibt's nicht!‹ Wenn wir einige vorlassen und andere nicht, kann das Ärger geben«, warf der andere Wächter ein.

Edwina versicherte ihm: »Es wird keinen Krawall geben. Tun Sie, was Sie können.«

Sie wandte sich wieder um und sprach mehrere der Wartenden an. Der Lärm machte eine Verständigung fast unmöglich, und sie sprach, so laut sie konnte: »Ich bin die Filialleiterin. Kann mir bitte jemand von Ihnen sagen, warum Sie heute alle hergekommen sind?«

»Wir wollen ein Konto eröffnen«, antwortete eine Frau kichernd. »Das ist doch nicht verboten, oder?«

»Ihr annonciert doch dauernd«, warf eine andere Stimme ein. »Kein Betrag ist zu klein, heißt es da, ein paar Dollar reichen für ein neues Konto!«

»Stimmt«, sagte Edwina, »und das ist auch unser voller Ernst. Aber es muß doch einen Grund geben, warum Sie alle heute und alle auf einmal kommen.«

»Man könnte sagen«, bemerkte ein älterer Mann mit knochigem Schädel, »daß wir alle aus Forum East sind.«

Eine jüngere Stimme fügte hinzu: »Oder es gerne wären.«

»Das erklärt mir aber immer noch nicht . . .«, hob Edwina an.

»Vielleicht kann ich das erklären, Ma'am.« Ein seriös wirkender Neger mittleren Alters wurde durch das Gedränge der Leute nach vorne geschoben.

»Da wäre ich Ihnen dankbar.«

Zur gleichen Zeit bemerkte Edwina eine neue Gestalt neben sich. Sie wandte den Kopf und sah, daß es Nolan Wainwright war. Und am Haupteingang waren mehrere neue Sicherheitsbeamte eingetroffen und halfen den beiden, die von Anfang an dagewesen waren. Auf ihren fragenden Blick riet ihr der Sicherheitschef: »Machen Sie weiter. Es läuft ja alles reibungslos.«

Der Mann, den die Menge nach vorn geschoben hatte, sagte: »Nanu, ich wußte gar nicht, daß es auch weibliche Bankmanager gibt.«

»Die gibt es«, entgegnete Edwina. »Und es werden immer mehr. Ich hoffe doch, daß Sie auch für die Gleichberechtigung der Frau sind, Mr. . . .?«

»Orinda. Seth Orinda, Ma'am. Ich bin sogar sehr dafür – und auch für eine ganze Menge anderer Dinge.«

»Eins von diesen anderen Dingen hat Sie heute wohl auch hierhergeführt?«

»In gewisser Hinsicht könnte man das sagen.«

»In welcher Hinsicht denn genau?«

»Ich denke, Sie wissen, daß wir alle aus Forum East sind.«

Sie nickte. »Das hat man mir gesagt.«

»Was sich hier abspielt, das könnte man vielleicht einen Akt der Hoffnung nennen.« Der korrekt und gut gekleidete Sprecher formulierte seine Sätze sorgfältig. Sie waren vorher schriftlich niedergelegt und geprobt worden. Immer mehr Menschen drängten sich heran, und ihre Gespräche versiegten, während sie aufmerksam zuhörten.

Orinda fuhr fort: »Diese Bank hat erklärt, daß sie nicht genug Geld hat, um den Bau von Forum East weiterhin zu unterstützen. Jedenfalls hat die Bank die Kredite um die Hälfte gekürzt, und einige von uns meinen, daß die restliche Hälfte auch noch gestrichen wird, wenn nicht jemand die Trommel rührt oder etwas unternimmt.«

Edwina sagte mit Schärfe: »Und etwas unternehmen, das heißt ja wohl, die Arbeit dieser ganzen Filiale zum Stillstand bringen.« Während sie sprach, nahm sie mehrere neue Gesichter in der Menge wahr; sie sah aufgeschlagene Notizbücher mit Bleistiften, die über das Papier flogen. Ihr wurde klar, daß die Reporter eingetroffen waren.

Offensichtlich hatte jemand die Presse im voraus benachrichtigt, was auch die Anwesenheit des Fernseh-Kamerateams draußen vor der Tür erklärte. Edwina fragte sich, wer das wohl gewesen sein mochte.

Seth Orinda machte ein schmerzlich berührtes Gesicht. »Aber ganz im Gegenteil, Ma'am. Wir bringen alles Geld, das wir armen Leute zusammenkratzen können, um dieser Bank in ihrer finanziellen Notlage zu helfen.«

»Richtig«, ertönte eine andere Stimme. »Nachbarn sollen sich doch beistehen.«

Nolan Wainwright fuhr barsch dazwischen: »Das ist Unsinn! Diese Bank ist in keiner finanziellen Notlage.«

»Wenn das nicht der Fall ist«, fragte eine Frau, »warum hat sie dann Forum East das angetan?«

»Die Position der Bank ist in der herausgegebenen Erklärung in aller Deutlichkeit dargelegt worden«, antwortete Edwina. »Es geht hier um eine Frage der Priorität. Außerdem hat die Bank die Hoffnung ausgesprochen, die Finanzierung später in vollem Umfang wiederaufnehmen zu können.« Während sie das sagte, merkte sie selbst, wie hohl ihre Worte klangen. Andere hatten offenbar den gleichen Eindruck, denn es erhob sich ein Chor von Schmährufen.

Zum ersten Mal klang damit eine häßliche, eine feindselige Note auf. Der gutgekleidete Mann, Seth Orinda, drehte sich scharf um und hob warnend eine Hand. Die Rufe verstummten.

»Egal, was Sie vielleicht vermuten«, versicherte er Edwina, »wir sind tatsächlich nur aus dem Grund gekommen, um etwas Geld auf Ihre Bank zu bringen. Das habe ich gemeint, als ich von einem Akt der Hoffnung sprach. Wir haben gedacht, wenn Sie uns alle sehen, wenn Sie begreifen, wie uns zumute ist, daß Sie dann vielleicht Ihre Entscheidung revidieren.«

»Und wenn wir das nicht tun?«

»Dann, glaube ich, werden wir mehr Leute auftreiben müssen, die noch ein paar mehr Dollar einzahlen können. Und wir werden diese Leute finden. Wir haben schon viele weitere gute Freunde, die heute noch herkommen werden und morgen und übermorgen. Am Wochenende wird es sich dann herumgesprochen haben« – er drehte sich um und sprach jetzt zu den Reportern gewandt –, »und es werden andere Menschen kommen, nicht nur aus Forum East, die uns in der nächsten Woche helfen werden. Natürlich nur, indem auch sie ein Konto eröffnen. Um dieser armen Bank zu helfen. Aus keinem anderen Grund.«

Die Umstehenden stimmten vergnügt ein: »Ja, Mann, da kommen mehr, viel mehr . . .« – »Viel Moos haben wir nicht, Mann, aber Leute haben wir, viele, viele Leute . . .« – »Erzählt das euren Freunden, damit sie kommen und uns unterstützen.«

»Natürlich könnte es passieren«, fuhr Orinda mit unschuldsvoller Miene fort, »daß manche von denen, die heute Geld auf die Bank tragen, es vielleicht schon morgen oder übermorgen oder nächste Woche wieder abheben müssen. Die meisten haben nicht so viel, daß sie es lange auf dem Konto stehen lassen können. Aber ich verspreche Ihnen, sobald wir irgend können, sind wir wieder hier und zahlen es wieder ein.« Seine Augen blitzten vergnügt. »Leider werden wir Ihnen wohl eine ganze Menge Arbeit machen müssen.«

»Ja«, sagte Edwina, »ich verstehe Ihre Absicht.«

Eine Reporterin, ein blondes junges Mädchen, fragte: »Mr. Orinda, wieviel wollen Sie alle hier einzahlen?«

»Nicht viel«, erklärte er fröhlich. »Die meisten kommen nur mit fünf Dollar. Das ist die Mindestsumme, die die Bank annimmt. Oder irre ich mich?« Er sah Edwina an, und sie nickte.

Einige Banken verlangten, wie Edwina und denjenigen, die jetzt zuhörten, bekannt war, ein Minimum von fünfzig Dollar für die Eröffnung eines Sparkontos und von hundert Dollar für ein Girokonto. Es gab auch Banken, die überhaupt keine Mindestsumme festgesetzt hatten. Die First Mercantile American – die sich gerade um Kleinsparer bemühte – hatte sich auf fünf Dollar als Kompromiß geeinigt.

War das Konto einmal eingerichtet, durfte man das meiste von den ursprünglichen fünf Dollar wieder abheben; jeder Betrag auf der Habenseite, und sei er noch so gering, reichte aus, um das Konto aufrechtzuerhalten. Ganz offensichtlich waren Seth Orinda und die anderen darüber informiert, und sie beabsichtigten, die Cityfiliale mit Einzahlungen zu überschwemmen. Edwina dachte: Sie werden ihr Ziel erreichen.

Dennoch geschah hier nichts Ungesetzliches, und Behinderung mußte erst einmal nachgewiesen werden.

Trotz ihrer Verantwortung und des Ärgers, den sie eben noch empfunden hatte, hätte Edwina beinahe laut gelacht, was sie sich natürlich nicht anmerken lassen durfte. Sie warf wieder einen Blick zu Nolan Wainwright hinüber, der die Achseln zuckte, und sagte gelassen: »Solange hier kein Tumult ausbricht, können wir nichts tun als den Verkehr regeln.«

Der Sicherheitschef der Bank wandte sich mit energischem Ton an Orinda: »Wir erwarten von Ihnen, daß Sie uns bei der Aufrechterhaltung der Ordnung helfen, drinnen und draußen. Unsere Wächter werden bekanntgeben, wie viele Personen gleichzeitig eingelassen werden und wo sich die Wartenden anstellen sollen.«

Der andere nickte zustimmend. »Natürlich werden meine Freunde und ich alles tun, um Ihnen zu helfen, Sir. Auch wir wollen keinesfalls die Ordnung stören. Aber wir werden von Ihnen Fairneß erwarten.«

»Was soll das heißen?«

»Wir hier drinnen«, erklärte Orinda, »und unsere Freunde da draußen sind Kunden genau wie alle anderen, die diese Bank betreten. Wir sind bereit, geduldig zu warten, bis wir an der Reihe sind, aber wir erwarten, daß keine anderen Kunden bevorzugt behandelt und außer der Reihe abgefertigt werden. Mit anderen Worten, wer neu eintrifft, ganz egal, wer er ist, muß sich hinten anstellen, genau wie wir.«

»Das werden wir sehen.«

»Auch wir werden darauf achten, Sir. Denn wenn Sie es anders handhaben, werden wir das eindeutig als Diskriminierung auffassen. Und das lassen wir uns nicht gefallen.«

Die Reporter machten, wie Edwina bemerkte, emsig weiter Notizen.

Sie bahnte sich einen Weg durch das Gedränge zu den drei Schreibtischen für Kontoeröffnungen, die schon durch zwei weitere ergänzt waren; noch zwei neue wurden eingerichtet.

An einem der Aushilfstische arbeitete Mrs. Juanita Núñez, wie Edwina jetzt erst sah. Sie fing Edwinas Blick auf, und sie lächelten einander zu. Edwina fiel plötzlich ein, daß Mrs. Núñez auch in Forum East wohnte. Hatte sie von der geplanten Invasion gewußt? Dann sagte sie sich: Wie auch immer, ändern würde sich nichts daran.

Zwei der jüngeren gehobenen Angestellten der Bank überwachten die Einrichtung der neuen Konten, und es war vorauszusehen, daß an diesem Tag jede andere Arbeit der Filiale ernstlich in Rückstand geraten würde.

Der schwer gebaute schwarze Mann, der zu den ersten Neuankömmlingen gehört hatte, stand auf, als Edwina den Tisch erreichte. Das junge Mädchen, das ihn abgefertigt hatte, sagte, jetzt ohne Zeichen von Nervosität: »Das ist Mr. Euphrates. Er hat gerade ein Konto eröffnet.«

»Deacon Euphrates. So nennen mich die meisten jedenfalls.« Edwina wurde eine riesige Pranke dargeboten, die sie ergriff.

»Willkommen in der First Mercantile American, Mr. Euphrates.«

»Danke, das ist wirklich nett von Ihnen. So nett, finde ich, daß ich einfach noch 'n bißchen mehr Moos auf das Konto packen will.« Er betrachtete eine Handvoll Kleingeld, wählte ein 25-Cent-Stück und zwei 10-Cent-Münzen aus und schlenderte dann zu einem Kassierer hinüber.

Edwina fragte die Angestellte: »Wieviel hat er bei der Eröffnung eingezahlt?«

»Fünf Dollar.«

»Gut. Versuchen Sie bitte, so schnell wie möglich zu arbeiten.«

»Das will ich gern tun, Mrs. D'Orsey, aber der eben hat viel Zeit gekostet, weil er eine Menge Fragen gestellt hat, wie man abhebt und wie unsere Zinssätze sind. Er hatte die Fragen schriftlich bei sich.«

»Haben Sie den Zettel mit den Fragen?«

»Nein.«

»Wahrscheinlich werden auch andere so einen Zettel haben. Versuchen Sie, einen davon dazubehalten, und zeigen Sie ihn mir dann.«

Der Zettel könnte einen Hinweis geben, dachte Edwina, wer diese professionelle Invasion geplant und organisiert hatte. Sie hatte nicht den Eindruck, daß irgendeiner, mit dem sie bisher gesprochen hatte, der Organisator der Aktion sein konnte.

Etwas anderes wurde aber jetzt deutlich. Der Versuch, die Bank zu überschwemmen, würde sich nicht nur auf die Eröffnung neuer Konten beschränken. Diejenigen, die schon ein Konto eröffnet hatten, standen jetzt vor den Kassenschaltern an. Sie zahlten winzige Summen ein oder hoben ebenso winzige Summen ab. Das Ganze geschah mit dem Tempo eines vorrückenden Gletschers, denn sie stellten endlose Fragen oder verwickelten die Kassierer in freundliche Gespräche.

Die Stammkunden der Filiale wurden also nicht nur behindert, das Gebäude zu betreten; die Behinderungen gingen weiter, wenn sie erst einmal drinnen waren.

Sie berichtete Nolan Wainwright von der schriftlichen Fragenliste und von der Anweisung, die sie der jungen Angestellten gegeben hatte.

Der Sicherheitschef nickte zustimmend. »So einen Zettel würde ich mir auch gern mal ansehen.«

»Mr. Wainwright«, rief eine Sekretärin herüber, »Telefon.«

Er meldete sich, und Edwina hörte, wie er sagte: »Es *ist* eine Demonstration, wenn auch nicht im Sinne des Gesetzes. Aber es ist alles friedlich, und wir können uns in die Nesseln setzen, wenn wir übereilte Entscheidungen treffen. Eine Konfrontation wäre das letzte, was wir gebrauchen können.«

Es war ein Trost, dachte Edwina, sich auf Wainwrights Zuverlässigkeit und Vernunft stützen zu können. Als er den Hörer wieder auflegte, schoß ihr ein Gedanke durch den Kopf. »Irgend jemand hat davon geredet, die Polizei zu rufen«, sagte sie.

»Die waren schon da, als ich kam, und ich habe sie wieder weggeschickt. Die sind im Nu wieder zur Stelle, wenn wir sie brauchen. Ich hoffe nicht, daß es dazu kommt.« Er zeigte auf das Telefon und dann hinüber zum Tower der Zentrale. »Die Chefetage weiß schon Bescheid. Die drücken da auf sämtliche Alarmknöpfe.«

»Sie sollten lieber versuchen, die Mittel für Forum East wieder bereitzustellen.«

Zum erstenmal seit seiner Ankunft glitt ein kurzes Lächeln über Wainwrights Gesicht. »Das fände ich auch gut. Aber so erreicht man das nicht, und wo es um das Geld der Bank geht, wird Druck von außen nichts ändern.«

Edwina wollte gerade sagen: »Wer weiß«, aber dann besann sie sich anders und schwieg.

Sie betrachteten wieder die Szene und stellten fest, daß die Menschenmenge, die die Schalterhalle der Bank mit Beschlag belegt hatte, unvermindert groß war; der Lärm war eher noch ein wenig angeschwollen.

Draußen wurde die Schlange immer länger, sie wich und wankte nicht.

Es war jetzt 9.45 Uhr.


4


Ebenfalls um 9.45 Uhr und drei Straßenblocks von der Zentrale der First Mercantile American entfernt, betrieb Margot Bracken einen Befehlsstand von einem unauffällig geparkten Volkswagen aus.

Margot hatte sich von der Ausführung ihrer Strategie, die Bank unter Druck zu setzen, fernhalten wollen, aber das war dann doch nicht möglich gewesen. Wie ein Schlachtroß, das bei der Witterung von Pulverdampf ungeduldig den Boden scharrt, war sie in ihrem Entschluß wankend geworden und hatte ihn schließlich ganz aufgegeben.

Aber sie wollte nach wie vor vermeiden, Alex oder Edwina in Verlegenheit zu bringen, und deshalb hielt sie sich wenigstens von der vordersten Front des Geschehens auf der Rosselli Plaza fern.

Erschiene sie dort, würden die Reporter sie sofort erkennen, und daß die Presse zugegen war, wußte Margot nur zu genau, da sie selbst dafür gesorgt hatte, daß Zeitungen, Fernsehen und Rundfunk benachrichtigt wurden.

Deshalb trugen ihr Kuriere diskret Meldungen über die Frontlage zu und brachten ebenso diskret Instruktionen zurück.

Seit Donnerstag abend war ein erhebliches Maß an Organisationsarbeit geleistet worden.

Während Margot am Freitag den Generalplan ausarbeitete, rekrutierten Seth, Deacon und mehrere Komitee-Mitglieder in Forum East und Umgebung Blockwarte. Sie erklärten nur in ungefähren Umrissen, was getan werden sollte, aber sie fanden ein geradezu überwältigendes Echo. Fast jeder, den sie ansprachen, wollte selbst ein Stück Arbeit übernehmen und kannte andere, auf die man sich verlassen konnte.

Als am Sonntag abend die Listen aufaddiert wurden, standen schon fünfzehnhundert Namen fest. Weitere kamen ununterbrochen hinzu. Nach Margots Plan würde es möglich sein, die Aktion mindestens eine Woche lang in Gang zu halten und womöglich noch länger, wenn es gelang, die Begeisterung immer wieder neu anzufachen.

Unter den Männern, die in einem festen Arbeitsverhältnis standen, gab es viele, denen noch Urlaubstage zustanden; sie waren bereit, diesen Urlaub dafür zu opfern. Andere sagten, sie würden notfalls unbezahlten Urlaub nehmen oder ganz einfach blaumachen. Viele Freiwillige waren bedauerlicherweise arbeitslos; saisonbedingte Arbeitslosigkeit hatte ihre Zahl anschwellen lassen.

Aber die Frauen herrschten an Zahl vor, teils, weil sie tagsüber eher Zeit erübrigen konnten, aber auch deshalb, weil Forum East ihnen – mehr noch als den Männern – zu einem Leuchtturm der Hoffnung in ihrem Leben geworden war.

Margot wußte das, sowohl von ihrer Organisationsarbeit her als auch aus den Berichten, die sie an diesem Morgen bekam.

Die bisher eingetroffenen Meldungen waren höchst zufriedenstellend.

Margot hatte darauf bestanden, daß jedes einzelne Mitglied des Forum East-Kontingents freundlich, höflich und betont hilfsbereit auftreten solle, insbesondere bei jedem direkten Kontakt mit Vertretern der Bank. Damit unterstrichen sie das Wort vom »Akt der Hoffnung«, das Margot geprägt hatte, und dokumentierten, daß hier eine Gruppe interessierter Bürger – wenn auch mit begrenzten Mitteln – der »in finanzielle Notlage« geratenen FMA zur »Hilfe« eilte.

Sie ging von der Vermutung aus, daß jeder Hinweis, die First Mercantile American könne sich so oder so in einer Notlage befinden, einen höchst empfindlichen Nerv treffen würde.

Der Zusammenhang mit Forum East sollte keineswegs vertuscht werden, doch durften direkte Drohungen nicht ausgesprochen werden – zum Beispiel, daß die Lähmung der großen Bank andauern werde, bis die Baufinanzierung im alten Umfang wiederaufgenommen würde. Margot hatte Seth Orinda und den anderen eingeschärft: »Diesen Schluß soll die Bank selber ziehen.«

In Einweisungsgesprächen hatte sie immer wieder auf die Notwendigkeit hingewiesen, daß jeder Anschein einer Drohung, Nötigung oder Einschüchterung vermieden werden müsse. Die Teilnehmer an diesen Gesprächen machten Notizen und gaben sie an andere weiter.

Ebenfalls weitergegeben wurden Listen mit Fragen, die gestellt werden sollten, während die Konten eröffnet wurden. Auch diese Listen hatte Margot ausgearbeitet. Es gab Hunderte von legitimen Fragen, die jeder, der mit einer Bank zu tun hatte, vernünftigerweise stellen konnte, auch wenn die meisten Bankkunden darauf verzichteten. Sie würden den nützlichen Nebeneffekt haben, daß die Bankgeschäfte praktisch zum Stillstand kamen.

Falls die Gelegenheit sich ergab, sollte Seth Orinda als Sprecher auftreten. Margots Drehbuch bedurfte nicht vieler Proben. Orinda begriff schnell.

Deacon Euphrates hatte den Auftrag, ganz vorn in der Schlange zu stehen und als erster ein neues Konto zu eröffnen.

Was übrigens den Namen Deacon anging, so wußte niemand, ob es sein Taufname war oder der von einer der religiösen Sekten, die es in dem Viertel reichlich gab, verliehene Titel »Diakon«. Deacon hatte es in der vorbereitenden Generalstabsarbeit übernommen, den Freiwilligen zu erklären, wann sie wohin gehen sollten. Er hatte mit einer ganzen Armee von Helfern gearbeitet, die in alle Richtungen ausgeschwärmt waren.

Für den Beginn, für Mittwoch morgen, war es wesentlich, daß ein Massenandrang einsetzte, um einen möglichst nachhaltigen Eindruck zu machen. Aber einige der Teilnehmer mußten von Zeit zu Zeit abgelöst werden. Andere, die noch nicht aufgetreten waren, hielten sich für die Mittags- und Nachmittagsstunden oder für die nächsten Tage bereit.

Um den reibungslosen Ablauf zu garantieren, war ein Nachrichtensystem improvisiert worden, das sich die Telefonzellen der Umgebung zunutze machte und das von anderen Helfern im Straßendienst betrieben wurde. Schon jetzt funktionierte die Kommunikation recht gut, von einigen Schwächen abgesehen, wie sie in einem kurzfristig angesetzten und improvisierten System unvermeidlich sind.

Berichte über alle diese Details fanden ihren Weg zu Margot, die sich auf dem Rücksitz ihres Volkswagens eingerichtet hatte. Sie wurde laufend über die Zahl der Wartenden in der Schlange informiert, über die Zeit, die die Bank für die Eröffnung jedes neuen Kontos benötigte, und über die Anzahl der Schreibtische, an denen die Anträge bearbeitet wurden. Sie hatte auch ein klares Bild von dem ungeheuren Gedränge in der Schalterhalle gewonnen und wußte über die Gespräche zwischen Seth Orinda und den Bankbeamten Bescheid.

Margot stellte Berechnungen an, dann wandte sie sich dem zuletzt eingetroffenen Kurier zu, einem schlaksigen Burschen, der jetzt auf dem vorderen Beifahrersitz des Wagens wartete: »Sagen Sie Deacon, daß er vorläufig keine neuen Freiwilligen mehr hinzuziehen soll; es sieht so aus, als reichten die Leute für heute. Lassen Sie einige von den noch Draußenstehenden vorübergehend ablösen, aber nicht mehr als höchstens fünfzig zur Zeit. Erinnern Sie sie aber daran, daß sie rechtzeitig zurück sein müssen, um sich ihren Lunch abzuholen. Und was das Essen betrifft: Daß mir niemand Papier oder Abfälle auf die Rosselli Plaza wirft und Speisen oder Getränke mit in die Bank nimmt!«

Das Thema Essen erinnerte Margot daran, daß die Geldfrage Anfang der Woche kein geringes Problem gewesen war.

Am Montag war aus den Berichten, die laufend von Deacon Euphrates eintrafen, deutlich geworden, daß viele Freiwillige keine fünf Dollar erübrigen konnten – die Mindestsumme, die man brauchte, um ein Konto bei der FMA zu eröffnen. Der Mieterverband von Forum East hatte praktisch kein Geld. Eine Zeitlang sah es so aus, als sollte das Projekt scheitern.

Dann führte Margot ein Telefongespräch. Sie führte es mit einer Gewerkschaft – dem Amerikanischen Verband der Angestellten, Kassierer und Kontoristen, der jetzt die Interessen der Hausmeister, Pförtner und Putzfrauen vom Flughafen vertrat, denen sie vor einem Jahr geholfen hatte.

Ob die Gewerkschaft mit einem Darlehen aushelfen könne – genug, um jedem Freiwilligen, der selbst nicht so viel flüssig hatte, fünf Dollar in bar zu geben? Die Gewerkschaftsführer beriefen eilig eine Sondersitzung ein. Die Gewerkschaft stimmte zu.

Am Dienstag halfen Angestellte der Gewerkschaftszentrale Deacon Euphrates und Seth Orinda bei der Verteilung des Geldes. Alle Beteiligten waren sich darüber im klaren, daß ein Teil nie zurückgezahlt werden würde, daß andere Fünf-Dollar-Darlehen schon am Dienstag abend ausgegeben, die ursprünglichen Zwecke und Ziele vergessen oder ignoriert sein würden. Aber sie glaubten, daß der größte Teil des Geldes doch für den beabsichtigten Zweck verwendet würde. Nach den Erfahrungen dieses Morgens zu urteilen, hatten sie sich nicht getäuscht.

Die Gewerkschaft hatte auch angeboten, den Lunch zu organisieren und zu finanzieren. Das Angebot wurde angenommen. Margot hatte den Eindruck, daß die Gewerkschaft dabei auch an ihre eigenen Interessen dachte, kam aber zu dem Schluß, daß diese Interessen nicht mit den Zielen von Forum East kollidierten und sie deshalb nichts angingen.

Sie fuhr mit ihren Instruktionen für den zuletzt eingetroffenen Kurier fort. »Die Schlange muß bleiben, bis die Bank um drei Uhr schließt.«

Es war durchaus möglich, dachte sie, daß die Nachrichtenmedien in der letzten Minute vor dem ersten Redaktions-
schluß noch ein paar aktuelle Fotos machen wollten, deshalb
war es wichtig, für den Rest dieses Tages anschaulich Stärke
zu demonstrieren.

Die Pläne für morgen konnten heute am späten Abend
aufeinander abgestimmt werden. Im wesentlichen würde es
sich um eine Wiederholung der bisher geübten Taktik handeln.

Glücklicherweise war das Wetter günstig – ungewöhnlich
milde Temperaturen bei vorwiegend klarem Himmel. Die
Voraussagen für die nächsten Tage schienen gut zu sein.

»Und betonen Sie immer wieder«, schärfte Margot eine
halbe Stunde später einem anderen Kurier ein, »daß jeder
von uns freundlich, freundlich und noch einmal freundlich
aufzutreten hat. Auch wenn die Leute von der Bank rüde
werden oder ungeduldig – wir antworten mit einem Lächeln.«

Um 11.45 Uhr erschien Seth bei Margot und erstattete
persönlich Bericht. Breit lächelnd hielt er ihr die Frühaus-
gabe einer Nachmittagszeitung hin.

»Donnerwetter!« Margot breitete die erste Seite vor sich
aus.

Die Ereignisse vor und in der Bank nahmen fast den gesamten vorhandenen Platz ein. Die Berichterstattung war
viel ausführlicher, als sie zu hoffen gewagt hatte.

Die Hauptschlagzeile lautete:

### GROSSBANK LAHMGELEGT
### DURCH FORUM EAST-BEWOHNER

Und darunter hieß es:

Ist die First Merc American in Schwierigkeiten?
Viele wollen ihr »helfen«
mit kleinen Spar-Einlagen

Es folgten Fotos und eine zweispaltige Reportage mit Auto-
renzeile.

»Meine Güte«, stöhnte Margot begeistert. »*Das* wird die
FMA-Leute aber freuen!«

Sie freuten sich überhaupt nicht.

Am frühen Nachmittag fand in der Präsidenten-Suite im 36. Stock des Towers der Zentrale der First Mercantile American eine hastig einberufene Konferenz statt.

Jerome Patterton und Roscoe Heyward waren da, beide mit grimmigem Gesicht. Alex Vandervoort gesellte sich zu ihnen. Auch er war ernst, doch wirkte Alex, je weiter die Diskussion voranschritt, weniger engagiert als die anderen; er machte einen eher nachdenklichen Eindruck, und ein- oder zweimal schien er tatsächlich belustigt zu sein. Der vierte Teilnehmer war Tom Straughan, der junge und emsige Chef-Volkswirtschaftler der Bank; der fünfte war Dick French, Vizepräsident für Public Relations.

Mit vorgeschobener Kinnlade, auf einer nicht angesteckten Zigarre kauend, war der bullige French hereinmarschiert, mit einem Bündel der Nachmittagszeitungen unter dem Arm, die er jetzt vor den anderen auf den Tisch knallte.

Jerome Patterton, der an seinem Schreibtisch saß, breitete eine Zeitung aus. Als er die Worte las: »Ist die First Merc American in Schwierigkeiten?«, platzte es aus ihm heraus: »Das ist ja eine Unverschämtheit! Die Zeitung müssen wir verklagen!«

»Da gibt es nichts zu verklagen«, sagte French mit gewohnt barscher Deutlichkeit. »Die Zeitung hat es nicht als Tatsache behauptet. Sie stellt nur eine Frage, und diese Frage taucht an anderer Stelle im Text als wörtliches Zitat auf. Zitiert wird ein Dritter. Und die ursprüngliche Aussage ist nicht als ge- schäftsschädigend anzusehen.« Wie er da stand, die Hände auf dem Rücken, mit der Zigarre zwischen den Zähnen, daß sie ihm wie ein anklagender Torpedo aus dem Gesicht ragte, wirkte er ziemlich uninteressiert.

Patterton lief dunkelrot an.

»Natürlich ist es geschäftsschädigend«, fauchte Roscoe Heyward. Er hatte bisher am Fenster gestanden und sich jetzt mit einem Ruck den andern vier wieder zugewandt. »Das ganze Manöver ist Geschäftsschädigung reinsten Was- sers. Das sieht der Dümmste.«

French seufzte. »Na gut, dann muß ich eben deutlicher werden. Ich weiß nicht, wer dahintersteckt, aber ich weiß, daß derjenige etwas vom Gesetz *und* von Public Relations versteht. Das Manöver, wie Sie es nennen, ist sehr geschickt als Akt freundlicher Hilfsbereitschaft gegenüber dieser Bank aufgezogen. Okay, wir hier wissen, daß es das nicht ist; aber das werden Sie nie und nimmer beweisen. Ich schlage deshalb vor, daß wir keine Zeit mehr damit verschwenden, darüber zu reden.«

Er nahm eine der Zeitungen in die Hand und breitete die erste Seite aus. »Ich beziehe hier mein fürstliches Gehalt, weil ich Experte für Nachrichten- und Medienangelegenheiten bin. In diesem Augenblick sagt mir meine Erfahrung, daß diese Story, die in fairem Ton gehalten ist, ob Ihnen das nun schmeckt oder nicht, von jeder Nachrichtenagentur im ganzen Land über Ticker ausgespuckt wird *und daß die Zeitungen sie drucken werden.* Warum? Weil es eine David-und-Goliath-Geschichte ist, die überall menschliche Anteilnahme erregen wird.«

Tom Straughan, der neben Vandervoort saß, sagte ruhig: »Das kann ich bestätigen. Die Geschichte *ist* über den Dow Jones-Nachrichtenticker gelaufen, und gleich danach ist unser Kurs um einen weiteren Punkt abgesackt.«

»Noch eins«, fuhr Dick French fort, als wäre er überhaupt nicht unterbrochen worden, »wir können uns innerlich schon auf die Fernsehnachrichten von heute abend gefaßt machen. Die Regionalsender werden sich auf die Sache stürzen, und mein Riecher sagt mir, daß wir auch in den drei großen überregionalen Fernsehprogrammen vorkommen werden. Und wenn ein Texter sich das Wort von der ›Bank in Schwierigkeiten‹ verkneifen kann, dann freß' ich meine Bildröhre.«

Heyward fragte kalt: »Sind Sie jetzt fertig?«

»Nicht ganz. Ich möchte nur noch sagen, wenn ich meinen gesamten Jahresetat für Public Relations auf eine Sache verwendet hätte, *nur eine einzige Sache,* nämlich darauf, dieser Bank ein mieses Image zu geben, dann hätte ich auf keinen Fall mehr Schaden anrichten können als den, den ihr hier ganz ohne meine Hilfe angerichtet habt.«

Dick French hatte einen persönlichen Grundsatz, nämlich, daß ein guter PR-Mann jeden Tag mit der inneren Bereitschaft zur Arbeit gehen muß, sofort und auf der Stelle zu kündigen. Wenn Wissen und Erfahrung von ihm verlangten, daß er seinen Vorgesetzten unangenehme Tatsachen unter die Nase rieb, die sie nicht gerne hörten, und zwar mit brutalster Offenheit, dann wollte er es in Gottes Namen auch tun. Offenheit gehörte zum PR-Geschäft – sie war ein Mittel, um sich Gehör zu verschaffen. Weniger als das zu tun oder sich durch Schweigen oder Leisetreterei Liebkind zu machen, das kam für ihn einer Pflichtverletzung gleich.

An einigen Tagen war mehr Grobheit erforderlich als an anderen. Heute schien ihm so ein Tag zu sein.

Grollend fragte Roscoe Heyward: »Wissen wir schon, wer das organisiert hat?«

»Nicht im einzelnen«, sagte French. »Ich habe mit Nolan gesprochen, und er sagt, er geht der Sache nach. Nicht, daß es an der Sachlage etwas ändert.«

»Falls Sie an den allerneuesten Nachrichten interessiert sind«, sagte Tom Straughan, »ich bin gerade erst durch den Tunnel von der Filiale hergekommen. Die Bude ist noch gerammelt voll von Demonstranten. Es kommt praktisch keiner rein, der da reguläre Geschäfte erledigen will.«

»Das sind keine Demonstranten«, korrigierte Dick French ihn. »Das wollen wir gleich klarstellen, wo wir schon mal dabei sind. Sie finden da kein Plakat, kein Spruchband, keine Parole – ausgenommen vielleicht ›Akt der Hoffnung‹! Das sind alles Kunden, und darin liegt das Problem.«

»Also gut«, sagte Jerome Patterton, »da Sie ja so gut Bescheid wissen – was schlagen Sie vor?«

Der PR-Vizepräsident zuckte die Achseln. »Sie hier haben den Teppich unter Forum East weggezogen. Sie können ihn also auch wieder hinlegen.«

Roscoe Heywards Miene erstarrte.

Patterton drehte sich zu Vandervoort um. »Alex?«

»Meine Haltung zu dem Thema kennen Sie ja«, sagte Alex; er nahm jetzt zum ersten Mal das Wort. »Ich war von Anfang an gegen die Kreditbeschränkung. Ich bin es noch.«

»Dann sind Sie wahrscheinlich ganz begeistert von dem, was da vor sich geht. Und wahrscheinlich würden Sie diesen Gangstern und ihrer Nötigungstaktik frohen Herzens nachgeben«, bemerkte Heyward sarkastisch.

»Ich bin ganz und gar nicht begeistert.« Alex' Augen funkelten zornig. »Im Gegenteil, ich bin verärgert und empört, daß die Bank in eine derartige Situation hineinmanövriert werden konnte. Dabei hätten wir im Grunde die Sache vorhersehen können, nicht, was jetzt passiert ist – aber wir hätten mit irgendeiner Reaktion, irgendeinem Widerstand rechnen müssen. Im Augenblick kommt es aber nur auf eines an: Wie bringen wir die Geschichte wieder ins Lot?«

Heyward schnaubte hämisch: »*Sie* würden also den Drohungen und der Nötigung weichen, *Sie* würden nachgeben. Ganz wie ich gesagt habe.«

»Nachgeben oder nicht, darum geht es hier doch gar nicht«, erwiderte Alex kalt. »Die Kernfrage lautet: War es richtig oder war es falsch, daß wir Forum East die Gelder beschnitten haben? War es falsch, dann sollten wir es uns noch mal durch den Kopf gehen lassen und vor allem auch den Mut aufbringen, unseren Fehler zuzugeben.«

Jerome Patterton bemerkte: »Noch mal durch den Kopf gehen lassen ist ja schön und gut. Aber wie stehen wir da, wenn wir jetzt klein beigeben!«

»Na und? Was macht das schon, Jerome?« sagte Alex.

Dick French warf ein: »Die finanzielle Seite der Sache geht mich nichts an. Ich weiß. Aber eins kann ich Ihnen sagen: Wenn wir uns dazu entschließen könnten, unsere Bankpolitik gegenüber Forum East zu ändern, dann stünden wir ganz groß da.«

Roscoe Heyward wandte sich mit ätzender Schärfe an Alex: »Sie haben vorhin von Mut geredet; den muß ich Ihnen aber leider absprechen. Sie wollen vor dem Pöbel kapitulieren.«

Ungeduldig schüttelte Alex den Kopf. »Hören Sie doch auf, wie ein Kleinstadt-Sheriff zu reden, Roscoe. Eine falsche Entscheidung nicht zurückzunehmen, ist manchmal nichts als Starrköpfigkeit. Und die Leute in der Cityfiliale sind kein Pöbel. Das geht klar aus allen Berichten hervor, die bisher eingelaufen sind.«

»Sie scheinen denen ja eine gewisse Sympathie entgegenzubringen«, sagte Heyward argwöhnisch. »Wissen Sie mehr als wir?«

»Nein.«

»Trotz allem, Alex«, sagte Jerome zögernd, »der Gedanke, klein beizugeben, gefällt mir nicht.«

Tom Straughan war den Argumenten beider Seiten gefolgt. Jetzt sagte er: »Ich war dagegen, die Gelder für Forum East zu drosseln, das ist bekannt. Aber mir gefällt es auch nicht, mich von außen unter Druck setzen zu lassen.«

Alex seufzte. »Wenn Sie alle einer Meinung sind, bleibt uns wohl nichts anderes übrig, als eine Zeitlang auf unsere Cityfiliale zu verzichten.«

»Das Gesindel kann das doch unmöglich durchhalten«, erklärte Heyward. »Wenn wir uns nicht bluffen lassen, wenn wir uns nicht in die Enge treiben lassen, wird die ganze Sache morgen im Sand versickern, das prophezeie ich Ihnen.«

»Und ich prophezeie«, sagte Alex, »daß es die ganze nächste Woche so weitergehen wird.«

Am Ende erwiesen sich beide Voraussagen als falsch.

Da die Bank offensichtlich nicht zum Nachgeben bereit war, setzte sich die Überschwemmung der Hauptgeschäftsstelle der Bank durch Forum East-Parteigänger am Donnerstag und am Freitag fort, bis zum Schluß der Schalterstunden am späten Freitagnachmittag.

Die große Filiale war nahezu hilflos. Und wie Dick French prophezeit hatte, wurden die Auseinandersetzungen im ganzen Land mit Aufmerksamkeit verfolgt.

Im allgemeinen nahm man die Sache humorvoll. Weniger belustigt waren die Börsianer, und die Aktien der First Mercantile American Bank fielen bei New Yorker Börsenschluß am Freitag um weitere zweieinhalb Punkte.

Unterdessen setzten Margot Bracken, Seth Orinda, Deacon Euphrates und andere ihre Planung und die Anwerbung immer neuer Freiwilliger fort.

Am Montag morgen kapitulierte die Bank.

Auf einer hastig für 10.00 Uhr einberufenen Pressekonferenz gab Dick French bekannt, daß die Forum East-Finanzierung sofort in vollem Umfang wiederaufgenommen werde. Im Namen der Bank verlieh French gutgelaunt der Hoffnung Ausdruck, daß die vielen Bürger von Forum East und deren

Freunde, die in den letzten Tagen ein Konto bei der FMA eröffnet hatten, Kunden der Bank bleiben möchten.

Die Kapitulation hatte mehrere zwingende Gründe. Einer dieser Gründe war die Tatsache, daß die Menschenschlange vor Öffnung der Schalter am Montag morgen vor der Filiale und auf der Rosselli Plaza noch länger war als an den vorangegangenen Tagen; es unterlag also keinem Zweifel, daß sich die Ereignisse der vergangenen Woche wiederholen würden.

Bestürzender aber war, daß eine zweite lange Menschenschlange sich vor einer anderen FMA-Bankfiliale bildete, die sich im vorstädtischen Indian Hill befand. Unerwartet kam das nicht. Eine Ausweitung der Forum East-Aktion auf andere Filialen der First Mercantile American war von den Sonntagszeitungen vorausgesagt worden. Als sich die Schlange in Indian Hill zu formieren begann, rief der Geschäftsführer beunruhigt die FMA-Zentrale an und bat um Hilfe.

Entscheidend aber war ein letzter Faktor.

Am Wochenende gab die Gewerkschaft, die dem Mieterausschuß von Forum East Geld geliehen und den kostenlosen Lunch für die Schlangestehenden geliefert hatte – der Amerikanische Verband der Angestellten, Kassierer und Kontoristen –, öffentlich ihre Beteiligung bekannt. Sie sagte zusätzliche Unterstützung zu. Ein Sprecher der Gewerkschaft geißelte die FMA als »selbstsüchtige und gefräßige Mammut-Profitmaschine, einzig darauf eingestellt, die Reichen auf Kosten der Habenichtse noch reicher zu machen«. Er fügte hinzu, man werde in Kürze mit intensiver Mitgliederwerbung unter Bankangestellten beginnen.

Das war kein Strohhalm, den die Gewerkschaft da in die Waagschale geworfen hatte, sondern eine ganze Fuhre Ziegelsteine, und die gab den Ausschlag.

Banken – alle Banken – fürchteten, ja, haßten die Gewerkschaften. Die führenden Banker betrachteten die Gewerkschaften mit den gleichen Gefühlen, die eine Schlange beim Anblick eines Mungo bewegen mochten. Nisteten die Gewerkschaften sich ein, werde ihre wirtschaftliche Handlungsfreiheit gefährdet sein, meinten die Banker. Das waren manchmal irrationale Ängste, aber sie existierten.

Obwohl die Gewerkschaften oft genug einen Anlauf unternommen hatten, so waren sie doch bei den Bankangestellten in den seltensten Fällen vorangekommen. Immer wieder war es den Bankern geschickt gelungen, die Gewerkschafts-Organisatoren zu überlisten, und so wollten sie es unbedingt auch weiterhin halten. Gab die Situation in Forum East den Gewerkschaften einen wirksamen Hebel in die Hand, dann mußte der Hebel beseitigt werden. Jerome Patterton, der schon zu früher Stunde in seinem Büro war und der mit ungewohnter Eile handelte, traf die letzte Entscheidung und genehmigte die Wiederaufnahme der Forum East-Finanzierung. Gleichzeitig billigte er die Erklärung der Bank, die Dick French dann in aller Eile veröffentlichte.

Danach zog Patterton, um seine Nerven zu beruhigen, sich vollständig von der Außenwelt zurück und übte kurze, schnelle Golfschläge auf dem Teppich seines Arbeitszimmers.

Im Laufe des Vormittags wurde die Wiedereröffnung der Kredite auf einer vorwiegend informellen Sitzung des finanzpolitischen Ausschusses zu Protokoll genommen, wobei Roscoe Heyward grollend sagte: »Mit dieser Kapitulation haben wir einen Präzedenzfall geschaffen, den wir noch bitter bereuen werden.«

Alex Vandervoort schwieg.

Als die Erklärung der FMA den Forum East-Anhängern bei beiden Bankfilialen verlesen wurde, gab es lauten Beifall, wonach die versammelten Gruppen ruhig auseinandergingen. Binnen einer halben Stunde verliefen die Geschäfte in beiden Filialen wieder normal.

Damit hätte die Sache beendet sein können, wenn es nicht ein Informationsleck gegeben hätte, das, in der Rückschau betrachtet, vielleicht unweigerlich kommen mußte. Dieses Leck bot Stoff für einen Zeitungskommentar, der in der Spalte »Mit dem Ohr am Boden« erschien, in derselben Klatschspalte also, die ursprünglich die ganze Angelegenheit an die Öffentlichkeit gebracht hatte.

Haben Sie sich nicht auch schon gefragt, wer eigentlich in Wahrheit hinter den Leuten aus Forum East steckte, die in dieser Woche die stolze und mächtige First Mercantile American Bank in die Knie gezwungen haben? Wir können es Ihnen verraten. Es war die Bürgerrechts-Anwältin und Frauenrechtlerin Margot Bracken – berühmt geworden durch das Toiletten-Sit-in vom Flughafen und andere Schlachten, geschlagen für die Armen und Getretenen.

Obwohl auch das »Bank-in« ihre Idee war und sie die Organisatorin des Ganzen war, zog es Miss Bracken diesmal vor, im Hintergrund zu bleiben. Sie schickte andere an die Front und ging der Presse, die sonst ihre Verbündete ist, strikt aus dem Weg. Finden Sie das nicht auch verwunderlich?

Aber Sie brauchen sich nicht länger zu wundern. Margots großer und guter Freund, mit dem sie oft und überall gesehen wird, ist kein Geringerer als Swinging Banker Alexander Vandervoort, Direktor und Vize der First Merc. Am. Angenommen, *Sie* steckten in Margots eleganten Stiefeln und hätten *die* Verbindung am Kochen, würden *Sie* sich dann nicht auch unsichtbar machen?

Aber eins würde uns doch interessieren: Wußte Alex von der Belagerung seines eigenen Ladens, und fand er die Idee gut?


# 5

»Verdammt, Alex«, sagte Margot, »es tut mir scheußlich leid.«

»Daß es *so* geschehen mußte, mir auch.«

»Diesem Stinktier von einem Kolumnisten könnte ich die Haut bei lebendigem Leibe abziehen. Der einzige Trost dabei ist, daß er meine Verwandtschaft mit Edwina nicht auch noch erwähnt hat.«

»Davon wissen die meisten Leute nichts«, sagte Alex, »nicht mal in der Bank. Außerdem sind Liebende spannender als Kusinen.«

Es war kurz vor Mitternacht. Sie waren in Alex' Apartment, und es war ihre erste Begegnung seit Beginn der Belagerung der FMA-Cityfiliale. Die Kolumne »Mit dem Ohr am Boden« war am Vortag erschienen.

Margot war erst vor ein paar Minuten gekommen, nachdem sie einen Mandanten in einer Nachtsitzung des Schnellgerichts vertreten hatte – ihr Schützling war ein wohlhabender Gewohnheitstrinker, dessen Angewohnheit, im Suff auf jeden loszugehen, ihn zu einer ihrer wenigen regelmäßigen Einnahmequellen machte.

»Der Kolumnist hat nur seinen Job getan«, sagte Alex. »Und dein Name wäre irgendwann doch ans Licht gekommen.«

Schuldbewußt sagte sie: »Ich habe alles versucht, um das zu verhindern. Nur ein paar Leute wußten, was ich vorhatte, und so sollte es bleiben.«

Er schüttelte den Kopf. »Die Chance war gleich Null. Heute morgen hat Nolan Wainwright zu mir gesagt – und zwar wörtlich: ›Der Scherz trug Margot Brackens Handschrift.‹ Und Nolan hatte schon angefangen, Leute auszufragen. Er war früher bei der Kriminalpolizei, weißt du. Irgend jemand hätte bestimmt aus der Schule geplaudert, wenn die Zeitung nicht damit herausgekommen wäre.«

»Aber sie hätten *deinen* Namen nicht mit hineinzuziehen brauchen.«

»Wenn ich ehrlich sein will« – Alex lächelte –, »mir hat das mit dem ›Swinging Banker‹ ganz gut gefallen.«

Aber es war ein gequältes Lächeln, und er spürte, daß Margot es wußte. Die Zeitungsnotiz hatte ihn in Wirklichkeit tief getroffen. Auch jetzt, in der Nacht, war er immer noch deprimiert, obwohl er sich sehr gefreut hatte, als Margot vorhin angerufen und gesagt hatte, daß sie auf dem Weg zu ihm sei.

»Hast du heute mit Edwina gesprochen?« erkundigte er sich.

»Ich hab' sie angerufen. Sie wirkte keineswegs sonderlich erregt. Ich glaube, wir haben uns längst aneinander gewöhnt. Außerdem ist sie froh, daß Forum East wieder auf die Schienen gestellt ist – und zwar ganz. Das muß dich doch auch freuen.«

»Was ich von dem Thema halte, weißt du ja. Aber das

heißt noch längst nicht, daß ich deine zwielichtigen Methoden gutheiße, Bracken.«

Das war im Ton schärfer ausgefallen, als er beabsichtigt hatte. Margot reagierte prompt. »Was ich oder meine Leute getan haben, daran war gar nichts zwielichtig – was man von deiner gottverdammten Bank nicht gerade behaupten kann.«

Er hob abwehrend die Hand. »Komm, wir wollen uns nicht streiten. Nicht heute abend.«

»Dann sag so was auch nicht.«

»Ich tu's nicht wieder.«

In beiden war der momentane Zorn verraucht.

Nachdenklich sagte Margot: »Mal ehrlich, als die Sache losging, ist dir da *nie* der Gedanke gekommen, daß ich was damit zu tun haben könnte?«

»Ja. Einmal, weil ich dich kenne, und dann fiel mir ein, wie merkwürdig zurückhaltend du zum Thema Forum East gewesen bist, als ich darauf gefaßt war, daß du mich – und die FMA – in Stücke reißen würdest.«

»Hat das für dich die Sache erschwert – ich meine, während das Bank-in im Gange war?«

Er nickte. »Doch, ja. Ich war mir nicht sicher, ob ich den anderen etwas von meiner Vermutung sagen sollte oder nicht. Aber da es auch nichts an den Dingen geändert hätte, habe ich den Mund gehalten. Jetzt zeigt sich, daß es falsch war.«

»Weil man vermutet, du hättest von Anfang an Bescheid gewußt?«

»Roscoe ist davon überzeugt. Vielleicht auch Jerome. Bei den anderen bin ich mir nicht sicher.«

Nach einer zögernden Pause fragte Margot: »Macht es dir etwas aus? Macht es dir sehr viel aus?« Zum ersten Mal in der langen Zeit ihrer Verbindung schwang Angst in ihrer Stimme mit, die sich auch auf ihrem Gesicht abzeichnete.

Alex zuckte die Achseln. Dann fand er, er müsse sie beruhigen. »Ich glaube, im Grunde nicht. Mach dir keine Gedanken. Ich werd's überleben.«

Aber es machte etwas aus. Es machte in der FMA sehr viel aus, trotz allem, was er gerade gesagt hatte, und gerade wegen des Zeitpunkts war die Sache doppelt bedauerlich.

Alex war überzeugt, daß die meisten Direktoren der Bank

die Zeitungsnotiz mit seinem Namen und der absolut logischen Frage gesehen hatten: *Wußte Alex von der Belagerung seines eigenen Ladens, und fand er die Idee gut?* Und wenn es wirklich einige gab, die den Artikel nicht gelesen hatten, dann würde Roscoe Heyward schon dafür sorgen, daß sie es taten.

Heyward hatte an seiner Einstellung keinen Zweifel gelassen.

Am Vormittag war Alex direkt zu Jerome Patterton gegangen, als der Bankpräsident um 10.00 Uhr eintraf. Aber Heyward, dessen Büro näher war, war ihm zuvorgekommen.

»Treten Sie näher, Alex«, hatte Patterton gesagt. »Wir können ja ebensogut zu dritt reden, anstatt zweimal unter vier Augen.«

»Bevor wir anfangen, Jerome«, sagte Alex zu ihm, »möchte ich als erster ein bestimmtes Thema anschneiden. Sie haben das hier gesehen?« Er legte einen Ausschnitt aus der Klatschkolumne vom Vortag auf den Schreibtisch.

Ehe Patterton antworten konnte, kam Heyward ihm zuvor. »Glauben Sie etwa, es gäbe auch nur einen einzigen Menschen in der Bank, der das nicht gesehen hat?« sagte er beißend.

Patterton seufzte. »Ja, Alex, ich hab' den Artikel gelesen. Es hat mich schon mindestens ein Dutzend Leute darauf aufmerksam gemacht, und es werden sich wohl noch mehr melden.«

Alex sagte mit fester Stimme: »Dann möchte ich Ihnen in aller Bestimmtheit versichern, daß es sich da um eine böswillige Unterstellung handelt und um nichts anderes. Sie haben mein Wort, daß ich nichts, absolut nichts von der ganzen Sache gewußt habe, weder was die Planung noch was die spätere Durchführung betrifft.«

»Es mag eine Menge Leute geben«, sagte Roscoe Heyward, »die angesichts Ihrer Verbindungen« – das letzte Wort wurde mit sarkastischer Betonung ausgesprochen – »eine derartige Ahnungslosigkeit für unwahrscheinlich halten würden.«

»Erklärungen, die ich hier abgebe«, sagte Alex mit schneidender Stimme, »sind an Jerome gerichtet.«

Heyward ließ sich nicht bremsen. »Wenn dem Ansehen der Bank in der Öffentlichkeit Schaden zugefügt wird, sind wir alle betroffen. Was Ihre sogenannte Erklärung angeht, so wollen Sie uns doch wohl nicht im Ernst weismachen, daß Sie von Mittwoch, Donnerstag, Freitag, über ein ganzes Wochenende bis in den Montag hinein keine Ahnung, nicht die leiseste Ahnung hatten, daß Ihre Freundin an der Sache beteiligt war?«

»Wirklich, Alex, das ist ein bißchen schwer vorstellbar«, sagte Patterton.

Alex fühlte, wie sein Gesicht rot anlief. Wieder stieg der Groll in ihm hoch, daß Margot ihn in diese absurde Lage gebracht hatte.

So ruhig er konnte, berichtete er Patterton, wie er in der vergangenen Woche die Vermutung gehegt habe, daß Margot beteiligt sein könnte, daß er aber dann zu dem Schluß gelangt sei, nichts davon zu erwähnen, da es nichts zur Lösung des Problems beigetragen hätte. Alex fügte hinzu, daß er Margot seit mehr als einer Woche nicht mehr gesehen habe.

»Wie Nolan Wainwright mir heute morgen gesagt hat, ist ihm dieselbe Idee gekommen«, fügte Alex hinzu. »Aber auch Nolan hat nichts davon erwähnt, weil es auch bei ihm eben nicht mehr war als eine Ahnung, eine Vermutung, bis dieses Stück da in der Zeitung erschienen ist.«

»Der eine oder andere wird Ihnen schon glauben, Alex«, sagte Roscoe Heyward. Sein Ton und Gesichtsausdruck verrieten in aller Deutlichkeit: *Ich aber nicht.*

»Roscoe, ich bitte Sie!« sagte Patterton mit mildem Tadel. »Nun gut, Alex, ich akzeptiere Ihre Erklärung. Ich vertraue allerdings darauf, daß Sie Ihren ganzen Einfluß bei Miss Bracken geltend machen, daß sie in Zukunft ihre Artillerie auf andere Ziele richtet.«

Heyward fügte hinzu: »Am besten wäre es, sie stellt das Schießen ganz ein.«

»Darauf können Sie sich verlassen«, versicherte Alex dem Bankpräsidenten mit grimmigem Lächeln; Roscoes Einwurf überging er, als habe er ihn nicht gehört.

»Danke.«

Alex war davon überzeugt, daß das Thema für Patterton damit erledigt war und ihre Beziehungen, zumindest an der Oberfläche, zum Normalzustand zurückkehren würden. Was unter der Oberfläche weiterschwelen würde, dessen war er sich nicht so sicher. Wahrscheinlich würde die Frage der Loyalität Alex Vandervoorts im Herzen von Patterton und einigen anderen – darunter auch Direktoren – von nun an mit einer kleinen Fußnote des Zweifels versehen sein. Und wo das nicht der Fall war, mochte es Vorbehalte geben hinsichtlich der Gesellschaft, die Alex sich ausgesucht hatte.

Wie dem auch sein mochte, diese Zweifel und Vorbehalte würden gegen Ende des Jahres, wenn Jerome Pattertons Pensionierung näher rückte, in den Erwägungen der Mitglieder eine Rolle spielen, wenn das Direktorium sich wieder mit der Frage des zukünftigen Präsidenten der Bank beschäftigte. Die Direktoren mochten in mancher Beziehung bedeutende Männer sein; gelegentlich, das wußte Alex, konnten sie aber auch recht engstirnig und voreingenommen sein.

*Warum?* Warum hatte das alles ausgerechnet *jetzt* passieren müssen?

Seine Stimmung verfinsterte sich weiter, während Margot ihn halb fragend, halb besorgt betrachtete.

Ernsthafter als zuvor sagte sie: »Ich habe dir Schwierigkeiten gemacht. Eine ganze Menge, glaube ich. Tun wir also beide nicht mehr so, als sei das alles nicht wahr.«

Er war im Begriff, sie wieder zu beruhigen, besann sich dann aber anders; er spürte, daß sie jetzt offen miteinander reden mußten.

»Noch etwas muß gesagt werden«, fuhr Margot fort. »Wir haben darüber gesprochen, wir wußten, daß so etwas geschehen könnte, und wir haben uns gefragt, ob wir so bleiben könnten, wie wir sind – unabhängig –, und doch zusammenbleiben können.«

»Ja«, sagte er, »ich weiß.«

»Ich hatte nur nicht damit gerechnet«, sagte sie bedrückt, »daß es schon so bald dazu kommen würde.«

Er streckte eine Hand nach ihr aus, wie er es so oft schon getan hatte, aber sie rückte weiter weg und schüttelte den Kopf. »Nein, wir wollen das zu Ende bringen.«

Ohne Vorwarnung, das wurde ihm schlagartig klar, und ohne, daß einer von ihnen es gewollt hatte, war in ihren Beziehungen eine Krise aufgetreten.

»Es wird wieder passieren, Alex. Wir wollen uns da nichts vormachen. Nein, nein, nicht mit der Bank, aber in anderen Dingen, die irgendwie damit zusammenhängen. Und ich brauche die Gewißheit, daß wir damit fertig werden, wenn es passiert, nicht nur dieses eine Mal und in der Hoffnung, daß es nicht wieder vorkommt.«

Er wußte, daß es richtig war, was sie gesagt hatte. Margots Leben war eine Kette von Konfrontationen; es würde immer neue geben. Manche davon würden sich außerhalb seiner Interessensphären abspielen, andere nicht.

Und etwas anderes stimmte auch – sie hatten hierüber schon gesprochen, genau vor anderthalb Wochen. Aber da war es ein abstraktes Gespräch gewesen, die Entscheidung war weniger klar gewesen, nicht so scharf definiert, wie die Ereignisse der letzten Woche es erzwungen hatten.

»Du und ich, wir können etwas tun«, sagte Margot. »Wir können jetzt Schluß machen. Es war schön, und noch haben die anderen nichts zwischen uns zerschlagen. Wir würden ohne Bitterkeit auseinandergehen; es wäre ein vernünftiger Schluß. Wenn wir das tun, wenn wir uns nicht mehr sehen und wenn wir nicht mehr zusammen gesehen werden, dann würde sich das sehr schnell herumsprechen. Das ist in solchen Fällen immer so. Das würde zwar nicht ungeschehen machen, was in der Bank passiert ist, aber es könnte dir deine Position in der Bank erleichtern.«

Auch das stimmte, wie Alex sehr wohl wußte. Ihn überfiel die Versuchung, das Angebot anzunehmen, eine Komplikation – sauber und schnell – aus seinem Leben zu verbannen, eine Komplikation, die im Laufe der Jahre größer und nicht geringer werden würde. Und wieder fragte er sich: Warum trafen so viele Probleme und Sorgen zusammen – die Verschlechterung in Celias Zustand; Ben Rossellis Tod; die Auseinandersetzungen in der Bank; die unverdienten Angriffe vom Vormittag. Und jetzt Margot und die Entscheidung, vor die sie ihn stellte. Warum?

Die Frage erinnerte ihn an etwas, das sich vor Jahren ereignet hatte, als er einmal auf der Durchreise in Vancouver gewesen war. Eine junge Frau war aus einem Hotelzimmer im vierundzwanzigsten Stock in den Tod gesprungen, und vor dem Sprung hatte sie mit Lippenstift auf das Fensterglas geschrieben: *Warum, warum nur?* Alex hatte sie nicht gekannt, er hatte auch nie erfahren, was das für Probleme waren, die sie für so unlösbar gehalten hatte. Aber sein Zimmer hatte sich im selben Stockwerk des Hotels befunden, und ein redseliger Direktionsassistent hatte ihm die traurige Lippenstift-Inschrift auf dem Fenster gezeigt. Die Erinnerung daran war nie in ihm erloschen.

*Warum, warum nur* treffen wir solche Entscheidungen in unserem Leben? Oder warum trifft das Leben sie für uns? Warum hatte er Celia geheiratet? Warum mußte sie geisteskrank werden? Warum schreckte er noch immer vor der Katharsis der Scheidung zurück? Warum mußte Margot ausgerechnet eine Aktivistin sein? Wie konnte er jetzt ernstlich erwägen, Margot zu verlieren? Wieviel lag ihm eigentlich daran, Präsident der FMA zu werden?

*Soviel nicht!*

Energisch riß er sich zusammen und schüttelte seinen Trübsinn ab. *Zum Teufel damit!* Weder für die FMA noch für sämtliche Positionen der Welt, nicht einmal für seinen eigenen persönlichen Ehrgeiz würde er *jemals* seine private Handlungsfreiheit und seine Unabhängigkeit aufgeben. Oder auf Margot verzichten.

»Die viel wichtigere Frage ist«, sagte er zu ihr, »willst *du*, daß wir es so halten, wie du eben gesagt hast – willst du den ›vernünftigen Schluß‹?«

»Natürlich nicht«, sagte Margot mit Tränen in der Stimme.

»Dann will ich es auch nicht, Bracken. Dann werde ich es auch nie wollen. Seien wir also froh, daß es passiert ist, daß wir erkannt haben, ein für allemal, was wir in Wahrheit wollen.«

Als er diesmal seine Arme ausstreckte, wich sie nicht zurück.

## 6

»Roscoe, mein Junge«, sagte The Hon. Harold Austin, und selbst am Telefon merkte man es seiner Stimme an, daß er selbstzufrieden strahlte. »Ich habe mit Big George gesprochen. Er lädt Sie und mich zum Golf auf die Bahamas ein – nächsten Freitag.«

Roscoe Heyward schob nachdenklich die Lippen vor. Er war zu Hause an diesem Samstagnachmittag im März, und er saß im Arbeitszimmer seines Hauses in Shaker Heights. Als das Telefon läutete, hatte er eine Mappe mit Jahresberichten durchgesehen. Andere Papiere lagen rings um seinen Ledersessel auf dem Fußboden ausgebreitet.

»Ich weiß nicht recht, ob ich so bald schon weg kann, und dann auch noch so weit«, sagte er zweifelnd. »Ob wir nicht versuchen sollten, eine Besprechung in New York vorzuschlagen?«

»Versuchen können wir das natürlich. Aber es wäre dumm von uns, denn Big George zieht Nassau nun einmal vor; und außerdem bespricht Big George Geschäftliches am liebsten auf einem Golfplatz – und zwar Geschäftliches von *unserer* Sorte, Sachen, die er sich persönlich vorbehält.«

»Big George« näher zu identifizieren, war bei beiden nicht nötig. Es gab übrigens kaum jemanden in der Industrie, im Bankgeschäft oder im öffentlichen Leben, dem man es hätte erklären müssen.

G. G. Quartermain, Direktoriumsvorsitzender und Generaldirektor der Supranational Corporation – SuNatCo –, war ein Bulle von einem Mann, mit mehr Macht hinter sich als mancher Staatschef. Er gebrauchte diese Macht wie ein König. Seine Interessen und sein Einfluß erstreckten sich über die ganze Welt wie diejenigen des Konzerns, dessen Geschicke er lenkte. In der SuNatCo selbst und auch außerhalb des Konzerns war er ein vielbewunderter, gehaßter, umschmeichelter, von allen Seiten bestürmter und gefürchteter Mann.

Seine Stärke lag in der Geschichte seiner Leistungen. Vor acht Jahren war G. G. Quartermain – wegen eines finanziellen Zauberkunststücks, das er gerade vollbracht hatte – von der damals am Boden liegenden und verschuldeten Supranational zur Hilfe gerufen worden. In diesen acht Jahren hatte er den Konzern wieder auf die Beine gestellt, ihn zu einem ans Phantastische grenzenden Koloß ausgebaut, dreimal die Aktien gesplittet und die Dividenden vervierfacht. Die Aktionäre, durch Big George zu reichen Leuten gemacht, beteten ihn an; sie ließen ihm auch jedes Maß an Handlungsfreiheit, das er sich nur wünschen konnte. Gewiß, es gab auch Kassandrarufe; er habe, so hieß es, ein Reich auf tönernen Füßen gegründet. Aber die Jahresberichte der SuNatCo und ihrer vielen Tochtergesellschaften – die Roscoe Heyward gerade studiert hatte, als The Hon. Harold anrief – straften die pessimistischen Zweifler Lügen.

Heyward war dem SuNatCo-Vorsitzenden zweimal begegnet; einmal flüchtig in einer Menschenmenge, das zweite Mal zusammen mit Harold Austin in einer Hotel-Suite in Washington, D. C.

Die Washingtoner Begegnung kam zustande, als The Hon. Harold dem SuNatCo-Vorsitzenden Quartermain über einen Auftrag berichtete, den er für Supranational ausgeführt hatte. Heyward hatte keine Ahnung, was das für ein Auftrag gewesen war – die beiden anderen hatten den Hauptteil ihres Gesprächs beendet, als er zu ihnen stieß –, er wußte nur, daß so oder so Regierungsdinge berührt waren.

Die Werbeagentur Austin warb in den gesamten Vereinigten Staaten für Hepplewhite Distillers, eine große SuNatCo-Tochter, aber The Hon. Harolds persönliche Beziehungen zu G. G. Quartermain gingen offenbar weit darüber hinaus.

Der Bericht jedenfalls schien Big George in glänzende Stimmung versetzt zu haben. Als er mit Heyward bekannt gemacht wurde, sagte er: »Harold sagt mir, daß er Direktor in Ihrer kleinen Bank ist und daß Sie beide ganz gern ein bißchen an unserem Kuchen knabbern möchten. Na, wollen mal sehen, was sich machen läßt.«

Der Oberhäuptling von Supranational hatte dann Heyward kräftig auf die Schulter geklopft und das Thema gewechselt.

Dieses Washingtoner Gespräch mit G. G. Quartermain hatte Heyward Mitte Januar – vor zwei Monaten – veranlaßt, dem finanzpolitischen Ausschuß der FMA mitzuteilen, daß man wahrscheinlich mit der SuNatCo ins Geschäft kommen werde. Später hatte er gemerkt, daß er voreilig gewesen war. Jetzt schienen sich die Aussichten wieder zu verbessern.

»Na gut«, sagte Heyward am Telefon, »vielleicht kann ich mich nächsten Donnerstag für ein, zwei Tage freimachen.«

»Das klingt schon besser«, hörte er The Hon. Harold sagen. »Ich weiß ja nicht, was Sie vorhatten, aber wichtiger für die Bank kann es unmöglich gewesen sein. Ach ja, noch etwas – Big George läßt uns von seiner Privatmaschine abholen.«

Heywards Miene hellte sich auf. »Was Sie nicht sagen. Ist die denn groß genug für einen schnellen Trip?«

»Es ist eine 707. Dachte ich mir doch, daß Ihnen das schmecken würde.« Harold Austin kicherte in sich hinein. »Wir fliegen also Donnerstag mittag hier ab, haben den ganzen Freitag auf den Bahamas und sind am Samstag wieder zurück. Übrigens, wie sehen denn die neuesten SuNatCo-Berichte aus?«

»Ich habe sie mir gerade angesehen.« Heyward warf einen Blick auf die Finanzberichte, die rings um seinen Sessel ausgebreitet lagen. »Der Patient scheint gesund zu sein; sehr gesund sogar.«

»Wenn Sie das sagen«, meinte Austin, »dann genügt mir das.«

Als er den Hörer wieder auflegte, gestattete sich Heyward ein ganz leichtes, überlegenes Lächeln. Der bevorstehende Flug, sein Zweck und die Tatsache, daß es ein Trip nach den Bahamas in einem Privatflugzeug war – das alles beiläufig nächste Woche in Unterhaltungen zu erwähnen, würde höchst befriedigend sein. Und kam dann sogar noch etwas dabei heraus, dann würde das seine eigene Stellung im Direktorium festigen – und das war etwas, das er angesichts der Interims-Ernennung von Jerome Patterton zum FMA-Präsidenten nie aus den Augen verlor.

Angenehm war auch, daß er schon am Samstag wieder zurückfliegen konnte. Auf die Art würde er seinen Auftritt in seiner Kirche – der St. Athanasius-Kirche – nicht absagen müssen. Er war dort Laienredner und hielt jeden Sonntag mit klarer und feierlicher Stimme die Lesung.

Dieser Gedanke erinnerte ihn daran, daß auch morgen ein Sonntag war und er seinen Text noch nicht durchgearbeitet hatte. Er nahm die schwere Familienbibel vom Bücherbord und schlug eine durch ein Lesezeichen kenntlich gemachte Stelle auf. Es war eine Seite in den Sprüchen Salomos, und sie enthielt einen Lieblingsvers Heywards, der auch morgen in seiner Lesung vorkommen würde: *Gerechtigkeit erhöhet ein Volk; aber die Sünde ist der Leute Verderben.*

Für Roscoe Heyward war der Ausflug nach den Bahamas eine Erweiterung seines Horizonts.

Nicht, daß ihm der Lebensstil der Reichen fremd gewesen wäre. Wie die meisten leitenden Banker hatte Heyward oft gesellschaftlich mit Kunden und Geschäftsfreunden zu tun gehabt, die auf der Suche nach fürstlichem Komfort und Amüsement ihr Geld freizügig, ja, geradezu demonstrativ auszugeben pflegten. Und er hatte ihnen fast ihre finanzielle Freiheit geneidet.

Doch G. G. Quartermain übertraf sie alle.

Die Düsenmaschine vom Typ 707, kenntlich an einem großen »Q« an Rumpf und Leitwerk, landete auf die Minute genau zur verabredeten Zeit auf dem internationalen Flughafen der Stadt. Sie rollte zu einem privaten Flugsteig, wo The Hon. Harold und Heyward die Limousine verließen, die sie aus der Stadt hergebracht hatte. Im Nu hatte man sie durch die Hecktür an Bord geleitet.

In einem Foyer, das einer Miniatur-Hotelhalle glich, wurden sie von einem Quartett begrüßt – einem Mann mittleren Alters mit graumeliertem Haar und jener Mischung von Autorität und Ehrerbietung, die ihn zum Majordomus stempelte, sowie drei jungen Frauen.

»Willkommen an Bord, meine Herren«, sagte der Majordomus. Heyward nickte, ohne den Mann richtig wahrzunehmen, da seine Aufmerksamkeit von den Frauen abgelenkt war – atemberaubend schönen Mädchen, alle in den Zwanzigern, alle mit einem strahlenden Lächeln. Roscoe schoß der Gedanke durch den Kopf, daß Quartermains Organisation wohl die hübschesten Stewardessen von TWA, United und American hatte antreten lassen und dann diese drei abgesahnt hatte, wie man das Fett von bester Vollmilch abschöpft. Das eine Mädchen war honigblond, die andere eine aufregende Brünette, die dritte hatte langes rotes Haar. Alle waren langbeinig, schlank und angenehm sonnengebräunt. Die Sonnenbräune wurde noch durch die modisch kurzen hellbeigefarbenen Uniformen unterstrichen.

Die Uniform des Majordomus war aus dem gleichen eleganten Material geschneidert wie die der Mädchen. Alle vier trugen auf der linken Brusttasche ein eingesticktes »Q«.

»Guten Tag, Mr. Heyward«, sagte der Rotschopf. Ihre angenehm modulierte Stimme hatte etwas Sanftes, beinahe Verführerisches. »Ich bin Avril. Wenn Sie mir bitte folgen wollen; ich zeige Ihnen Ihr Zimmer.«

Während Heyward ihr folgte, überrascht, daß sie von einem »Zimmer« sprach, wurde The Hon. Harold von der Blonden begrüßt.

Die elegante Avril ging Heyward durch einen Korridor voraus, der sich seitlich über einen Teil des Flugzeugs erstreckte. An diesem Korridor befanden sich mehrere Türen.

Über ihre Schulter sprechend, verkündete sie: »Mr. Quartermain nimmt gerade eine Sauna mit Massage. Sie sehen ihn später im Salon.«

»Eine Sauna? *Hier* an Bord?«

»Ja. Sie befindet sich unmittelbar hinter dem Flugdeck. Dort ist auch ein Dampfbad. Mr. Quartermain legt Wert darauf, immer eine Sauna oder ein russisches Bad nehmen zu können, ganz gleich, wo er sich gerade befindet, und reist immer in Begleitung seines persönlichen Masseurs.« Avril schickte ein blendendes Lächeln nach hinten zu Heyward. »Wenn Sie ein Bad mit Massage möchten – wir haben Zeit genug während des Fluges. Ich werde es Ihnen gerne ausrichten.«

»Nein, vielen Dank.«

Das Mädchen blieb an einer Tür stehen. »Hier ist Ihr Zimmer, Mr. Heyward.« Noch während sie sprach, setzte sich das Flugzeug in Bewegung und rollte zur Startbahn. Die unvermutete Bewegung ließ Heyward stolpern.

»Hoppla!« Avril streckte den Arm aus, stützte ihn, und einen Augenblick lang waren sie einander nahe. Seine Sinne

registrierten lange, schlanke Finger, bronze-orange lackierte
Nägel, eine leichte, aber feste Berührung und einen Hauch
Parfüm.

Sie ließ die Hand auf seinem Arm. »Es ist wohl besser,
wenn ich Sie für den Start anschnalle. Unser Kapitän hat es
immer sehr eilig. Mr. Quartermain schätzt es nicht, Zeit auf
Flughäfen zu vertrödeln.«

Er nahm nur flüchtig einen kleinen, elegant eingerichteten
Salon wahr, in den das Mädchen ihn führte, dann saß er auch
schon in den Kissen eines Sofas, während die Finger, die er
schon zur Kenntnis genommen hatte, ihm geschickt einen
Gurt um den Leib schnallten. Die Empfindung war nicht
unangenehm.

»Das wär's.« Die Maschine rollte jetzt schnell über den
Beton. »Wenn Sie gestatten, bleibe ich hier, bis wir abgehoben haben«, sagte Avril.

Sie setzte sich neben ihn auf das Sofa und schnallte sich
nun selbst an.

»Selbstverständlich«, sagte Roscoe Heyward. Ihm war
absurd zumute, er fühlte sich wie betäubt. »Bitte bleiben Sie
doch.«

Er sah sich jetzt genauer in dem Raum um. Etwas wie
diesen Salon oder diese Kabine hatte er noch nie in seinem
Leben in einem Flugzeug gesehen: alles war auf luxuriöse,
aber praktische Nutzung des zur Verfügung stehenden Raums
angelegt. Drei Wände waren teakgetäfelt, mit blattgoldver-
zierter Schnitzerei, die das »Q«-Motiv erkennen ließ. Die
vierte Wand bestand fast nur aus Spiegeln, die den Raum
viel größer erscheinen ließen, als er war. Zu seiner Linken
war ein Schreibtisch in die Wand eingelassen, der ein voll-
ständiges kleines Büro darstellte, komplett mit Telefon-Kon-
sole und einem verglasten Fernschreiber. Eine kleine Bar
in der Nähe war mit einem Arrangement von Miniaturfla-
schen bestückt. In die Spiegelwand, die sich gegenüber von
Heyward und Avril befand, war ein Fernsehschirm eingebaut;
das Gerät hatte einen doppelten Satz von Bedienungsknöp-
fen, die von beiden Seiten des Sofas aus erreichbar waren.
Eine Falttür hinter ihnen führte vermutlich in ein Bad.

»Hätten Sie Lust, unseren Start zu beobachten?« fragte

Avril. Ohne eine Antwort abzuwarten, berührte sie die TV-Knöpfe an ihrer Seite des Sofas, und ein farbiges, gestochen scharfes Bild sprang auf den Leuchtschirm. Offensichtlich befand sich in der Nase des Flugzeugs eine Kamera, und auf dem Schirm konnten sie eine Rollbahn sehen, die zu einer breiten Startbahn führte. Sie wurde in voller Länge sichtbar, als die 707 auf sie einschwenkte. Ohne eine Sekunde zu verschwenden, bewegte sich die Maschine voran, die Startbahn begann unter ihnen wegzurasen, dann kippte der Rest von ihr nach unten, als die schwere Düsenmaschine sich nach oben abwinkelte und in die Luft stieg. Roscoe hatte das Gefühl, schwungvoll-schwebend nach oben gehoben zu werden, nicht nur wegen des TV-Bildes. Als nur noch Himmel und Wolken zu sehen waren, schaltete Avril das Gerät aus.

»Mit diesen Knöpfen bekommen Sie die regulären TV-Kanäle«, erklärte sie ihm, dann zeigte sie auf den Fernschreiber. »Da erhalten Sie den Dow Jones, den AP- und UPI-Dienst oder Telex. Sie brauchen nur das Flugdeck anzurufen, man wird Ihnen dann zuleiten, was Sie haben wollen.«

»Das geht alles ein wenig über das hinaus, was ich sonst gewöhnt bin«, bemerkte Heyward vorsichtig.

»Ich weiß. Das geht beinahe allen unseren Gästen so, aber man staunt, wie schnell sich jeder daran gewöhnt.« Wieder der direkte Blick, das blendende Lächeln. »Wir haben vier von diesen Privatkabinen, und jede läßt sich mühelos in ein Schlafzimmer verwandeln. Man drückt da nur ein paar Knöpfe. Wenn Sie wollen, zeige ich es Ihnen.«

Er schüttelte den Kopf. »Das ist wohl jetzt nicht nötig.«

»Ganz wie Sie wünschen, Mr. Heyward.«

Sie klinkte ihren Gurt aus und stand auf. »Wenn Sie Mr. Austin suchen, er hat die Kabine unmittelbar hinter Ihnen. Weiter vorn ist der Hauptsalon, wo man Sie erwartet, sobald Sie bereit sind. Dann gibt es noch einen Speiseraum und Büros; dahinter befindet sich Mr. Quartermains Privatapartment.«

»Vielen Dank für die geographischen Hinweise.« Heyward nahm seine randlose Brille ab und zog ein Taschentuch heraus, um sie zu putzen.

»Ach, lassen Sie mich das bitte tun!« Sanft, aber entschieden nahm ihm Avril die Brille aus der Hand, zauberte ein rechteckiges Seidentuch hervor und polierte die Gläser. Dann setzte sie ihm die Brille wieder auf, wobei ihre Finger ganz leicht hinter seine Ohren wanderten. Heyward glaubte sich verpflichtet abzuwehren, aber er ließ es geschehen.

»Meine Aufgabe auf dieser Reise, Mr. Heyward, ist es, allein für Sie zu sorgen und darauf zu achten, daß Sie alles haben, was Sie wünschen.«

Hatte er es sich eingebildet, oder hatte das Mädchen einen leichten Akzent auf das Wort »alles« gelegt? Er rief sich scharf zur Ordnung und befahl sich selbst, dies nicht hoffen zu wollen. Stimmte seine Vermutung jedoch, so wäre die Schlußfolgerung schockierend.

»Zwei Dinge noch«, sagte Avril. Bildschön und geschmeidig war sie zur Tür geschritten, im Begriff, ihn zu verlassen. »Wenn Sie mich für irgend etwas brauchen, drücken Sie bitte die Taste Nr. sieben auf dem Telefon.«

Heyward antwortete mürrisch: »Vielen Dank, junge Dame, aber das wird wohl nicht nötig sein.«

Sie schien nicht im geringsten verlegen. »Und das zweite wäre: Auf dem Weg nach den Bahamas werden wir kurz in Washington zwischenlanden. Dort kommt der Vizepräsident an Bord.«

»Ein Vizepräsident von Supranational?«

In ihren Augen tanzten spöttische kleine Lichter. »Aber nicht doch, Sie Dummchen. Der Vizepräsident der Vereinigten Staaten.«

Ungefähr fünfzehn Minuten später wandte sich Big George Quartermain mit dröhnender Stimme an Roscoe Heyward: »Grundgütiger! Was zum Teufel trinken Sie denn da? Muttermilch?«

»Limonade.« Heyward hielt sein Glas hoch und inspizierte die fade Flüssigkeit. »Trink' ich sehr gern.«

Der Vorsitzende von Supranational zog die massigen Schultern hoch. »Jedem Süchtigen sein eigenes Gift. Kümmern die Mädchen sich um euch beide?«

»Kann mich nicht beklagen«, gluckste The Hon. Harold Austin. Wie die anderen saß er bequem zurückgelehnt in dem luxuriös eingerichteten Hauptsalon der 707; die Blonde, die verraten hatte, daß sie Rhetta hieß, lag hingekuschelt auf dem weichen Teppich zu seinen Füßen.

Avril sagte honigsüß: »Wir tun unser Bestes.« Sie stand hinter Heywards Sessel und ließ ihre Hand leicht über seinen Rücken wandern. Er fühlte, wie ihre Finger seinen Halsansatz berührten, dort einen Moment verweilten, dann weiterglitten.

G. G. Quartermain hatte wenige Minuten zuvor den Salon betreten, prächtig in einem karmesinroten Frotteemantel mit weißen Borten und oben dem unvermeidlichen »Q« groß auf der Brust. Wie ein römischer Senator war er von beflissener Dienerschaft umgeben – zur Zeit bestehend aus einem schweigsamen Mann in sportlichem Weiß mit hartem Gesicht, wahrscheinlich der Masseur, und einer weiteren Hostess in Beige; sie hatte feine japanische Gesichtszüge. Der Masseur und das Mädchen überwachten den Einzug von Big George in einen breiten, thronähnlichen Sessel, der ganz offensichtlich für ihn reserviert war. Dann zauberte eine dritte Gestalt – der Majordomus von vorhin – auf unbegreifliche Weise einen eiskalt betauten Martini herbei und ließ ihn in G. G. Quartermains wartende Hand gleiten.

Mehr noch als bei ihren früheren Begegnungen empfand Heyward den Namen »Big George« als in jeglicher Hinsicht angemessen. Physisch war ihr Gastgeber ein Berg von einem Mann – mindestens 1,95 m groß und mit der Statur eines Dorfschmiedes. Selbst sein Kopf war wuchtiger als bei den meisten anderen Männern, und seine Gesichtszüge paßten dazu – hervorstehende große Augen, dunkel und schlau und flink, der Mund breitlippig und stark, befehlsgewohnt wie der Mund eines Sergeanten der Marineinfanterie, nur daß sich Q.s Befehle auf Angelegenheiten von weit größerer Tragweite bezogen. Und es bedurfte keiner großen Menschenkenntnis, um zu erkennen, daß die zur Schau getragene Jovialität in Gedankenschnelle machtvollem Mißvergnügen Platz machen konnte.

Doch grobschlächtig wirkte er nicht; man empfand ihn auch nicht als übergewichtig oder gar fett. Unter der Frottee-Robe spannten sich Muskeln, die Gesichtshaut war von keinen Fettschichten unterlagert, und das massige Kinn zeigte keine Neigung zum Doppelkinn. Sein Bauch erschien flach und straff.

Was seine andere Größe betraf, so berichtete die Wirtschaftspresse täglich über Reichweite und Unersättlichkeit seines Konzerns. Und sein Lebensstil an Bord seines Flugzeuges, das mit zwölf Millionen Dollar zu Buche stand, war schlichtweg königlich.

Der Masseur und der Majordomus verschwanden lautlos. An ihrer Stelle erschien, wieder wie ein Charakterdarsteller auf der Bühne, ein Chefkoch – ein bleicher, sorgenbeladener, magerer Mann, makellos in Küchenweiß mit einer hohen Kochsmütze, die fast die Kabinendecke berührte. Heyward überlegte unwillkürlich, wieviel Personal wohl an Bord der Maschine sein mochte. Später erfuhr er, daß es sechzehn Personen waren.

Der Koch stand steif neben dem Sessel von Big George und bot ihm eine übergroße schwarze Ledermappe mit eingeprägtem goldenen »Q« dar. Big George ignorierte ihn.

»Der Ärger da in eurer Bank.« Quartermain wandte sich an Roscoe Heyward. »Demonstrationen. Und so 'n Zeug. Alles wieder im Lot? Seid ihr solvent?«

»Wir waren immer solvent«, antwortete Heyward. »Das hat nie zur Debatte gestanden.«

»Der Markt war anderer Meinung.«

»Seit wann ist der Aktienmarkt ein präzises Barometer – für irgendwas?«

Big George lächelte flüchtig, dann wandte er seine Aufmerksamkeit der japanischen Hostess zu. »Mondstrahl, hol mir die neueste Kursnotierung von FMA.«

»Jawohl, Misto Q«, sagte das Mädchen. Sie ging durch eine vordere Tür hinaus.

Big George nickte in die Richtung, in der sie verschwunden war. »Bricht sich bei Quartermain immer noch die Zunge ab. Nennt mich immer ›Misto Q‹.« Mit einem breiten Lächeln setzte er hinzu: »Kommt aber anderswo glänzend klar.«

Roscoe Heyward sagte schnell: »Die Berichte, die Ihnen zu Ohren gekommen sind, beziehen sich auf eine Bagatelle, die maßlos übertrieben wurde. Außerdem hat sie sich in der Übergangsphase ereignet, als wir den neuen Präsidenten bekamen.«

»Aber ihr seid nicht festgeblieben«, beharrte Big George. »Ihr habt euch von Agitatoren ins Bockshorn jagen lassen, seid weich geworden und habt kapituliert.«

»Das ist richtig. Und ich will ganz offen eingestehen, daß mir diese Entscheidung gar nicht gefallen hat. Ich habe mich übrigens dagegen ausgesprochen.«

»Man muß solchen Typen die Stirn bieten! Gib ihnen Saures, den Schweinen, so oder so! Niemals den Schwanz einkneifen!« Der Vorsitzende von Supranational kippte seinen Martini hinunter, und aus dem Nichts erschien der Majordomus, nahm das leere Glas entgegen und ließ ein neues in Big Georges Hand gleiten. Das Getränk war perfekt gekühlt, wie an dem beschlagenen Glas deutlich wurde.

Der Koch stand immer noch wartend da. Quartermain nahm keine Notiz von ihm.

In Erinnerungen schwelgend, erzählte er: »Hatten ein Werk bei Denver, Zulieferer, Teilmontage. Viel Ärger mit den Leuten. Irrsinnige Lohnforderungen, absolut verrückt. Anfang dieses Jahres rief die Gewerkschaft wieder mal den Streik aus, den letzten von vielen. Ich habe unseren Leuten gesagt – den Werksmanagern –, macht den Schweinen begreiflich, daß wir die Bude dichtmachen. Kein Mensch hat uns geglaubt. Wir haben Studien machen lassen, Ausweichmöglichkeiten geplant. Haben Werkzeugmaschinen und Pressen in eins unserer anderen Werke schaffen lassen. Haben dann die Produktion aufgenommen. In Denver haben wir dichtgemacht. Mit einem Schlag kein Werk, keine Jobs, keine Lohntüten. Jetzt liegen sie alle auf den Knien und winseln – Arbeiter, Gewerkschaft, die Stadt Denver, die Regierung des Bundesstaates –, ringen die Hände, flehen uns an, wieder aufzumachen.« Er betrachtete seinen Martini und sagte dann großmütig: »Na, vielleicht tun wir's. Neues Produktionsprogramm, und zu unseren Bedingungen. Aber zu Kreuze gekrochen sind wir nicht.«

»Fabelhaft, George!« sagte The Hon. Harold. »Wir brauchen Leute mit Rückgrat. Aber das Problem in unserer Bank ist ein bißchen anders gelagert. In gewisser Beziehung befinden wir uns noch immer in einer Interimssituation, die, wie Sie ja wissen, mit Ben Rossellis Tod einsetzte. Aber ziemlich viele bei uns hoffen, unsern Roscoe hier im nächsten Frühling am Ruder zu sehen.«

»Freut mich. Geb' mich nicht gern mit Leuten ab, die nicht an der Spitze stehen. Wer mit mir ins Geschäft kommen will, muß entscheiden können, dann dafür sorgen, daß die Entscheidung steht.«

»Ich kann Ihnen versichern, George«, sagte Heyward, »daß die Bank sich an jede Entscheidung halten wird, die Sie und ich treffen.«

Heyward erkannte, daß ihr Gastgeber ihn und Harold Austin außerordentlich geschickt in die Rolle von Bittstellern manövriert hatte – eine Rolle, die ihm als Bankier ungewohnt war. Aber es war nun einmal nicht daran zu rütteln – ein Kredit für Supranational würde nicht nur eine sorgenfreie Anlage, sondern für die FMA Bank auch einen enormen Prestigegewinn bedeuten. Mindestens ebenso wichtig war, daß er Vorläufer für andere, neue Industriekonten sein konnte, die dem Schrittmacher Supranational Corporation folgen würden.

Barsch fuhr Big George den Koch an. »Na, was ist?«

Die Gestalt in Weiß erwachte wie elektrisiert zum Leben. Der Koch streckte die schwarze Ledermappe vor, die er seit seinem Eintritt bereitgehalten hatte. »Das Menü, Monsieur, zum Luncheon. Ich bitte um Genehmigung.«

Big George machte keine Anstalten, die Mappe entgegenzunehmen. Er überflog nur den Text, der ihm hingehalten wurde. Sein Finger schoß wie ein Pfeil vor. »Ändern Sie den Waldorf- in einen Cäsar-Salat.«

»Oui, Monsieur.«

»Und der Nachtisch. Kein Glace Martinique. Ein Soufflé Grand Marnier.«

»Gewiß, Monsieur.«

Mit einem Kopfnicken wurde der Mann entlassen. Als er sich zum Gehen wandte, brüllte Big George ihm nach: »Und wenn ich ein Steak bestelle, wie will ich es?«

»Monsieur« – der Koch machte mit seiner freien Hand eine

beschwörende Geste –, »ich 'abe bereits zweimal Entschuldigung gebeten wegen unglücklischer Weise gestern abend.«

»Papperlapapp. Meine Frage war: *Wie will ich es?*«

Mit gallischem Schulterzucken intonierte der Chef eine auswendig gelernte Lektion: »Medium, aber eher etwas mehr durchgebraten.«

»Vergessen Sie das nicht wieder.«

Der Verzweiflung nahe stammelte der Koch: »Monsieur, wie kann isch je vergessen?« Niedergeschlagen zog er sich zurück.

»Noch was ist wichtig«, teilte Big George seinen Gästen mit. »Niemals den Leuten was durchgehen lassen. Ich zahle dem Franzmann ein Vermögen, damit er *genau* weiß, wie ich mein Essen haben will. Gestern abend hat er danebengehauen – nicht viel, aber es reichte, um ihm die Leviten zu lesen. Nächstes Mal wird er dran denken. Wie ist der Kurs?«

Mondstrahl war mit einem Zettel in der Hand zurückgekehrt.

Mit ihrem leichten Akzent las sie vor: »FMA wird jetzt mit fünfundvierzig dreiviertel gehandelt.«

»Na, bitte schön«, sagte Roscoe Heyward, »wir sind um noch einen Punkt geklettert.«

»Aber noch nicht wieder so hoch wie damals, ehe Rosselli ins Gras gebissen hatte«, sagte Big George. Er lächelte breit. »Doch wenn die Leute Wind davon bekommen, daß Sie bei der Finanzierung von Supranational helfen, werden Ihre Aktien in die Höhe schießen.«

Das war schon möglich, dachte Heyward. In der vielfach verschlungenen Welt des Geldes und der Aktienpreise ereigneten sich unerklärliche Dinge. Daß irgend jemand einem anderen Geld lieh, mochte nicht sehr viel bedeuten – aber dennoch würde der Markt reagieren.

Wichtiger aber war, daß Big George jetzt klar und eindeutig gesagt hatte, daß es *tatsächlich* zu Geschäften irgendeiner Art zwischen der First Mercantile American Bank und SuNatCo kommen werde. Über die Einzelheiten würde man zweifellos in den nächsten beiden Tagen ausführlich reden. Er spürte, wie die Erregung in ihm hochstieg.

Über ihren Köpfen ertönte sanft ein Gong. Draußen wurde das Dröhnen der Düsen leiser, höher, langsamer.

»Washington, ahoi!« sagte Avril. Sie und die anderen Mädchen machten sich daran, die Männer mit breiten Gurten und hurtigen, leichten Fingern an ihre Sitze zu schnallen.

Die Zeit, die sie für die Zwischenlandung in Washington benötigten, war noch kürzer als zuvor beim Start. Mit einem 14karätigen VIP-Passagier an Bord, schien Schnelligkeit bei Landung, Anrollen und Starten ersten Vorrang zu haben.

In weniger als zwanzig Minuten hatten sie wieder die Reisegeschwindigkeit und -höhe auf dem Wege nach den Bahamas erreicht.

Der Vizepräsident war untergebracht; für ihn sorgte die Brünette, Krista, ein Arrangement, das er ganz offensichtlich begrüßte.

Männer vom Secret Service, die für die Sicherheit des Vizepräsidenten zuständig waren, wurden im Heck einquartiert.

Bald darauf führte Big George Quartermain, inzwischen in einen cremefarbenen Seidenanzug gekleidet, seine Gäste gutgelaunt vom Salon in den weiter vorn gelegenen Speiseraum des Düsenriesen – ein elegant ausgestattetes Zimmer, vorwiegend in Silber und Königsblau gehalten. Dort wurden den vier Männern, die an einem mit Schnitzwerk verzierten Eichentisch unter einem Kristallüster Platz genommen hatten, während sich Mondstrahl, Avril, Rhetta und Krista verheißungsvoll im Hintergrund aufhielten, kulinarische Genüsse vorgesetzt, wie nicht viele große Restaurants der Welt sie bieten können.

Roscoe Heyward aß mit Genuß, winkte jedoch bei den verschiedenen Weinen und dem dreißigjährigen Cognac, der zum Mokka gereicht wurde, ab. Aber er bemerkte, daß bei den schweren Goldrand-Cognac-Schwenkern das traditionelle, dekorative »N« des Napoleon fehlte. Statt dessen trugen sie ein »Q«.

## 7

Die Sonne strahlte aus makellos azurblauem Himmel auf das üppige Grün der langen Spielbahn mit der Einheit 5 beim fünften Loch des Fordly Cay Clubs auf den Bahamas. Dieser Platz und der dazugehörige luxuriöse Golfclub gehörten zu den sechs exklusivsten der Welt.

Jenseits des Grüns erstreckte sich ein palmengesäumter und verlassener weißer Sandstrand wie ein Streifen des Paradieses und verlor sich in der Ferne. Eine klare, türkisblaue See plätscherte in winzigen Wellen an den Strand. Einen knappen Kilometer vom Ufer entfernt schäumte eine lange weiße Linie von Brechern an Korallenriffen empor.

In der Nähe aber, neben dem Golfplatz, prangte in unvorstellbar vielfältigen Farben ein exotisches Blumenmuster – Eibisch, Bougainvillea, Poinsettia, Frangipani. In der frischen, klaren Luft, die von einer angenehmen leichten Brise bewegt wurde, hing ein Hauch von Jasmin.

»Näher als hier«, bemerkte der Vizepräsident der Vereinigten Staaten, »wird wahrscheinlich kein Politiker an den Himmel herankommen.«

»Zu meiner Vorstellung vom Himmel«, bemerkte The Hon. Harold Austin, »würde nicht gehören, daß man einen Ball immer wieder im Slice nach der rechten Seite schlägt.« Er zog eine Grimasse und schwenkte wütend sein Eisen 4. »Es muß doch möglich sein, sich in diesem Spiel zu verbessern.«

Die vier spielten um den besten Ball – Big George und Roscoe Heyward gegen Harold Austin und den Vizepräsidenten.

»Ich will Ihnen mal was sagen, Harold«, verkündete der Vizepräsident, Byron Stonebridge. »Gehen Sie in den Kongreß zurück und arbeiten Sie auf den Job hin, den ich habe. Da angelangt, gibt es für Sie nichts anderes mehr als Golf; Sie können sich dann soviel Zeit nehmen, wie Sie wollen, um Ihr Spiel zu verbessern. Es ist historisch belegt, daß fast jeder Vizepräsident im letzten halben Jahrhundert beim Ausscheiden viel besser Golf gespielt hat als bei seinem Amtsantritt.«

Wie zur Bestätigung seiner Worte trieb er Augenblicke

später seinen dritten Schlag – ein herrliches Eisen 8 – schnurgerade zum Fahnenstock.

Stonebridge, hager und elastisch, mit geschmeidigen Bewegungen, spielte an diesem Tag beinahe noch besser als sonst. Als Sohn eines Farmers aufgewachsen, der jeden Tag viele Stunden auf dem kleinen Familienanwesen schwer arbeiten mußte, hatte er sich über die Jahre hin einen sehnigen Körper bewahrt. Jetzt strahlte sein vergnügtes Bauerngesicht, als der Ball fiel, dann bis auf ein Fuß an das Loch heranrollte.

»Nicht schlecht«, gab Big George zu, als sein Karren heranrollte und hielt. »Washington verlangt Ihnen wohl nicht allzuviel Arbeit ab, was, By?«

»Ach, ich kann mich nicht beklagen. Vorigen Monat habe ich eine Inventur der regierungsamtlichen Büroklammern geleitet. Und aus dem Weißen Haus ist was durchgesickert – allem Anschein nach hab' ich Chancen, da schon bald die Bleistifte anspitzen zu dürfen.«

Die anderen lachten pflichtschuldig in sich hinein. Es war kein Geheimnis, daß Stonebridge, Ex-Gouverneur eines Bundesstaates, Ex-Minderheitsführer im Senat, nicht glücklich in seiner gegenwärtigen Rolle war. Vor der Wahl hatte sein Mitstreiter, der Präsidentschaftskandidat, immer wieder erklärt, daß *sein* Vizepräsident – in einer neuen Ära nach Watergate – eine sinnvolle und arbeitsreiche Rolle in der Regierung spielen werde. Wie immer nach der Amtseinführung wurde dieses Versprechen nicht eingelöst.

Heyward und Quartermain machten ihre Annäherungen an das Grün, dann warteten sie mit Stonebridge, während The Hon. Harold, der unregelmäßig gespielt hatte, den Ball verfehlte, lachte, den Rasen traf, lachte und schließlich doch seine Annäherung machte.

Die vier Männer bildeten ein ungleiches Quartett. G. G. Quartermain, die anderen weit überragend, war teuer und makellos in Schottenhosen, Lacoste-Strickjacke und marineblaue Foot-Joys aus Wildleder gekleidet. Er trug eine rote Golfmütze, deren Abzeichen seinen vielbeneideten Status als Mitglied des Fordly Cay Club proklamierte.

Der Vizepräsident präsentierte sich modebewußt und

adrett – feste, doch leichte Hosen, ein maßvoll buntes Hemd, dazu Golfschuhe in Schwarz und Weiß. Für einen dramatischen Kontrast sorgte Harold Austin, der von Schnitt und Farbe her – Shocking Pink und Lavendel – am auffälligsten gekleidet war. Roscoe Heyward war praktisch und sportgerecht angezogen: dunkelgraue Hosen, ein weißes kurzärmeliges Jackenhemd und weiche schwarze Schuhe. Selbst auf dem Golfplatz verleugnete er den Bankier nicht.

Ihr Vormarsch seit dem ersten Abschlag hatte einer Kavalkade geglichen. Big George und Heyward teilten sich ein Elektromobil; Stonebridge und The Hon. Harold besetzten ein anderes. Sechs weitere Elektrokarren waren von der Secret-Service-Eskorte des Vizepräsidenten mit Beschlag belegt worden, und sie umringten die Spieler jetzt – zu beiden Seiten, von vorn und hinten – wie ein Zerstörergeschwader.

»Wenn man Ihnen freie Hand ließe, By«, sagte Roscoe Heyward, »freie Hand, einige Regierungsprioritäten zu setzen, welche wären das wohl?«

Gestern noch hatte Heyward ihn korrekt mit »Mr. Vice-President« angeredet, aber ihm war sehr bald gesagt worden: »Lassen Sie doch die Förmlichkeit; es hängt einem zum Halse raus. Sie werden merken, ich höre am besten auf ›By‹.« Heyward, der Vornamen-Freundschaften mit wichtigen Leuten hoch schätzte, war entzückt.

Stonebridge dachte nach. »Wenn ich das Sagen hätte, würde ich mich auf Wirtschaftspolitik konzentrieren – finanzielle Vernunft wiederherstellen, Ausgleich des Staatshaushalts.«

G. G. Quartermain, der zugehört hatte, bemerkte: »Ein paar mutige Leute haben das bereits versucht, By. Sie sind gescheitert. Und Sie kommen zu spät.«

»Es ist spät, George, aber nicht *zu* spät.«

»Dazu hätte ich allerhand zu bemerken.« Big George ging in die Hocke und prüfte die Linie zum Einlochen. »Nach neun. Das hier hat erst mal Vorrang.«

Seit Beginn des Spiels war Quartermain stiller gewesen als die anderen, angespannt. Er hatte sein Handicap auf -3 gebracht, und wenn er spielte, dann, um zu siegen. Zu siegen oder besser als Platzstandard zu spielen, das machte ihm dasselbe Vergnügen (sagte er) wie die Übernahme einer neuen Gesellschaft für Supranational.

Heyward spielte zuverlässig und kompetent, weder aufsehenerregend gut noch so, daß er sich dessen hätte schämen müssen.

Als alle vier beim sechsten Abschlag ihre Elektromobile verließen, sagte Big George warnend: »Kontrollieren Sie das Schlagergebnis der beiden nur ja mit Ihrem Bankiersauge, Roscoe. Genauigkeit gehört nicht zu den Stärken von Politikern und Werbefritzen.«

»Mein hohes Amt gebietet, daß ich gewinne«, sagte der Vizepräsident. »Mit allen Mitteln.«

»Oh, ich habe die Ergebnisse hier.« Roscoe Heyward tippte sich an die Stirn. »Bei Loch 1 hatten George und By vier Schläge, Harold sechs, und ich hatte einen Bogey. Wir waren alle Par am 2. Loch außer By mit dem unglaublichen Birdie. Natürlich hatten Harold und ich da auch Netto-Birdies. Alle spielten das Par auf der 3. Bahn außer Harold; er hatte weitere sechs Schläge. Das vierte Loch war unser gutes, vier Schläge für George und mich (und ich hatte da einen Schlag Vorgabe), fünf Schläge für By, sieben Schläge für Harold. Und dieses letzte Loch war natürlich eine richtige Katastrophe für Harold, aber dann kommt sein Partner mit einem weiteren Birdie. Was das Spiel betrifft, so liegen wir jetzt gleich.«

Byron Stonebridge starrte ihn an. »Das ist ja unheimlich! Verdammt noch mal.«

»Beim ersten Loch haben Sie sich bei mir geirrt«, sagte The Hon. Harold. »Ich hatte fünf Schläge, nicht sechs.«

Heyward sagte mit fester Stimme: »Stimmt nicht, Harold. Sie erinnern sich, Sie schlugen in den Palmenhain, dann kraftvoll kurz heraus, kamen mit dem Holzschläger nur vor das Grün, machten eine Annäherung und brauchten zwei weitere Schläge zum Einlochen.«

»Er hat recht«, bestätigte Stonebridge. »Ich erinnere mich.«

»Verdammt noch mal, Roscoe«, grollte Harold Austin. »Wessen Freund sind Sie eigentlich?«

»Bei Gott, meiner!« rief Big George. Freundschaftlich

schlang er einen Arm um Heywards Schulter. »Sie fangen an, mir zu gefallen, Roscoe, besonders Ihre Vorgabe!« Während Heyward strahlte, senkte Big George die Stimme zu einem vertraulichen Flüstern. »War letzte Nacht alles befriedigend?«

»Restlos befriedigend, danke. Die Reise hat mir Spaß gemacht, der Abend auch, und ich habe äußerst gut geschlafen.«

Er hatte zunächst gar nicht gut geschlafen. Im Laufe des vergangenen Abends in G. G. Quartermains Herrenhaus auf den Bahamas war es deutlich geworden, daß Avril, der schlanke, schöne Rotschopf, Roscoe Heyward in jeder von ihm gewünschten Weise zur Verfügung stand. Das ging klar aus den Anspielungen der anderen hervor sowie aus Avrils Verhalten, die ihm im Laufe des Tages und mehr noch mit Fortschreiten des Abends immer näher rückte. Keine Gelegenheit ließ sie ungenutzt, sich Heyward zuzuneigen, so daß ihr weiches Haar sein Gesicht streifte, oder sonst unter irgendeinem Vorwand körperlichen Kontakt zu ihm herzustellen. Er ermutigte sie zwar nicht bei ihren Avancen, erhob aber auch keinerlei Einwand.

Ebenso deutlich war es, daß die üppige Krista Byron Stonebridge zur Verfügung stand und Rhetta, die atemberaubende Blondine, Harold Austin.

Die exquisit schöne Japanerin Mondstrahl war selten mehr als ein paar Schritte von der Seite G. G. Quartermains entfernt.

Quartermains Besitztum, eines der sechs, die dem Vorsitzenden von Supranational in verschiedenen Ländern gehörten, lag auf dem Prospero Ridge, hoch über der Stadt Nassau. Man hatte von dort aus einen herrlichen Blick über Land und Meer. Das Haus stand inmitten eines sorgsam gepflegten Parks hinter hohen Steinmauern. Heywards Zimmer im ersten Stock, in das ihn Avril nach ihrer Ankunft geführt hatte, bot einen weiten Blick über dieses Panorama. Durch die Bäume konnte man von dem Zimmer auch das Haus eines Nachbarn sehen – des Premierministers, dessen Ruhe und Ungestörtheit von patrouillierenden Beamten der Royal Bahamas Police geschützt wurden.

Am späten Nachmittag gab es Cocktails an einem kolonnadenumsäumten Schwimmbad. Es folgte das Abendessen, das bei Kerzenschein im Freien auf einer Terrasse serviert wurde. Dieses Mal saßen die Mädchen, die sich ihrer Uniformen entledigt hatten und im Abendkleid erschienen waren, zusammen mit den Männern am Tisch. Kellner mit weißen Handschuhen warteten im Hintergrund und bedienten aufmerksam, während zwei herumwandernde Spieler für Musik sorgten. Es herrschte eine gesellige Stimmung, und die Unterhaltung war lebhaft und freundschaftlich.

Nach dem Abendessen entschieden sich Vizepräsident Stonebridge und Krista dafür, im Haus zu bleiben; die anderen stiegen in drei Rolls-Royces ein – es waren dieselben Wagen, die sie vom Flughafen abgeholt hatten – und ließen sich zum Spielkasino Paradise Island fahren. Dort setzte Big George erhebliche Summen, und er schien zu gewinnen. Austin beteiligte sich maßvoll, Roscoe Heyward überhaupt nicht. Heyward mißbilligte das Glücksspiel, hörte jedoch mit Interesse zu, als Avril ihm die feineren Raffinessen beim Chemin de fer, Roulette und Blackjack erklärte. Das alles war ihm neu. Wegen des Gesprächslärms, der hier herrschte, mußte Avril sich beim Sprechen dicht zu Heywards Ohr vorbeugen, und es war ihm, wie auch schon im Flugzeug, keineswegs unangenehm.

Doch dann begann sein Körper, Avril mit beunruhigender Plötzlichkeit stärker zur Kenntnis zu nehmen, so daß es ihm zunehmend schwerer fiel, Gedanken und Wünsche von sich zu weisen, die er längst als tadelnswert erkannt hatte. Er spürte, daß Avril seinen inneren Kampf bemerkt hatte und ihn amüsiert verfolgte, und das trug nicht zum Erhalt seines inneren Gleichgewichts bei. Schließlich gelang es ihm dann an seiner Schlafzimmertür, zu der sie ihn um 2.00 Uhr früh begleitet hatte, nur mit äußerster Willensanstrengung – besonders, als sie eine Bereitschaft zum Verweilen zu erkennen gab –, sie nicht hereinzubitten.

Bevor Avril sich in ihr eigenes Zimmer zurückzog – wo immer es sich befinden mochte –, warf sie ihr rotes Haar mit einer eleganten Kopfbewegung zurück und sagte lächelnd: »Am Bett ist ein Sprechgerät. Wenn Sie *irgend etwas* wünschen, drücken Sie Taste Nummer sieben, und ich komme.« Dieses Mal bestand nicht der geringste Zweifel, was sie mit diesem »irgend etwas« gemeint hatte. Und die Nummer sieben, so schien es, war die Chiffre für Avril, ganz gleich, wo sie gerade war.

Unerklärlicherweise war seine Stimme plötzlich schwer, und seine Zunge schien zu Übergröße geschwollen, als er etwas schroff sagte: »Nein danke. Gute Nacht.«

Aber selbst dann war sein innerer Widerstreit noch nicht vorüber. Beim Auskleiden kehrten seine Gedanken zu Avril zurück, und zu seinem Ärger sah er, daß sein Körper seinen Willensentschluß ignorierte. Es war schon lange her, seit so etwas unaufgefordert geschehen war.

Er war dann auf die Knie gefallen und hatte zu Gott gebetet, ihn vor der Sünde und der Versuchung zu bewahren. Und nach einer Weile, so schien es, wurde sein Gebet erhört. Sein Körper erschlaffte vor Müdigkeit. Doch er schlief erst sehr viel später ein.

Als sie jetzt mit dem Karren weiterfuhren, sagte Big George plötzlich: »Hören Sie, alter Junge, wenn Sie wollen, schicke ich Ihnen heute nacht mal Mondstrahl rüber. Sie werden's nicht glauben, was für Tricks die kleine Lotusblume kennt.«

Heywards Gesicht lief rot an. Er beschloß, fest zu bleiben. »George, ich bin sehr gern hier bei Ihnen, und an Ihrer Freundschaft liegt mir viel. Aber das ändert nichts daran, daß wir auf gewissen Gebieten doch recht unterschiedliche Vorstellungen haben.«

Das Gesicht des großen Mannes erstarrte. »Auf welchen Gebieten?«

»Nun, zum Beispiel auf moralischen.«

Big George dachte nach, und sein Gesicht war noch immer wie eine Maske. Plötzlich lachte er laut auf. »Moral – was ist denn das?« Er stoppte den Karren, während The Hon. Harold sich links von ihnen zu einem Schlag bereitmachte. »Okay, Roscoe, jeder nach seiner Fasson. Aber sagen Sie mir Bescheid, wenn Sie sich anders besinnen.«

Trotz der Festigkeit seines Entschlusses ertappte sich Heyward im Laufe der nächsten beiden Stunden immer wieder dabei, daß seine Phantasie sich mit dem zerbrechlichen und verführerischen Mädchen aus Japan beschäftigte.

Am Ende von neun Löchern griff Big George am Erfrischungsstand des Platzes sein Streitgespräch vom fünften Loch mit Byron Stonebridge wieder auf.

»Die US-Regierung und andere Regierungen«, erklärte Big George, »werden von Männern geführt, die wirtschaftliche Grundsätze nicht verstehen oder nicht verstehen wollen. Das ist der Grund dafür – und zwar der einzige Grund –, daß wir eine galoppierende Inflation haben. Deshalb kracht das Geldsystem der Welt zusammen. Deshalb kann alles, was mit Geld zusammenhängt, immer nur noch schlimmer werden.«

»Da muß ich Ihnen zumindest teilweise recht geben«, erwiderte Stonebridge. »Wenn man sieht, wie der Kongreß mit vollen Händen das Geld ausgibt, könnte man glauben, daß es unbegrenzte Mengen davon gibt. Wir haben angeblich vernünftige Leute im Repräsentantenhaus und im Senat, aber die scheinen zu glauben, daß man für jeden hereinkommenden Dollar in aller Seelenruhe vier oder fünf ausgeben darf.«

Voller Ungeduld sagte Big George: »Das weiß doch jeder Geschäftsmann. Und zwar seit einer Generation. Die Frage lautet nicht, ob die amerikanische Wirtschaft zusammenbrechen wird, sie lautet nur noch: wann?«

»Ich bin nicht davon überzeugt, daß das unausweichlich ist. Wir könnten den Zusammenbruch immer noch abwenden.«

»Wir könnten es, aber wir werden's nicht tun. Der Sozialismus – und das heißt, Geld ausgeben, das man nicht hat und nie haben wird – ist zu tief verwurzelt. Es kommt also mal der Tag, an dem die Regierung keinen Kredit mehr hat. Dummköpfe glauben, das könne nie passieren. Aber es wird passieren.«

Der Vizepräsident seufzte. »Öffentlich würde ich das bestreiten. Hier aber, im Vertrauen und ganz unter uns, kann ich es nicht.«

»Der Ablauf der Ereignisse«, sagte Big George, »ist ganz leicht vorherzusagen. Es wird sich im großen und ganzen ähnlich abspielen wie in Chile. Viele Leute hier glauben, daß in Chile alles ganz anders war und daß Chile sowieso weit weg ist. Das stimmt nicht. Es war in kleinem Maßstab das Modell für die USA – und für Kanada und Großbritannien.«

The Hon. Harold sagte nachdenklich: »Ich teile Ihre Meinung, was den Ablauf betrifft. Erst die Demokratie – solide, von der ganzen Welt anerkannt, leistungsfähig. Dann folgt der Sozialismus, zurückhaltend zu Anfang, aber bald immer deutlicher. Wilde Geldausgaben, bis nichts mehr da ist. Danach dann der wirtschaftliche Ruin, Anarchie, Diktatur.«

»Wie tief wir auch absacken«, meinte Byron Stonebridge, »ich glaube nicht, daß es so weit mit uns kommen kann.«

»Es muß auch nicht so weit kommen«, sagte Big George. »Nämlich dann nicht, wenn es bei uns noch ein paar Leute mit Intelligenz und Macht gibt, die vorausdenken und vorausplanen. Wenn der finanzielle Kollaps kommt, dann haben wir hier in den USA zwei starke Arme, die uns vor der Anarchie retten können. Der eine ist Big Business. Damit meine ich ein Kartell multinationaler Konzerne wie meinen und große Banken wie Ihre, Roscoe, und andere – die könnten das Land finanziell führen und finanzielle Disziplin erzwingen. *Wir* wären liquide, weil wir überall in der Welt operieren; wir haben dann längst unsere eigenen Mittel da untergebracht, wo die Inflation sie nicht auffressen kann. Der andere starke Arm sind Militär und Polizei. In Partnerschaft mit dem Big Business würden sie für Ordnung sorgen.«

»Mit anderen Worten, ein Polizeistaat«, bemerkte der Vizepräsident trocken. »Es könnte sein, daß Sie da auf Widerstand stoßen.«

Big George zuckte die Achseln. »Vielleicht ein bißchen; aber nicht sehr. Die Leute werden sich mit dem Unvermeidlichen abfinden. Besonders dann, wenn die sogenannte Demokratie in allen Fugen kracht, wenn das Geldsystem in Scherben liegt und die Kaufkraft des einzelnen bei Null angelangt ist. Außerdem glauben die Amerikaner nicht mehr an demokratische Einrichtungen. Ihr Politiker, ihr habt ihnen diesen Glauben genommen.«

Roscoe Heyward hatte geschwiegen und zugehört. Jetzt sagte er: »Was Sie da kommen sehen, George, ist eine Erweiterung des jetzigen militär-industriellen Komplexes zu einer elitären Regierung.«

»Ganz genau das. Und das Industriell-Militärische – so herum ist es mir lieber – wird im gleichen Maße stärker, wie die amerikanische Wirtschaft schwächer wird. Und wir verfügen über die Organisation. Noch ist sie lose geknüpft, aber sie strafft sich zusehends.«

»Eisenhower hat die militär-industrielle Struktur als erster erkannt«, sagte Heyward.

»Und er hat davor gewarnt«, fügte Byron Stonebridge hinzu.

»Verdammt noch mal, ja!« pflichtete Big George ihm bei. »Und das war schön dumm von ihm. Ausgerechnet Ike hätte doch das Kräftepotential darin erkennen sollen. Sehen Sie es denn nicht?«

Der Vizepräsident nahm einen Schluck von seinem Planter's Punch. »Ich möchte nicht zitiert werden. Aber ja, ich sehe es auch.«

»Ich sage«, versicherte Big George ihm, »*Sie* sollten sich zu *uns* schlagen.«

The Hon. Harold fragte: »Was meinen Sie, George, wieviel Zeit haben wir noch?«

»Meine eigenen Experten sagen, acht bis neun Jahre. Dann ist der Kollaps des Geldsystems unvermeidlich.«

»Was mir daran als Banker gefällt«, sagte Roscoe Heyward, »ist, daß dann endlich wieder Disziplin in Geld und Regierung einzieht.«

G. G. Quartermain zeichnete die Barrechnung ab und stand auf. »Und Sie werden es erleben. Das verspreche ich Ihnen.«

Sie fuhren weiter zum zehnten Abschlag.

Big George rief zu dem Vizepräsidenten hinüber: »By, Sie sind über sich hinausgewachsen, und jetzt haben Sie die Ehre, als erster abzuspielen. Teen Sie Ihren Ball auf, und dann zeigen Sie uns, was *diszipliniertes* und *ökonomisches* Golfspiel ist! Sie führen mit 1 auf, und es liegen neun schwierige Löcher vor uns.«

Big George und Roscoe Heyward warteten auf dem Karrenweg, während Harold Austin am vierzehnten Loch seine Lage prüfte; nach einer allgemeinen Suche hatte ein Secret-

Service-Mann seinen Ball unter einem Eibischstrauch aufgespürt. Big George war gelöster, seit er und Heyward zwei Löcher genommen hatten und jetzt 1 auf führten. Als sie wieder im Mobil saßen, wurde das Thema angeschnitten, auf das Heyward gehofft hatte. Es geschah mit erstaunlicher Beiläufigkeit.

»Ihre Bank würde also gern mit Supranational ins Geschäft kommen.«

»Wir hatten daran gedacht.« Heyward versuchte, ebenso gelassen zu sein wie der andere.

»Ich expandiere die Medien- und Kommunikationssparte Ausland und kaufe kleine, aber wichtige Telefongesellschaften und Sender auf. Manche waren in Regierungsbesitz, andere privat. Wir machen das in aller Stille, wo nötig, zahlen wir örtlichen Politikern; dadurch lassen wir nationalistisches Geschrei gar nicht erst aufkommen. Supranational liefert fortgeschrittene Technologie, leistungsfähigen Service, den sich kleine Länder nicht leisten können, und Standardisierung für globalen Anschluß. Für uns selbst steckt gute Rendite drin. Noch drei Jahre, dann kontrollieren wir über unsere Töchter 45 Prozent der weltweiten Kommunikationsnetze. Kein anderer kommt uns auch nur nahe. Das ist wichtig für Amerika; lebenswichtig wird es in einer industriell-militärischen Liaison sein, wie wir sie vorhin erwähnt haben.«

Heyward nickte. »Daß das von Bedeutung ist, leuchtet mir ein.«

»Ich hätte gern, daß Ihre Bank mir eine Kreditlinie von fünfzig Millionen Dollar einräumt. Selbstverständlich zur Prime Rate.«

»Das versteht sich von selbst. Alle unsere Arrangements werden zur Prime Rate sein.« Heyward hatte gewußt, daß jeder Kredit für Supranational nur zum für den Konzern günstigsten Zinssatz zustande kommen würde. Im Bankwesen war es üblich, daß die reichsten Kunden am wenigsten für geborgtes Geld zahlten; die höchsten Zinssätze waren für die Armen da. »Wir müßten nur noch prüfen«, sagte er, »welche gesetzlichen Limits es nach dem Bundesgesetz für unsere Bank gibt.«

»Gesetzliche Limits, zum Teufel damit! So was ist doch

zu umgehen, das wird doch täglich gemacht – und das wissen Sie genauso gut wie ich.«

»Ja, ich weiß, es gibt Mittel und Wege.«

Wovon die beiden Männer sprachen, war die für alle amerikanischen Banken geltende Vorschrift, die jeder Bank untersagte, einem einzelnen Schuldner mehr zu leihen als zehn Prozent ihres Kapitals und eines Kapitaleinzahlungsagios. Sinn der Vorschrift war es, eine Sicherung gegen Bankkräche einzubauen und die Einleger vor Verlusten zu schützen. Im Falle der First Mercantile American würde ein Kredit von fünfzig Millionen Dollar an Supranational erheblich über dieses Limit hinausgehen.

»Sie brauchten die Kredite ja nur unter unseren Töchtern aufzuteilen«, schlug Big George vor. »Wir verteilen sie dann so, wie wir sie brauchen.«

»So könnte man es machen«, meinte Roscoe Heyward nachdenklich. Es war ihm bewußt, daß der Vorschlag gegen den Geist des Gesetzes verstieß, technisch aber innerhalb der vom Gesetzgeber gezogenen Grenzen blieb. Aber er wußte auch, daß es stimmte, was Big George gesagt hatte. Derartige Methoden wurden jeden Tag von den größten und angesehensten Banken angewandt.

Aber selbst wenn dieses Problem sich aus dem Wege räumen ließ, so wurde ihm doch bei der Höhe der vorgeschlagenen Verpflichtung schwindlig. Er hatte zwanzig oder fünfundzwanzig Millionen für den Anfang im Auge gehabt, wobei man die Summe vielleicht hätte ausbauen können, je nachdem, wie sich die Beziehungen zwischen Supranational und der Bank entwickelten.

Als könnte er seine Gedanken lesen, sagte Big George kategorisch: »Mit kleinen Beträgen gebe ich mich nicht ab. Wenn fünfzig Millionen mehr sind, als ihr aufbringen könnt, dann vergessen wir die ganze Sache eben. Dann geb' ich's der Chase.«

Das so verlockende, großartige Geschäft, das Heyward hier hatte in die Wege leiten wollen, schien ihm plötzlich wieder zu entschlüpfen.

Mit Nachdruck sagte er: »Nein, aber nein. Das ist uns nicht zuviel.«

Im Geiste ließ er andere FMA-Verpflichtungen Revue passieren. Niemand kannte sie besser als er. Ja, fünfzig Millionen für SuNatCo *ließen* sich beschaffen. Nur würde man dann innerhalb der Bank einige Hähne zudrehen müssen – kleinere Darlehen müßten drastisch eingeschränkt, Hypotheken gedrosselt werden; aber das ließe sich machen. Ein großer Einzelkredit für einen Kunden wie Supranational war immens viel einträglicher als ein ganzer Haufen kleiner Kredite, die zu verwalten und wieder hereinzubringen einen kostspieligen Apparat erforderte.

»Ich werde mich bei unserem Direktorium mit allem Nachdruck für die Kreditlinie einsetzen«, sagte Heyward entschlossen. »Und ich bin davon überzeugt, daß meine Kollegen zustimmen werden.«

Sein Golfpartner nickte kurz. »Gut.«

»Es würde meine Position natürlich verbessern, wenn ich unseren Direktoren mitteilen könnte, daß wir als Bank dann auch im Direktorium von Supranational vertreten sein würden.«

Big George fuhr den Golfkarren bis dicht an seinen Ball, den er eingehend studierte, bevor er antwortete. »Das ließe sich eventuell einrichten. Kommt es zustande, dann würde ich natürlich von Ihrer Treuhandabteilung erwarten, daß sie Geld in unseren Papieren anlegt. Es wird höchste Zeit, daß neue Käufe den Kurs anziehen lassen.«

Mit zunehmender Selbstsicherheit sagte Heyward: »Das Thema könnten wir untersuchen, zusammen mit anderen Angelegenheiten. Supranational wird dann natürlich ein aktives Konto bei uns haben, und es ergibt sich die Frage der Kompensation . . .«

Heyward wußte, daß sie jetzt den Ritualtanz zwischen Banker und Kunden vollführten. Er symbolisierte den Grundsatz der Lebensgemeinschaft Bank und Konzern: *Kratzt du mir den Rücken, kratz' ich dir den Rücken.*

G. G. Quartermain, der ein Eisen aus seiner Alligatorleder-Golftasche zog, sagte gereizt: »Verschonen Sie mich mit den Einzelheiten. Mein Finanzmann, Inchbeck, kommt heute. Er fliegt morgen mit uns zurück. Da könnt ihr beiden euch ja zusammenhocken.«

Es gab keinen Zweifel; der kurze geschäftliche Teil des Tages war beendet.

Mittlerweile schien das diffuse Spiel des Hon. Harold seinen Partner angesteckt zu haben. »Sie können einen regelrecht verhexen«, beklagte sich Byron Stonebridge nach einem Schlag. Und nach einem anderen sagte er: »Verdammt noch mal, Harold, Ihr Querschlagen ist ansteckend wie die Pest. Wer mit Ihnen spielt, sollte sich vorher impfen lassen.« Und aus irgendeinem Grund wurden Schwung, Schläge und Haltung des Vizepräsidenten schwächer, was unnötig Schläge kostete.

Da Austin sich trotz der Rüge nicht besserte, lagen Big George und Roscoe auch am siebzehnten Loch noch 1 in Führung. Das war G. G. Quartermain sehr recht, und er trieb seinen 1. Schlag vom 18. Abschlag ungefähr 250 Meter schnurgerade die Mitte der Spielbahn hinab, schuf die beste Voraussetzung, das Loch in Birdie zu spielen, und damit hatte seine Seite das Spiel gewonnen.

Sein Sieg hatte Big George in eine joviale Stimmung versetzt, und er packte Byron Stonebridge bei den Schultern. »Ich hoffe, das erhöht meinen Kredit in Washington.«

»Kommt drauf an, was Sie haben wollen«, sagte der Vizepräsident. Etwas spitz fügte er hinzu: »Und wie diskret Sie sind.«

Bei einem Cocktail in der Garderobe zahlten The Hon. Harold und Stonebridge G. G. Quartermain je einhundert Dollar – eine Wette, die sie vor Spielbeginn abgeschlossen hatten. Heyward hatte sich gegen das Wetten gesperrt, deshalb wurde ihm jetzt nichts ausgezahlt.

Großmütig sagte Big George: »Ihr Spiel hat mir gefallen, Partner.« Er wandte sich den anderen zu. »Ich meine, Roscoe hat eine Anerkennung verdient. Meinen Sie nicht auch?«

Sie nickten, und Big George schlug sich klatschend aufs Knie. »Ich hab's! Einen Sitz im Supranational-Direktorium. Gefällt Ihnen das als Preis?«

Heyward lächelte. »Sie scherzen wohl.«

Einen Augenblick lang verschwand das Lächeln vom Gesicht des SuNatCo-Vorsitzenden. »Wenn es um Supranational geht, scherze ich niemals.«

Erst jetzt begriff Heyward, daß Big George soeben auf diese Art ihr Gespräch von vorhin bestätigt hatte. Stimmte er jetzt zu, dann bedeutete das natürlich auch, daß er die anderen Verpflichtungen auf sich nahm . . .

Sein Zögern dauerte nur Sekunden. »Wenn es Ihr Ernst ist, dann nehme ich natürlich mit Freuden an.«

»Wir werden es nächste Woche bekanntgeben.«

Das Angebot war so blitzartig gekommen, und es war so atemberaubend, daß Heyward noch immer nicht so recht daran glauben konnte. Er hatte erwartet, daß man irgendeinen anderen Direktor der First Mercantile American Bank einladen werde, in das Supranational-Direktorium einzutreten. Selbst ausgewählt zu werden, und zwar persönlich von G. G. Quartermain, das war die äußerste Nobilitierung. Die SuNatCo-Direktoriumsliste las sich in ihrer jetzigen Zusammensetzung wie ein Gotha der Geschäfts- und Finanzwelt.

Big George lachte zufrieden, so als könne er Gedanken lesen. »Unter anderem können Sie dann ja das Geld Ihrer Bank im Auge behalten.«

Heyward sah, wie The Hon. Harold ihm einen fragenden Blick zuwarf. Als Heyward ganz leicht mit dem Kopf nickte, strahlte sein FMA-Direktoriumskollege über das ganze Gesicht.

8

Der zweite Abend in G. G. Quartermains Herrenhaus auf den Bahamas unterschied sich auf subtile Art von dem ersten. Alle acht Personen, die Männer und die Mädchen, schienen sich in gelöster Vertrautheit zu bewegen. Es herrschte eine Intimität der Stimmung, die am Abend zuvor gefehlt hatte. Roscoe Heyward bemerkte den Unterschied und meinte, auch den Grund dafür zu kennen.

Seine Intuition sagte ihm, daß Rhetta die vergangene Nacht mit Harold Austin verbracht habe und Krista mit Byron Stonebridge. Er hoffte nur, daß die beiden Männer nicht das gleiche auch von ihm und Avril annahmen. Er war sicher, daß sein Gastgeber es nicht tat; seine Bemerkungen vom Vormittag deuteten darauf hin, wahrscheinlich deshalb, weil man Big George über alles informierte, was in diesem Hause geschah beziehungsweise nicht geschah.

Die abendliche Versammlung – wieder am Schwimmbad und zur Dinnerzeit auf der Terrasse – verlief in angenehmster Stimmung. Roscoe Heyward gestattete es sich, entspannt und fröhlich daran teilzuhaben.

Er genoß ganz unverhohlen Avrils unverändert fortgesetzte Aufmerksamkeiten; das Mädchen verriet auch nicht durch das leiseste Zeichen, daß sie ihm die Zurückweisung vom Vorabend nachtrug. Da er sich selbst gegenüber den Beweis erbracht hatte, daß er ihren Versuchungen zu widerstehen vermochte, sah er nicht ein, warum er sich jetzt die angenehme Gesellschaft Avrils versagen sollte. Noch zwei andere Gründe gab es für seine euphorische Stimmung, nämlich die Zusicherung des Supranational-Geschäfts für die First Mercantile American Bank und die gänzlich unerwartete, strahlende Trophäe eines Sitzes im SuNatCo-Direktorium. Zweifellos würde beides dazu beitragen, sein eigenes Prestige innerhalb der FMA in bedeutendem Maße zu steigern und ihn seinem Ziel, der Anwärterschaft auf den Präsidentenstuhl der Bank, ein gutes Stück näher zu bringen.

Er hatte vorhin ein kurzes Gespräch mit dem Finanzdirektor von Supranational geführt, Stanley Inchbeck, der, wie Big George angekündigt hatte, prompt erschienen war. Inchbeck war ein geschäftiger New Yorker mit Stirnglatze, und er und Heyward waren übereingekommen, die Einzelheiten am nächsten Tag während des Rückflugs zu regeln. Abgesehen von seiner Besprechung mit Heyward, hatte Inchbeck fast den ganzen Nachmittag allein mit G. G. Quartermain hinter verschlossener Tür verbracht. Obwohl er sich doch allem Anschein nach irgendwo im Hause aufhalten mußte, erschien Inchbeck weder zum Cocktail noch zum Dinner.

Noch etwas anderes war Roscoe Heyward am frühen Abend aufgefallen. Vom Fenster seines Zimmers im ersten Stock hatte er gesehen, wie G. G. Quartermain und Byron Stonebridge, tief im Gespräch versunken, fast eine Stunde lang im Park spazierengingen. Sie waren zu weit vom Haus entfernt, als daß er ein Wort ihrer Unterhaltung hätte verstehen können, aber Big George schien überredend auf den anderen einzusprechen, und der Vizepräsident unterbrach ihn von Zeit zu Zeit, allem Anschein nach mit einer Frage. Heyward mußte unwillkürlich an die Bemerkung denken, die Big George am Morgen auf dem Golfplatz gemacht hatte, als er von seinem »Kredit in Washington« gesprochen hatte, und Heyward fragte sich, von welchen der vielen Supranational-Interessen jetzt wohl die Rede sein mochte; eine Frage, auf die er wahrscheinlich nie eine Antwort bekommen würde, wie er sich selber eingestand.

Jetzt, nach dem Abendessen, draußen in der süß duftenden Dunkelheit, war Big George wieder ganz der aufgeräumte, gutgelaunte Gastgeber. Die Hände um einen dickbauchigen Cognacschwenker mit dem großen »Q« gelegt, verkündete er: »Heute gibt's keinen Ausflug. Die Party findet zu Hause statt.«

Der Majordomus, die Kellner und die Musiker waren diskret verschwunden.

Rhetta und Avril, die Champagner tranken, riefen im Chor: »Eine Party! Wir feiern eine Party!«

Auch By Stonebridge erhob seine Stimme. »Was denn für eine Party?« verlangte er zu wissen.

»Eine rauschende, mein Schatz!« erklärte Krista und setzte gleich darauf mit einer Stimme hinzu, die infolge des Weins, den es bei Tisch gegeben hatte, und des Champagners ein wenig undeutlich klang: »Eine rauschende Wasserparty. Ich will schwimmen.«

Stonebridge sagte: »Was hält Sie denn noch zurück?«

»Nichts, By, Darling! Überhaupt nichts!« Mit ein paar raschen Bewegungen setzte Krista ihr Champagnerglas ab, entledigte sich mit kurzem Schlenkern der Füße ihrer Schuhe, löste die Träger ihres Kleides und vollführte eine Drehbewegung des Oberkörpers. Das lange grüne Abendkleid rauschte wie in einer Kaskade herab, so daß sie jetzt in ihrem kurzen Unterkleid dastand. In der nächsten Sekunde zog sie es über den Kopf und warf es weg. Mehr hatte sie nicht angehabt.

Nackt und lächelnd, wie eine zum Leben erwachte Skulptur von Maillol, mit ihrem exquisit geformten und wohlproportionierten Körper, den hohen, festen Brüsten und dem pechschwarzen Haar, schritt Krista jetzt von der Terrasse die Stufen zu dem beleuchteten Schwimmbad hinab und tauchte hinein. Sie schwamm die ganze Länge des Beckens, dann wandte sie sich um und rief den anderen zu: »Es ist herrlich! Kommt doch auch!«

»Also wirklich«, rief Stonebridge, »ich glaube, ich werd's tun.« Er warf sein Sporthemd von sich, entledigte sich der Schuhe, zog die Hose aus und trat, nackt wie Krista, wenn auch weniger reizvoll, an den Rand des Swimming-pools und tauchte ins Wasser.

Mondstrahl und Rhetta waren schon dabei, sich auszuziehen.

»Halt!« rief Harold Austin. »Auch dieser Sportsmann begibt sich an den Start.«

Roscoe Heyward, der Krista halb schockiert, halb fasziniert beobachtet hatte, spürte Avril dicht neben sich. »Rossie, mein Süßer, machen Sie mir doch bitte den Reißverschluß auf.« Sie wandte ihm den Rücken zu.

Mit unsicherer Hand versuchte er, den Reißverschluß von seinem Stuhl aus zu erreichen.

»Stehen Sie doch auf, Sie Dummerchen«, lachte Avril. Als er es tat, lehnte sie sich mit halb ihm zugewandtem Kopf gegen ihn; ihre Wärme, ihr Duft waren überwältigend.

»Fertig?«

Es fiel ihm schwer, sich zu konzentrieren. »Nein, da scheint irgendwas . . .«

Mit einer geschickten Bewegung griff Avril zu. »Da, lassen Sie mich mal.« Sie führte zu Ende, was er begonnen hatte, und zog den Reißverschluß ganz herunter. Mit einer Bewegung ihrer Schultern schlüpfte sie aus dem Kleid.

Sie warf die Haare mit der ihm nun schon vertrauten Bewegung zurück. »Na, worauf warten Sie noch? Machen Sie mir den BH auf.«

Seine Hände zitterten. Sein Blick konnte sich nicht von ihr lösen, als er tat, was ihm aufgetragen war. Der BH fiel herab. Seine Hände blieben, wo sie waren.

Mit einer kaum wahrnehmbaren, graziösen Bewegung

drehte Avril sich herum. Sie beugte sich vor und küßte ihn weich und warm auf die Lippen. Seine Hände, die ihre Stellung nicht verändert hatten, berührten die nach vorn drängenden Warzen ihrer Brüste. Unwillkürlich, so schien es, griffen seine Finger fester zu. Elektrische Ströme schienen von ihnen auszugehen und pflanzten sich durch seinen Körper fort.

»Hm«, schnurrte Avril wie eine zufriedene Katze. »Das ist gut. Kommen Sie schwimmen?«

Er schüttelte den Kopf.

»Bis gleich dann.« Sie wandte sich um, schritt in ihrer Nacktheit wie eine griechische Göttin davon und gesellte sich zu den anderen, die im Bassin herumalberten.

G. G. Quartermain hatte seinen Stuhl vom Tisch zurückgeschoben und war sitzen geblieben. Er nippte an seinem Cognac und betrachtete Heyward mit listigem Blick. »Ich bin auch nicht so wild aufs Schwimmen. Aber dann und wann, wenn man weiß, daß man unter Freunden ist, ist es gut für einen Mann, sich mal gehenzulassen.«

»Damit mögen Sie recht haben. Auch damit, was Sie über den Freundeskreis gesagt haben, in dem ich mich allerdings zu befinden glaube.« Heyward sank wieder in seinen Stuhl zurück; er nahm seine Brille ab und begann, die Gläser zu polieren. Er hatte sich jetzt wieder unter Kontrolle. Die Sekunde besinnungsloser Tollheit lag hinter ihm. Die Schwäche war überwunden. Er fuhr fort: »Das Problem liegt natürlich darin: Man geht gelegentlich ein wenig weiter, als man beabsichtigt hatte. Darum bin ich dafür, sich zu beherrschen. Haltung bewahren, das ist wichtig – dann braucht man hinterher auch nichts zu bereuen.«

Big George gähnte.

Während sie miteinander sprachen, rieben die anderen, die inzwischen aus dem Wasser gekommen waren, einander mit Handtüchern trocken und schlüpften in Bademäntel, die neben dem Becken bereitlagen.

Ungefähr zwei Stunden später begleitete Avril – wie sie es am Abend zuvor getan hatte – Roscoe Heyward bis an die Tür seines Schlafzimmers. Zuerst, unten, hatte er noch darauf bestehen wollen, daß sie ihn nicht begleitete. Dann hatte er sich anders besonnen, im Vertrauen auf seine wiederhergestellte Willenskraft und überzeugt davon, daß er keinen wilden, erotischen Impulsen mehr erliegen werde. Er fühlte sich sogar gefestigt genug, um fröhlich und aufgeräumt sagen zu können: »Gute Nacht, meine Liebe. Und, bevor Sie es mir noch einmal erzählen, ich weiß, daß Sie die Nummer sieben auf der Sprechanlage haben, aber Sie können sich darauf verlassen, daß ich nichts brauchen werde.«

Avril hatte ihn mit einem geheimnisvollen Halblächeln angesehen und sich dann abgewendet. Er machte sofort seine Schlafzimmertür zu und verschloß sie, dann summte er leise vor sich hin, während er sich für die Nacht fertigmachte.

Aber als er im Bett lag, fand er keinen Schlaf.

Fast eine Stunde lag er wach, die Bettdecke zurückgeworfen, die Matratze unter ihm weich und doch fest. Durch ein offenes Fenster konnte er das schläfrige Summen von Insekten hören und, fern, das Geräusch von Brechern am Strand.

Trotz aller guten Vorsätze stand das Mädchen Avril im Brennpunkt seiner Gedanken.

*Avril* ... wie er sie gesehen und berührt hatte ... atemberaubend schön, nackt und begehrenswert. Instinktiv bewegte er die Finger, durchlebte noch einmal das Gefühl jener vollen, festen Brüste, die Warzen hart und herausragend, spürte noch einmal, wie diese Brüste in den Schalen seiner Hände gelegen hatten.

Und unterdessen strafte sein Körper – fordernd, sich straffend – seinen Entschluß zur Ehrbarkeit Lügen.

Er versuchte, seine Gedanken abzulenken – hin zu Angelegenheiten der Bank, zum Kredit für Supranational, zu dem Direktoriumssitz, den G. G. Quartermain ihm in Aussicht gestellt hatte. Aber die Gedanken an Avril kehrten zu ihm zurück, stärker noch als vorher, unmöglich, sie zu unterdrücken. Er gedachte ihrer Beine, ihrer Schenkel, ihrer Lippen, ihres weichen Lächelns, ihrer Wärme und ihres Duftes ... ihrer Bereitwilligkeit.

Er stand auf und wanderte auf und ab, bemüht, seine Energie in eine andere Richtung zu lenken. Doch sie ließ sich nicht in andere Richtungen lenken.

Am Fenster stehend, bemerkte er, daß sich ein strahlender Dreiviertelmond erhoben hatte. Er badete den Garten, die Strände und das Meer in weißes, verklärtes Licht. Bei diesem Anblick kam ihm eine längst vergessene Zeile wieder in den Sinn: *Der Mond schuf die Nacht zur Liebe* . . .

Er nahm seine Wanderung wieder auf, kehrte ans Fenster zurück, stand dort, aufgerichtet.

Zweimal machte er eine Bewegung hin zum Nachttisch mit der Sprechanlage. Zweimal ließen Entschluß und Festigkeit ihn umkehren.

Beim dritten Mal kehrte er nicht mehr um. Er packte das Gerät mit der Hand, stöhnte – eine Mischung aus Qual, Selbstvorwurf, rauschhafter Erregung, himmlischer Erwartung.

Entschlossen und fest drückte er die Taste Nummer sieben.

## 9

Nichts in Miles Eastins bisheriger Erfahrung oder Phantasie hatte ihn vor seiner Einlieferung in die Strafanstalt von Drummonburg auf die gnadenlose, demütigende Hölle des Gefängnisses vorbereitet.

Sechs Monate waren jetzt seit der Aufdeckung seiner Unterschlagung und seines Diebstahls vergangen und vier Monate seit seinem Prozeß und seiner Verurteilung.

In seltenen Augenblicken, wenn er in der Lage war, trotz körperlichen Elends und seelischer Qual objektiv zu denken, sagte Miles Eastin sich, daß die Gesellschaft, sofern sie beabsichtigt hatte, wilde, barbarische Rache an Menschen wie ihm zu üben, diese Absicht in einem Maße verwirklicht habe, das weit über das Wissen jedes Menschen hinausging, der nicht selber das Fegefeuer des Gefängnisses durchlitten hatte. Und, so sagte er sich weiter, wenn es das Ziel einer solchen Strafe war, ein menschliches Wesen seiner Menschlichkeit zu berauben und es in ein Tier mit niedrigsten Instinkten zu verwandeln, dann war das Gefängnissystem der richtige Weg, das zu erreichen.

Aber eins erreichte es nicht und würde es auch nie erreichen, gestand Miles Eastin sich ein, nämlich, einen Menschen durch den Gefängnisaufenthalt zu einem besseren Mitglied der Gesellschaft zu machen, als er es bei seinem Einzug in den Kerker gewesen war. Zu welchem Strafmaß er auch verurteilt war, das Gefängnis konnte ihn nur demütigen und ihn schlechter machen, als er war; konnte nur seinen Haß auf »das System«, das ihn dorthin geschickt hatte, steigern; konnte nur die Möglichkeit verringern, daß aus ihm jemals ein nützlicher, die Gesetze achtender Bürger würde. Und je länger seine Strafe war, um so geringer war die Wahrscheinlichkeit einer moralischen Erlösung und Errettung.

So war es vor allem die Dauer des Gefängnisaufenthalts, die jedes Potential zu einer Besserung, das im Gefangenen bei seiner Ankunft noch vorhanden gewesen sein mochte, zersetzte und am Ende ganz zerstörte.

Und wenn ein einzelner sich einen Rest sittlicher Werte bewahrte, wenn er sich daran klammerte wie ein Ertrinkender an einen Rettungsring, dann geschah das aus seinen eigenen inneren Kräften heraus und nicht wegen, sondern trotz des Gefängnisses.

Miles kämpfte um ein wenig Halt, er rang darum, sich Spuren des Besten zu bewahren, das es vorher einmal in ihm gegeben hatte, er versuchte, nicht vollständig brutalisiert, total gefühllos, restlos verzweifelt und zutiefst verbittert zu werden. Es war so leicht, sich in dieses vierfache Gewand zu hüllen, in ein Nesselhemd, das der Mensch, der es einmal anzog, sein ganzes Leben lang tragen würde. Die meisten Gefangenen taten es. Es waren die, die entweder schon vor ihrer Ankunft brutalisiert worden waren und seither noch an Brutalität gewonnen hatten, oder die anderen, die die Zeit im Gefängnis zermürbt hatte; die Zeit und die kaltherzige Inhumanität der Bürger da draußen, gleichgültig gegenüber den Schrecken, die hinter diesen Mauern walteten, dem Anstand, der hier – immer im Namen der Gesellschaft – ausgerottet wurde wie ein Übel.

Im Unterschied zu den meisten gab es für Miles eine Chance, und sie beherrschte seine Gedanken, solange er sich noch über Wasser zu halten vermochte. Er war zu zwei Jahren verurteilt worden. Damit kam er in vier weiteren Monaten für eine Begnadigung in Frage.

Die Möglichkeit, daß ihm die Begnadigung nicht zuteil werden könnte, wagte er überhaupt nicht in Betracht zu ziehen. Was das bedeuten würde, war zu entsetzlich. Er glaubte nicht, daß er zwei Jahre im Gefängnis durchhalten konnte, ohne vollständig und für alle Zeiten an Geist und Körper unrettbar zerstört daraus hervorzugehen.

*Durchhalten!* rief er sich selbst am Tag und in den Nächten zu. *Durchhalten* in der Hoffnung auf die Erlösung, auf die Begnadigung!

Zu Anfang, nach der Festnahme und während der Untersuchungshaft vor dem Prozeß, hatte er gedacht, daß ihn das Eingeschlossensein in einem Gittergefängnis in den Wahnsinn treiben würde. Er erinnerte sich, einmal gelesen zu haben, daß Freiheit selten geschätzt wurde, solange man sie nicht eingebüßt hatte. Jetzt erkannte er den Wahrheitsgehalt dieses Ausspruchs, daß kein Mensch begreifen konnte, wieviel die physische Bewegungsfreiheit bedeutete – und sei es nur die Freiheit, von einem Zimmer ins andere oder ein paar Schritte vor die Tür gehen zu dürfen –, bis ihm selbst derartige Entscheidungsfreiheiten total verweigert wurden.

Dennoch war die Zeit vor dem Prozeß ein einziger Luxus, verglichen mit den Bedingungen, die in diesem Gefängnis herrschten.

Der Käfig, in dem er in Drummonburg eingesperrt war, hieß Zelle und hatte die Abmessungen 1,80 m mal 2,40 m. Sie bildete einen Teil eines in vier Schichten aufgetürmten, x-förmigen Zellenhauses. Als man das Gefängnis vor mehr als einem halben Jahrhundert baute, hatte man jede Zelle für eine Person vorgesehen; heute mußten die meisten Zellen wegen der Raumnot in den Gefängnissen vier Menschen aufnehmen. Das galt auch für Miles' Zelle. An den meisten Tagen waren die Gefangenen während achtzehn oder vierundzwanzig Stunden des Tages in diese winzigen Hohlräume eingeschlossen.

Bald nach der Ankunft von Miles waren sie wegen Unruhen in einem anderen Teil des Gefängnisses siebzehn ganze Tage und Nächte eingeschlossen geblieben – »Einschluß,

Zellenspeisung« nannten die Behörden das. Nach der ersten Woche bedeuteten die verzweifelten Schreie von zwölfhundert nahezu um den Rest ihres Verstandes gebrachten Männern eine weitere Folter.

Die Zelle, in die Miles Eastin eingewiesen wurde, hatte vier an den Wänden befestigte Pritschen, ein Waschbecken und eine einzige Toilette ohne Sitz, die sich alle vier Insassen teilten. Wegen des geringen Wasserdrucks in den uralten, zerfressenen Rohren kam das – kalte – Wasser gewöhnlich nur in einem schwachen und dünnen Strahl aus dem Hahn; manchmal versiegte es völlig. Aus dem gleichen Grunde ließ sich die Toilette oft nicht spülen. Es war schlimm genug, in einen engen Raum eingeschlossen zu sein, in dem vier Männer sich vor den anderen und in Tuchfühlung mit ihnen entleeren mußten, aber dann noch lange hinterher in dem Gestank ausharren zu müssen, während man auf genügend Wasser wartete, um die Quelle des Gestanks endlich beseitigen zu können, das war ekelerregend und rief Brechreiz hervor.

Toilettenpapier und Seife reichten selbst bei größter Sparsamkeit nie aus.

Ein kurzes Duschbad wurde einmal in der Woche zugestanden; bis die Zeit wieder heran war, begannen die Leiber zu stinken und vergrößerten so das Elend in der engen Zelle.

In den Duschräumen geschah es, in seiner zweiten Gefängniswoche, daß Miles von einer Gruppe vergewaltigt wurde. So schlimm andere Erlebnisse auch gewesen waren, dieses war das schlimmste.

Bald nach seiner Ankunft war ihm bewußt geworden, daß andere Gefangene sich sexuell von ihm angezogen fühlten. Gutes Aussehen und Jugend, das merkte er bald, waren in dieser Welt negative Attribute. Beim Marsch zum Essen oder beim Spaziergang auf dem Hof brachten die aggressivsten unter den Homosexuellen es fertig, sich um ihn zu drängen und sich an ihm zu reiben. Manche faßten ihn an und tasteten ihn ab; andere, aus der Entfernung, wölbten die Lippen und warfen ihm Kußhände zu. Den einen entzog er sich, die anderen ignorierte er, beides aber wurde immer schwieriger, und seine Nervosität wuchs, schlug in Angst um. Es wurde deutlich, daß nicht beteiligte Sträflinge ihm niemals helfen würden. Er spürte, daß Vollzugsbeamte, die zu ihm hinübersahen, wohl wußten, was da im Gange war. Aber es schien sie nur zu amüsieren.

Obwohl es sich bei den Insassen überwiegend um Schwarze handelte, kamen diese Annäherungsversuche von Schwarzen und Weißen gleichermaßen.

Er befand sich im Duschhaus, einem einstöckigen Wellblechbau, zu dem die Gefangenen, begleitet von Beamten, in Fünfzigergruppen marschierten. Die Gefangenen zogen sich aus, ließen ihre Kleidung in Drahtkörben zurück, trotteten dann nackt und zitternd durch den ungeheizten Bau. Unter den Duschen blieben sie stehen und warteten darauf, daß ein Beamter den Wasserhahn aufdrehte.

Der Duschraum-Beamte befand sich hoch über ihnen auf einer Plattform und konnte nach Belieben die Wassertemperatur regulieren. Waren ihm die Gefangenen zu träge oder zu laut, schickte der Beamte einen eisigen Sturzbach hernieder. Das hatte Wut- und Protestschreie zur Folge, und die Gefangenen sprangen umher wie Wilde, die einen Fluchtweg suchten. Den gab es nicht, denn Fluchtwege waren hier nicht vorgesehen. Manchmal auch schickte der Beamte aus schierer Bosheit fast siedend heißes Wasser durch die Rohre – mit dem gleichen Ergebnis.

An einem Morgen, als eine Fünfzigergruppe, darunter Miles, aus dem Duschraum kam und eine andere, ebenso starke Gruppe, schon entkleidet, darauf wartete hereinzudürfen, fühlte Miles sich plötzlich eng von mehreren Leibern umgeben. Unvermutet wurden seine Arme von einem halben Dutzend Händen gepackt, und man trieb ihn vorwärts. Hinter ihm zischelte eine drängende Stimme: »Schwenk deinen Arsch, mein Hübscher. Wir haben nicht viel Zeit.« Mehrere andere lachten.

Miles sah zu der Plattform hinauf. Er wollte den Beamten aufmerksam machen und schrie: »Sir! Sir!«

Der Beamte, der sich in der Nase bohrte und woanders hinguckte, schien ihn nicht zu hören.

Eine Faust trieb sich hart in Miles' Rippen. Eine Stimme hinter ihm fauchte: »Schnauze!«

Vor Angst schrie er noch einmal, und wieder rammte sich dieselbe Faust, oder eine andere, in seinen Leib. Der Atem blieb ihm weg. Ein brennender Schmerz jagte durch die Seite. Seine Arme wurden brutal verdreht. Mit Füßen, die kaum den Boden berührten, wurde er, wimmernd, vorangetrieben.

Noch immer reagierte der Beamte nicht. Später vermutete Miles, daß der Mann vorgewarnt und bestochen worden war. Da die Strafvollzugsbeamten schändlich unterbezahlt waren, gehörte die Bestechung zu den Alltäglichkeiten des Gefängnislebens.

Dicht beim Ausgang des Duschraums, wo andere dabei waren, sich wieder anzuziehen, befand sich eine schmale, offene Tür. Noch immer eng umzingelt, wurde Miles hindurchgeschoben. Er nahm schwarze und weiße Leiber wahr. Hinter ihnen fiel die Tür mit einem Knall ins Schloß.

Der Raum war klein. Hier wurden Besen, Mops, Putzmittel in Spinden verwahrt, die mit Vorhängeschlössern gesichert waren. Etwa in der Mitte der Kammer stand ein Klapptisch. Mit dem Gesicht nach unten wurde Miles daraufgeworfen; sein Mund und seine Nase schlugen hart auf der Holzplatte auf. Er spürte, wie Zähne sich lockerten. Seine Augen füllten sich mit Tränen. Seine Nase begann zu bluten.

Während seine Füße auf dem Boden blieben, wurden ihm die Beine grob auseinandergezerrt. Er wehrte sich verzweifelt und verzweifelnd, er versuchte, sich zu bewegen. Die vielen Hände hielten ihn eisern.

»Halt still, mein Hübscher.« Miles hörte ein Grunzen und spürte einen Stoß. Eine Sekunde später schrie er auf vor Schmerz, Ekel und Entsetzen. Der, der seinen Kopf hielt, riß ihn an den Haaren hoch und schlug ihn hart auf die Platte. »Schnauze!«

Jetzt waren die Schmerzen, in schweren Wogen, überall.

»Is' sie nich' schön?« Die Stimme schien aus der Ferne zu kommen und zu hallen wie ein Echo im Traum.

Die Penetration endete. Bevor sein Körper Erleichterung empfinden konnte, begann die nächste. Gegen seinen Willen, denn er kannte die Folgen, schrie er wieder auf. Wieder schlugen sie seinen Kopf auf die Platte.

Während der nun folgenden Minuten und der monströsen

Wiederholungen begannen Miles die Sinne zu schwinden. Seine Kraft verließ ihn, seine Gegenwehr wurde geringer. Aber die körperlichen Qualen wurden schlimmer und schlimmer – ein wundes Brennen, das feurige Abschmirgeln von eintausend Nervenspitzen.

Das Bewußtsein mußte ihn vollständig verlassen haben, dann wieder zurückgekehrt sein. Von draußen hörte er die Trillerpfeife eines Beamten. Es war das Signal, sich schleunigst fertig anzuziehen und sich im Hof zu versammeln. Er spürte, wie die Hände, die ihn hielten, ihn losließen. Hinter ihm öffnete sich eine Tür. Die anderen rannten aus der Kammer.

Blutend, wund und kaum bei Bewußtsein, taumelte Miles hinaus. Die geringste körperliche Bewegung verursachte ihm Qualen.

»He, du da!« brüllte der Beamte von seiner Plattform. »Schwenk den Arsch, verdammter schwuler Hund!«

Tastend, nur zur Hälfte dessen bewußt, was er tat, packte Miles den Drahtkorb mit seinen Kleidern und begann sich anzuziehen. Die meisten anderen seiner Fünfzigergruppe waren schon draußen auf dem Hof. Andere fünfzig, die unter den Duschen gewesen waren, warteten darauf, in die Umkleidezone hineingelassen zu werden.

Der Beamte brüllte zum zweiten Mal, dieses Mal noch wütender: »Scheißkopp! Ich sagte – Bewegung!«

Miles stieg in seine rauhen Drillichhosen und wäre dabei hingestürzt, wenn ein Arm ihn nicht gehalten hätte.

»Mal langsam, Junge«, sagte eine tiefe Stimme. »Wart, ich helf' dir.« Die erste Hand hielt ihn weiter aufrecht, eine zweite half ihm, die Hose anzuziehen.

Die Trillerpfeife des Beamten schrillte wie verrückt. »Nigger, kannst du nicht hören! Raus mit dir und der schwulen Sau, oder ich melde euch zum Rapport!«

»Yes Sir, yes Sir, Boss. Schon fertig. Schon da. Komm endlich, Junge.«

Durch den Nebel vor seinen Augen sah Miles, daß der Mann neben ihm riesenhaft groß und schwarz war. Später sollte er erfahren, daß er Karl hieß und wegen Mordes lebenslang hatte. Miles fragte sich, ob Karl unter der Bande gewesen war, die ihn vergewaltigt hatte. Er nahm es an, aber er forschte nicht nach, und er erfuhr es nie.

Er erfuhr aber, daß der schwarze Riese trotz seiner Größe und seiner äußerlichen Wildheit von einer Sanftheit des Wesens und einer Feinfühligkeit war, die beinahe etwas Feminines hatten.

Gestützt von Karl, wankte Miles unsicheren Schrittes aus dem Duschhaus und hinaus ins Freie.

Einige Gefangene grinsten, aber auf den Gesichtern der meisten anderen las Miles nur Verachtung. Ein runzliger Alter spie angewidert aus und wandte sich ab.

Miles brachte den Rest des Tages hinter sich – zurück in die Zelle, später in die Kantine, wo er den Fraß nicht essen konnte, den er gewöhnlich aus schierem Hunger herunterwürgte, und schließlich wieder in die Zelle, unterwegs immer wieder von Karl gestützt. Seine drei Zellengefährten ignorierten ihn wie einen Aussätzigen. Gemartert von Schmerz und tiefer Verzweiflung, schlief er schließlich ein, warf sich hin und her, wachte auf, lag stundenlang wach und litt unter der verbrauchten, stinkenden Luft, schlief kurze Zeit und wachte wieder auf. Mit Tagesanbruch und dem Dröhnen der Zellentüren, die aufgerissen wurden, kam neue Angst: Wann würde es wieder passieren? Bald, fürchtete er.

Während des »Spaziergangs« auf dem Hof – zwei Stunden, in denen der größte Teil der Gefängnis-Belegschaft ziellos herumzustehen pflegte – schob Karl sich an ihn heran.

»Wie geht's dir, Junge?«

Miles schüttelte niedergeschlagen den Kopf. »Dreckig.« Er fügte hinzu: »Vielen Dank für gestern.« Ihm war bewußt, daß der große Schwarze ihn vor dem Rapport gerettet hatte. Das hätte Bestrafung bedeutet – wahrscheinlich Tage im Loch – und einen Minuspunkt in seinen Begnadigungspapieren.

»Is' okay, Junge. Eins mußte wissen. Das eine Mal, gestern, genügt den Kerls nicht. Die sind jetzt wie Köter und du die läufige Hündin. Die sind bald wieder hinter dir her.«

»Was kann ich machen?« Hier wurde seine Angst bestätigt, und Miles' Stimme bebte. Er zitterte am ganzen Körper. Der andere betrachtete ihn mit erfahrenem Blick.

»Will dir mal sagen, wasde brauchst, Junge. 'n Beschützer. 'n Kerl, der auf dich aufpaßt. Wie wär's mit mir?«

»Aber warum solltest du?«

»Du entschließt dich und wirst mein fester Freund, und ich paß auf dich auf. Die anderen wissen, du und ich, wir gehn miteinander, und die legen keine Hand an dich. Die wissen genau, tunse dir was, kriegense's mit mir zu tun.« Karl ballte die Finger einer Hand zur Faust; sie hatte die Größe eines kleinen Schinkens.

Obwohl er die Antwort schon kannte, fragte Miles: »Und was willst *du* dann von mir?«

»Deinen hübschen weißen Arsch, Baby.« Der große Mann schloß die Augen und fuhr träumerisch fort: »Deinen Körper für mich allein. Immer, wenn ich ihn brauche. Wo? Das laß meine Sorge sein.«

Miles Eastin fühlte Übelkeit in sich aufsteigen.

»Wie wär's mit uns, Baby? Was sagste dazu?«

Wie so oft schon dachte Miles in seiner Verzweiflung: *Was vorher auch gewesen sein mag, kann jemand so etwas verdient haben?*

Aber er war nun einmal hier. Und er hatte erfahren, daß das Gefängnis ein Dschungel war – verkommen und wild, ohne Gerechtigkeit –, wo der Mensch am Tage seiner Ankunft seine Menschenrechte verlor. Voller Bitterkeit sagte er: »Hab' ich denn eine Wahl?«

»Wenn du so willst, wohl nich'.« Eine Pause, dann ungeduldig: »Na, abgemacht?«

Ganz krank vor innerem Elend, sagte Miles: »Muß wohl.«

Erfreut legte Karl besitzergreifend einen Arm um die Schultern des anderen. Miles schrumpfte in sich zusammen, zwang sich aber mit äußerster Willenskraft dazu, nicht zurückzuweichen.

»Wir müssen dich verlegen lassen, Baby. In meinen Stock. Vielleicht in meine Bude.« Karls Zelle befand sich in einem niedrigeren Stock als die von Miles und lag in einem entgegengesetzten Flügel des x-förmigen Zellenhauses. Der große Mann leckte sich die Lippen. »O ja, Mann.« Schon begann die Hand, die auf Miles lag, zu wandern. »Haste Zaster?« fragte er.

»Nee.« Miles wußte, daß ein wenig Geld ihm das Leben schon erleichtert hätte, aber er besaß keins. Gefangene, die draußen Geld hatten und die das Geld auch nutzten, hatten weniger zu leiden als Gefangene, die nichts besaßen.

»Hab' auch keins«, vertraute Karl ihm an. »Muß mir wohl was einfallen lassen.«

Miles nickte trübe. Ihm wurde bewußt, daß er schon angefangen hatte, sich mit der schmachvollen Rolle der »Freundin« abzufinden. Aber er kannte die Regeln im Gefängnis, und er wußte, daß er sicher war, solange sein Arrangement mit Karl dauerte. Eine Massenvergewaltigung würde es nun nicht mehr geben.

Seine Annahme erwies sich als richtig.

Es gab keine Angriffe mehr, keinen Versuch, ihn zu tätscheln, keine zugeworfenen Kußhände mehr. Karl stand in dem Ruf, genau zu wissen, was er mit seinen gewaltigen Fäusten anfangen konnte. Es ging das Gerücht um, daß er vor einem Jahr einen Mitgefangenen, der ihn geärgert hatte, mit einem Klappmesser getötet habe; offiziell wurde der Mordfall nie geklärt.

Und Miles wurde verlegt, nicht nur in Karls Stockwerk, sondern in seine Zelle. Die Verlegung war offensichtlich das Resultat einer finanziellen Transaktion. Miles fragte Karl, wie er das geschafft habe.

Der große schwarze Mann lachte glucksend. »Die Jungs in der Mafiastraße haben den Zaster rausgerückt. Die mögen dich, Baby.«

»Mögen *mich*?«

Wie die anderen Gefangenen auch, kannte Miles die Mafiastraße, die manchmal auch die italienische Kolonie genannt wurde. Das war ein Zellenabschnitt, in dem die Bosse des organisierten Verbrechens untergebracht waren, deren Kontakte mit der Außenwelt und deren Einfluß, wie einige behaupteten, ihnen den Respekt, ja, die Furcht sogar des Gefängnis-Gouverneurs eingebracht hatten. Ihre Privilegien in Drummonburg waren legendär.

Zu diesen Privilegien gehörten wichtige Ämter im Gefängnis, viel Bewegungsfreiheit und besseres Essen, das entweder von Vollzugsbeamten hereingeschmuggelt oder aus den allgemeinen Vorräten der Gefängnisküche gestohlen wurde. Die Bewohner der Mafiastraße verzehrten, wie Miles gehört hatte, oft Steaks und andere Herrlichkeiten, zubereitet auf verbotenen Grills in Werkstatt-Verstecken. Sie hatten auch manchen Komfort in ihren Zellen – Fernsehen zum Beispiel und Höhensonnen. Aber Miles selbst hatte nie Kontakt mit der Mafiastraße gehabt, noch hatte er geahnt, daß dort irgend jemand von seiner Existenz wußte.

»Die sagen, daß du die Schnauze halten kannst«, vertraute Karl ihm an.

Ein Teil des Rätsels wurde ein paar Tage später gelüftet, als ein wieseliger, schmerbäuchiger Gefangener namens LaRocca sich im Gefängnishof neben Miles schob. LaRocca gehörte zwar nicht zur Mafiastraße, aber er war ganz in ihrer Nähe untergebracht und fungierte als Kurier.

Er nickte Karl zu und erkannte damit dessen Besitzerrechte an, dann sagte er zu Miles: »Soll dir was sag'n von Ominsky dem Russen.«

Miles war aufgeschreckt und verstört. Igor Ominsky, genannt der Russe, war der Kredithai, dem er mehrere tausend Dollar geschuldet hatte – und noch schuldete. Ihm war auch klar, daß sich außerdem eine gewaltige Zinssumme angesammelt haben mußte.

Vor sechs Monaten hatten Ominskys Drohungen ihn bewogen, sechstausend Dollar Bargeld in der Bank zu stehlen. Danach waren dann seine früheren Unterschlagungen aufgedeckt worden.

»Ominsky weiß, daßde die Schnauze gehalt'n hast«, sagte LaRocca. »Das gefällt ihm. Für ihn biste 'n Kerl, der in Ordnung is'.«

Es stimmte. In den Verhören vor seinem Prozeß hatte Miles weder den Namen seines Buchmachers preisgegeben noch den Namen des Wucherers. Es waren die beiden Männer, vor denen er zur Zeit seiner Festnahme Angst hatte. Was ihm das Schweigen nützen sollte, schien damals nicht recht klar; vielleicht konnte es ihm auch erheblich schaden. Jedenfalls hatten sie ihn in diesem Punkt auch nicht sehr bedrängt, weder Wainwright, der Sicherheitschef der Bank, noch die Leute vom FBI.

»Weilde dichtgehalten hast«, sagte LaRocca jetzt zu ihm, »soll ich dir von Ominsky sag'n, dasser die Uhr angehalten hat, solange du im Knast sitzt.«

Miles wußte, was das bedeutete. Solange er seine Strafe absaß, sammelten sich keine neuen Schuldzinsen an. Er hatte mittlerweile genug über Kredithaie erfahren, um zu wissen, daß das ein gewaltiges Zugeständnis war. Die Nachricht, die ihm da überbracht wurde, war zugleich der Beweis dafür, daß die Mafiastraße mit ihrem glänzenden externen Informationsnetz genau über seine Existenz informiert war.

»Sag Mr. Ominsky vielen Dank«, sagte Miles. Er hatte aber nicht die geringste Ahnung, wie er das Kapital, das er schuldete, nach seiner Entlassung zurückzahlen sollte; er wußte nicht einmal, wie er genug verdienen sollte, um davon leben zu können.

LaRocca sagte mit einem Kopfnicken: »Du wirst noch von ihnen hör'n, bevorde rauskommst. Vielleicht machen wir 'n Geschäft.« Mit einem neuen Kopfnicken, das Karl einbezog, schlüpfte er davon.

In den Wochen, die nun folgten, bekam Miles den wieseligen LaRocca öfter zu Gesicht. Im Gefängnishof suchte er mehrfach seine und Karls Gesellschaft. LaRocca und auch andere Gefangene waren geradezu fasziniert von dem, was Miles über die Geschichte des Geldes wußte. In gewisser Hinsicht war das, was einmal ein Hobby und ein besonderes Interessengebiet gewesen war, hier für Miles zu einem Mittel geworden, um sich jenen Respekt zu erwerben, den Gefängnisinsassen denen entgegenbringen, deren Lebensgeschichte und Verbrechen mit dem Gehirn zu tun haben und nicht nur mit Gewalt. In dieser Wertskala steht der kleine Straßenräuber am Fuße der Pyramide der Gefängnishierarchie, der Hochstapler und Betrüger nahe der Spitze.

Besonders spannend fand LaRocca Miles' Erzählungen über gewaltige Geldfälschungen, begangen von Regierungen. Gefälscht wurde das Geld eines anderen Landes. »Das waren schon immer die größten Fälschungen von allen«, erzählte Miles eines Tages einem aufmerksam lauschenden Publikum von einem halben Dutzend Männern.

Er beschrieb, wie die britische Regierung die Fälschung

großer Mengen von Assignaten genehmigt hatte, um die Französische Revolution zu unterminieren. Das geschah trotz der Tatsache, daß das gleiche Verbrechen, begangen von einzelnen Menschen und nicht vom Staat, in England bis zum Jahre 1821 mit dem Tode durch Erhängen bestraft wurde. Die amerikanische Revolution begann mit offizieller Fälschung britischer Banknoten. Das größte Fälschungsunternehmen von allen aber, fuhr Miles fort, ereignete sich im Zweiten Weltkrieg, als die Deutschen 140 Millionen britische Pfund sowie unbekannte Mengen amerikanischer Dollars fälschten, und zwar in bester Qualität. Die Briten ihrerseits druckten deutsches Geld, und es gibt Gerüchte, daß auch die meisten anderen Alliierten es taten.

»Wasde nich' sagst!« staunte LaRocca. »Und das sind die Schweine, die uns hier einsperr'n. Kannste Gift drauf nehmen, die machen so was auch heute noch.«

LaRocca wußte den Abglanz wohl zu schätzen, der durch Miles' Wissen auch auf ihn selbst fiel. Und er sorgte dafür, daß Miles erfuhr, daß durch ihn etliches von diesen Kenntnissen seinen Weg in die Mafiastraße fand.

»Ich und andre werden sich draußen um dich kümmern«, versprach er eines Tages. Miles wußte schon, daß man ihn möglicherweise etwa zur gleichen Zeit aus dem Gefängnis entlassen würde wie LaRocca.

Über Geld zu reden, das war für Miles so etwas wie ein geistiger Urlaub, der ihn, wenn auch nur für kurze Zeit, die Schrecken der Gegenwart vergessen ließ. Er sollte wohl auch, meinte er, Erleichterung darüber empfinden, daß die Kredituhr angehalten war. Aber weder das Reden noch das Denken an andere Dinge vermochten ihn länger als ein paar Minuten aus seinem Elend zu befreien, aus seinem Ekel vor sich selbst. Er begann an Selbstmord zu denken.

Sein Verhältnis mit Karl war der Herd seines Ekels vor sich selbst. Der große Mann hatte erklärt, was er wollte: »*Deinen hübschen weißen Arsch, Baby. Deinen Körper für mich allein. Immer, wenn ich ihn brauche.*« Seit ihrer Abmachung hatte er diese Ankündigung wahrgemacht mit einem Appetit, der unersättlich schien.

Zu Anfang versuchte Miles, sich geistig zu betäuben. Er

hielt sich vor, daß das, was hier geschah, der Massenvergewaltigung vorzuziehen sei, und das war es tatsächlich – wegen der instinktiven Zartheit Karls. Aber der Ekel blieb, und die Betäubung vertrieb das Bewußtsein nicht.

Schlimmer aber war, was sich seither entwickelt hatte.

Nicht einmal sich selbst gegenüber wagte Miles es sich einzugestehen, aber die Tatsache blieb: Er begann das, was zwischen ihm und Karl geschah, zu *genießen*. Außerdem betrachtete Miles seinen Beschützer mit neuen Gefühlen ... Zuneigung? *Ja* ... Liebe? *Nein* ... Er wagte es für den Augenblick nicht, so weit zu gehen.

Diese Erkenntnisse zerschmetterten ihn. Doch er folgte neuen Vorschlägen, die Karl machte, selbst wenn sie dazu führten, daß Miles' homosexuelle Rolle dadurch deutlicher wurde.

Nach jedem solchen Geschehnis überfielen ihn Fragen. War er noch ein Mann? Er wußte, daß er vorher einer gewesen war. Aber jetzt war er nicht mehr sicher. War er total pervertiert? War das die Art, wie so etwas vor sich ging? Konnte es später eine Umkehr geben, eine Rückkehr zur Normalität, ein Auslöschen des Probierens, des Genießens, das hier und jetzt geschah? Gab es diese Umkehr nicht, war das Leben dann lebenswert? Wahrscheinlich nicht.

Bei diesen Gedanken übermannte ihn die Verzweiflung, aus der es nur einen logischen Ausweg gab: den Selbstmord – als Heilmittel, als Ende, als Erlösung. Es war schwierig im überfüllten Gefängnis, aber es ließ sich machen – durch Erhängen. Fünfmal seit Miles' Einlieferung hatte er den Schrei »Aufgehängt!« gehört – gewöhnlich in der Nacht –, und dann waren Beamte herbeigestürmt wie ein Stoßtrupp, fluchend, Hebel herumwerfend, um Stockwerke aufzuschließen, eine Zelle »aufknackend«, hineinstürzend, um einen Selbstmörder abzuschneiden, bevor er starb. An drei von den fünf Malen waren sie, angespornt vom rauhen Gegröle der Gefangenen und ihrem Gelächter, zu spät gekommen. Unmittelbar danach wurden jedes Mal die nächtlichen Streifen verstärkt, denn Fälle von Selbstmord waren für das Gefängnis unangenehm, aber die Wachsamkeit ließ meistens bald wieder nach.

Miles wußte, wie man es machte. Man ließ ein Stück Laken oder Decke sich mit Wasser vollsaugen, damit das Material nicht riß – darauf zu urinieren, war leiser –, dann befestigte man es an einem Deckenträger, den man von der obersten Pritsche erreichen konnte. Das Ganze mußte lautlos geschehen, während die anderen in der Zelle schliefen . . .

Am Ende hielt eins ihn zurück, nur dieses eine. Kein anderer Faktor bewirkte Miles' Entschluß durchzuhalten.

Er wollte, sobald er seine Zeit abgesessen hatte, Juanita Núñez sagen, daß es ihm leid tat.

Die Reue, die Miles Eastin bei seiner Verurteilung empfand, war echt gewesen. Er hatte bereut, die First Mercantile American Bank, wo man ihn anständig behandelt hatte, bestohlen und es ihr so unanständig vergolten zu haben. Rückschauend fragte er sich, wie er es eigentlich fertiggebracht hatte, sein Gewissen einfach zu ersticken.

Wenn er jetzt darüber nachdachte, schien es ihm manchmal, als habe ein Fieber ihn besessen. Das Wetten, die Großmannssucht im Umgang mit anderen, die Sportveranstaltungen, das Leben über seine Verhältnisse, der Wahnsinn, von einem Kredithai Geld zu nehmen, und das Stehlen – das alles erschien ihm jetzt wie die irrsinnig falsch zusammengefügten Teile eines fiebernden Gehirns. Er hatte den Kontakt zur Wirklichkeit verloren, und wie bei einem Fieber in fortgeschrittenem Stadium hatte sein Geist sich verzerrt, bis Anstand und sittliche Maßstäbe ganz verschwunden waren.

Wie sonst, das fragte er sich tausendmal, hätte er sich wohl so tief erniedrigen, wie sonst hätte er sich eine solche Schurkerei zuschulden kommen lassen können wie die Ungeheuerlichkeit, den Verdacht wissentlich auf Juanita Núñez zu lenken?

Während des Prozesses hatte er sich so geschämt, daß er es nicht hatte ertragen können, zu Juanita hinüberzuschauen.

Jetzt, nach sechs Monaten, grämte Miles sich weniger wegen der Bank. Er hatte der FMA unrecht getan, aber hier im Gefängnis zahlte er seine Schuld voll zurück. *Bei Gott, und wie er gezahlt hatte!*

Aber nicht einmal Drummonburg mit seiner ganzen Scheußlichkeit konnte wettmachen, was er Juanita angetan hatte. Nichts konnte das. Und aus diesem Grunde mußte er zu ihr, mußte sie um Verzeihung bitten.

Um das tun zu können, mußte er leben. Und deshalb hielt er durch.

# 10

»First Mercantile American Bank«, sagte der FMA-Geldhändler mit schnarrender Stimme; er hielt den Hörer geübt zwischen Schulter und linkem Ohr eingeklemmt, so daß er die Hände frei hatte. »Ich nehme sechs Millionen Dollar über Nacht. Ihr Satz?«

An der kalifornischen Westküste sagte ein Geldhändler der riesigen Bank of America mit gedehnter Stimme: »Dreizehn und fünf Achtel.«

»Ziemlich viel«, sagte der FMA-Mann.

»Geizkragen.«

Der FMA-Händler zögerte. Er versuchte zu raten, was der andere dachte; wohin gingen die Sätze? Gewohnheitsmäßig verschloß er die Ohren vor dem monotonen Stimmengewirr in der Geldhandels-Zentrale der First Mercantile American – einem empfindlichen und streng bewachten Nerv in der Zentrale der FMA, von dem nur wenige Kunden der Bank etwas ahnten und den nur ein paar Bevorzugte je zu sehen bekamen. Aber in Zentren wie diesem wird ein großer Teil des Bankgewinns gemacht – oder verspielt.

Bilanzierungsvorschriften zwangen die Bank, bestimmte Barsummen für den Fall möglicher Forderungen zu halten, aber keine Bank wollte zuviel nicht arbeitendes Geld oder zu wenig. Die Geldhändler der Bank hielten die Beträge im Gleichgewicht.

»Bleiben Sie bitte dran«, sagte der FMA-Händler zu San Francisco. Er drückte die Speichertaste auf seiner Telefonkonsole und dann eine andere Taste dicht daneben.

Eine neue Stimme meldete sich: »Manufacturers Hanover Trust, New York.«

»Ich brauche sechs Millionen Tagesgeld. Wie ist Ihr Satz?«

»Dreizehn und drei Viertel.«

An der Ostküste stieg der Preis.

»Besten Dank, nein.« Der FMA-Händler trennte die Verbindung mit New York und ließ die Speichertaste wieder ausrasten, unter der San Francisco wartete. »Ich nehme.«

»Sechs Millionen zu dreizehn und fünf Achtel an Sie geben«, sagte Bank of America.

»Gemacht.«

Der Abschluß hatte zwanzig Sekunden erfordert. Es war einer von Tausenden, die täglich zwischen konkurrierenden Banken getätigt wurden. Scharfsinn und Nerven lagen hier im Wettkampf, und es ging um siebenstellige Einsätze. Die Geldhändler der Banken waren ausnahmslos junge Männer in den Dreißigern – intelligent und ehrgeizig, schnelldenkend und auch unter Streß nicht aus der Fassung zu bringen. Erfolg im Geldhandel förderte die Karriere eines jungen Mannes, Fehler konnten sie allerdings beenden. Diese ständige Spannung bewirkte, daß drei Jahre am Geldhandelstisch als Maximum galten. Danach machte sich die Belastung bemerkbar.

In diesem Augenblick wurde die neueste Transaktion in San Francisco und bei der First Mercantile American verbucht, einem Computer eingegeben, dann der Bundes-Reserve-Bank mitgeteilt. Dort wurde die Bank of America für die nächsten vierundzwanzig Stunden mit sechs Millionen Dollar belastet, der FMA wurde die gleiche Summe gutgeschrieben. Die FMA zahlte der Bank of America für die Nutzung ihres Geldes während dieser Zeit Zinsen.

Überall im ganzen Land fanden ähnliche Transaktionen zwischen anderen Banken statt.

Es war ein Mittwoch, Mitte April.

Alex Vandervoort, der der Geldhandelszentrale, Teil seines Aufgabengebietes in der Bank, gerade einen Besuch abstattete, nickte dem Händler zu, der auf einer erhöhten Plattform saß, umgeben von Assistenten, die Informationen weitergaben und Schreibarbeiten erledigten. Der junge Mann, schon bis über beide Ohren in einem anderen Geschäft, erwiderte den Gruß mit einer Handbewegung und einem gutgelaunten Lächeln.

An anderen Schreibtischen im Raum – der die Größe eines Hörsaals hatte und Ähnlichkeiten mit dem Kontrollzentrum eines großen Flughafens aufwies – saßen andere Händler in Wertpapieren und Obligationen, flankiert von Helfern, Buchhaltern und Sekretärinnen. Alle waren damit beschäftigt, das Geld der Bank einzusetzen – zu verleihen und zu borgen, zu investieren, zu verkaufen, zu re-investieren.

Hinter den Händlern arbeiteten sechs Finanzkontrolleure an größeren, luxuriöseren Schreibtischen.

Händler und Kontrolleure hatten eine riesige Tafel vor Augen, die sich über die ganze Längswand des Handelszentrums erstreckte und Kursnotierungen, Zinssätze und andere Informationen enthielt. Die ferngesteuerten Zahlen auf der Tafel wechselten ständig.

Ein Effektenhändler, dessen Schreibtisch in Alex' Nähe stand, erhob sich und teilte mit lauter Stimme mit: »Ford und United Auto Workers geben einen Tarifvertrag mit zweijähriger Laufzeit bekannt.« Mehrere andere Händler griffen nach ihrem Telefon. Wichtige Nachrichten aus Industrie und Politik wurden wegen ihrer sofortigen Auswirkung auf Effektenkurse stets auf diese Weise von demjenigen im Raum, der sie zuerst erfuhr, den anderen mitgeteilt.

Sekunden später erlosch ein grünes Licht über der Tafel, ein gelbes Blinklicht blitzte auf. Das war das Signal für die Händler, nicht abzuschließen, weil neue Notierungen hereinkamen, die sich vermutlich aus der Tarifvereinbarung in der Autoindustrie ergaben. Ein rotes Blinklicht, das selten aufleuchtete, hieß: Katastrophenwarnung.

Doch der Tisch des Geldhändlers, dessen Arbeit Alex beobachtet hatte, blieb der Angelpunkt.

Eine Bundesvorschrift verlangte, daß die Banken siebzehneinhalb Prozent ihrer Sichteinlagen in flüssigen Mitteln verfügbar hielten. Die Strafen für Verstöße waren streng. Aber große Summen auch nur einen Tag lang nicht anzulegen, bedeutete ein schlechtes Geschäft für die Bank.

Deshalb registrierten die Banken laufend alle hereinkommenden und hinausgehenden Gelder. Eine zentrale Kassenabteilung hielt den Finger auf dem Geldstrom wie der Arzt auf dem Puls. Überstiegen die Einlagen einer Bankorganisation wie etwa der First Mercantile American die Erwartungen, verlieh die Bank – durch ihren Geldhändler – sofort überschüssige Mittel an andere Banken, deren Reserven sich vielleicht gerade der Mindestgrenze näherten. Hoben umgekehrt die Kunden ungewöhnlich viel ab, borgte sich die FMA Geld.

Die Situation änderte sich von Stunde zu Stunde, so daß eine Bank, die am Morgen Geld verlieh, es am Mittag vielleicht borgen mußte, vor Geschäftsschluß aber schon wieder Verleiher sein konnte. Auf diese Weise setzte eine Großbank an einem Tag oft mehr als eine Milliarde Dollar um.

Zwei andere Dinge ließen sich – man hörte es immer wieder – über das System sagen. Erstens waren die Banken gewöhnlich schneller dabei, für sich selbst Geld zu verdienen als für ihre Kunden. Zweitens erzielten Banken für sich selbst sehr viel höhere Erträge als für Außenstehende, die ihnen ihr Geld anvertrauten.

Alex Vandervoort war in die Geldhandelszentrale gekommen, um, wie er es oft tat, den Geldfluß zu beobachten. Aber es gab auch noch einen weiteren Grund: Gewisse Entwicklungen in den letzten Wochen gefielen ihm nicht sehr, und er wollte sich mit jemandem über diese Dinge aussprechen.

Er stand mit Tom Straughan zusammen, Vizepräsident und wie er selbst Mitglied des finanzpolitischen Ausschusses der FMA. Straughans Büro befand sich gleich nebenan. Zusammen mit Alex hatte er die Geldhandelszentrale betreten. Es war derselbe junge Straughan, der sich im Januar gegen eine Verringerung der Mittel für Forum East ausgesprochen hatte, nun aber den vorgeschlagenen Kredit an die Supranational Corporation begrüßte.

Sie sprachen jetzt über Supranational.

»Sie machen sich unnötige Sorgen, Alex«, sagte Tom Straughan hartnäckig. »SuNatCo ist mit überhaupt keinem Risiko verknüpft und wird uns außerdem nützen. Davon bin ich überzeugt.«

Alex sagte voller Ungeduld: »Kein Risiko, das gibt es nicht. Übrigens geht es mir weniger um Supranational als um die Hähne, die wir anderswo werden zudrehen müssen.«

Beide Männer wußten, auf welche Hähne innerhalb der

First Mercantile American Alex anspielte. Vor ein paar Tagen war den Mitgliedern des finanzpolitischen Ausschusses eine Denkschrift mit Vorschlägen zugestellt worden, die Roscoe Heyward entworfen und der Präsident der Bank, Jerome Patterton, genehmigt hatte. Um die Supranational-Kreditlinie in Höhe von fünfzig Millionen Dollar zu ermöglichen, wurde vorgeschlagen, Kleinkredite, Hypotheken und die Finanzierung von Kommunalobligationen drastisch einzuschränken.

»Wenn der Kredit durchgeht und wir die Einschränkungen machen«, argumentierte Tom Straughan, »dann wird das nur eine befristete Angelegenheit sein. In drei Monaten, vielleicht schon früher, können wir unsere Finanzierungen wieder auf den alten Stand bringen.«

»Wenn Sie das glauben, Tom – ich jedenfalls glaube es nicht.«

Alex war schon in gedrückter Stimmung gekommen; das Gespräch mit dem jungen Straughan deprimierte ihn noch mehr.

Die Vorschläge von Heyward und Patterton liefen nicht nur Alex' Überzeugungen zuwider, sondern auch seinen finanziellen Instinkten. Es war seiner Meinung nach unrecht, so erhebliche Mittel der Bank auf Kosten ihrer öffentlichen Pflichten in einen einzigen Industriekredit zu leiten, auch wenn die Industriefinanzierung weit ertragreicher war. Aber selbst vom rein geschäftlichen Standpunkt aus erfüllte ihn das Ausmaß des Supranational-Engagements der Bank – durch SuNatCo-Töchter – mit Unbehagen.

Er wußte, daß er sich in diesem letzten Punkt auf einsamem Posten befand. Alle anderen Mitglieder des Spitzenmanagements der Bank waren begeistert über die neue Supranational-Verbindung, und man hatte Roscoe Heyward zu dieser Leistung überschwenglich gratuliert. Doch das Unbehagen in Alex wollte nicht weichen, wenn er auch nicht sagen konnte, warum. Ganz gewiß schien Supranational finanziell solide zu sein; die Bilanzen wiesen das gigantische Konglomerat als wirtschaftlich kerngesund aus. Und an Prestige rangierte SuNatCo Seite an Seite mit Gesellschaften wie General Motors, IBM, Exxon, Du Pont und U.S. Steel.

Vielleicht, dachte Alex, entsprangen seine Zweifel und seine Niedergeschlagenheit seinem eigenen schwindenden Einfluß innerhalb der Bank. Und er *war* im Schwinden begriffen. Das war in den letzten Wochen deutlich geworden.

Im Gegensatz dazu stieg Roscoe Heywards Stern steil auf. Er besaß Ohr und Vertrauen Pattertons, ein Vertrauen, das durch den strahlenden Erfolg von Heywards zweitägigem Aufenthalt bei George Quartermain auf den Bahamas noch gestärkt worden war. Alex' eigene Vorbehalte gegenüber diesem Erfolg wurden, wie er wußte, als schlecht verhohlene Mißgunst gedeutet.

Alex spürte auch, daß er seinen persönlichen Einfluß auf Straughan und andere verloren hatte, die sich früher zu seiner Gefolgschaft gezählt hatten.

»Sie müssen doch zugeben«, sagte Straughan jetzt, »daß das Supranational-Geschäft Zucker ist. Haben Sie schon gehört, daß Roscoe sie auf ein Ausgleichskonto von zehn Prozent festgelegt hat?«

Ein Ausgleichskonto war ein Arrangement, auf das sich Banken und Kreditnehmer in harten Verhandlungen zu einigen pflegten. Die Bank bestand darauf, daß ein bestimmter Teil jedes Kredits auf ein Kontokorrentkonto eingezahlt wurde, wo das Geld dem Kontoinhaber keine Zinsen einbrachte, der Bank aber zu eigenen Zwecken und Investierungen zur Verfügung stand. Dem Kreditnehmer stand also sein Kredit nicht in voller Höhe zur Verfügung, so daß der wahre Zinssatz wesentlich höher war als der angegebene. Im Falle von Supranational würden, wie Tom Straughan hervorgehoben hatte, fünf Millionen Dollar auf neuen SuNatCo-Girokonten bleiben – sehr zum Vorteil für die FMA.

»Ich nehme doch wohl an«, sagte Alex mit angespannter Stimme, »daß Ihnen die Kehrseite dieses großartigen Geschäfts nicht verborgen geblieben ist.«

Tom Straughan war anzumerken, daß ihm etwas unbehaglich zumute war. »Man hat mir gesagt, daß es eine Abmachung gibt. Ob man das aber als Kehrseite bezeichnen soll . . .«

»Verdammt noch mal, das ist es aber! Wir wissen beide, daß Roscoe sich auf Drängen von SuNatCo damit einverstanden erklärt hat, daß unsere Treuhandabteilung erheblich in Supranational-Stammaktien investiert.«

»Und wenn sie es tut, schriftlich ist das nirgendwo festgelegt.«

»Natürlich nicht. So dumm wird niemand sein.« Alex sah den jüngeren Mann scharf an. »Sie haben Zugang zu den Zahlen. Wieviel *haben* wir bis jetzt schon gekauft?«

Straughan zögerte, ging dann aber zu dem Schreibtisch eines der Kontrolleure in der Handelszentrale. Er kam mit einem Zettel zurück, auf dem etwas mit Bleistift geschrieben war.

»Nach dem Stand von heute siebenundneunzigtausend Aktien.« Straughan fügte hinzu: »Die neueste Notierung ist zweiundfünfzig.«

Mit unbewegter Miene sagte Alex: »Bei Supranational wird man sich die Hände reiben. Unsere Käufe haben ihren Kurs schon um fünf Dollar pro Aktie in die Höhe getrieben.« Er überschlug schnell. »Wir haben also in der vergangenen Woche nahezu fünf Millionen Dollar vom Geld unserer Treuhandkunden bei Supranational angelegt. Warum?«

»Es ist eine erstklassige Anlage.« Straughan versuchte es mit einem etwas leichteren Ton. »Wir werden Kapitalgewinne für sämtliche Witwen und Waisen und kulturellen Stiftungen machen, deren Geld wir verwalten.«

»Oder es zerbröckeln lassen – während wir das in uns gesetzte Vertrauen mißbrauchen. Was wissen wir denn, Tom, was weiß denn jeder von uns über SuNatCo, das wir nicht auch schon vor zwei Wochen gewußt haben? Warum hat die Treuhandabteilung bis zu dieser Woche noch nie eine einzige Supranational-Aktie gekauft?«

Der jüngere Mann schwieg, dann sagte er, in die Defensive gedrängt: »Sicher meint Roscoe, daß er die Gesellschaft als künftiges Direktoriumsmitglied etwas genauer unter die Lupe nehmen kann.«

»Sie enttäuschen mich, Tom. Sie haben sich früher noch nie etwas vorgemacht, besonders dann nicht, wenn Sie die wirklichen Gründe genauso gut kennen wie ich.« Straughan lief rot an, aber Alex blieb beim Thema: »Können Sie sich vorstellen, was das für einen Skandal gibt, wenn die Börsenaufsichtsbehörde darüber stolpert? Interessenkonflikt liegt vor, Mißbrauch des Kreditlimitierungs-Gesetzes, Verwendung von Treuhandgeldern zur Beeinflussung der eigenen Bankgeschäfte; und ich habe nicht den leisesten Zweifel, daß es beschlossene Sache ist, bei der nächsten SuNatCo-Jahreshauptversammlung aufgrund des Management-Aktienpakets das Stimmrecht auszuüben.«

»Und wennschon, es wäre nicht das erste Mal – auch hier nicht«, entgegnete Straughan scharf.

»Das stimmt leider Gottes. Aber der Geruch wird deshalb nicht besser.«

Das Geschäftsethos der Treuhandabteilung war ein altes Problem. Angeblich errichteten die Banken eine interne Schranke – manchmal auch Chinesische Mauer genannt – zwischen ihren eigenen kommerziellen Interessen und den Treuhand-Investierungen. In Wirklichkeit taten sie nichts dergleichen.

Hatte eine Bank Milliarden von Dollar an Kunden-Treuhandgeldern anzulegen, so nutzte sie unweigerlich die ihr dadurch verliehene Schlagkraft geschäftlich aus. Von Gesellschaften, in die eine Bank substantiell investierte, wurde erwartet, daß sie sich revanchierten und ihrerseits mit der Bank arbeiteten. Oft setzte man sie auch unter Druck, bis sie einen Leiter der Bank in ihr Direktorium aufnahmen. Taten sie beides nicht, verschwanden ihre Papiere geschwind aus den Treuhand-Portefeuilles, und infolge der Bankverkäufe fielen ihre Aktien.

Ebenso wurde von den Maklern, die das gewaltige Volumen der Käufe und Verkäufe für die Treuhandabteilung tätigten, erwartet, daß sie selbst bei der Bank große Konten unterhielten. Das taten sie gewöhnlich auch. Wo nicht, gingen die begehrten Aufträge woandershin.

Trotz aller Propaganda, die die Public Relations-Abteilungen für ihre Banken veranstalteten, rangierten die Interessen der Treuhand-Kunden, einschließlich diejenigen der sprichwörtlichen Witwen und Waisen, oft an zweiter Stelle hinter den Bankinteressen. Auch aus diesem Grunde waren die Resultate, die die Treuhandabteilungen erzielten, im allgemeinen recht kümmerlich.

Die zwischen Supranational und FMA geschaffene Situation war also, wie Alex wußte, keineswegs einzigartig. Aber sie gefiel ihm deshalb nicht besser.

»Alex«, sagte Tom Straughan plötzlich, »ich möchte Ihnen jetzt schon sagen, daß ich morgen im Finanzausschuß für den Supranational-Kredit stimmen werde.«

»Das finde ich bedauerlich.«

Aber unerwartet kam das nicht. Und Alex fragte sich, wie lange es wohl dauern würde, bis er so allein und isoliert dastand, daß seine Position in der Bank unhaltbar wurde. Vielleicht würde es nicht mehr lange auf sich warten lassen.

Nach der morgigen Sitzung des finanzpolitischen Ausschusses, auf der die Supranational-Anträge mit Sicherheit eine Mehrheit finden würden, käme Supranational am nächsten Mittwoch auf die Tagesordnung einer Direktoriumssitzung. Mit Sicherheit erwartete Alex, daß er mit seiner Gegenstimme auf beiden Sitzungen in einsamer Opposition stehen würde.

Wieder schweifte sein Blick über das geschäftige, dem Reichtum und dem Gewinn geweihte Geldhandelszentrum, das im Grunde nichts anderes war als die alten Mammonstempel Babylons und Griechenlands. Nicht, daß Geld, Kommerz und Profit in sich unwürdig waren, dachte er. Allen dreien widmete Alex seine eigene Arbeitskraft, wenn auch nicht blind, wenn auch mit Vorbehalten, die mit moralischen Skrupeln, mit dem Gedanken an eine vernünftige Verteilung des Reichtums und mit dem Berufsethos des Bankiers zu tun hatten. Aber wenn sich die Aussicht auf einen exzeptionellen Profit eröffnete, dann wurden, wie die Geschichte lehrte, diejenigen niedergeschrien oder beiseite gefegt, die derartige Vorbehalte geltend machten.

Was konnte ein einzelner, einsam in seiner Opposition, schon ausrichten, wenn er den gewaltigen Kräften des großen Geldes und des großen Geschäfts gegenüberstand – verkörpert jetzt von Supranational und einer Mehrheit in der FMA?

Wenig, sagte sich Alex Vandervoort. Vielleicht gar nichts.

## 11

Die Direktoriumssitzung der First Mercantile American Bank in der dritten Aprilwoche war aus mehreren Gründen denkwürdig.

Zwei bankpolitische Hauptthemen gaben Anlaß zu intensiver Diskussion – zum einen die Supranational-Kreditlinie, zum anderen eine vorgeschlagene Erweiterung der Sparabteilung und die Eröffnung vieler neuer Filialen in den Vororten.

Schon vor dem eigentlichen Beginn kündigte sich der Tenor dieser Sitzung an. Heyward, ungewöhnlich aufgeräumt und entspannt, erschien früh. Er trug einen neuen, eleganten hellgrauen Anzug. Er begrüßte die anderen Direktoren schon an der Tür des Sitzungssaals. Aus der Herzlichkeit, mit der sie seinen Gruß erwiderten, ging klar hervor, daß die meisten Direktoren nicht nur schon über den Buschtelegraphen von der Supranational-Vereinbarung gehört hatten, sondern daß sie auch mit allem Nachdruck dafür waren.

»Gratuliere, Roscoe«, sagte Philip Johannsen, Präsident von MidContinent Rubber, »Sie haben diese Bank wahrhaftig ein schönes Stück nach oben geboxt. Weiter so, mein Junge!«

Strahlend dankte Heyward. »Ich weiß es zu schätzen, Phil, daß Sie auf meiner Seite stehen. Sie sollen wissen, daß ich noch andere Ziele ins Auge gefaßt habe.«

»Sie werden sie auch erreichen, keine Angst.«

Ein Direktor mit niedriger Stirn aus dem Norden des Bundesstaats, Floyd LeBerre, Direktoriumsvorsitzender der General Cable and Switchgear Corporation, kam herein. Früher hatte er Heyward nie mit besonderer Herzlichkeit behandelt, aber jetzt schüttelte er ihm warm die Hand. »Freut mich sehr, daß Sie in das Supranational-Direktorium einziehen, Roscoe.« Der Vorsitzende von General Cable senkte die Stimme. »Meine Verkaufsabteilung für Eisenbahnzubehör bewirbt sich um einige SuNatCo-Aufträge. Ich würde ganz gern bald mal mit Ihnen darüber reden.«

»Wie wär's nächste Woche?« schlug Heyward freundlich vor. »Ich werde mich darum kümmern, verlassen Sie sich darauf.«

Mit zufriedener Miene ging LeBerre weiter.

Harold Austin, der alles mitgehört hatte, zwinkerte bedeutungsvoll. »Unser kleiner Ausflug hat sich gelohnt. Sie haben Oberwasser.«

Heute war The Hon. Harold mehr denn je der alternde Playboy: buntkarierte Jacke, braune Hosen mit weitem Schlag und zu dem fröhlich gemusterten Hemd eine Fliege in Himmelblau. Das weißwallende Haar war frisch geschnitten und vom Stylisten behandelt.

»Harold«, sagte Heyward, »wenn ich mich irgendwie revanchieren kann . . .«

»Die Gelegenheit wird sich bestimmt finden«, versicherte The Hon. Harold ihm, dann schlenderte er weiter zu seinem Platz.

Sogar Leonard L. Kingswood, der energische Vorsitzende von Northam Steel und Alex Vandervoorts leidenschaftlichster Anhänger im Direktorium, fand ein freundliches Wort, als er vorbeiging. »Hab' gehört, daß Sie Supranational eingefangen haben, Roscoe. Ein erstklassiges Geschäft.«

Andere Direktoren kamen mit ähnlichen Komplimenten.

Unter den letzten, die eintrafen, waren Jerome Patterton und Alex Vandervoort. Der Bankpräsident, mit weißumfranster leuchtender Glatze und dem üblichen Habitus eines Landedelmanns, ging sofort zu seinem Platz an der Spitze des langen, ovalen Direktoriumstisches. Alex, einen Schnellhefter mit Papieren unter dem Arm, nahm seinen gewohnten Platz in der Mitte der linken Seite ein.

Patterton forderte mit einem Hammerschlag Aufmerksamkeit und erledigte rasch mehrere Routineangelegenheiten. Dann verkündete er: »Der erste Hauptpunkt der Tagesordnung lautet: *Zur Genehmigung durch das Direktorium vorgelegte Kredite*.«

Ein Rascheln mit Papieren rings um den Tisch zeigte an, daß die vertraulichen Kreditmappen, für die Direktoren zusammengestellt und im traditionellen Blau der FMA gehalten, aufgeschlagen wurden.

»Wie üblich, meine Herren, liegen vor Ihnen die Einzelheiten der Vorschläge der Geschäftsleitung. Von besonderem Interesse ist heute, wie die meisten von Ihnen schon wissen, das neue Konto der Supranational Corporation. Ich persönlich bin begeistert über die ausgehandelten Bedingungen, und ich empfehle sie dringend zur Annahme. Ich überlasse es Roscoe, dem die Bank die Einleitung dieses neuen und bedeutenden Geschäfts verdankt, die Einzelheiten vorzutragen und etwaige Fragen zu beantworten.«

»Ich danke Ihnen, Jerome.« Roscoe Heyward setzte sich behutsam die randlose Brille auf, die er aus alter Gewohnheit poliert hatte, und beugte sich im Sitzen vor. Er sprach weniger streng als üblich, seine Stimme klang angenehm und selbstsicher.

»Meine Herren, vor der Vergabe eines großen Kredits ist es ratsam, sich der finanziellen Solidität des Kreditnehmers zu vergewissern, auch wenn der Kreditnehmer dreifach kreditwürdig ist, wie es bei Supranational der Fall ist. Im Anhang ›B‹ Ihrer blauen Mappe« – wieder raschelte rings um den Tisch das Papier – »finden Sie eine von mir persönlich zusammengestellte Übersicht der Aktiva und die Gewinnprojektion der SuNatCo-Gruppe einschließlich aller Töchter. Dabei wurde von der geprüften Vermögensaufstellung sowie von zusätzlichen Daten ausgegangen, die mir Mr. Stanley Inchbeck, der Finanzdirektor der Supranational, auf meine Bitte zur Verfügung gestellt hat. Wie Sie sehen, sind es exzellente Zahlen. Unser Risiko ist minimal.«

»Ich weiß nicht, welchen Ruf Inchbeck hat«, warf ein Direktor ein; es war Wallace Sperrie, Inhaber einer Firma, die wissenschaftliche Instrumente anfertigte. »Aber Ihren Ruf kenne ich, Roscoe, und wenn Sie die Zahlen für gut halten, dann sind sie vierfach gut für mich.«

Mehrere zustimmende Rufe wurden laut.

Alex Vandervoort kritzelte mit einem Bleistift auf einem Block, der vor ihm lag.

»Danke Ihnen, Wally, meine Herren.« Heyward gestattete sich ein leichtes Lächeln. »Ich hoffe, Ihr Vertrauen erstreckt sich auch auf die begleitenden Maßnahmen, die ich vorgeschlagen habe.«

Obwohl die Empfehlungen in der blauen Mappe aufgeführt waren, beschrieb er sie noch einmal – die Kreditlinie in Höhe von fünfzig Millionen Dollar, der Supranational und ihren Töchtern sofort in vollem Umfang zu gewähren, wobei finanzielle Kürzungen in anderen Tätigkeitsbereichen der Bank gleichzeitig wirksam werden sollten. Diese Kürzungen, versicherte Heyward den lauschenden Direktoren, sollten rückgängig gemacht werden, »sobald es möglich und klug ist«. Über den Termin ließ er sich im einzelnen nicht aus. Er schloß: »Ich empfehle dem Direktorium dieses Paket, und ich verspreche, daß unsere eigenen Gewinnzahlen im Lichte dieses Pakets sehr gut aussehen werden.«

Heyward lehnte sich in seinem Stuhl zurück, und Jerome Patterton sagte: »Ich bitte jetzt um Fragen und Diskussion.«

»Offen gesagt«, erklärte Wallace Sperrie, »ich halte beides für überflüssig. Es ist alles klar. Meiner Meinung nach sind wir Zeugen eines Meisterstücks im Bankgeschäft geworden, und ich schlage die Zustimmung vor.«

Mehrere Stimmen riefen gleichzeitig: »Schließe mich an!«

»Vorgeschlagen und unterstützt«, stellte Jerome Patterton im offiziellen Singsang fest. »Sind wir bereit zur Abstimmung?« Offensichtlich hoffte er es. Sein Hammer schwebte über der Tischplatte.

»Nein«, sagte Alex Vandervoort mit ruhiger Stimme. Er schob seinen Bleistift und das vollgekritzelte Blatt Papier weg. »Ich meine, auch andere sollten ihre Stimme erst abgeben, wenn sehr viel ausführlicher diskutiert worden ist.«

Patterton seufzte. Er legte den Hammer hin. Alex hatte ihm in gewohnter Höflichkeit schon vorher seine Absichten angekündigt, aber Patterton hatte gehofft, daß Alex sich anders besinnen werde, sobald er die so gut wie einhellige Stimmung des Direktoriums spürte.

»Es tut mir aufrichtig leid«, sagte Alex Vandervoort jetzt, »mich hier vor dem Direktorium im Konflikt mit meinen Kollegen Jerome und Roscoe wiederzufinden. Aber Pflicht und Gewissen erlauben es mir nicht, meine Bedenken wegen dieses Kredits und meine Opposition zu verschweigen.«

»Was ist denn los? Gefällt Supranational Ihrer Freundin nicht?« Die bösartige Frage kam von Forrest Richardson, seit vielen Jahren FMA-Direktor; er war brüsk im Auftreten, hatte einen Ruf als Kampfhahn und war ein Kronprinz in der Fleischkonservenbranche.

Alex stieg die Zornröte ins Gesicht. Zweifellos hatten die Direktoren nicht vergessen, daß sein Name vor drei Monaten in der Öffentlichkeit mit Margots »Bank-in« in Verbindung gebracht worden war; dennoch hatte er keine Lust, sein Privatleben hier sezieren zu lassen. Aber er unterdrückte eine heftige Entgegnung und antwortete: »Miss Bracken und ich erörtern nur sehr selten Bankangelegenheiten. Ich versichere Ihnen, daß wir über die vorliegende nicht gesprochen haben.«

Ein anderer Direktor fragte: »Was genau gefällt Ihnen an dem Geschäft nicht, Alex?«

»Alles.«

Rund um den Tisch entstand Unruhe, es gab Ausrufe ärgerlicher Überraschung. Gesichter, die sich Alex zugewandt hatten, verrieten wenig Freundlichkeit.

»Am besten legen Sie die ganze Sache klar«, empfahl Jerome Patterton kurz.

»Das werde ich.« Alex griff in den mitgebrachten Schnellhefter und zog ein mit Notizen beschriebenes Blatt heraus.

»Zunächst einmal erhebe ich Einspruch gegen den *Umfang* des Engagements mit einem einzigen Kunden. Es handelt sich nicht nur um eine wenig ratsame Konzentration des Risikos. Es ist meiner Meinung nach auch betrügerisch im Sinne von Paragraph 23 A des Reserve-Bank-Gesetzes.«

Roscoe Heyward sprang auf. »Ich protestiere gegen das Wort ›betrügerisch‹.«

»Proteste ändern nichts an der Wahrheit«, entgegnete Alex ruhig.

»Das ist nicht die Wahrheit! Wir haben klargelegt, daß das gesamte Engagement nicht mit der Supranational Corporation selbst eingegangen wird, sondern mit ihren Tochtergesellschaften. Es handelt sich um Hepplewhite Distillers, Horizon Land, Atlas Jet Leasing, Caribbean Finance und International Bakeries.« Heyward packte eine blaue Mappe. »Die Kreditzuweisungen sind hier spezifiziert.«

»Alle diese Firmen sind mehrheitlich im Besitz von Supranational.«

»Aber es sind auch alteingeführte, aus eigener Kraft lebensfähige Gesellschaften.«

»Warum reden wir dann immer nur von Supranational?«

»Weil es einfacher und bequemer ist.« Heywards Augen funkelten.

»Sie wissen ebensogut wie ich«, beharrte Alex, »daß G. G. Quartermain, wenn unser Geld erst einmal bei *irgendeiner* der Tochtergesellschaften liegt, dieses Geld nach Belieben bewegen kann und wird.«

»Halt mal, stop!« Die Unterbrechung kam von Harold Austin, der sich vorgebeugt hatte und mit der Hand auf den Tisch schlug, um die anderen aufmerksam zu machen. »Big George Quartermain ist ein guter Freund von mir. Ich lasse es mir nicht bieten, daß hier der Vorwurf der Böswilligkeit erhoben wird.«

»Niemand hat von Böswilligkeit gesprochen«, erwiderte Alex. »Ich rede von einer Tatsache aus dem Konzernalltag. Es werden häufig große Summen zwischen Supranational-Töchtern hin- und herbewegt; das weisen die Bilanzen aus. Das ist die Bestätigung – wir leihen unser Geld einem einzigen Organismus.«

»Also«, sagte Austin; er wandte sich von Alex ab und anderen Direktoriumsmitgliedern zu, »ich sage noch einmal, ich kenne George Quartermain gut und auch Supranational. Wie die meisten von Ihnen wissen, habe ich das Treffen zwischen Roscoe und Big George auf den Bahamas arrangiert, wo diese Kreditlinie besprochen worden ist. In Kenntnis aller Umstände sage ich, es handelt sich um ein ausnehmend gutes Geschäft für die Bank.«

Es entstand eine momentane Stille, die Philip Johannsen beendete.

»Wäre es denkbar, Alex«, erkundigte sich der Präsident von MidContinent Rubber, »daß Sie sich ein ganz klein wenig ärgern, daß Roscoe zu diesem Golfspiel auf den Bahamas eingeladen worden ist und nicht Sie?«

»Nein. Was ich hier vortrage, hat nichts mit persönlichen Dingen zu tun.«

Ein anderer bemerkte skeptisch: »Es sieht aber ganz so aus.«

»Meine Herren, meine Herren!« Jerome Patterton ließ den Hammer hart auf den Tisch sausen.

Alex hatte etwas dieser Art erwartet. Er bewahrte die Ruhe und insistierte: »Ich wiederhole, der Kredit stellt ein zu starkes Engagement mit einem einzigen Kreditnehmer dar. So zu tun, als ob es sich nicht um einen einzigen Kreditnehmer handelt, ist darüber hinaus ein schlauer Versuch, das Gesetz zu umgehen, was jeder einzelne hier im Raume weiß.« Herausfordernd blickte er in die Runde.

»Ich weiß es nicht«, sagte Roscoe Heyward, »und ich sage, Sie sind voreingenommen und legen es falsch aus.«

Es war jetzt klar, daß hier etwas Außerordentliches geschah. Direktoriumssitzungen waren gewöhnlich entweder reine Formalität, oder die Direktoren tauschten im Falle mild abweichender Meinungen höfliche Bemerkungen aus. Zorniger, ätzend scharfer Streit war praktisch unbekannt.

Zum ersten Mal ergriff Leonard L. Kingswood das Wort. Seine Stimme klang versöhnlich. »Alex, ich gebe zu, daß das, was Sie da sagen, nicht ohne Substanz ist. Aber Sie können doch nicht bestreiten, daß derartige Geschäftspraktiken zwischen Großbanken und Großfirmen etwas Alltägliches sind.«

Jede Intervention durch den Vorsitzenden von Northam Steel war bedeutungsvoll. In der Dezember-Sitzung war Kingswood Wortführer derjenigen gewesen, die Alex' Ernennung zum Chef der FMA empfahlen. Jetzt fuhr er fort: »Offen gesagt, wenn Sie derartige Finanzierungen für unkorrekt halten, muß ich gestehen, daß sich meine eigene Gesellschaft ebenfalls schuldig gemacht hat.«

Bedauernd, weil er wußte, daß es ihn einen Freund kostete, schüttelte Alex den Kopf. »Tut mir leid, Len. Ich halte es trotzdem nicht für korrekt, darüber hinaus finde ich, daß wir uns nicht dem Vorwurf des Interessenkonflikts aussetzen sollten, indem Roscoe dem Supranational-Direktorium beitritt.«

Leonard Kingswood kniff die Lippen zusammen. Er sagte nichts mehr.

Dafür aber Philip Johannsen. Leicht ironisch sagte er: »Alex, wenn Sie nach dieser letzten Bemerkung immer noch von uns erwarten, daß wir Ihnen abnehmen, es sei alles ganz unpersönlich, dann sind Sie verrückt.«

Roscoe Heyward versuchte, ein Lächeln zu unterdrücken, aber es gelang ihm nicht.

Alex' Gesicht hatte einen grimmig-entschlossenen Zug angenommen. Und wenn es die letzte FMA-Direktoriumssitzung sein sollte, an der er teilnahm – er wollte zu Ende bringen, was er begonnen hatte. Johannsens Bemerkung übergehend, erklärte er: »Warum lernen Banker nie etwas dazu! Von allen Seiten – vom Kongreß, von den Verbrauchern, von unseren eigenen Kunden und von der Presse – wirft man uns vor, den Interessenkonflikt durch Verfilzung der Direktoriumsposten zu verewigen. Wenn wir ehrlich sind, müssen wir zugeben, daß die meisten Vorwürfe zu Recht bestehen. Jeder von uns weiß, wie die großen Ölgesellschaften durch enge Zusammenarbeit in Bankdirektorien Kontakt miteinander halten, und das ist nur ein Beispiel von vielen. Wir aber machen immer weiter mit derselben Art von Inzucht: *Du gehst in mein Direktorium, ich gehe in deins.* Wenn Roscoe Direktor bei Supranational ist, wessen Interessen wird er dann voranstellen? Die von Supranational? Oder die der First Mercantile American? Und hier bei uns, wird er SuNatCo gegenüber anderen Gesellschaften bevorzugen, weil er dort im Direktorium sitzt? Die Aktionäre beider Gesellschaften haben ein Recht, diese Fragen beantwortet zu bekommen; das gleiche Recht haben Legislative und Öffentlichkeit. Mehr noch, wenn wir nicht bald mit einigen überzeugenden Antworten kommen, wenn wir nicht aufhören, so selbstherrlich wie bisher zu sein, dann wird sich das gesamte Bankgewerbe mit harten, restriktiven Gesetzen abfinden müssen. Und wir würden es auch nicht besser verdienen.«

»Wenn Sie den Gedanken logisch zu Ende führen wollen«, wandte Forrest Richardson ein, »dann könnte man jedem zweiten in diesem Direktorium Interessenkonflikt vorwerfen.«

»Sie sagen es. Und sehr bald wird die Bank dieser Situation ins Auge sehen und sie abändern müssen.«

»Man kann da anderer Meinung sein«, warf Richardson ingrimmig ein. Seine eigene Fleischfabrik war, wie alle wußten, Großkreditnehmer der FMA, und Forrest Richardson hatte an Direktoriumssitzungen teilgenommen, bei welchen Kredite an seine Gesellschaft gebilligt worden waren.

Ohne sich von der zunehmenden Feindseligkeit aus dem

Konzept bringen zu lassen, pflügte Alex weiter. »Andere Aspekte des Supranational-Kredits beunruhigen mich nicht weniger. Um das Geld verfügbar zu machen, sollen wir Hypotheken und Kleinkredite reduzieren. Allein in diesen beiden Bereichen wird die Bank ihre öffentlichen Aufgaben nicht erfüllen.«

Verärgert sagte Jerome Patterton: »Es ist eindeutig erklärt worden, daß es sich um befristete Beschränkungen handelt.«

»Richtig«, gab Alex zu. »Nur ist niemand bereit, sich auf einen Termin festzulegen oder zu sagen, was aus den Geschäften und den Kunden wird, die die Bank während der Dauer der Beschränkungen verliert. Und überhaupt noch nicht berührt haben wir den dritten Bereich, der von den Beschränkungen betroffen sein wird – die Kommunalobligationen.« Er schlug seinen Aktendeckel auf und zog ein zweites Blatt mit Notizen zu Rate. »In den nächsten sechs Wochen werden elf Emissionen von Kreis- und Schulbezirks-Obligationen in unserem Bundesstaat ausgeschrieben. Beteiligt unsere Bank sich nicht, bleibt mindestens die Hälfte dieser Obligationen unverkauft.« Seine Stimme gewann an Schärfe. »Hat dieses Direktorium die Absicht, *so kurz nach Ben Rossellis Tod* mit einer Tradition zu brechen, die über drei Rosselli-Generationen hin gepflegt worden ist?«

Zum ersten Mal seit Beginn der Sitzung begannen die Teilnehmer Blicke des Unbehagens zu wechseln. Es war die vor langer Zeit vom Gründer, Giovanni Rosselli, eingeführte Politik der First Mercantile American Bank, Schuldverschreibungen kleiner Kommunen des Staates zu garantieren und zu verkaufen. Ohne diese Hilfe durch die größte Bank des Bundesstaates drohte solchen Emissionen – die niemals groß, wichtig oder auch nur bekannt waren – das Schicksal, keinen Markt zu finden, was für die Gemeinden bedeutete, daß sie dringende Aufgaben nicht finanzieren konnten. Die Tradition war von Giovannis Sohn Lorenzo und von seinem Enkel Ben weitergeführt worden. Dieses Geschäft war nicht besonders ertragreich, brachte aber auch keinen Verlust. Es stellte jedoch einen wichtigen Dienst an der Öffentlichkeit dar und leitete einen Teil des Geldes, das deren Bürger bei der FMA deponiert hatten, in kleinere Kommunen zurück.

»Jerome«, schlug Leonard Kingswood vor, »vielleicht sollte man diesen Aspekt noch einmal überdenken.«

Es gab zustimmendes Gemurmel.

Roscoe Heyward nahm eine blitzschnelle Einschätzung der Lage vor. »Jerome . . . Wenn Sie gestatten.«

Der Bankpräsident nickte.

»Angesichts der traditionsbewußten Haltung, die das Direktorium einzunehmen scheint«, sagte Heyward glattzüngig, »können wir bestimmt die Sache neu überprüfen und einen Teil der Mittel zur Finanzierung von Kommunal-Schuldverschreibungen wieder bereitstellen, ohne daß auch nur eins der Supranational-Arrangements beeinträchtigt würde. Darf ich vorschlagen, daß das Direktorium, das ja seine Gefühle klar zum Ausdruck gebracht hat, die Einzelheiten Jerome und mir anvertraut.« Es fiel auf, daß er Alex nicht einbezog.

Kopfnicken und zustimmende Worte signalisierten Einverständnis.

Alex erhob Einspruch: »Das ist nur eine begrenzte Zusage. Von Hypotheken und Kleinkrediten hört man gar nichts.«

Die anderen Direktoriumsmitglieder schwiegen bedeutsam.

»Ich glaube, wir haben alle Meinungen gehört«, sagte Jerome Patterton. »Vielleicht können wir jetzt über den Vorschlag als Ganzes abstimmen.«

»Nein«, sagte Alex. »Da ist noch etwas anderes.«

Patterton und Heyward tauschten einen Blick halbbelustigter Resignation.

»Auf einen Interessenkonflikt habe ich schon hingewiesen«, stellte Alex mit ernster Stimme fest. »Jetzt möchte ich vor einem noch größeren warnen. Seit Abschluß der Verhandlungen über den Supranational-Kredit hat unsere eigene Treuhandabteilung bis gestern nachmittag« – er zog seine Notizen zu Rate – »einhundertunddreiundzwanzigtausend Supranational-Aktien gekauft. In dieser Zeit, und sicherlich wegen der substantiellen Käufe mit dem Geld unserer Treuhandkunden, ist der SuNatCo-Aktienkurs um siebeneinhalb Punkte gestiegen; ich bin sicher, daß das beabsichtigt und als eine der Bedingungen vereinbart worden war . . .«

Seine Worte gingen in Protestrufen unter – sie kamen von Roscoe Heyward, Jerome Patterton und anderen Direktoren.

Heyward war wieder aufgesprungen, mit funkelnden Augen. »Das ist eine vorsätzliche Verdrehung der Tatsachen!«

Alex schlug zurück: »Die Käufe sind keine Verdrehung.«

»Aber Ihre Auslegung! SuNatCo ist eine vorzügliche Geldanlage für unsere Treuhandkonten.«

»Warum ist sie *plötzlich* so gut?«

Hitzig protestierte Patterton: »Alex, spezifische Transaktionen der Treuhandabteilung sind hier kein Diskussionsthema für uns.«

»Das will ich meinen«, sagte Philip Johannsen scharf.

Harold Austin und mehrere andere riefen laut: »Ich auch!«

»Ob das nun ein Thema für uns ist oder nicht«, fuhr Alex unbeirrt fort, »so weise ich Sie auf jeden Fall darauf hin, daß dieses Geschäftsgebaren unvereinbar sein könnte mit dem Glass-Steagall-Gesetz von 1933 und daß Direktoren haftbar gemacht werden können . . .«

Sofort erhob sich ein halbes Dutzend weiterer zorniger Stimmen. Alex wußte, daß er einen empfindlichen Nerv getroffen hatte. Zweifellos waren sich die Anwesenden bewußt, daß die von ihm beschriebenen Wechselbeziehungen vorlagen, aber sie zogen es vor, im einzelnen nichts davon zu wissen. Kenntnis bedeutete Komplicenschaft und Verantwortung. Beides wollten sie nicht.

Nun ja, dachte Alex, ob es ihnen gefällt oder nicht, sie wußten es jetzt. Die anderen Stimmen übertönend, fuhr er mit Festigkeit fort: »Ich erkläre dem Direktorium, daß wir es noch bereuen werden, wenn es den Supranational-Kredit mitsamt seinen Weiterungen ratifiziert.« Er lehnte sich in seinen Stuhl zurück. »Das ist alles.«

Jerome Patterton schlug mehrmals mit seinem Hammer auf den Tisch, bis sich der Aufruhr legte.

Blasser als zuvor verkündete er: »Wenn die Diskussion beendet ist, schreiten wir zur Abstimmung.«

Augenblicke später waren die Supranational-Anträge gebilligt. Die einzige Gegenstimme kam von Alex Vandervoort.

Kälte schlug Vandervoort entgegen, als die Direktoren ihre
Sitzung nach dem Mittagessen fortsetzten. Normalerweise
ließ sich in einer zweistündigen Vormittagssitzung alles erledigen. Heute jedoch war eine Verlängerung zugestanden worden.

Angesichts der im Direktorium herrschenden Feindseligkeit hatte Alex dem Vorsitzenden beim Mittagessen vorgeschlagen, seinen Vortrag bis zur nächsten Monatssitzung zu
verschieben. Aber Patterton hatte ihm kurz angebunden erklärt: »Nichts da. Wenn die Direktoren üble Laune haben,
dann Ihretwegen. Jetzt löffeln Sie gefälligst die Suppe aus,
die Sie sich eingebrockt haben.«

Das waren ungewöhnlich harte Worte für den sonst so
milden Patterton, aber sie machten deutlich, wie stark der
Strom war, gegen den Alex jetzt zu schwimmen hatte. Er war
auch überzeugt davon, daß er sich die Mühen der nächsten
Stunde ebensogut schenken konnte. Was er auch sagen würde, man würde seine Vorschläge zurückweisen, und wenn aus
keinem anderen Grund als aus reiner Widerborstigkeit.

Als die Direktoren sich wieder setzten, gab Philip Johannsen der allgemeinen Stimmung Ausdruck, indem er pointiert
auf die Uhr sah. »Ich habe heute nachmittag schon einen
Termin absagen müssen«, erklärte der Chef von MidContinent Rubber ingrimmig, »und ich habe noch mehr zu tun;
machen wir es also kurz.« Mehrere andere nickten zustimmend.

»Ich werde mich so kurz fassen wie möglich, meine Herren«, versprach Alex, als Jerome Patterton ihm das Wort
erteilt hatte. »Ich möchte vier Punkte vortragen.« Er zählte
sie beim Sprechen an den Fingern ab.

»Erstens, unsere Bank verzichtet auf ein bedeutendes, er-
tragreiches Geschäft, indem sie die Möglichkeiten der Spar-
expansion nicht mit aller Energie nutzt. Zweitens, mehr
Spareinlagen verbessern die Stabilität der Bank. Drittens, je
länger wir zögern, desto schwieriger wird es sein, unsere vielen Konkurrenten einzuholen. Viertens, wegweisende Arbeit – die wir und andere Banken auf uns nehmen müssen –

kann geleistet werden, um eine Rückkehr zu dem Grundsatz persönlicher, wirtschaftlicher und öffentlicher Sparsamkeit zu fördern, der allzu lange vernachlässigt worden ist.«

Er nannte Methoden, die es der First Mercantile American ermöglichen könnten, die Konkurrenz zu überflügeln – Erhöhung des Sparzinses bis an die obere gesetzliche Grenze; attraktivere Bedingungen für langfristige Sparbriefe mit ein- bis fünfjähriger Kündigungsfrist; Giro-Leistungen für Sparer im Rahmen der Bankgesetze; Geschenkprämien für neue Sparer; Bekanntmachung des Sparprogramms und der neun neuen Filialen durch einen massiven Werbefeldzug.

Alex hatte seinen üblichen Platz verlassen und sprach jetzt vom Kopfende des Direktoriumstisches aus. Patterton war mit seinem Stuhl zur Seite gerückt. Alex hatte auch den Chef-Volkswirtschaftler der Bank, Tom Straughan, mitgebracht, der Ständer mit Diagrammen vor den Direktoren aufgebaut hatte.

Roscoe Heyward hatte sich auf seinem Platz vorgeschoben und lauschte mit ausdrucksloser Miene.

Als Alex eine Pause machte, warf Floyd LeBerre ein: »Dazu hätte ich jetzt gleich eine Bemerkung.«

Patterton, der wieder zu seiner gewohnten Höflichkeit zurückgefunden hatte, fragte: »Wollen Sie Fragen während des Vortrags beantworten, Alex, oder heben wir sie uns bis zum Schluß auf?«

»Ich nehme Floyds Frage jetzt an.«

»Es ist keine Frage«, sagte der Vorsitzende von General Cable ohne die Spur eines Lächelns. »Es ist eine Erklärung für das Protokoll. Ich bin gegen eine bedeutende Expansion der Sparabteilung, weil wir uns dadurch nur selber auf die Füße treten. Wie verwalten jetzt erhebliche Einlagen von korrespondierenden Banken . . .«

»Achtzehn Millionen Dollar von den Spar- und Darlehenskassen«, sagte Alex. Er hatte mit LeBerres Einwand gerechnet, der zweifellos Hand und Fuß hatte. Wenige Banken existierten ganz aus eigener Kraft; die meisten pflegten finanzielle Verbindungen mit anderen Geldinstituten, und die First Mercantile American machte da keine Ausnahme. Mehrere örtliche Spar- und Darlehenskassen unterhielten große

Konten bei der FMA, und aus Sorge, daß diese Beträge abgezogen werden könnten, hatte man sich bisher bei allen Vorschlägen, den Sparsektor auszubauen, starke Zurückhaltung auferlegt.

»Das habe ich berücksichtigt«, erklärte Alex.

LeBerre war nicht zufrieden. »Haben Sie berücksichtigt, daß wir dieses ganze Geschäft verlieren, wenn wir in ernsthafte Konkurrenz mit unseren eigenen Kunden treten?«

»Einen Teil. Aber sicher nicht alles. Jedenfalls sollten die Gewinne des geplanten Unternehmens die Verluste bei weitem übertreffen.«

»Behaupten Sie.«

Alex blieb dabei: »Ich sehe das als tragbares Risiko an.«

Leonard Kingswood sagte betont ruhig: »Aber im Zusammenhang mit Supranational waren Sie gegen jegliches Risiko, Alex.«

»Ich bin nicht prinzipiell gegen Risiken. Dies hier ist ein viel kleineres Risiko. Und außerdem kann man die beiden Dinge gar nicht miteinander vergleichen.«

Skepsis zeigte sich auf den Gesichtern.

LeBerre sagte: »Ich würde gern Roscoes Meinung dazu hören.«

Zwei andere stimmten ein: »Ja, hören wir, was Roscoe zu sagen hat.«

Köpfe wandten sich Heyward zu, der eingehend seine gefalteten Hände betrachtete. Mit Unschuldsmiene sagte er: »Man torpediert nicht gern einen Kollegen.«

»Warum denn nicht?« fragte jemand. »Genau das hat er doch bei Ihnen versucht.«

Heyward lächelte schwach. »Aber ich möchte mir nicht dasselbe nachsagen lassen.« Sein Gesicht wurde ernst. »Ich teile jedoch Floyds Meinung. Ein intensiver Ausbau des Spargeschäfts würde uns den Verlust bedeutender Korrespondenzgeschäfte eintragen. Ich glaube nicht, daß ein theoretischer, potentieller Gewinn das wert wäre.« Er zeigte auf eines der von Straughan aufgehängten Schaubilder, das die geographische Lage der vorgeschlagenen neuen Filialen verdeutlichte. »Die Herren werden bemerken, daß sich fünf der vorgeschlagenen Filialen in der Nähe von Spar- und Darlehens-Instituten befinden würden, die erhebliche Einlagen bei FMA unterhalten. Wir dürfen sicher sein, daß diese Tatsache auch ihrer Aufmerksamkeit nicht entgehen wird.«

»Die Standorte«, sagte Alex, »sind sorgfältig aufgrund von Bevölkerungsstudien ausgewählt worden. Sie befinden sich dort, wo die *Menschen* sind. Gewiß, die Spar- und Darlehenskassen waren als erste da; in vieler Beziehung waren sie vorausschauender als Banken wie unsere eigene. Aber das heißt doch nicht, daß wir uns auf ewig fernhalten müssen.«

Heyward zuckte die Achseln. »Ich habe meine Meinung schon gesagt. Eins will ich aber noch hinzufügen – der Gedanke an Filialen mit Ladencharakter widerstrebt mir zutiefst.«

»Ganz richtig, Filialen mit Ladencharakter oder auch Geldläden«, gab Alex scharf zurück. »So werden nämlich die Bankfilialen der Zukunft aussehen.« Alles, was er sagte, kam anders heraus, als er es sich vorgenommen hatte, dachte Alex etwas trübe. Zum Thema der Filialen selbst hatte er erst später kommen wollen. Nun, jetzt kam es darauf wohl auch nicht mehr an.

»Nach der Beschreibung hier zu urteilen«, sagte Floyd LeBerre – er las ein Informationsblatt, das Tom Straughan verteilt hatte –, »unterscheiden sich diese neuen Filialen kaum von Automaten-Waschsalons.«

Heyward las ebenfalls und schüttelte den Kopf. »Nicht unser Stil. Ohne Würde.«

»Wir täten besser daran, ein bißchen Würde abzuschütteln und mehr Geschäft hereinzuholen«, erklärte Alex. »Ja, Ladenfront-Banken ähneln Waschsalons; aber Bankfilialen dieser Art kommen jetzt auf uns zu. Ich wage eine Prophezeiung: Weder wir noch unsere Konkurrenten werden sich noch lange die vergoldeten Grufen leisten können, die uns jetzt als Filialen dienen. Grundstücks- und Baukosten erlauben es nicht mehr. In zehn Jahren wird – mindestens – die Hälfte unserer heutigen Bankfilialen aufgehört haben, in der uns vertrauten Form zu existieren. Ein paar wichtige werden wir beibehalten. Der Rest wird sich auf weniger kostspieligem Grund ansiedeln, er wird voll automatisiert sein, es wird Kassenautomaten geben, Fragen werden über Kabelfernsehen beantwortet, alle Filialen werden an einen Zentralcomputer angeschlossen sein. Bei der Planung neuer Filialen – die neun, die ich hier vorschlage, eingeschlossen – müssen wir diesen bevorstehenden Wandel berücksichtigen.«

»Was die Automation angeht, stimme ich mit Alex überein«, sagte Leonard Kingswood. »Die meisten von uns erleben es in ihrer eigenen Branche. Sie macht sich schneller breit, als wir erwartet hatten.«

»Nicht minder wichtig ist«, fuhr Alex mit Nachdruck fort, »daß wir momentan die Chance haben, der Konkurrenz um einen großen – und gewinnbringenden – Sprung vorauszueilen, vorausgesetzt, es geschieht mit Pauken- und Trompetenbegleitung. Mit Unterstützung einer massiven Werbe- und Promotionskampagne und Nutzung aller Medien. Meine Herren, sehen Sie sich die Zahlen an. Hier zunächst unsere jetzigen Spareinlagen – wesentlich geringer, als sie sein sollten . . .«

Er entwickelte seine Gedanken weiter, unterstützt durch die Schaubilder und gelegentliche Erläuterungen durch Tom Straughan. Alex wußte, daß die Zahlen und Vorschläge, die er und Straughan hart erarbeitet hatten, solide und logisch waren. Dennoch spürte er krasse Opposition bei einigen Direktoren, mangelndes Interesse bei anderen. Weiter unten am Tisch legte ein Direktor die Hand vor den Mund und unterdrückte ein Gähnen.

Offensichtlich hatte er verloren. Der Plan über die Expansion der Sparabteilung und der Filialen würde zurückgewiesen werden, was praktisch einem Mißtrauensvotum auch gegen ihn selbst gleichkäme. Wie schon vorhin fragte Alex sich jetzt wieder, wie lange er sein Amt in der FMA wohl noch innehaben werde. Viel Zukunft schien er nicht zu haben, und er sah sich auch nicht als Angehöriger eines Regimes, das von Heyward beherrscht wurde.

Er beschloß, nun keine Zeit mehr zu vergeuden. »Okay, das soll reichen, meine Herren. Sofern Sie nicht noch Fragen haben.«

Er hatte keine erwartet. Am allerwenigsten hatte er mit Unterstützung von der Seite gerechnet, von der sie jetzt kam.

»Alex«, sagte Harold Austin lächelnd und in freundlichem

Ton, »ich möchte Ihnen danken. Offen gesagt, ich bin beeindruckt. Das hatte ich nicht erwartet, aber Ihr Vortrag hat mich überzeugt. Mehr noch. Mir gefällt die Sache mit den neuen Bankfilialen.«

Wenige Plätze weiter machte Heyward ein verdutztes Gesicht, dann funkelte er Austin an. The Hon. Harold ignorierte ihn und appellierte an die anderen, die hier am Tisch saßen. »Ich meine, wir sollten uns Alex' Vorschlag unvoreingenommen durch den Kopf gehen lassen und unsere Meinungsverschiedenheiten von heute morgen mal vergessen.«

Leonard Kingswood nickte, mehrere andere ebenfalls. Auch die übrigen Direktoren schüttelten ihre Nachmittags-Schläfrigkeit ab und wurden aufmerksam. Nicht ohne Grund war Austin das dienstälteste FMA-Direktoriumsmitglied. Sein Einfluß war stark. Außerdem hatte er Geschick darin, andere zu seinen Ansichten zu bekehren.

»Sie haben zu Anfang Ihrer Ausführungen von einer Rückkehr zu persönlicher Sparsamkeit gesprochen«, fuhr The Hon. Harold fort, »von Führungsqualitäten, die Banken wie die unsere an den Tag legen sollten.«

»Ja, stimmt.«

»Könnten Sie den Gedanken weiter ausführen?«

Alex zögerte. »Bitte, wenn Sie Wert darauf legen . . .«

Sollte er sich darauf einlassen? Alex wog die Möglichkeiten gegeneinander ab. Der Einwurf überraschte ihn nicht mehr. Er wußte genau, warum Austin die Front gewechselt hatte.

*Werbung.* Als Alex vorhin einen »massiven Werbefeldzug« mit Hilfe aller Medien vorgeschlagen hatte, war ihm aufgefallen, wie Austins Kopf sich aufrichtete, wie sein Interesse offensichtlich erwacht war. Von dem Augenblick an war es nicht mehr schwer gewesen, seine Gedanken zu erraten. Die Werbeagentur Austin hatte wegen der Mitgliedschaft des Hon. Austin im Direktorium und seines damit verbundenen Einflusses bei der FMA das Monopol in der Werbung für die Bank. Eine Kampagne von der Art, wie Alex sie vorsah, würde der Agentur Austin erheblichen Gewinn bringen.

Austins Reaktion war ein Fall von Interessenkonflikt der krassesten Art – der gleiche Interessenkonflikt, den Alex heute morgen im Hinblick auf Roscoe Heywards Einzug in das Supranational-Direktorium angeprangert hatte. Alex hatte gefragt: *Wessen Interessen würde Roscoe voranstellen? Die von Supranational? Oder die Interessen der Aktionäre der First Mercantile American?* Jetzt sollte man Austin eine Parallelfrage stellen.

Die Antwort lag auf der Hand: Austin nahm seine eigenen Interessen wahr; FMA rangierte an zweiter Stelle. In diesem Zusammenhang war es unerheblich, daß Alex an den Plan glaubte. Die Unterstützung – aus eigennützigen Gründen gewährt – verstieß gegen Treu und Glauben.

Sollte Alex das sagen? Tat er es, so löste er einen Aufruhr aus, größer noch als den vom Vormittag, und er würde wieder der Unterlegene sein. Direktoren steckten zusammen wie Logenbrüder. Mit Sicherheit würde eine solche Konfrontation auch jede eigene Effektivität Alex' in der FMA beenden. Lohnte es sich also? War es notwendig? Verlangten seine Pflichten es von ihm, der Hüter des Gewissens anderer zu sein? Alex war sich nicht sicher. Unterdessen beobachteten die Direktoren ihn und warteten.

Alex holte tief Luft. »Es ist richtig, ich habe – wie Harold sagt – von Sparsamkeit gesprochen und von einer führenden Hand.« Alex warf einen Blick auf seine Notizen, die er noch vor ein paar Minuten hatte zur Seite legen wollen.

»Es heißt«, erklärte er den lauschenden Direktoren, »daß Regierung, Industrie und Handel jeder Art auf Kredit beruhen. Ohne Kredit, ohne Geldaufnahme, ohne Darlehen – kleine, mittlere und massive – würde jegliches Geschäft aufhören und die ganze Gesellschaftsordnung verkümmern. Das wissen wir Banker am besten.

Nun wächst aber die Zahl derer, die glauben, daß das Leben auf Pump und die Defizitfinanzierung außer Rand und Band geraten sind, daß sie jedes vernünftige Maß hinter sich gelassen haben. Die Regierung der Vereinigten Staaten hat ein erschreckendes Gebirge von Schulden aufgetürmt, weit mehr, als wir je zurückzahlen können. Andere Regierungen sind in ebenso schlimmer oder noch schlimmerer Lage. Das ist der wahre Grund der Inflation und der Unterminierung der Währung hier bei uns und in anderen Ländern.

Diese überwältigende Staatsverschuldung«, führte Alex weiter aus, »entspricht mehr oder weniger einer gigantischen Konzernverschuldung. Und, auf weniger hoher finanzieller Ebene, haben Millionen von Menschen – dem vom Staat gesetzten Beispiel folgend – sich Schuldenlasten aufgebürdet, die sie nicht wieder abzahlen können. Die Gesamtverschuldung der Vereinigten Staaten beträgt zweieinhalb Billionen Dollar. Die Verbraucherverschuldung im ganzen Land nähert sich jetzt der Zweihundert-Milliarden-Dollargrenze. In den vergangenen sechs Jahren haben mehr als eine Million Amerikaner Bankrott gemacht.

Irgendwo am Wege ist uns – als Nation, als Unternehmer, als Bürger – die alte Tugend der Sparsamkeit, des Haushaltens abhanden gekommen, die Kunst, Ausgaben und Einnahmen aufeinander abzustimmen, das, was wir anderen schulden, in ehrlichen Grenzen zu halten.«

Die Stimmung im Raum war auf einmal ernst geworden. Darauf eingehend, sagte Alex mit ruhiger Stimme: »Ich wollte, ich könnte behaupten, daß sich schon eine Tendenzänderung ankündigt. Aber noch zeichnet sie sich nicht ab. Doch Tendenzen setzt man in Gang, indem irgendwo entschlossen gehandelt wird. Warum nicht bei uns?

Es liegt in der Natur unserer Zeit, daß Sparkonten – mehr als jede andere monetäre Tätigkeit – finanzielle Umsicht repräsentieren. Als Staat und als Bürger brauchen wir mehr Umsicht. Ein Weg dahin führt über eine gewaltige Steigerung des Sparvolumens.

Und es *kann* ungeheuer gesteigert werden – wenn wir uns einsetzen und wenn wir arbeiten. Individuelle Sparsamkeit allein wird zwar nicht überall die finanzielle Vernunft wiederherstellen, aber sie ist ein bedeutsamer Schritt in diese Richtung.

Deshalb ergibt sich hier eine Gelegenheit, richtungweisend einzuwirken, Führungsqualitäten zu zeigen, und deshalb glaube ich auch, daß unsere Bank diese Qualitäten – hier und jetzt – an den Tag legen muß.«

Alex setzte sich. Sekunden später wurde ihm bewußt, daß er mit keinem Wort auf seine Zweifel hinsichtlich der Intervention durch Austin eingegangen war.

Leonard Kingswood beendete das kurze Schweigen, das eingetreten war. »Vernunft und Wahrheit hört man nicht immer gern. Aber ich glaube, wir haben sie gerade zu hören bekommen.«

Philip Johannsen brummte, dann gestand er widerstrebend ein: »Das hört sich überzeugend an, zumindest teilweise.«

»Mich hat es ganz überzeugt«, sagte The Hon. Harold. »Meiner Meinung nach sollte das Direktorium den Plan für die Expansion der Sparabteilung und der Filialen so annehmen, wie er vorgetragen wurde. Ich werde dafür stimmen. Ich empfehle Ihnen allen dringend, das ebenfalls zu tun.«

Dieses Mal ließ sich Roscoe Heyward seine Wut nicht anmerken, wenn seine Miene auch angespannt war. Alex vermutete, daß auch Heyward die Motive Harold Austins erraten hatte.

Noch fünfzehn Minuten lang wogte die Diskussion hin und her, bis Jerome Patterton den Hammer herniedersausen ließ und zur Abstimmung rief. Mit überwältigender Mehrheit wurden Alex Vandervoorts Vorschläge angenommen. Die einzigen Gegenstimmen gaben Floyd LeBerre und Roscoe Heyward ab.

Als er das Sitzungszimmer verließ, spürte Alex, daß die Feindseligkeit von vorhin nicht verflogen war. Einige Direktoren gaben ihm zu verstehen, daß sie seine harte Einstellung gegenüber Supranational vom Vormittag nicht verdaut hatten. Aber das neueste, unerwartete Ergebnis hatte ihm wieder Auftrieb gegeben, hatte seinen Pessimismus hinsichtlich seiner zukünftigen Rolle in der FMA vermindert.

Harold Austin fing ihn ab. »Alex, wann werden Sie die Verwirklichung Ihres Sparkonten-Plans in Angriff nehmen?«

»Sofort.« Er mochte nicht grob erscheinen und fügte hinzu: »Danke für die Unterstützung.«

Austin nickte. »Dann würde ich gern bald mit zwei oder drei Leuten meiner Agentur herkommen und die Kampagne besprechen.«

»Gut. Nächste Woche.«

Austin hatte also – ohne Aufschub und ohne jede Verlegenheit – bestätigt, was Alex vermutet hatte. Um fair zu sein, dachte Alex, mußte man jedoch zugeben, daß die Werbeagentur Austin vorzügliche Arbeit leistete und aufgrund dessen für den Auftrag ausgewählt werden konnte.

Aber er konstruierte nachträglich Entschuldigungsgründe, und er wußte es. Durch sein Schweigen vor wenigen Minuten hatte er um des Zweckes willen das Prinzip verraten. Er fragte sich, wie Margot seine Fahnenflucht aufnehmen werde.

The Hon. Harold sagte gut aufgelegt: »Dann sehen wir uns also demnächst.«

Roscoe Heyward, der unmittelbar vor Alex das Sitzungszimmer verlassen hatte, wurde von einem uniformierten Bankboten angehalten, der ihm einen verschlossenen Umschlag übergab. Heyward riß ihn auf und nahm ein zusammengefaltetes Blatt mit einer telefonisch übermittelten Nachricht heraus. Beim Lesen hellte sich seine Miene sichtbar auf; er warf einen Blick auf die Uhr, und er lächelte. Warum wohl, fragte Alex sich.

# 13

Es war eine ganz einfache Nachricht. Roscoes absolut zuverlässige Chefsekretärin, Dora Callaghan, informierte ihn, daß Miss Deveraux angerufen und hinterlassen habe, daß sie in der Stadt sei und sich freuen würde, wenn er so bald wie möglich rückrufen könnte. Die Mitteilung schloß mit einer Telefon- und einer Hausanschluß-Nummer.

Heyward erkannte die Nummer wieder: das Columbia Hilton Hotel. Miss Deveraux, das war Avril.

Seit dem nun anderthalb Monate zurückliegenden Flug nach den Bahamas hatten sie sich zweimal wiedergesehen. Beide Male im Columbia Hilton. Und beide Male, ebenso wie in jener Nacht in Nassau, als er die Taste Nummer sieben gedrückt hatte, die Avril in sein Zimmer rief, hatte sie ihn in ein Paradies geführt, an einen Ort sexueller Ekstase, von deren Existenz er sich nie etwas hatte träumen lassen. Avril wußte unglaubliche Dinge, die man einem Mann antun kann; sie hatten ihn – in jener ersten Nacht – zunächst schokkiert und dann begeistert. Später erweckte ihr Geschick Woge um Woge sinnlichen Vergnügens, bis er vor Glück aufschrie und Worte stammelte, von denen er nicht gewußt hatte, daß er sie kannte. Nachher war Avril sanft, zärtlich, liebevoll und geduldig gewesen, bis er, zu seiner Überraschung und wilden Freude, aufs neue geweckt war.

In diesem Augenblick hatte er angefangen zu begreifen, in einer Deutlichkeit, die sich seither noch gesteigert hatte, wieviel an Leidenschaft und Glanz des Lebens – an gegenseitigem Erforschen, an Erhöhung, Teilen, Geben und Nehmen – er und Beatrice nie erfahren hatten.

Für Roscoe und Beatrice war seine Entdeckung zu spät gekommen, allerdings war es eine Entdeckung, die Beatrice vielleicht nie gewollt hätte. Aber noch war Zeit für Roscoe und Avril; bei den Begegnungen seit Nassau hatten sie es bewiesen. Er sah auf die Uhr, lächelnd – das Lächeln, das Vandervoort gesehen hatte.

Natürlich würde er so bald wie möglich zu Avril fahren. Es bedeutete eine Änderung seiner Termine für den Nachmittag und Abend, aber das machte nichts. Selbst in diesem Augenblick bewirkte der Gedanke an das Wiedersehen mit ihr, daß sein Körper sich regte und wie der eines jungen Mannes reagierte.

Ein paar Mal seit Beginn der Affäre mit Avril hatte ihn sein Gewissen geplagt. An den letzten Sonntagen in der Kirche hatte ihm der Text zu schaffen gemacht, den er vor der Reise nach den Bahamas vorgelesen hatte: *Gerechtigkeit erhöhet ein Volk; aber die Sünde ist der Leute Verderben.* In solchen Augenblicken tröstete er sich mit den Worten Christi aus dem Johannes-Evangelium: *Wer unter euch ohne Sünde ist, der werfe den ersten Stein . . .* Und: *Ihr richtet nach dem Fleisch. Ich richte niemand.* Heyward gestattete sich sogar den Gedanken – mit einer Leichtfertigkeit, die ihn noch vor nicht langer Zeit entsetzt hätte –, daß man mit der Bibel, ebenso wie mit der Statistik, alles beweisen konnte.

Außerdem erübrigte sich jede Debatte. Das Rauschmittel Avril war stärker als alle Gewissensbisse.

Auf dem Weg vom Direktoriumszimmer in seine auf demselben Stockwerk gelegene Büro-Suite dachte er, innerlich voller Glut: Zusammen zu sein mit Avril, das würde die Krönung eines triumphalen Tages bedeuten, des Tages, an dem seine Supranational-Anträge angenommen worden waren und sein berufliches Prestige den Scheitelpunkt erreicht hatte. Natürlich hatte ihn das Resultat des Nachmittags enttäuscht, und Harold Austins Verrat hatte ihn in ganz schlichte Wut versetzt, auch wenn er sofort die selbstsüchtigen Motive dahinter erkannt hatte. Trotzdem befürchtete Heyward nicht, daß Vandervoorts Gedanken nennenswerten konkreten Erfolg zeitigen würden. Seine eigenen Supranational-Arrangements würden sich auf die diesjährigen Bankgewinne weit positiver auswirken.

Was ihn daran erinnerte, daß er eine Entscheidung über die zusätzliche halbe Million Dollar treffen mußte, die Big George Quartermain als weiteren Kredit an Q-Investments verlangt hatte.

Roscoe Heyward runzelte leicht die Stirn. Er war sich bewußt, daß die ganze Angelegenheit mit Q-Investments ein wenig regelwidrig war, aber in Anbetracht des Engagements der Bank mit Supranational, und umgekehrt, konnte man gewiß darüber hinwegsehen.

Vor etwa einem Monat hatte er die Angelegenheit in einer vertraulichen Mitteilung an Jerome Patterton dargelegt.

G. G. Quartermain von Supranational hat mich gestern wegen eines seiner persönlichen Projekte, das unter dem Namen Q-Investments firmiert, zweimal aus New York angerufen. Es handelt sich um eine kleine private Gruppe, deren Vorsitzender Quartermain (Big George) ist; unser eigener Direktor, Harold Austin, sitzt mit im Direktorium. Die Gruppe hat bereits große Pakete von Stammaktien verschiedener Supranational-Unternehmen günstig aufgekauft. Weitere Käufe sind geplant.

Big George wünscht von uns einen Kredit in Höhe von 1,5 Millionen Dollar für Q-Investments – zu dem gleichen niedrigen Satz wie beim Supranational-Kredit, aber ohne die Bedingung eines Ausgleichskontos. Er weist darauf hin, daß das SuNatCo-Ausgleichskonto mehr als ausreicht, um diesen persönlichen Kredit zu kompensieren – was richtig ist, wenn natürlich auch die Gegengarantie fehlt.

Ich sollte noch erwähnen, daß auch Harold Austin mich angerufen hat, um darauf zu dringen, daß der Kredit gewährt wird.

The Hon. Harold hatte Heyward in Wirklichkeit rundheraus an das Prinzip *eine Hand wäscht die andere* erinnert – an den Gegendienst für Austins kräftige Unterstützung zur Zeit von Ben Rossellis Tod. Heyward würde wiederum auf diese Unterstützung dringend angewiesen sein, wenn Patterton – der Interimspapst – in acht Monaten in den Ruhestand treten würde.

In der Hausmitteilung an Patterton hieß es weiter:

Der Zinssatz für diesen vorgeschlagenen Kredit ist offen gesagt zu niedrig, und der Verzicht auf ein Ausgleichskonto wäre ein großes Zugeständnis. Aber in Anbetracht des Supranational-Geschäfts, das wir Big George verdanken, sollten wir meiner Meinung nach darauf eingehen.

Ich empfehle, den Kredit zu geben. Stimmen Sie zu?

Jerome Patterton hatte mit Bleistift ein lakonisches »Ja« neben die letzte Frage geschrieben und die Hausmitteilung zurückgeschickt. Heyward kannte Patterton und nahm an, daß er der ganzen Sache nicht mehr als einen flüchtigen Blick gewidmet hatte.

Heyward hatte keinen Grund gesehen, warum Alex Vandervoort damit befaßt werden sollte, auch war der Kredit nicht so groß, daß er vom finanzpolitischen Ausschuß hätte genehmigt werden müssen. Deshalb hatte Roscoe Heyward einige Tage später durch seine Paraphe selbst die Genehmigung erteilt, was im Rahmen seiner Vollmachten lag und was völlig korrekt war.

*Nicht* korrekt dagegen war eine persönliche Transaktion zwischen ihm selbst und G. G. Quartermain, und er hatte sie auch niemandem gemeldet.

Während ihres zweiten Telefonats über Q-Investments hatte Big George – der von einer SuNatCo-Niederlassung in Chicago aus anrief – gesagt: »Habe mit Harold Austin über Sie gesprochen, Roscoe. Wir meinen beide, es wird Zeit, daß Sie in unsere Investmentgruppe einsteigen. Hätten Sie gern bei uns. Ich hab' schon was unternommen; ich habe Ihnen zweitausend Anteile zugewiesen, die wir als voll bezahlt betrachten. Es sind Zertifikate auf den Namen eines Strohmannes, blanko giriert – das ist diskreter so. Ich lasse sie Ihnen mit der Post zuschicken.«

Heyward hatte Skrupel gehabt. »Danke Ihnen, George, aber ich meine, das sollte ich nicht annehmen.«

»Um Gottes willen, warum nicht?«

»Berufsethos, wissen Sie.«

Big George hatte losgeprustet. »In welcher Welt leben Sie eigentlich, Roscoe? So was passiert doch andauernd zwischen Kunden und Bankern. Sie wissen es. Ich weiß es.«

Ja, Heyward wußte, daß es vorkam, wenn auch nicht »andauernd«, wie Big George behauptete, und Heyward hatte sich selber nie daran beteiligt.

Bevor er antworten konnte, drängte Quartermain schon: »Hören Sie, Mann, seien Sie kein Narr. Wenn Ihnen wohler dabei ist, sagen wir eben, daß die Anteile ein Entgelt darstellen für Ihre Anlageberatung.«

Aber Heyward wußte, daß er keine Anlageberatung gegeben hatte, weder damals noch in der Folgezeit.

Ein, zwei Tage später trafen die Q-Investments-Anlagezertifikate eingeschrieben per Luftpost ein, in einem Umschlag mit kunstvollen Siegeln und dem Vermerk *Streng persönlich und vertraulich*. Nicht einmal Dora Callaghan hatte ihn aufgemacht.

Abends zu Hause, beim Studium des ebenfalls von Big George gelieferten Finanzstatus der Q-Investments, erkannte Heyward, daß seine zweitausend Anteile einen Nettowert von 20 000 Dollar hatten. Später, wenn Q-Investments florierte oder in eine AG umgewandelt wurde, konnte ihr Wert viel höher sein.

Zu dem Zeitpunkt hatte er noch die feste Absicht, die Anteile an G. G. Quartermain zurückzuschicken; dann, als er seine eigene prekäre Finanzlage noch einmal überdachte – sie war nicht besser als vor mehreren Monaten –, hatte er gezögert. Schließlich erlag er der Versuchung, und gegen Ende der Woche legte er die Zertifikate in sein Stahlschließfach in der FMA-Hauptfiliale. Schließlich hatte er die Bank damit nicht beraubt, redete er sich ein. In Wirklichkeit war, wegen Supranational, das Gegenteil der Fall. Wenn sich also Big George entschloß, ihm eine freundschaftliche Anerkennung zukommen zu lassen, warum dann kleinlich sein und es ablehnen?

Doch daß er angenommen hatte, bedrückte ihn noch ein wenig, besonders seit Big George ihn Ende letzter Woche angerufen hatte – dieses Mal aus Amsterdam – und sich um eine weitere halbe Million Dollar für Q-Investments bemüht hatte.

»Es hat sich eine einzigartige Gelegenheit für unsere Q-Gruppe ergeben, hier in Gelderland ein Aktienpaket mitzunehmen, das mit Sicherheit hochsegeln wird. Kann über den öffentlichen Draht wenig sagen, Roscoe, Sie müssen mir schon vertrauen.«

»Natürlich tu ich das, George«, hatte Heyward erwidert, »aber die Bank wird Details wissen wollen.«

»Die kriegen Sie – morgen, durch Kurier.« Und Big George hatte bedeutungsvoll hinzugefügt: »Vergessen Sie nicht, daß Sie jetzt einer von uns sind.«

Zum zweitenmal hatte Heyward flüchtig ein unbehagliches Gefühl: G. G. Quartermain verwandte vielleicht mehr Aufmerksamkeit auf seine privaten Anlagen als auf die Leitung von Supranational. Aber die Nachrichten vom nächsten Tag hatten ihn beruhigt. »The Wall Street Journal« und andere Zeitungen berichteten in großer Aufmachung über eine bedeutende, von Quartermain zustande gebrachte industrielle Übernahme durch SuNatCo in Europa. Es war ein wirtschaftlicher Coup, der die Supranational-Aktien in New York und London in die Höhe schießen und den FMA-Kredit an den Konzerngiganten noch solider erscheinen ließ.

Als Heyward sein Vorzimmer betrat, begrüßte ihn Mrs. Callaghan mit ihrem üblichen Matronenlächeln. »Die anderen Mitteilungen liegen auf Ihrem Schreibtisch, Sir.«

Er nickte, aber als er sein Arbeitszimmer betreten hatte, schob er den Stapel zur Seite. Er zögerte bei Papieren, die fertig, aber noch nicht genehmigt waren und die sich auf den zusätzlichen Kredit für Q-Investments bezogen. Dann schlug er sich auch das aus dem Sinn und wählte über die direkte Amtsleitung die Nummer des Paradieses.

»Rossie, Süßer«, flüsterte Avril, während ihre Zungenspitze sein Ohr erforschte, »du hast es zu eilig. *Warte!* Lieg still! *Still! Laß dir Zeit!*« Sie streichelte seine nackte Schulter, dann seine Wirbel, mit schwebenden Fingernägeln, scharf, aber dennoch sanft.

Heyward stöhnte – ein Gemisch von ausgekostetem süßesten Vergnügen, Schmerz und hinausgezögerter Erfüllung –, und er gehorchte.

Sie flüsterte wieder: »Glaub mir, es lohnt sich zu warten.«

Er wußte es. Es war immer so. Wieder fragte er sich, wie jemand, der so jung und so schön war, soviel gelernt haben, so emanzipiert sein konnte . . . so frei von Hemmungen . . . so herrlich erfahren.

»*Noch nicht,* Rossie! Liebling, *noch nicht! Da! Das ist brav.* Hab Geduld!«

Ihre Hände, geschickt und wissend, forschten weiter. Er ließ Verstand und Körper schweben, aus Erfahrung wissend, daß es das beste war, alles . . . ganz genau so zu tun . . . wie sie es sagte.

»Oh, *das ist gut,* Rossie. Ist das nicht wunderbar?«

Er hauchte: »Ja. *Ja!*«

»Bald, Rossie. *Ganz bald.*«

Neben ihm, über die beiden dicht aneinandergelegten Kissen des Bettes, ergoß sich Avrils rotes Haar. Ihre Küsse berauschten ihn. Er atmete ihren süßen, betörenden Duft ein. Ihr herrlicher gertenschlanker, hingebungsvoller Leib war unter ihm. Das, schrien seine Sinne, war das *Beste* im Leben, auf Erden und im Himmel, hier, jetzt.

Die einzige bittersüße Traurigkeit dabei war der Gedanke daran, daß er so viele Jahre gewartet hatte, um es zu finden.

Wieder suchten Avrils Lippen die seinen und fanden sie.

Sie drängte ihn: »*Jetzt,* Rossie! *Jetzt,* Süßer! *Jetzt!*«

Das Schlafzimmer war, wie Heyward bei seiner Ankunft bemerkt hatte, genormtes Hilton – sauber, zweckmäßig-bequem, eine charakterlose Schachtel. Ein Wohnraum des gleichen Genres lag auf der anderen Seite der Tür; auch diesmal, wie bei den vorangegangenen Treffen, hatte Avril eine Suite genommen.

Seit dem späten Nachmittag waren sie hier. Nach der Umarmung hatten sie ein wenig geschlafen, waren aufgewacht, hatten sich wieder geliebt – wenn auch diesmal nicht bis zum Höhepunkt – und hatten dann noch eine Stunde geschlummert. Jetzt zogen beide sich an. Heywards Uhr zeigte acht.

Er war erschöpft, körperlich ausgelaugt. Mehr als alles andere wollte er nach Hause und ins Bett – allein. Er fragte sich, wie bald er sich mit einigem Anstand davonmachen konnte.

Avril war im Wohnzimmer gewesen und hatte telefoniert. Als sie wieder hereinkam, sagte sie: »Ich habe das Abendessen für uns bestellt, Süßer. Es wird gleich hier sein.«

»Das ist großartig, meine Liebe.«

Avril hatte einen durchsichtigen Unterrock und einen Slip angezogen. Keinen BH. Sie fing an, ihr langes Haar zu bürsten, das in Unordnung geraten war. Er saß auf dem Bett und beobachtete sie, trotz seiner Müdigkeit der Tatsache bewußt, daß jede ihrer Bewegungen geschmeidig und sinnlich war. Verglichen mit Beatrice, die er täglich sah, war Avril so *jung*. Plötzlich kam er sich niederschmetternd alt vor.

Sie gingen ins Wohnzimmer, wo Avril sagte: »Machen wir den Champagner auf.«

Er stand auf einer Anrichte in einem Eiskübel. Heyward hatte ihn schon vorhin bemerkt. Inzwischen war das Eis zum größten Teil geschmolzen, aber die Flasche war noch kalt. Ungeschickt hantierte er an Draht und Korken.

»Nein, nicht den Korken bewegen«, wies Avril ihn an. »Halt die Flasche schief, halt dann den Korken fest und dreh die Flasche.«

Es ging ganz leicht. Sie wußte *so viel*.

Sie nahm ihm die Flasche ab und schenkte zwei Gläser ein. Er schüttelte den Kopf. »Du weißt, daß ich nicht trinke, Liebes.«

»Probier's mal, man fühlt sich herrlich jung danach.« Sie reichte ihm ein Glas. Als er kapitulierte und es nahm, schoß ihm die Frage durch den Kopf, ob sie ihn wohl durchschaut hatte.

Nach zweimaligem Nachfüllen, als der Zimmerservice das Abendessen brachte, fühlte er sich *tatsächlich* jünger.

Als der Kellner gegangen war, sagte Heyward: »Du hättest mich zahlen lassen sollen.« Vor ein paar Minuten hatte er seine Brieftasche gezogen, aber Avril hatte abgewinkt und die Rechnung abgezeichnet.

»Warum, Rossie?«

»Weil du mir erlauben mußt, dir wenigstens etwas von deinen Auslagen zu ersetzen – die Hotelrechnungen, die Flugkarte hierher von New York.« Er hatte erfahren, daß Avril ein Apartment in Greenwich Village hatte. »Das ist zuviel, du sollst nicht alles allein bezahlen.«

Sie sah ihn forschend an, dann lachte sie silberhell. »Ja, glaubst du denn, daß *ich* das alles bezahle?« Sie schloß mit einer Handbewegung die ganze Suite ein. »Von *meinem* Geld? Rossie, Baby, du mußt verrückt sein!«

»Aber wer zahlt es denn?«

»Supranational natürlich, Dummchen! Das hier wird denen alles in Rechnung gestellt – die Suite, das Essen, mein Flugticket, meine Zeit.« Sie ging zu seinem Stuhl hinüber und küßte ihn; ihre Lippen waren voll und feucht. »Mach dir doch darüber keine Gedanken!«

Er saß ganz still, zerschmettert und schweigend, und verarbeitete den Schock, den das eben Gesagte ihm versetzt hatte. Die besänftigende Wirkung des Champagners lief noch durch seinen Körper, aber in seinem Kopf war es klar.

»*Meine Zeit.*« Das tat weher als alles andere. Bis jetzt hatte er angenommen, daß Avril ihn nach den Bahamas angerufen, ein Treffen vorgeschlagen hatte, weil sie ihn mochte, weil sie genossen hatte – ebensosehr wie er selbst –, was zwischen ihnen geschehen war.

Wie hatte er so naiv sein können? *Natürlich* war das ganze Unternehmen von Quartermain arrangiert und von Supranational finanziert worden. Hätte sein gesunder Menschenverstand ihm das nicht sagen müssen? Oder hatte er sich abgeschirmt, indem er sich diese Fragen nicht stellte, weil er es nicht wissen wollte? Noch etwas: Wenn Avril für »meine Zeit« bezahlt wurde, was war sie dann? Eine Hure? Und wenn sie das war, was war dann Roscoe Heyward? Er schloß die Augen. *Lukas 18, Vers 13*, dachte er: *Gott, sei mir Sünder gnädig!*

Eines konnte er natürlich tun. Sofort. Er konnte feststellen, wieviel bisher ausgegeben worden war, und Supranational einen persönlichen Scheck über diese Summe zuschicken. Er begann zu rechnen, dann erkannte er, daß er keinerlei Vorstellung von Avrils Preis hatte. Sein Instinkt sagte ihm, daß er nicht gering sein konnte.

Überhaupt bezweifelte er, ob das klug sein würde. Sein Finanzdirektoren-Verstand argumentierte: Wie sollte Supranational die Zahlung verbuchen? Und realistischer noch: Er konnte das Geld praktisch nicht entbehren. Außerdem, was würde geschehen, wenn er Avril wieder brauchte? Und das würde bestimmt bald der Fall sein, wie er jetzt schon wußte.

Das Telefon läutete und füllte das kleine Zimmer mit Lärm. Avril meldete sich, sagte ein paar Worte und verkündete dann:

»Für dich.«

»Für *mich*?«

Als er den Hörer nahm, dröhnte eine Stimme: »Hallo, Roscoe!«

»Wo sind Sie, George?« fragte Heyward scharf.

»Washington. Hab' wirklich gute Nachricht über SuNat-Co. Quartals-Gewinn- und Verlustrechnung. Sie lesen das morgen in den Zeitungen.«

»Sie rufen mich hier an, um mir das zu sagen?«

»Hab' Sie unterbrochen, wie?«

»Nein.«

Big George lachte glucksend. »Nur ein freundschaftlicher Anruf, alter Junge. Um mich zu überzeugen, daß alles richtig geregelt ist.«

Wenn er protestieren wollte, begriff Heyward, dann war jetzt der richtige Augenblick. Aber wogegen protestieren? Gegen die großzügige Überlassung von Avril? Oder wegen seiner eigenen akuten Verlegenheit?

Die dröhnende Telefonstimme übertönte seine Ratlosigkeit. »Der Q-Investments-Kredit schon okay?«

»Nicht ganz.«

»Lassen sich Zeit, was?«

»Nicht unbedingt. Es sind gewisse Formalitäten nötig.«

»Machen wir voran damit, oder ich muß 'ner anderen Bank das Geschäft geben und vielleicht auch etliches von Supranational dahin übertragen.«

Die Drohung war klar. Sie überraschte Heyward auch nicht, denn Druck und Zugeständnisse gehörten zum normalen Bankgeschäft.

»Ich tu mein Bestes, George.«

Ein Grunzen. »Avril noch da?«

»Ja.«

»Geben Sie sie mir.«

Heyward hielt Avril den Hörer hin. Sie lauschte kurz, sagte: »Ja, mach' ich«, lächelte und legte auf.

Sie ging in das Schlafzimmer, wo er einen Koffer aufschnappen hörte, und einen Augenblick später tauchte sie mit einem großen braunen Umschlag wieder auf. »Georgie sagte, ich soll dir das geben.«

Es war ein Umschlag von der gleichen Art und mit ähnlichen Siegeln wie jener andere, der die Anteils-Zertifikate von Q-Investments enthalten hatte.

»Von Georgie soll ich dir ausrichten, daß es eine Erinnerung an unseren Spaß in Nassau ist.«

Noch mehr Zertifikate? Er bezweifelte es. Er überlegte, ob er die Annahme verweigern sollte, aber die Neugier war stärker.

»Du sollst es erst zu Hause aufmachen«, sagte Avril.

Er ergriff die Gelegenheit und sah auf die Uhr. »Ich muß sowieso gehen, Liebes.«

»Ich auch. Ich fliege heute abend nach New York zurück.«

Sie sagten sich in der Suite auf Wiedersehen. Beim Abschied hätte es einen Moment der Verlegenheit geben können. Avrils Weltgewandtheit verhinderte das.

Sie schlang die Arme um ihn, und sie preßten sich eng aneinander, während sie flüsterte: »Du bist ein Schatz, Rossie. Wir sehen uns bald.«

Ungeachtet dessen, was er erfahren hatte, ungeachtet seiner momentanen Müdigkeit hatte sich seine Leidenschaft für sie nicht verändert. Und was »meine Zeit« auch kosten mochte, eines stand fest: Avril bot etwas dafür.

Roscoe Heyward nahm ein Taxi vom Hotel zur Zentrale der First Mercantile American. In der Vorhalle des Bankgebäudes hinterließ er, daß er in fünfzehn Minuten Wagen und Fahrer für die Heimfahrt wünsche. Dann fuhr er mit dem Aufzug in den sechsunddreißigsten Stock und ging durch lautlose Korridore, vorbei an verlassenen Schreibtischen, zu seiner Büro-Suite.

An seinem Schreibtisch öffnete er den versiegelten Umschlag, den Avril ihm gegeben hatte. In einem zweiten Päckchen befanden sich, jedes Blatt mit einem Bogen Seidenpapier geschützt, zwölf vergrößerte Fotografien.

In jener zweiten Nacht auf den Bahamas, als die Mädchen und Männer nackt in Big Georges Schwimmbad gebadet hatten, war der Fotograf diskret unsichtbar geblieben. Vielleicht hatte er ein Teleobjektiv benutzt, möglicherweise hatte er sich hinter Büschen des üppigen Gartens versteckt. Er mußte einen hochempfindlichen Film benutzt haben, denn kein Blitzlicht hatte ihn verraten. Das war auch gleichgültig. Dagewesen war der Fotograf jedenfalls.

Die Fotos zeigten Krista, Rhetta, Mondstrahl, Avril und Harold Austin beim Entkleiden und unbekleidet. Roscoe Heyward kam vor, umgeben von den nackten Mädchen, sein Gesicht eine Studie in Faszination. Man sah Heyward, wie er Avrils Kleid und BH löste; ein anderes Bild zeigte ihn, wie er sie küßte, die Hände um ihre Brüste gewölbt. Zufall oder Absicht, von Vizepräsident Stonebridge war nur der Rücken zu sehen.

Technisch und künstlerisch waren alle Fotos von hoher Qualität, und offensichtlich war der Fotograf kein Amateur. Aber, dachte Heyward, G. G. Quartermain war es gewohnt, für das Beste zu zahlen.

Bemerkenswert: Auf keinem der Fotos erschien Big George.

Die Fotos waren allein durch ihr Vorhandensein ein Schock

für Heyward. Warum hatte man sie geschickt? War das eine Drohung? Oder ein plumper Scherz? Wo waren die Negative und andere Abzüge? Er begann zu begreifen, daß Quartermain ein komplexer, sprunghafter, vielleicht sogar gefährlicher Mann war.

Andererseits ertappte Heyward sich dabei, daß er, trotz seines Schocks, fasziniert war. Während er die Fotos betrachtete, fuhr er sich unbewußt mit feuchter Zunge über die Lippen. Sein erster Impuls war es, sie zu vernichten. Aber er brachte es nicht fertig.

Erschrocken stellte er fest, daß er schon fast eine halbe Stunde an seinem Schreibtisch saß.

Die Fotos mit nach Hause zu nehmen, war natürlich ausgeschlossen. Also wohin damit? Er packte sie sorgfältig wieder ein und schloß den Umschlag in ein Schreibtischfach ein, in dem er mehrere persönliche, private Akten verwahrte.

Aus alter Gewohnheit sah er in einem anderen Schubfach nach, wo Mrs. Callaghan manchmal aktuelle Papiere verwahrte, wenn sie abends seinen Schreibtisch aufräumte. Oben auf dem Packen in dem Schubfach lagen die Papiere, die sich auf den zusätzlichen Kredit für Q-Investments bezogen. Er sagte sich: Warum verzögern? Warum schwanken? War es wirklich nötig, Patterton ein zweites Mal zu fragen? Der Kredit war solide, ebenso wie G. G. Quartermain und Supranational. Heyward nahm die Papiere heraus, kritzelte ein »Genehmigt« darauf und setzte seine Initialen daneben.

Wenige Minuten später fuhr er in die Halle hinab. Sein Fahrer wartete, die Limousine stand draußen.

## 14

Nolan Wainwright hatte nur noch selten Gelegenheit, das städtische Leichenschauhaus von innen zu sehen. Das letzte Mal, erinnerte er sich, war es vor drei Jahren gewesen, als er die Leiche eines Bankwächters identifizierte, der bei einer Schießerei mit Bankräubern ums Leben gekommen war. Als Wainwright noch bei der Kriminalpolizei war, waren Besuche in Leichenhallen und das Betrachten der Opfer von Gewaltverbrechen notwendige und häufige Begleiterscheinungen seines Berufs. Aber auch damals hatte er sich nie daran gewöhnen können. Eine Leichenhalle, jede Leichenhalle, mit der Atmosphäre von Tod und Beinhaus, deprimierte ihn und verursachte ihm manchmal Übelkeit. So auch jetzt.

Der Sergeant der städtischen Kriminalpolizei, mit dem er hier verabredet war, marschierte gelassen neben Wainwright einen düsteren Gang entlang, ihre Schritte hallten auf den uralten, zersprungenen Fliesen. Der Wärter der Leichenhalle, der ihnen den Weg wies und aussah, als werde er bald selbst dort Kunde sein, stapfte ihnen lautlos auf seinen Gummisohlen voran.

Der Kriminalbeamte, der Timberwell hieß, war jung, zu dick, schlecht rasiert und hatte ungepflegtes Haar. Vieles hatte sich verändert, grübelte Wainwright, in den zwölf Jahren, seit er nicht mehr Leutnant der städtischen Polizei war.

»Angenommen, der Tote *ist* Ihr Mann. Wann haben Sie ihn dann zuletzt gesehen?« fragte Timberwell.

»Vor sieben Wochen. Anfang März.«

»Wo?«

»In einer kleinen Bar am anderen Ende der Stadt. Heißt ›Easy Over‹.«

»Kenn' ich. Danach noch von ihm gehört?«

»Nein.«

»'ne Ahnung, wo er wohnt?«

Wainwright schüttelte den Kopf. »Wollte er nicht sagen. Da hab' ich nicht weiter nachgebohrt.«

Nolan Wainwright konnte nicht einmal den Namen mit Bestimmtheit sagen. Der Mann hatte ihm einen genannt, aber das war mit ziemlicher Sicherheit ein falscher gewesen. Er hatte fair sein wollen und hatte nicht versucht, den richtigen herauszubekommen. Er wußte nicht mehr, als daß »Vic« ein ehemaliger Sträfling war, der Geld brauchte und bereit war, als Spitzel zu arbeiten.

Im Oktober des vergangenen Jahres hatte Alex Vandervoort auf Drängen Wainwrights die Genehmigung erteilt, einen Spitzel zu beschäftigen, der den Ursprung der gefälschten Keycharge-Bankkreditkarten aufspüren sollte, die damals in beunruhigender Zahl auftauchten. Wainwright streckte Fühler aus, ließ seine Verbindungen in der Innenstadt spielen, und später wurde durch weitere Zwischenträger ein Treffen zwischen ihm und Vic arrangiert; man wurde handelseinig. Das war im Dezember. Der Sicherheitchef erinnerte sich an das Datum, da Miles Eastins Prozeß in derselben Woche stattgefunden hatte.

In den folgenden Monaten kam es zu noch zwei weiteren Begegnungen zwischen Vic und Wainwright, jede in einer anderen, entlegenen Kneipe, und bei allen drei Zusammenkünften hatte Wainwright dem Mann Geld gegeben in der Hoffnung, irgendwann den Gegenwert dafür zu bekommen. Ihr Kommunikationssystem war einseitig. Vic konnte ihn anrufen und einen Treff an einem Ort seiner Wahl vereinbaren; Wainwright dagegen hatte keine Möglichkeit, Kontakt zu ihm aufzunehmen. Aber er hatte Verständnis für diese Regelung und akzeptierte sie.

Wainwright hatte Vic nicht gemocht, aber das hatte er auch nicht erwartet. Der Exsträfling war durchtrieben, schlüpfrig, mit ewig tropfender Nase und anderen äußeren Zeichen des Rauschgiftkonsumenten. Er verachtete alles und jeden, Wainwright eingeschlossen, und hatte einen ständigen höhnischen Zug um den Mund. Aber bei ihrem dritten Treffen, im März, schien es, als sei er über eine Spur gestolpert.

Er hatte ein Gerücht gehört: Ein großer Posten falscher Zwanzig-Dollar-Scheine von hoher Qualität stand zur Verteilung durch Zwischenhändler und Männer bereit, die die Scheine tatsächlich auszugeben hatten. Man quatschte auch davon, daß irgendwo im Schatten – hinter den Verteilern – eine mächtige, leistungsfähige Organisation mit anderen Arbeitsgebieten stand, einschließlich Kreditkarten. Diese letzte Information war verschwommen, und Wainwright hatte den Verdacht, daß Vic sie erfunden hatte, um sich bei ihm Liebkind zu machen. Vielleicht aber auch nicht.

Vic ging mehr ins einzelne und behauptete, man habe ihm versprochen, ihn – am Rande – bei der Falschgeldaktion einzusetzen. Er meinte, wenn er den Auftrag bekam, wenn er sich das Vertrauen der Leute erwarb, könnte er mehr über die Organisation erfahren. Es gab ein, zwei Details, die Vic nach Wainwrights Ansicht aus Mangel an Kenntnis und Phantasie nicht erfunden haben konnte; sie überzeugten den Bank-Sicherheitschef davon, daß die Information im wesentlichen authentisch war. Plausibel war auch der vorgeschlagene Aktionsplan.

Wainwright war immer von der Annahme ausgegangen, daß der Hersteller der gefälschten Keycharge-Bankkarten sich wahrscheinlich auch mit anderen Formen der Fälschung befaßte. Das hatte er Alex Vandervoort im Oktober auch mitgeteilt. Und wenn er sich nicht täuschte und es sich tatsächlich um eine großangelegte Organisation handelte, riskierte der Spitzel sein Leben, wenn er ertappt wurde. Er hatte sich verpflichtet gefühlt, Vic darauf hinzuweisen, und Vic hatte ihm mit einem höhnischen Grinsen gedankt.

Nach diesem Treffen hatte Wainwright nichts mehr von Vic gehört.

Am vergangenen Tag war er auf eine Kurzmeldung im »Times-Register« aufmerksam geworden; man hatte eine im Fluß treibende Leiche gefunden.

»Ich sollte Sie warnen«, erklärte Detective Sergeant Timberwell, »es ist kein hübscher Anblick, was von dem Kerl übriggeblieben ist. Die Ärzte schätzen, daß er eine Woche im Wasser gelegen hat. Außerdem ist viel Verkehr auf dem Fluß, und es sieht danach aus, als ob er in eine Schiffsschraube geraten ist.«

Noch immer dem alten Wärter folgend, betraten sie einen hell erleuchteten, langen Raum mit niedriger Decke. Die Luft war sehr kühl. Sie roch nach Desinfektionsmitteln. Die ihnen gegenüberliegende Wand sah aus wie ein riesiger Aktenschrank mit rostfreien Stahlschubfächern, jedes einzelne mit einer Nummer versehen. Hinter den Fächern summte eine Kühlanlage.

Der Wärter starrte kurzsichtig auf eine Liste, die an ein Schreibbrett geklammert war, ging dann zu einem Schubfach etwa in der Mitte des Raumes. Er zog, und die Lade glitt lautlos auf Nylonrollen heraus. Was sich unter dem Papierlaken abzeichnete, mochte ein gedunsener Körper sein.

»Das sind die Überreste, die Sie haben wollten, Chef«, sagte der alte Mann. Gleichgültig, als handele es sich um einen Sack Kartoffeln, den er da freilegte, schlug er das Laken zurück.

Wainwright bereute, hergekommen zu sein. Ihm wurde übel.

Die Leiche, die sie da sahen, hatte einmal ein Gesicht gehabt. Jetzt war keins mehr da. Das Treiben im Wasser, Verwesung und etwas anderes – wahrscheinlich eine Schiffsschraube, wie Timberwell gesagt hatte – hatten Fleisch bloßgelegt und zerfetzt. Aus der Masse ragten weiße Knochen hervor.

Schweigend betrachteten sie den Toten, dann fragte der Kriminalbeamte: »Sehen Sie was, das Sie identifizieren können?«

Wainwright nickte. Er hatte die Seite des Kopfes gesehen, wo das, was vom Haaransatz noch übrig war, in den Hals überging. Der etwa eigroße rote Fleck – zweifellos ein Muttermal – war noch deutlich zu sehen. Er war Wainwright gleich bei der ersten Begegnung mit Vic aufgefallen. Die Lippen, die sich so oft höhnisch verzogen hatten, waren nicht mehr da, aber es gab für ihn keinen Zweifel daran, daß es sich um die Leiche seines Geheimagenten handelte. Er teilte es Timberwell mit; der nickte.

»Wir haben ihn selbst schon nach Fingerabdrücken identifiziert. Besonders klar waren sie nicht, aber es reichte.« Der Beamte nahm ein Notizbuch heraus und schlug es auf. »Sein wirklicher Name, ob Sie's glauben oder nicht, war Clarence Hugo Levinson. Er führte noch mehrere andere Namen, und er hat ein langes Vorstrafenregister, meistens Kleinkram.«

»In der Zeitung stand, daß er nicht ertrunken, sondern an Stichwunden gestorben ist.«

»Das hat die Obduktion ergeben. Davor war er gefoltert worden.«

»Wie wollen Sie das wissen?«

»Dem haben sie die Eier zerquetscht. Im Autopsiebericht steht, daß sie offenbar in eine Art Schraubstock gelegt worden sind, daß der Schraubstock zugedreht worden ist, bis sie platzten. Wollen Sie sehen?«

Ohne die Aufforderung abzuwarten, zog der Wärter den Rest des Lakens weg.

Obwohl die Genitalien im Wasser geschrumpft waren, hatte die Autopsie genug bloßgelegt, um Timberwells Worte zu bestätigen. Wainwright würgte es in der Kehle. »O Gott.« Er gab dem alten Mann ein Zeichen. »Decken Sie ihn zu.«

Dann drängte er Timberwell: »Machen wir, daß wir hier rauskommen.«

Bei starkem schwarzen Kaffee in einem winzigen Restaurant, einen halben Straßenblock von der Leichenhalle entfernt, murmelte Detective Sergeant Timberwell: »Armer Hund! Was er auch auf dem Kerbholz hatte, das hat keiner verdient.« Er holte eine Zigarette hervor, steckte sie an und bot Wainwright die Schachtel an. Der schüttelte den Kopf.

»Kann mir vorstellen, wie Ihnen zumute ist«, bemerkte Timberwell. »Man stumpft mit der Zeit ab. Aber es gibt Sachen, an die gewöhnt man sich nie.«

»Ja.« Wainwright dachte an seine eigene Verantwortung für das, was Clarence Hugo Levinson alias Vic zugestoßen war.

»Ich brauche eine schriftliche Aussage von Ihnen, Mr. Wainwright. Zusammenfassung dessen, was Sie mir über Ihre Vereinbarung mit dem Verstorbenen erzählt haben. Wenn's Ihnen recht ist, gehen wir, wenn wir den Kaffee ausgetrunken haben, zur Wache und setzen sie auf.«

»Gut.«

Der Beamte blies einen Rauchring und trank einen Schluck Kaffee. »Die Kreditkarten-Fälschung – wie steht's jetzt damit?«

»Es tauchen immer mehr auf. An manchen Tagen ist es wie 'ne Epidemie. Es kostet uns und andere Banken eine Stange Geld.«

Skeptisch sagte Timberwell: »Sie meinen, es kostet die Öffentlichkeit Geld. Banken wie Ihre geben die Verluste weiter. Deshalb regt sich Ihr Management auch längst nicht so darüber auf.«

»Da kann ich Ihnen leider nicht widersprechen.« Wainwright dachte an seine verlorenen Schlachten im Kampf um einen größeren Etat für den Schutz der Bank vor Verbrechen.

»Taugen die Karten was?«

»Sie sind tadellos.«

Der Kriminalbeamte nickte nachdenklich. »Dasselbe behauptet der Secret Service auch von den falschen Banknoten, die hier in der Stadt im Umlauf sind. Es sind viele. Aber das wissen Sie wohl selber.«

»Ja, ich weiß.«

»Vielleicht hatte der arme Kerl recht mit seiner Vermutung, daß beides aus derselben Quelle stammt.«

Beide schwiegen, dann sagte der Kriminalbeamte plötzlich: »Ich sollte Sie warnen. Vielleicht haben Sie selbst schon dran gedacht.«

Wainwright wartete.

»Wer den gefoltert hat, der hat ihn zum Sprechen gebracht. Sie haben ihn gesehen. Unmöglich, daß er den Mund gehalten hat. Sie können also davon ausgehen, daß er über alles gesungen hat, auch über das Geschäft mit Ihnen.«

»Daran hab' ich auch schon gedacht.«

Timberwell nickte. »Ich glaube nicht, daß Sie persönlich in Gefahr sind, aber für die Leute, die Levinson umgebracht haben, sind Sie Gift. Wenn einer von denen auch nur dieselbe Luft mit Ihnen atmet und sie kommen dahinter, ist er tot – und zwar auf üble Weise.«

Wainwright wollte etwas sagen, aber Timberwell kam ihm zuvor.

»Hören Sie, ich sage nicht, daß Sie keinen neuen Spitzel losschicken sollen. Das ist Ihre Sache, und ich will davon nichts wissen – jedenfalls jetzt nicht. Aber das eine rate ich Ihnen: Wenn Sie's tun, seien Sie supervorsichtig und lassen Sie sich nie mit dem Kerl sehen. Das ist das mindeste, was Sie ihm schulden.«

»Vielen Dank für die Warnung«, sagte Wainwright. Er dachte noch immer an das, was er unter dem weggezogenen Laken gesehen hatte. »Aber ich glaube kaum, daß es einen anderen geben wird.«

# DRITTER TEIL

## 1

Obwohl es nicht leichter geworden war mit ihrem Wochengehalt von 98 Dollar als Bankkassiererin (nach Abzügen blieben ihr 83 Dollar), gelang es Juanita doch Woche um Woche, sich und Estela über Wasser zu halten und Estelas Kindergarten zu bezahlen. Juanita hatte sogar – bis August – die Schulden, die ihr Mann ihr hinterlassen hatte, bei der Finanzierungsgesellschaft um ein Geringes verkleinert. Die Finanzierungsfirma war ihr entgegengekommen und hatte einen neuen Vertrag mit kleineren Monatsraten ausgestellt; jetzt liefen sie allerdings – bei höheren Zinsen – noch über drei Jahre.

In der Bank hatte man Juanita nach den falschen Anschuldigungen im Oktober des vergangenen Jahres rücksichtsvoll behandelt, alle kamen ihr außerordentlich freundlich entgegen, doch hatte sie sich an niemanden enger angeschlossen. Vertraulichkeit fiel ihr nicht leicht. Sie begegnete allen Menschen mit einer instinktiven Vorsicht, die zum Teil angeboren war, zum Teil aus Erfahrung herrührte. Der Mittelpunkt ihres Lebens, der Höhepunkt, dem jeder Arbeitstag entgegenführte, waren die Abendstunden, die sie mit Estela verbrachte.

Auch jetzt waren sie beisammen.

In der Küche ihrer winzigen, aber gemütlichen Wohnung machte Juanita das Abendessen, assistiert – und manchmal behindert – von der Dreijährigen. Sie hatten zusammen einen fertig gemischten Teig ausgerollt und geformt, Juanita, um damit eine Fleischpastete abzudecken, während Estela mit ihren winzigen Fingern ein geraubtes Stück Teig knetete.

»Mammi! Guck mal, ich hab' ein Zauberschloß gemacht.«

Sie lachten zusammen. »*¡Qué lindo, mi cielo!*« sagte Juanita liebevoll. »Wir schieben das Schloß mit der Pastete in den Backofen. Dann wird beides verzaubert.«

Für ihre Pastete hatte Juanita Rindfleisch genommen und

es mit Zwiebeln, einer Kartoffel, frischen Wurzeln und einer Büchse Erbsen vermischt. Das Gemüse würde die kleine Fleischportion strecken; eine größere konnte Juanita nicht erschwingen. Aber sie kochte mit Begabung und Phantasie, und die Pastete würde gut schmecken und nahrhaft sein.

Sie war schon seit zwanzig Minuten im Backofen und mußte noch zehn Minuten drinbleiben. Juanita las Estela aus einer spanischen Übersetzung von Hans Christian Andersen vor, als es klopfte. Sie unterbrach und lauschte unsicher zur Tür hin. Besucher waren immer selten; ganz ungewöhnlich aber war es, daß jemand zu so später Stunde kam. Nach ein paar Augenblicken wiederholte sich das Klopfen. Sie bedeutete Estela, sitzen zu bleiben, dann erhob sie sich ein wenig nervös und ging langsam zur Tür.

Ihre Wohnung war die einzige im obersten Stock eines früheren Einfamilienhauses, das vor langer Zeit in verschiedene Mietwohnungen unterteilt worden war. Die Sanierer von Forum East behielten die Unterteilungen des Gebäudes bei, modernisierten und reparierten aber. Die Sanierung allein änderte jedoch nichts daran, daß die Gegend von Forum East berüchtigt war wegen ihrer hohen Kriminalität; besonders zahlreich waren Straßenüberfälle und Einbrüche. So schlossen sich die meisten Einwohner nachts ein und verriegelten die Türen, obwohl die einzelnen Wohnungskomplexe voll besetzt waren. In Juanitas Haus gab es eine wuchtige Eingangstür, nur ließen die anderen Mieter sie immer offen.

Unmittelbar vor Juanitas Wohnung befand sich ein enger Treppenabsatz. Das Ohr an die Tür gepreßt, rief sie: »Wer ist da?« Keine Antwort, aber das Klopfen wiederholte sich, leise, aber beharrlich.

Sie überzeugte sich, daß die Sicherheitskette vorgelegt war, dann schloß sie die Tür auf und öffnete sie einen Spalt – gerade so weit, wie die Kette es zuließ.

Zuerst konnte sie wegen der trüben Treppenbeleuchtung nichts erkennen, dann wurde ein Gesicht vorgestreckt, und eine Stimme fragte: »Juanita, darf ich mit Ihnen sprechen? Ich muß es – bitte! Darf ich hereinkommen?«

Sie war verblüfft. Miles Eastin. Aber weder die Stimme noch die Züge gehörten dem Eastin, den sie gekannt hatte.

Das Gesicht, das sie jetzt besser sehen konnte, war blaß und ausgemergelt, die Sprache war unsicher und klang flehend.

Sie versuchte Zeit zu gewinnen. »Ich dachte, Sie wären im Gefängnis.«

»Man hat mich entlassen. Heute.« Er korrigierte sich. »Ich habe Bewährung bekommen.«

»Warum kommen Sie her?«

»Ich wußte noch, wo Sie wohnen.«

Sie schüttelte den Kopf, die Sicherheitskette blieb eingeklinkt. »Danach habe ich nicht gefragt. Warum kommen Sie zu *mir*?«

»Weil ich monatelang, die ganze Zeit im Gefängnis, an nichts anderes gedacht habe, als Sie zu besuchen, mit Ihnen zu sprechen, Ihnen zu erklären . . .«

»Es gibt nichts zu erklären.«

»O doch! Juanita, ich flehe Sie an. Schicken Sie mich nicht weg! Bitte!«

Aus dem Zimmer hinter ihr kam Estelas helle Stimme: »Mammi, wer ist da?«

»Juanita«, sagte Miles Eastin, »Sie brauchen keine Angst zu haben – Sie nicht, Ihr kleines Mädchen nicht. Ich habe nichts bei mir außer diesem hier.« Er hielt einen kleinen verbeulten Koffer hoch. »Das sind nur die Sachen, die sie mir bei der Entlassung wiedergegeben haben.«

»Tja . . .« Juanita schwankte. Trotz des unguten Gefühls war sie neugierig. Warum wollte Miles sie in Wirklichkeit sprechen? Im Zweifel, ob sie das noch bereuen werde, schob sie die Tür etwas weiter zu und nahm die Kette aus der Verriegelung.

»Danke.« Er trat zögernd ein, als fürchte er auch jetzt noch, daß Juanita sich anders besinnen könnte.

»Hallo«, sagte Estela, »bist du ein Freund von meiner Mammi?«

Einen Augenblick lang schien Eastin aus dem Konzept zu geraten, dann erwiderte er: »Nicht immer. Ich wollt', ich wär's gewesen.«

Das kleine dunkelhaarige Mädchen musterte ihn. »Wie heißt du?«

»Miles.«

Estela kicherte. »Du bist aber dünn.«

»Ja, ich weiß.«

Jetzt, wo er im Licht stand, erschrak Juanita noch mehr über die Veränderung, die mit ihm vorgegangen war. In den acht Monaten, die sie Miles nicht gesehen hatte, war er so hager geworden, daß seine Wangen eingesunken waren und er nur noch aus Haut und Knochen zu bestehen schien. Der zerknitterte Anzug schlotterte ihm um die Glieder, als sei er für einen Mann von doppelter Breite gemacht. Er sah müde und geschwächt aus. »Darf ich mich setzen?«

»Ja.« Juanita zeigte auf einen Korbstuhl; sie selbst blieb aber vor ihm stehen. Sie sagte fast anklagend: »Sie haben im Gefängnis nicht gut gegessen.«

Er nickte leicht, zum ersten Mal mit einem kleinen Lächeln. »Geschlemmt wird da nicht gerade. Ich glaube, man sieht's.«

»*Sí, me dí cuenta.* Man sieht's.«

Estela fragte: »Bist du zum Essen gekommen? Mammi hat eine Pastete gemacht.«

Er zögerte. »Nein.«

»Haben Sie heute schon etwas gegessen?« verlangte Juanita zu wissen.

»Heute morgen. An der Bushaltestelle habe ich was gegessen.« Der Duft der fast fertig gebackenen Pastete wehte aus der Küche herein. Instinktiv wandte Miles den Kopf.

»Dann essen Sie mit uns.« Sie legte noch ein Gedeck auf den kleinen Tisch, an dem sie mit Estela zu essen pflegte. Sie handelte wie selbstverständlich. In jedem puertorikanischen Haushalt – auch im ärmsten – verlangte der Brauch, daß das vorhandene Essen geteilt wurde.

Während sie aßen, schwatzte Estela, und Miles beantwortete ihre Fragen; ein Teil seiner anfänglichen Spannung schien von ihm abzufallen. Ein paarmal sah er sich in dem bescheiden eingerichteten, aber freundlichen Apartment um. Juanita hatte ein Talent dafür, sich nett einzurichten; nähen und dekorieren machte ihr Spaß. So hatte sie die alte, gebrauchte Bettcouch, die im Wohnzimmer stand, mit einem fröhlich weiß, rot und gelb gemusterten Baumwollstoff überzogen. Der Rohrstuhl, auf dem Miles vorher gesessen hatte, war einer von zweien, die sie billig erstanden und feuerrot angestrichen hatte. Für die Fenster hatte sie einfache, billige Vorhänge aus hellgelbem Stoff genäht. Ein naives Bild und mehrere Reiseposter schmückten die Wände.

Juanita hörte den beiden zu, sagte aber selbst kaum ein Wort; sie war immer noch von Zweifel und Argwohn erfüllt. Warum war Miles in Wahrheit gekommen? Wollte er ihr wieder neuen Kummer machen? Ihre Erfahrung sagte ihr, daß es so kommen könnte. Aber im Augenblick schien er harmlos zu sein – körperlich jedenfalls schwach, ein wenig verängstigt, möglicherweise besiegt. Juanita hatte genügend Menschenkenntnis, um diese Symptome zu erkennen.

Aber sie empfand keine Feindseligkeit gegen ihn. Miles hatte versucht, ihr die Schuld an einem Diebstahl zuzuschieben, den er selbst begangen hatte, aber seither war viel Zeit vergangen. Selbst damals, als seine Tat aufgedeckt wurde, hatte sie in erster Linie Erleichterung empfunden, nicht Haß. Jetzt wollte Juanita für sich und Estela nichts anderes, als in Ruhe gelassen zu werden.

Miles Eastin seufzte, als er den Teller wegschob. Er hatte nichts darauf zurückgelassen. »Danke. Das war das schönste Essen seit langer Zeit.«

»Was werden Sie jetzt unternehmen?« fragte Juanita.

»Weiß nicht. Morgen fange ich an, mir einen Job zu suchen.« Er holte tief Luft und schien noch etwas hinzufügen zu wollen, aber sie hob abwehrend die Hand.

»*Estelita, vamos, amorcito.* Ins Bett!«

Wenig später, gewaschen, gekämmt und in einem winzigen rosa Pyjama, erschien Estela, um gute Nacht zu sagen. Große, schimmernde Augen betrachteten Miles ernst. »Mein Daddy ist weggegangen. Gehst du auch weg?«

»Ja, schon bald.«

»Das hab' ich gedacht.« Sie hielt ihm das Gesichtchen zum Gutenachtkuß hin.

Nachdem sie Estela zu Bett gebracht hatte, machte Juanita die Tür des Schlafzimmers hinter sich zu. Sie nahm Miles gegenüber Platz, die Hände im Schoß gefaltet. »So«, forderte sie ihn auf, »reden Sie.«

Er zögerte, befeuchtete die Lippen. Jetzt, wo der Augenblick gekommen war, schien er unentschlossen, der Worte nicht mächtig. Schließlich brachte er heraus: »Die ganze Zeit, seit sie mich . . . eingesperrt haben . . ., wollte ich sagen, daß es mir leid tut. Alles, was ich getan habe, tut mir leid, aber am meisten das, was ich Ihnen angetan habe. Ich schäme mich. Ich weiß beinahe nicht mehr, wie es passiert ist. Das heißt, ich weiß es schon . . .«

Juanita zuckte die Achseln. »Was geschehen ist, ist geschehen. Spielt es jetzt noch eine Rolle?«

»Für mich schon. Bitte, Juanita – ich möchte Ihnen erzählen, wie es dazu kam.«

Dann, wie eine befreite Fontäne, sprudelten die Worte aus ihm heraus. Er sprach von seinem erwachten Gewissen, von seiner Reue, vom Wahnsinn des vergangenen Jahres mit Glücksspiel und Schulden, wie es ihn besessen hatte wie ein Fieber, das alle sittlichen Werte und jedes Urteil verzerrte. Wenn er jetzt zurückdachte, gestand er Juanita, dann war ihm, als hätte ein anderer von seinem Körper und Geist Besitz ergriffen. Er sprach offen von seiner Schuld, die Bank bestohlen zu haben. Am schlimmsten aber, schwor er, war das, was er ihr angetan hatte oder anzutun versucht hatte. Seine Scham darüber, erklärte er aufgewühlt, habe ihn jeden Tag im Gefängnis heimgesucht und werde nie mehr von ihm weichen.

Als Miles zu reden begann, hatte Juanita zunächst voller Argwohn zugehört. Er legte sich auch nicht gänzlich, während Miles fortfuhr; das Leben hatte sie zu oft getäuscht und um ihr Recht betrogen, als daß sie noch rückhaltlos an irgend etwas hätte glauben können. Doch sie glaubte aus seinen Worten herauszuhören, daß es ihm ernst mit dem Gesagten war, und ein Gefühl des Mitleids überwältigte sie.

Sie ertappte sich dabei, wie sie Miles mit Carlos verglich, dem Mann, der sie verlassen hatte. Carlos war schwach gewesen; Miles auch. Doch in gewisser Weise sprach Miles' Bereitschaft, zurückzukehren und ihr reuig gegenüberzutreten, für eine Stärke und Männlichkeit, die Carlos nie besessen hatte.

Plötzlich ging ihr das Komische der Sache auf: Beide Männer in ihrem Leben waren – aus welchem Grund auch immer – mit Makeln behaftet und wenig imponierend. Sie waren, wie sie selbst, Menschen, die im Leben zu kurz gekommen waren. Sie hätte beinahe gelacht, unterdrückte es aber, da Miles es nie verstehen würde.

»Juanita, ich möchte Sie etwas fragen«, sagte er gerade ernst. »Können Sie mir verzeihen?«

Sie sah ihn an.

»Und wenn Sie es tun, wollen Sie es mir dann auch sagen?«

Das lautlose Lachen erstarb; Tränen stiegen ihr in die Augen. *Das* verstand sie. Sie war als Katholikin geboren, und wenn sie heutzutage auch wenig mit der Kirche zu tun hatte, so verstand sie doch die Tröstung der Beichte und der Absolution. Sie erhob sich.

»Miles«, sagte Juanita. »Stehen Sie auf. Sehen Sie mich an.«

Er gehorchte, und sie sagte mit sanfter Stimme: »*Has sufrido bastante*. Ja, ich verzeihe dir.«

Die Muskeln seines Gesichts zuckten und arbeiteten. Dann hielt sie ihn in den Armen, während er weinte.


Als Miles sich gefaßt hatte und sie wieder saßen, dachte Juanita an das im Augenblick Naheliegendste.

»Wo werden Sie heute nacht bleiben?«

»Ich weiß nicht. Ich finde schon was.«

Sie überlegte eine Weile, dann sagte sie entschlossen: »Sie können hierbleiben, wenn Sie wollen.« Als sie seine Überraschung sah, fügte sie rasch hinzu: »Sie können in diesem Zimmer schlafen, nur heute nacht. Ich werde mich im Schlafzimmer bei Estela einrichten. Unsere Tür wird verschlossen sein.« Sie wollte jedes Mißverständnis ausschalten.

»Wenn es Ihnen wirklich nichts ausmacht«, sagte er, »dann würde ich gern bleiben. Und Sie brauchen sich keine Sorgen zu machen.«

Er sagte ihr nicht, aus welchem Grund sie in Wirklichkeit nichts zu fürchten hatte: Daß es andere Probleme für ihn gab – psychologische und sexuelle –, denen er sich noch nicht gestellt hatte. Miles wußte bisher nur, daß sein Verlangen nach Frauen sich in Nichts aufgelöst hatte wegen wiederholter homosexueller Beziehungen zwischen ihm und Karl, seinem Beschützer im Gefängnis. Er fragte sich, ob er jemals wieder ein Mann sein würde – in sexueller Hinsicht.

Wenig später, als sich bei ihnen beiden die Müdigkeit bemerkbar machte, verschwand Juanita im Nebenzimmer.

Am Morgen hörte sie durch die geschlossene Schlafzimmertür, wie Miles sich rührte. Als sie eine halbe Stunde später aus dem Schlafzimmer kam, war er nicht mehr da.

Ein Zettel lag auf dem Wohnzimmertisch.

Juanita –
danke aus ganzem Herzen

Miles

Während sie für sich und Estela das Frühstück machte, stellte sie zu ihrer Überraschung fest, daß sie sein Fortgehen bedauerte.

## 2

Seitdem ihm das Direktorium der FMA vor viereinhalb Monaten die Genehmigung für die Expansion der Sparabteilung und der Bankfilialen erteilt hatte, war Alex Vandervoort nicht müßig gewesen. Planungs- und Arbeitskonferenzen mit fremden Beratern und Unternehmern hatten fast täglich stattgefunden. Die Arbeit ging nachts, an Wochenenden und Feiertagen weiter, immer wieder angetrieben von Alex' Forderung, das Programm müsse vor Ende des Sommers starten und bis zur Herbstmitte auf vollen Touren laufen.

Die Reorganisation der Sparabteilung war in dieser Frist noch am leichtesten zu erreichen. Das meiste, was Alex verwirklichen wollte – einschließlich der Schaffung von vier neuen Arten von Sparkonten, mit höherem Zins und verschiedenen Bedürfnissen angepaßt –, war Thema früherer, von ihm veranlaßter Studien gewesen. Es galt nur noch, sie in die Wirklichkeit umzusetzen. Das Neuland, das betreten wurde, machte ein kräftiges Werbeprogramm erforderlich, um neue Sparer anzulocken, und das wurde – Interessenkonflikt oder nicht – von der Austin-Agentur schnell und gekonnt verwirklicht. Das Thema der Sparkampagne lautete:

### WENN SIE SPAREN, GIBT IHNEN
### DIE FIRST MERCANTILE AMERICAN
### NOCH GELD DAZU

Jetzt, Anfang August, verkündeten doppelseitige Anzeigen in den Zeitungen die Vorzüge des von der FMA vorgeschlagenen Sparprogramms. Sie zeigten auch, wie sich achtzig Filialen der Bank über den Staat verteilten, wo jeden, der ein neues Konto eröffnete, Geschenke, Kaffee und »höfliche Beratung in allen finanziellen Fragen« erwarteten. Der Wert des Geschenks richtete sich nach der Höhe der ersten Einzahlung; der Sparer mußte sich verpflichten, das Geld eine bestimmte Zeit auf dem Konto zu belassen. Werbespots in Radio und Fernsehen hämmerten den Leuten eine entsprechende Botschaft ein.

Was die neuen Filialen betraf – »unsere Geldläden«, wie Alex sie nannte –, so wurden die ersten zwei Ende Juli eröffnet, drei weitere in den ersten Augusttagen, die restlichen vier sollten noch vor dem 1. September den Betrieb aufnehmen. Da sie sämtlich in gemieteten Räumen untergebracht waren, was Umbau, nicht Neubau bedeutete, war man auch hier glatt mit der Arbeit vorangekommen.

Die Geldläden – ein Name, der sich rasch durchsetzte – erregten anfangs die meiste Aufmerksamkeit. Sie erbrachten sogar noch mehr Publicity, als Alex Vandervoort, die PR-Abteilung der Bank und die Austin Advertising Agency vorausgesehen hatten. Und der Initiator von all dem – in seiner Bedeutung aufsteigend wie ein Komet – war Alex.

Er hatte es weder geahnt noch beabsichtigt. Es passierte einfach.

Eine Reporterin der Morgenzeitung »Times-Register«, die über die Eröffnung der neuen Filialen berichten sollte, entdeckte bei der Suche nach Background-Material im Zeitungsarchiv ein paar alte Artikel über das »Bank-in« vom vergangenen Februar zugunsten von Forum East, in denen auch über die Rolle gemutmaßt wurde, die Alex bei der Affäre gespielt hatte. In einem Gespräch mit dem Ressortchef für Features und Reportagen entstand der Gedanke, daß Alex gutes Material für eine längere Geschichte abgeben könnte. Dieser Gedanke erwies sich als richtig.

Wenn Sie an moderne Banker denken (schrieb die Reporterin später), dann dürfen Sie sich keine feierlichen, übervorsichtigen Funktionäre im konservativen dunkelblauen Zweireiher vorstellen, die die Stirn runzeln und Ihnen eine abschlägige Antwort erteilen. Denken Sie lieber an Alexander Vandervoort.

Mr. Vandervoort, der ein großes Tier in unserer eigenen First Mercantile American Bank ist, sieht schon mal gar nicht wie ein Banker aus. Seine Anzüge sind von der Herrenmoden-Seite im »Esquire«, er gibt sich wie Johnny Carson, und wenn es an die Kreditvergabe geht, besonders bei kleineren Darlehen, ist er – mit seltenen Ausnahmen – darauf programmiert, das Wörtchen »Ja« auszusprechen. Doch er hält auch viel von Sparsamkeit und findet es bedauerlich, daß die meisten von uns nicht mehr so vernünftig mit Geld umgehen können wie unsere Eltern und Großeltern.

Außerdem ist Alexander Vandervoort führend in moderner Banktechnologie, und etliches davon ist diese Woche in die Vororte unserer Stadt eingezogen.

Es gibt einen New Look im Bankgeschäft, nämlich Bankfilialen, die nicht mehr wie Banken aussehen – was gut paßt, denn treibende Kraft ist Mr. Vandervoort (der, wie gesagt, nicht wie ein Banker aussieht).

Ich bin in dieser Woche mit Alexander Vandervoort losgezogen, um mir mal anzusehen, was er als die »Jedermanns-Bank der Zukunft« bezeichnet, »die die FMA heute schon hat Wirklichkeit werden lassen«.

Der PR-Chef der Bank, Dick French, hatte alles organisiert. Die Reporterin, eine etwas füllige Blondine mittleren Alters namens Jill Peacock, war keine Pulitzer-Journalistin, aber die Geschichte interessierte sie, und sie stand der Sache positiv gegenüber.

Alex und Miss Peacock standen in einer der neuen Bankfilialen, die sich in einem vorstädtischen Einkaufszentrum befand. Sie war nicht größer als irgendein Drugstore, hell erleuchtet und freundlich eingerichtet. Die wichtigsten Einrichtungsgegenstände waren zwei automatische *Ducotel*-Kassierer aus Edelstahl, die die Kunden selbst bedienten, und ein in einer Art Kabine aufgestelltes Kabelfernsehgerät. Die Auto-Kassierer, erklärte Alex, waren direkt mit Computern in der FMA-Zentrale verbunden.

»Das Publikum verlangt heutzutage Service«, fuhr er fort. »Deshalb besteht der Bedarf nach Banken mit längeren und vor allem für die Kunden günstigeren Schalterstunden. Geldläden wie dieser sind rund um die Uhr geöffnet, an sieben Tagen der Woche.«

»Und dauernd müssen Angestellte da sein?« fragte Miss Peacock.

»Nein. Tagsüber steht ein Angestellter für Fragen zur Verfügung. Die übrige Zeit ist niemand da, außer den Kunden.«

»Haben Sie denn keine Angst vor Raubüberfällen?«

Alex lächelte. »Die Auto-Kassierer sind wie Festungen gebaut, ausgerüstet mit dem besten Alarmsystem, das uns heute bekannt ist. Und Fernseh-Rundumkameras – eine davon gibt es in jedem Geldladen – übertragen, was sie sehen, in ein ständig besetztes Kontrollzentrum in der City. Unsere Hauptsorge ist nicht Sicherheit – sondern die Frage, wie man die Kunden an neue Gedanken gewöhnt.«

»Sieht ganz so aus«, bemerkte Miss Peacock, »als hätten einige sich schon daran gewöhnt.«

Trotz der frühen Stunde – 9.30 Uhr – war schon ein Dutzend Menschen in der Bank, andere kamen hinzu. Meistens Frauen.

»Aus Untersuchungen, die wir angestellt haben, geht hervor, daß Frauen am schnellsten auf Änderungen in der Verkaufstechnik eingehen«, fuhr Alex fort. »Das ist wahrscheinlich auch der Grund, warum Einzelhandelsgeschäfte so neuerungsfreudig sind. Die Männer sind da langsamer, aber am Ende lassen sie sich von ihren Frauen überreden.«

Kurze Schlangen hatten sich vor den automatischen Kassierern gebildet, aber es gab praktisch keine Stockungen.

Transaktionen waren rasch erledigt, wenn jeder Kunde einen Ausweis aus Kunststoff in einen Schlitz geschoben und einfach angeordnete Tasten gedrückt hatte. Manche zahlten Bargeld oder Schecks ein, andere hoben Geld ab. Ein paar Kunden zahlten Bank-, Gas-, Wasser- oder Elektrizitätsrechnungen. In jedem Falle schluckte die Maschine Papier und Bargeld oder spie eins oder das andere aus, alles in Blitzgeschwindigkeit.

Miss Peacock zeigte auf die Auto-Kassierer. »Haben die Leute den Umgang damit schneller gelernt, als Sie erwartet hatten, oder langsamer?«

»Viel, viel schneller. Es hat etwas Mühe gekostet, die Leute dazu zu bringen, die Maschinen das erste Mal zu benutzen. Aber haben sie es erst einmal probiert, finden sie es faszinierend und verlieben sich geradezu in die Sache.«

»Aber es heißt doch immer, Menschen gehen lieber mit Menschen um als mit Maschinen. Warum soll das im Bankgeschäft anders sein?«

»Die Untersuchungen, von denen ich gesprochen habe, geben Aufschluß über den Grund: absolute Vertraulichkeit.«

Vertraulich ist die Sache wirklich (gab Jill Peacock in ihrem Artikel in der Sonntagsausgabe zu), und das nicht nur im Umgang mit den Frankenstein-Monster-Kassierern.

In demselben Geldladen saß ich in einer Kabine vor einer Kombination von Bildschirm und Fernsehkamera, eröffnete ein Konto und verhandelte dann über ein Darlehen.

Früher, wenn ich mir Geld von einer Bank borgte, war mir das immer etwas peinlich. Dieses Mal nicht, denn das Gesicht vor mir auf dem Bildschirm war ganz unpersönlich. Und der, dem das Gesicht gehörte – ein Schemen von einem Mann, dessen Namen ich nicht kannte –, war kilometerweit entfernt.

»Siebenundzwanzig Kilometer entfernt, um genau zu sein«, hatte Alex gesagt. »Der Bankbeamte, mit dem Sie gesprochen haben, sitzt in einem Kontrollraum unserer Zentrale in der

City. Von dort aus können er und andere direkte Verbindung mit jeder Bankfiliale aufnehmen, die an das Kabelfernsehen angeschlossen ist.«

Miss Peacock dachte nach. »Wie rasch verändert sich das Bankgeschäft eigentlich?«

»In technologischer Hinsicht entwickeln wir uns schneller als Luft- und Raumfahrt. Was Sie hier sehen, ist die wichtigste Neuerung seit Einführung des Girokontos, und in spätestens zehn Jahren werden die meisten Bankgeschäfte so abgewickelt werden.«

»Wird es dann wenigstens noch ein paar menschliche Kassierer geben?«

»Eine Zeitlang, aber die Rasse wird schnell aussterben. Die Vorstellung, daß jemand Geld mit der Hand abzählt und es dann über einen Schaltertisch reicht, wird uns bald vorsintflutlich vorkommen – so überholt wie der altmodische Krämer, der Zucker, Erbsen und Butter abwiegt, die Ware dann selbst in Tüten tut.«

»Ziemlich traurig das Ganze«, meinte Miss Peacock.

»Das ist Fortschritt oft.«

Später fragte ich ein Dutzend zufällig herausgegriffene Leute, wie ihnen die neuen Geldläden gefielen. Sie waren ohne Ausnahme begeistert.
Nach der Zahl der Menschen zu urteilen, die die Läden besuchen, dürfte diese Ansicht weit verbreitet sein, und die Beliebtheit der Läden, sagt Mr. Vandervoort, trägt sehr zum Erfolg einer Werbekampagne fürs Sparen bei, die gerade läuft . . .

Ob die Geldläden der Spar-Werbung halfen oder umgekehrt, ist nie ganz klar geworden. Jedenfalls wurden die kühnsten Ziele der FMA erreicht und mit phänomenaler Geschwindigkeit übertroffen. Es schien – wie Alex zu Margot Bracken sagte –, als sei ein in der Öffentlichkeit sich anbahnender Trend haargenau mit dem Terminplan der First Mercantile American zusammengefallen.

»Hör auf anzugeben und trink deinen Orangensaft«, gab Margot zurück. Ein Sonntagmorgen in Margots Wohnung war ein Vergnügen. Noch in Pyjama und Bademantel, hatte er Jill Peacocks Geschichte im »Sunday Times-Register« zum ersten Mal gelesen, während Margot Eggs Benedict zum Frühstück machte.

Alex strahlte noch immer Zufriedenheit aus, als sie aßen. Margot nahm sich den Bericht im »Times-Register« ebenfalls vor und gab zu: »Nicht übel.« Sie beugte sich vor und küßte ihn. »Ich freue mich für dich.«

»Das ist bessere Publicity als die letzte, die du mir eingebrockt hast, Bracken.«

Gut gelaunt entgegnete sie: »Wart's ab, man weiß nie, wie der Hase läuft. Die Presse gibt, die Presse nimmt. Vielleicht fallen sie schon morgen über dich und die Bank her.«

Er seufzte. »Du hast leider viel zu oft recht.«

Aber dieses Mal nicht.

Eine gekürzte Fassung der Geschichte wurde in den Artikeldienst übernommen und von Zeitungen in vierzig anderen Städten nachgedruckt. AP bemerkte das allgemeine Interesse und schickte einen eigenen Bericht über seinen bundesweiten Draht; UPI tat es ebenfalls. »The Wall Street Journal« schickte einen Reporter, und mehrere Tage später kamen die First Mercantile American Bank und Alex Vandervoort in einem zusammenfassenden Artikel über automatisiertes Bankgeschäft vor, den das Blatt auf der ersten Seite veröffentlichte. Eine NBC-Außenstelle schickte ein Fernseh-Team, das Alex in einem Geldladen interviewte, und die Aufnahme wurde in den Abendnachrichten des Fernsehprogramms gesendet.

Mit jeder neuen Publicity-Welle bekam die Spar-Kampagne neuen Schwung, und die Geschäfte in den Geldläden blühten.

Aus majestätischer Höhe beobachtete »The New York Times« zunächst in aller Ruhe das Geschehen. Dann, Mitte August, verkündete der Wirtschaftsteil ihrer Sonntagsausgabe: »*Ein Radikaler des Bankgewerbes, der sicher noch von sich reden machen wird.*«

Das »Times«-Interview mit Alex war in Frage- und Antwortform gehalten. Es begann mit dem Thema Automation, ging dann zu Allgemeinerem über.

*Frage:* Was ist heutzutage die größte Crux im Bankgeschäft?

*Vandervoort:* Zu lange ist alles nach dem Willen von uns Bankern gegangen. Wir sind so beschäftigt mit unserem eigenen Wohlergehen, daß wir uns zu wenig um die Interessen unserer Kunden kümmern.

*Frage:* Können Sie ein Beispiel nennen?

*Vandervoort:* Ja. Bankkunden – vor allem die privaten – müßten viel höhere Zinsen bekommen.

*Frage:* Auf welchen Gebieten?

*Vandervoort:* Auf mehreren – bei Sparkonten, auch auf Sparbriefe und auf die Einlagen auf Girokonten.

*Frage:* Sprechen wir zunächst einmal über Sparkonten. Es gibt doch ein Bundesgesetz, das eine Höchstgrenze für Sparzinsen bei Geschäftsbanken festsetzt.

*Vandervoort:* Ja, und der Sinn des Gesetzes ist, Spar- und Darlehenskassen zu schützen. Es gibt übrigens ein anderes Gesetz, das Spar- und Darlehenskassen daran hindert, ihren Kunden Scheckbücher zu geben. Damit will man die Geschäftsbanken schützen. Ich finde, die Gesetze sollten nicht die Banken, sondern die Menschen schützen.

*Frage:* Sie meinen damit, daß die Sparer in den Genuß maximaler Zinssätze kommen sollten und in den Genuß aller Dienstleistungen einer Bank?

*Vandervoort:* Das meine ich.

*Frage:* Sie haben Sparbriefe erwähnt.

*Vandervoort:* Die Bundes-Reserve-Bank hat Großbanken wie meiner die Werbung für langfristige Einlagen zu hohen Zinssätzen verboten. Solche Einlagen sind besonders empfehlenswert für Menschen, die sich auf den Ruhestand vorbereiten und ihre Einkommensteuer auf später verschieben wollen, wenn die Jahre geringeren Einkommens da sind. Die Zentralbank begründet dieses Verbot mit faulen Ausreden. In Wirklichkeit will man damit kleine Banken vor den großen schützen, denn die großen sind leistungsfähiger und können zu besseren Bedingungen abschließen. Wie üblich, denkt man zuletzt an die Kunden. Sie ziehen den kürzeren.

*Frage:* Lassen Sie uns das ganz klar sagen. Sie meinen, daß unsere Zentralbank, die Bundes-Reserve-Bank, mehr für kleine Banken tut als für die Öffentlichkeit?

*Vandervoort:* Sie sagen es.

*Frage:* Nun zu den Girokonten. Einige Bankiers haben erklärt, sie würden durchaus Zinsen für Giro-Einlagen zahlen wollen, aber sie dürften es nicht, weil das Bundesgesetz es verbietet.

*Vandervoort:* Den nächsten Banker, der Ihnen das erzählt, fragen Sie, wann unsere mächtige Banklobby in Washington das letzte Mal etwas unternommen hat, um dieses Gesetz zu ändern. Wenn es jemals Vorstöße in der Richtung gegeben hat, dann habe ich nichts davon gehört.

*Frage:* Ihrer Meinung nach wollen also die meisten Banker das Gesetz überhaupt nicht ändern?

*Vandervoort:* Das meine ich nicht, das weiß ich. Das Gesetz, das die Verzinsung von Giro-Einlagen verhindert, ist ein sehr angenehmes Gesetz, wenn Ihnen zufällig eine Bank gehört. Es wurde 1933 eingebracht, kurz nach der Depression, um die Banken zu stärken, weil damals ja gerade so viele gescheitert waren.

*Frage:* Aber das war vor mehr als vierzig Jahren.

*Vandervoort:* Jawohl. So ein Gesetz brauchen wir schon lange nicht mehr. Ich will Ihnen was sagen. Wenn wir in diesem Augenblick sämtliche Giro-Einlagen im ganzen Land addierten, kämen wir auf eine Summe von mehr als 200 Milliarden Dollar. Sie können Gift darauf nehmen, daß die Banken Zinsen für dieses Geld einnehmen, aber die Kontoinhaber – die Kunden der Bank – bekommen keinen Cent.

*Frage:* Sie sind selbst Bankier, und Ihre eigene Bank profitiert von dem Gesetz, über das wir sprechen; warum also treten Sie für eine Änderung ein?

*Vandervoort:* Erstens bin ich für Fairneß. Zweitens brauchen die Banken diese vielen Krücken in Gestalt protektionistischer Gesetze nicht. Meiner Meinung nach fahren wir besser – und damit meine ich bessere Dienstleistung und bessere Ertragslage – ohne sie.

*Frage:* Hat es in Washington nicht Empfehlungen hinsichtlich der von Ihnen erwähnten Änderungen gegeben?

*Vandervoort:* Ja. Den Bericht der Hunt-Kommission 1971 und Gesetzesvorschläge, die sich daraus ergaben und die den Verbrauchern zugute kommen würden. Aber der ganze Komplex ist im Kongreß blockiert, wobei Sonderinteressen – einschließlich unserer eigenen Banklobby – den Fortschritt aufhalten.

*Frage:* Rechnen Sie damit, daß Sie sich durch Ihre Offenheit in diesem Gespräch die Feindschaft anderer Banker zuziehen werden?

*Vandervoort:* Darüber hatte ich wirklich nicht nachgedacht.

*Frage:* Vom Bankgeschäft abgesehen, haben Sie eine Gesamtmeinung über die gegenwärtige wirtschaftliche Lage?

*Vandervoort:* Ja, aber eine Gesamtmeinung darf sich nicht auf die Wirtschaft beschränken.

*Frage:* Bitte formulieren Sie Ihre Meinung – und beschränken Sie sie nicht.

*Vandervoort:* Unser größtes Problem, und unser größtes Pflichtversäumnis als Nation, ist die Tatsache, daß heute fast alles gegen den einzelnen ausgerichtet ist und zugunsten der großen Institutionen – große Konzerne, große Geschäftshäuser, große Gewerkschaften, große Banken, große Regierung. Der einzelne hat deshalb nicht nur Schwierigkeiten, voranzukommen und sich dort zu halten, sondern ihm fällt es oft schwer genug, einfach nur zu überleben. Und immer, wenn etwas Schlimmes passiert – Inflation, Abwertung, Depression, Verknappungen, Steuererhöhungen, sogar Kriege –, haben nicht die großen Institutionen darunter zu leiden, oder doch nur wenig, sondern es trifft nur den einzelnen.

*Frage:* Sehen Sie da irgendwelche historischen Parallelen?

*Vandervoort:* Allerdings. Es mag sich sonderbar anhören, aber am nächsten kommt meiner Meinung nach das Frankreich unmittelbar vor der Revolution. Damals ging jedermann trotz Unruhe und schlechter Wirtschaftslage von der Annahme aus, daß die Geschäfte wie gewohnt weitergehen würden. Statt dessen stürzte der Pöbel – bestehend aus einzelnen Menschen, die sich auflehnten – die Tyrannen, die ihn unterdrückten. Ich sage nicht, daß bei uns jetzt genau vergleichbare Umstände herrschen, aber in vieler Hinsicht sind wir der Tyrannei über das Individuum wieder sehr nahegekommen. Und Leuten, die ihre Familien wegen der Inflation nicht mehr ernähren können, mitzuteilen, ›euch ist es noch nie so gut gegangen‹, das kommt dem Rat: ›Sollen sie doch Kuchen essen‹ peinlich nahe. Deshalb sage ich, wenn wir unsere derzeitige Lebensform und unsere persönliche Freiheit, die wir angeblich hochschätzen, bewahren wollen, dann täten wir gut daran, wieder an die Interessen des einzelnen zu denken und etwas für ihn zu tun.

*Frage:* Und in Ihrem eigenen Falle würden Sie damit beginnen, darauf hinzuwirken, daß die Banken dem einzelnen besser dienen.

*Vandervoort:* Ja.

»Liebling, das ist großartig! Ich bin stolz auf dich, und ich liebe dich mehr denn je«, sagte Margot zu Alex, als sie am Tage vor der Veröffentlichung des Interviews ein Vorausexemplar las. »Das ist das Ehrlichste, was ich je gehört habe. Aber deine Bank-Kollegen werden dich nicht gerade dafür lieben. Die werden deine Eier zum Frühstück wollen.«

»Einige schon«, sagte Alex. »Andere nicht.«

Aber jetzt, da er die Fragen und Antworten gedruckt gesehen hatte, war er trotz der Woge des Erfolges, die ihn emporgetragen hatte, doch ein wenig in Sorge.

## 3

»Daß man Sie nicht gekreuzigt hat, Alex«, verkündete Lewis D'Orsey, »haben Sie nur der Tatsache zu verdanken, daß es ›The New York Times‹ war. Hätten Sie das alles irgendeiner anderen Zeitung im Lande gesagt, dann hätten die Direktoren Ihrer Bank sich von Ihnen losgesagt und Sie verstoßen wie einen Aussätzigen. Nicht so im Falle der ›Times‹. Das hüllt Sie in den Mantel der Wohlanständigkeit, aber fragen Sie mich nicht, warum.«

»Lewis«, bat Edwina D'Orsey, »könntest du deine Rede vielleicht kurz unterbrechen und Wein nachschenken?«

»Ich halte keine Rede.« Ihr Mann erhob sich vom Tisch und ergriff eine zweite Karaffe *Clos de Vougeot 1962.* An diesem Abend sah Lewis so schwächlich und unterernährt aus wie eh und je. Er fuhr fort: »Ich lasse mich ruhig und deutlich über ›The New York Times‹ aus, die ich für ein steriles, rosa-rotes Schmutzblatt halte, dessen durch nichts gerechtfertigtes Prestige ein Monument des amerikanischen Schwachsinns ist.«

»Sie hat eine größere Auflage als dein Informationsbrief«, sagte Margot Bracken. »Kannst du sie vielleicht deshalb nicht leiden?«

Sie und Alex Vandervoort waren zu Gast bei Lewis und Edwina D'Orsey in deren elegantem Cayman Manor-Penthouse. Auf dem Tisch schimmerten im weichen Kerzenlicht Tafelinnen, Kristall und poliertes Silber. An der einen Seite des großen Eßzimmers umrahmte ein breites, tiefes Fenster die flimmernden Lichter der tief unter ihnen liegenden Stadt. Durch die Lichter wand sich schwarz der Lauf des Flusses.

Eine Woche war vergangen seit der Veröffentlichung des kontroversen Interviews mit Alex.

Lewis stocherte an einem Rinds-Medaillon herum und sagte herablassend zu Margot: »Mein vierzehntägiger Informationsbrief repräsentiert hohe Qualität und überlegenen Intellekt. Die meisten Tageszeitungen, einschließlich der ›Times‹, sind vulgäre Quantität.«

»Hört auf mit der Stichelei, ihr beiden!« Edwina wandte sich Alex zu. »Mindestens ein Dutzend Leute haben mir diese Woche in der Bank gesagt, daß sie das Interview gelesen hätten und daß sie Ihre Offenheit bewundern. Wie war denn die Reaktion in der Zentrale?«

»Gemischt.«

»Ich wette, ich kenne einen, der nicht begeistert war.«

»Sie haben recht.« Alex lachte in sich hinein. »Roscoe war nicht der Anführer der Gratulationscour.«

Heywards ganze Haltung war in letzter Zeit noch eisiger geworden. Alex hatte den Verdacht, daß Heyward sich nicht nur über die Aufmerksamkeit ärgerte, die Alex zuteil wurde, sondern auch über die Erfolge der Sparkampagne und der Geldläden; Roscoe Heyward hatte sich gegen beides ausgesprochen.

Eine andere miesmacherische Prophezeiung Heywards und seiner Anhänger im Direktorium hatte sich auf die Einlagen der Spar- und Darlehenskassen in Höhe von 18 Millionen Dollar bezogen. Trotz erheblichen Geschreis von seiten ihrer Geschäftsleitungen hatten sie ihre Einlagen doch nicht von der First Mercantile American abgezogen. Auch sah es nicht so aus, als würde das noch kommen.

»Von Roscoe und einigen anderen abgesehen«, sagte Edwina, »sollen Sie nach allem, was ich höre, jetzt einen ziemlich starken Anhang in der Bank haben.«

»Vielleicht bin ich gerade ›in‹, wie ein Modegag, der schnell wieder vergeht.«

»Oder eine Sucht«, sagte Margot. »Auf mich wirkst du gewohnheitsbildend.«

Er lächelte. Es hatte ihm in der letzten Woche Auftrieb gegeben, Glückwünsche von Leuten zu hören, die er selbst schätzte und respektierte, wie Tom Straughan, Orville Young, Dick French und Edwina, und von anderen, darunter Nachwuchs-Führungskräfte, deren Namen er vorher nicht einmal gekannt hatte. Mehrere Direktoren hatten angerufen und sich beifällig geäußert. »Sie tun sehr viel für das Image der Bank«, hatte Leonard L. Kingswood am Telefon gesagt. Und wenn Alex durch den FMA-Tower ging, war das manchmal wie ein Triumphzug gewesen, mit all den Angestellten und Sekretärinnen, die ihn grüßten und ihm zulächelten.

»Weil wir gerade von Ihrem Personal reden, Alex«, sagte Lewis D'Orsey, »mir fällt ein, daß Ihnen in Ihrer Zentrale was fehlt – nämlich Edwina. Wird Zeit, daß sie aufrückt. Solange das nicht passiert, entgeht euch was.«

»Lewis, wie kannst du so etwas sagen?« Selbst im Kerzenlicht konnte man sehen, daß Edwina dunkelrot angelaufen war. Sie protestierte: »Wir sind hier privat zusammen. Auch sonst wäre das eine höchst unpassende Bemerkung. Alex, ich bitte Sie um Entschuldigung.«

Ungerührt betrachtete Lewis seine Frau über seine halbmondförmigen Brillengläser hinweg. »Bitte ruhig um Entschuldigung, meine Liebe. Ich werde es nicht tun. Ich kenne deine Fähigkeiten und deinen Wert; wer sollte sie besser beurteilen können als ich? Außerdem bin ich es gewohnt, die Aufmerksamkeit auf Überragendes zu lenken, das ich sehe.«

»Ein dreifaches Hurra für Lewis!« sagte Margot. »Alex, wie steht's? Wann zieht meine geschätzte Kusine in den Tower um?«

Edwina wurde zornig. »Hört endlich auf, bitte! Es ist mir peinlich.«

»Das braucht niemandem peinlich zu sein.« Alex nippte genießerisch an seinem Wein. »Hm! 1962 war ein gutes Jahr für Burgunder. Um keine Spur schlechter als 1961, meint ihr nicht auch?«

»Ja«, stimmte sein Gastgeber zu. »Zum Glück habe ich reichlich von beidem.«

»Wir vier sind Freunde«, sagte Alex, »wir können also offen sprechen, weil wir wissen, daß es unter uns bleibt. Warum soll ich nicht zugeben, daß ich schon an eine Beförderung für Edwina gedacht habe, und zwar denke ich an eine besondere Aufgabe. Wie bald ich das, und einige andere Veränderungen, durchsetzen kann, das hängt, wie Edwina selber weiß, von den Entwicklungen der nächsten Monate ab.«

»Ich weiß.« Edwina nickte. Sie wußte außerdem, daß ihre persönliche Loyalität gegenüber Alex in der Bank allgemein bekannt war. Seit Ben Rossellis Tod, und schon vorher, war ihr klar, daß Alex' Beförderung zum Präsidenten fast mit Sicherheit auch ihrer eigenen Karriere zugute kommen würde. Sollte dagegen Roscoe Heyward den Posten erhalten, würde sie keine weiteren Aufstiegschancen in der First Mercantile American haben.

»Noch etwas möchte ich gern«, sagte Alex. »Ich würde Edwina gern im Direktorium sehen.«

Margots Miene hellte sich auf. »Das nenne ich ein Wort! Das wär' mal 'ne Rakete für Women's Lib!«

»Nein!« Edwina reagierte mit Schärfe. »Ich will nicht in einem Atemzug mit Women's Lib genannt werden – niemals! Was ich erreicht habe, das habe ich aus eigener Kraft erreicht, in ehrlicher Konkurrenz mit Männern. Women's Lib – die Schlagwörter, die nur darauf hinzielen, begünstigt und vorgezogen zu werden, *weil* man eine Frau ist –, das hat die Gleichberechtigung der Geschlechter zurückgeworfen, nicht gefördert.«

»Das ist Unsinn!« Margot wirkte schockiert. »Du hast leicht reden, weil du ungewöhnlich bist, weil du Glück hattest!«

»Mit Glück hat das nichts zu tun gehabt«, sagte Edwina. »Ich habe gearbeitet.«

» *Kein* Glück?«

»Na gut, nicht viel.«

Aber Margot gab sich nicht zufrieden. »Es muß Glück im Spiel gewesen sein, weil du eine Frau bist. Solange man zurückdenken kann, war das Bankgeschäft ein exklusiver Männerclub – ohne den geringsten Grund.«

»Ist Erfahrung denn kein Grund?« fragte Alex.

»Nein. Erfahrung, das ist eine Nebelwand, von den Männern errichtet, um Frauen fernzuhalten. Nichts ist männlich am Bankgeschäft. Die einzige Voraussetzung dafür ist Grips – und den haben Frauen manchmal reichlicher als Männer. Alles andere findet entweder auf dem Papier oder im Kopf statt, die einzige körperliche Arbeit ist das Ein- und Ausladen von Geld, wenn gepanzerte Autos es bringen oder abholen, und das könnten weibliche Boten ganz gewiß auch schaffen.«

»Das will ich alles gar nicht bestreiten«, sagte Edwina. »Es ist nur nicht mehr aktuell. Die männliche Alleinherrschaft ist längst durchbrochen – von Leuten wie mir –, und sie wird immer weiter durchlöchert. Wer will denn von Women's Lib befreit werden? Ich nicht.«

»So weit bist du nun auch nicht vorgedrungen«, gab Margot zurück. »Sonst wärst du schon in der Zentrale und brauchtest nicht mehr davon zu reden, wie wir es heute abend tun.«

Lewis D'Orsey lachte in sich hinein. »Touché, meine Liebe!«

»Andere Frauen im Bankgeschäft brauchen Women's Lib«, schloß Margot, »und zwar noch lange.«

Alex lehnte sich zurück – wie immer, wenn er einen Streit auskostete, an dem Margot beteiligt war. »Man kann alles mögliche über unsere gemeinsamen Mahlzeiten sagen«, bemerkte er, »aber langweilig sind sie nie.«

Lewis nickte zustimmend. »Als derjenige, der damit angefangen hat, möchte ich sagen – ich freue mich über die Pläne, die Sie mit Edwina haben.«

»Na gut«, sagte seine Frau mit fester Stimme, »und ich danke Ihnen auch, Alex. Aber das reicht. Reden wir von was anderem.«

Das taten sie.

Margot erzählte ihnen von einem Musterprozeß, den sie gegen ein Warenhaus angestrengt hatte, das Kunden mit einem laufenden Anschreibkonto systematisch betrog. Die ausgedruckte Gesamtsumme auf der Monatsrechnung, erklärte Margot, war immer ein paar Dollar höher, als sie hätte sein sollen. Beschwerte sich jemand, so erklärte man die Unstimmigkeit als Versehen, aber es kamen kaum Beschwerden. »Sehen die Leute eine ausgedruckte Gesamtsumme, glauben sie ganz einfach, daß sie stimmt. Sie bedenken nicht – oder sie wissen nicht –, daß man Maschinen so *programmieren* kann, daß sie falsch rechnen. Das war hier der Fall.« Margot fügte hinzu, daß das Kaufhaus auf die Art Zehntausende von Dollar zuviel eingenommen hatte, wofür sie vor Gericht den Beweis erbringen werde.

»Wir programmieren in der Bank keine Fehler«, sagte Edwina, »aber sie schleichen sich doch ein, trotz der Maschinen. Deshalb rate ich den Leuten immer, ihre Bankauszüge nachzuprüfen.«

Bei ihren Kaufhaus-Untersuchungen, berichtete Margot ihren Zuhörern, hatte ihr ein Privatdetektiv namens Vernon Jax geholfen. Er sei geschickt und phantasievoll vorgegangen. Sie sang sein Lob in höchsten Tönen.

»Ich habe von ihm gehört«, sagte Lewis D'Orsey. »Er hat für die Börsenaufsicht gearbeitet – in einer Sache, auf die ich sie mal gestoßen hatte. Ein guter Mann.«

Als sie das Eßzimmer verließen, sagte Lewis zu Alex:

»Freiheit, die ich meine. Wie wär's, wenn wir uns eine Zigarre und einen Cognac gönnten? Wir gehen in mein Arbeitszimmer. Edwina kann Zigarrenrauch nicht leiden.«

Sie entschuldigten sich bei den Damen und stiegen die Treppe – das Penthouse der D'Orseys erstreckte sich über zwei Etagen – zu Lewis' Allerheiligstem hinunter. Dort angelangt, sah Alex sich neugierig um.

Es war ein großer Raum, mit Bücherregalen an zwei Wänden und Zeitungs- und Zeitschriftenständern an einer dritten. Die Regale und Ständer quollen über. Drei Schreibtische standen in dem Zimmer, auf dem einen eine elektrische Schreibmaschine und auf allen Stapel von Papieren, Büchern und Akten. »Wenn ich an einem Schreibtisch in Papierbergen ersticke«, erklärte Lewis, »ziehe ich einfach an den nächsten um.«

Eine offenstehende Tür gab den Blick frei auf das, was tagsüber das Büro einer Sekretärin und das Archiv war. Lewis ging hinein und kam mit zwei Cognacschwenkern und einer Flasche Courvoisier wieder, aus der er einschenkte.

»Ich habe mich oft gefragt«, sagte Alex, »wie es wohl hinter den Kulissen eines erfolgreichen Finanz-Informationsdienstes aussieht.«

»Ich kann nur persönlich für meinen sprechen, der von kompetenter Seite für den besten gehalten wird, den es gibt.« Lewis gab Alex einen Cognac, zeigte dann auf eine offene Zigarrenkiste. »Bedienen Sie sich – es sind Macanudos, gibt keine besseren. Außerdem steuerlich absetzbar.«

»Wie bringen Sie denn das fertig?«

Lewis lachte zufrieden. »Sehen Sie sich die Bauchbinden an. Für einen lächerlich geringen Aufpreis lasse ich die Originalbauchbinden entfernen und andere draufmachen mit dem Text ›The D'Orsey Newsletter‹. Das ist Werbung – Geschäftskosten, deshalb kann ich bei jeder Zigarre das befriedigende Gefühl haben, daß Uncle Sam sie spendiert.«

Wortlos nahm Alex eine Zigarre und schnupperte daran. Er hatte es längst aufgegeben, moralische Urteile über Lücken in den Steuergesetzen abzugeben. Der Kongreß machte die Gesetze, und wer wollte es dem Bürger verübeln, wenn er sich ganz streng danach richtete?

»Um wieder auf Ihre Frage zurückzukommen«, sagte Lewis, »ich mache kein Geheimnis aus dem Zweck, den ›The D'Orsey Newsletter‹ verfolgt.« Er gab Alex Feuer, steckte dann seine eigene Zigarre an und inhalierte genießerisch. »Er will ein paar Auserwählten helfen, reicher zu werden – oder zum mindesten das zu behalten, was sie besitzen.«

»Das habe ich schon bemerkt.«

Jeder Informationsbrief enthielt, wie Alex wußte, Ratschläge, wie Geld zu machen sei – es ging um den Kauf oder Verkauf von Wertpapieren, um Währungen, in die man einsteigen oder aus denen man sich zurückziehen sollte, fremde Aktienmärkte, die man suchen oder meiden sollte, Steuerlücken für die Reichen und die Beweglichen, wie man Geschäfte über Schweizer Konten machte, politische Hintergrundinformationen, die sich auf das Geld auswirken konnten, drohende Katastrophen, die sich von Wissenden gewinnträchtig nutzen ließen. Die Liste war immer lang, der Ton des Informationsbriefes herrisch und absolut. Selten wurde um den heißen Brei herumgeredet.

»Bedauerlicherweise«, fügte Lewis hinzu, »gibt es in der Informationsdienst-Branche eine Menge Ignoranten und Scharlatane, die den ernsthaften und ehrlichen Diensten schaden. Einige sogenannte Informationsbriefe bestehen aus wiedergekäuten Zeitungsmeldungen und sind deshalb wertlos; andere jubeln den Abonnenten irgendwelche Aktien unter und lassen sich dafür von Maklern und Promotern bezahlen, wenn auch Schwindel dieser Art am Ende immer auffliegt. Es gibt vielleicht ein halbes Dutzend Informationsbriefe, die sich lohnen. An der Spitze steht meiner.«

Bei jedem anderen, dachte Alex, würde einem dieses ewige Selbstlob auf die Nerven gehen. Bei Lewis tat es das merkwürdigerweise nicht, vielleicht deshalb, weil der Erfolg ihm bisher stets recht gegeben hatte. Und was Lewis' politische Ansichten betraf, die auf dem extremen rechten Flügel angesiedelt waren, so fand Alex, daß er sie leicht herausfiltern konnte, so daß ein klares finanzielles Destillat blieb – wie Tee, den man durch ein feines Sieb gießt.

»Ich vermute, daß Sie zu meinen Abonnenten gehören«, sagte Lewis.

»Ja – über die Bank.«

»Hier haben Sie die neueste Nummer. Nehmen Sie sie, auch wenn Sie Ihr Exemplar Montag mit der Post bekommen.«

»Danke.« Alex nahm das blaßblaue hektographierte Blatt entgegen – vier auf Quartformat zusammengefaltete Seiten, unscheinbar im Aussehen. Das Original war engzeilig mit der Maschine geschrieben, dann fotografiert und verkleinert worden. Aber was dem Informationsbrief an äußerer Aufmachung fehlte, das machte er durch Geldeswert wieder wett. Lewis behauptete, daß jeder, der seinem Rat folgte, das ihm zur Verfügung stehende Kapital in Jahresfrist um ein Viertel bis zu einer Hälfte vermehren und es in manchen Jahren sogar verdoppeln oder verdreifachen könne.

»Worin besteht Ihr Geheimnis?« sagte Alex. »Wie kommt es, daß Sie so oft recht haben?«

»Ich habe einen Verstand wie ein Computer, den man dreißig Jahre lang mit Informationen gefüttert hat.« Lewis sog an seiner Zigarre, dann tippte er sich mit knochigem Finger an die Stirn. »Jeder finanzielle Informationsbrocken, der je zu meiner Kenntnis gelangt ist, wird hier oben gespeichert. Außerdem kann ich eine Information mit einer anderen in Beziehung setzen und die Zukunft mit der Vergangenheit. Und dazu besitze ich etwas, was kein Computer hat – eine instinktive Gabe.«

»Warum plagen Sie sich dann mit einem Informationsbrief herum? Warum machen Sie nicht ein Vermögen für sich selbst?«

»Befriedigt nicht. Keine Konkurrenz. Außerdem«, Lewis grinste, »ich fahre nicht schlecht dabei.«

»Wenn ich mich recht erinnere, kostet Ihr Abonnement . . .«

»Dreihundert Dollar pro Jahr für den Informationsbrief. Zweitausend Dollar die Stunde für persönliche Beratung.«

»Manchmal habe ich mich gefragt, wie viele Abonnenten Sie wohl haben.«

»Das möchten andere auch wissen. Aber das ist mein sorgsam gehütetes Geheimnis.«

»Verzeihen Sie. Ich wollte Sie nicht aushorchen.«

»Sie brauchen sich nicht zu entschuldigen. Ich an Ihrer Stelle wäre auch neugierig.«

Heute abend, dachte Alex, wirkte Lewis gelockerter, als er ihn je erlebt hatte.

»Aber ich werde Ihnen das Geheimnis verraten«, sagte Lewis. »Ein bißchen angeben will jeder. Ich habe mehr als fünftausend Abonnenten für meinen Informationsbrief.«

Alex rechnete im Kopf und pfiff leise durch die Zähne. Das bedeutete Jahreseinnahmen von mehr als anderthalb Millionen Dollar.

»Außerdem«, vertraute Lewis ihm an, »veröffentliche ich in jedem Jahr ein Buch, und pro Monat habe ich ungefähr zwanzig Beratungen. Das Honorar dafür und die Bucheinnahmen decken alle meine Kosten, so daß der Informationsbrief Reingewinn ist.«

»Erstaunlich!« Aber vielleicht, dachte Alex, war es das gar nicht. Wer Lewis' Rat folgte, brachte seine Auslagen hundertfach wieder herein. Außerdem konnte man Abonnement und Beratungshonorar von den Steuern absetzen.

»Gibt es irgendeinen generellen Rat«, fragte Alex, »den Sie Leuten geben würden, die Geld anlegen oder sparen wollen?«

»Unbedingt, ja! – Kümmern Sie sich selbst darum!«

»Angenommen, es ist jemand, der keine Ahnung hat . . .«

»Dann soll er lernen. Das ist gar nicht so schwer, und sich um das eigene Geld kümmern, das kann Spaß machen. Natürlich soll man auf Rat hören, aber mit Skepsis und Vorsicht, und außerdem muß man auf der Hut sein, welchen Rat man annimmt. Nach kurzer Zeit weiß man, wem man trauen kann und wem nicht. Viel lesen, auch Informationsbriefe wie meinen. Aber nie einem anderen das Recht übertragen, Entscheidungen für einen zu treffen. Damit sind vor allem Börsenmakler gemeint; bei denen, und bei Treuhandabteilungen von Banken, verliert man am schnellsten, was man hat.«

»Sie mögen Treuhandabteilungen nicht?«

»Verdammt noch mal, Alex, Sie wissen ganz genau, daß Ihre eigene und andere Banken da Jämmerliches leisten. Große Treuhandkonten werden individuell bedient – mehr oder minder. Mittlere und kleinere werden entweder in einen Topf geworfen oder von unterbezahlten Idioten verwaltet, die Baisse und Hausse nicht unterscheiden können.«

Alex zog eine Grimasse, protestierte aber nicht. Zu gut wußte er, daß – von wenigen, ehrenvollen Ausnahmen abgesehen – es stimmte, was Lewis gesagt hatte.

Während sie ihren Cognac in dem rauchgeschwängerten Zimmer schlürften, schwiegen beide Männer. Alex blätterte die Seiten des neuesten Informationsbriefes um, überflog die Texte, die er später genauer lesen würde. Wie üblich war einiges darin technischer Natur.

> Tabellenmäßig scheinen wir in die dritte Phase des Baisse-Marktes einzutreten. Der 200-Tages-Durchschnitt ist in allen 3 DJ-Durchschn. gebrochen, die in perfekter Abstiegssynchronisation sind. Die AD-Linie kracht.

Einfacher war:

Empfohlene Währungsmischung:

| | |
|---|---:|
| Schweizer Franken | 40% |
| Holl. Gulden | 25% |
| Deutsche Mark | 20% |
| Kan. Dollar | 10% |
| Öst. Schilling | 5% |
| US-Dollar | 0% |

Darüber hinaus riet Lewis seinen Lesern, weiterhin 40 Prozent ihrer Aktiva in Goldbarren, Goldmünzen und in Form von Anteilen an Goldminen anzulegen.

In einer regelmäßig erscheinenden Spalte wurden internationale Wertpapiere zum Handeln oder Halten aufgeführt. Alex überflog die Kolumnen unter »Kaufen« und »Halten«, dann die unter »Verkaufen«. Er stockte abrupt bei: »*Supranational* – sofort zum Tageskurs verkaufen.«

»Lewis, diese Supranational-Notiz – warum Supranational verkaufen? Und ›sofort zum Tageskurs‹? Seit Jahren hatten Sie das unter ›langfristig halten‹ geführt.«

Sein Gastgeber dachte nach, bevor er antwortete. »Ich

habe ein ungutes Gefühl, was SuNatCo betrifft. Ich bekomme zu viele negative Informationsbrocken aus Quellen, die voneinander unabhängig sind. Ein paar Gerüchte über hohe Verluste, die nicht gemeldet worden sind. Auch erzählt man sich von bedenklichen Buchungspraktiken innerhalb der Tochtergesellschaften. Aus Washington die unbestätigte Behauptung, daß Big George Quartermain auf der Suche nach einer Subvention à la Lockheed ist. Worauf es hinausläuft – vielleicht . . . vielleicht auch nicht . . . Untiefen voraus. Als Vorsichtsmaßnahme ist es mir lieber, wenn meine Leute aussteigen.«

»Aber alles, was Sie sagen, sind Gerüchte und Schattenspiele. So was kann man über jedes Unternehmen hören. Wo bleibt die Substanz?«

»Gibt's nicht. Meine Verkaufsempfehlung beruht auf Instinkt. Manchmal handele ich nach Instinkt. Dies ist so ein Fall.« Lewis D'Orsey legte seinen Zigarrenstummel in einen Aschenbecher und stellte sein leeres Glas ab. »Gehen wir wieder zu den Damen?«

»Ja«, sagte Alex und folgte Lewis. Aber seine Gedanken waren noch bei Supranational.

## 4

»Ich hätte nicht geglaubt«, sagte Nolan Wainwright mit harter Stimme, »daß Sie den Nerv hätten hierherzukommen.«

»Ich auch nicht.« Miles Eastins Stimme verriet seine Nervosität. »Ich wollte eigentlich schon gestern kommen, hab's aber dann nicht fertiggebracht. Auch heute habe ich eine halbe Stunde draußen herumgelungert, bis ich den Mut hatte hereinzukommen.«

»Mut! Ich würde es Unverschämtheit nennen. Aber wo Sie schon mal hier sind – was wollen Sie?«

Die beiden Männer standen einander in Nolan Wainwrights Privatbüro gegenüber. Sie bildeten einen scharfen Kontrast: der strenge, schwarze, gutaussehende Bank-Vizepräsident, verantwortlich für Sicherheitsfragen, und Eastin, der Ex-

Sträfling – abgemagert, bleich, unsicher, ein anderer als der intelligente, stets gutgelaute Assistent des Innenleiters, der noch vor elf Monaten in der FMA gearbeitet hatte.

Die Umgebung, in der sie sich jetzt befanden, war spartanisch, verglichen mit den meisten anderen Abteilungen der Bank. Einfach gestrichene Wände, graue Metallmöbel, auch Wainwrights Schreibtisch war grau und aus Metall. Der Fußboden war sparsam mit Teppich ausgelegt. Die Bank verschwendete Geld und Kunst auf ertragbringende Bereiche. Dazu gehörte die Sicherheit nicht.

»Also«, wiederholte Wainwright, »was wollen Sie?«

»Ich möchte Sie fragen, ob Sie mir helfen wollen.«

»Warum sollte ich?«

Der jüngere Mann zögerte, bevor er antwortete, dann sagte er, noch immer nervös: »Ich weiß, daß Sie mich mit dem ersten Geständnis reingelegt haben. In der Nacht meiner Verhaftung. Mein Anwalt sagte, daß es ungesetzlich war, daß es vor Gericht nicht hätte verwendet werden dürfen. Sie wußten das. Aber Sie haben mich in dem Glauben gelassen, daß es ein gültiges Geständnis war, deshalb habe ich das zweite für das FBI unterschrieben, ohne zu ahnen, daß es einen Unterschied gab . . .«

Wainwrights Augen wurden schmal und argwöhnisch. »Bevor ich antworte, will ich eines wissen. Haben Sie ein Tonbandgerät bei sich?«

»Nein.«

»Soll ich das glauben?«

Miles zuckte die Achseln, dann hielt er die Hände hoch, wie er es bei Leibesvisitationen und im Gefängnis gelernt hatte.

Einen Augenblick schien es, als wollte Wainwright sich weigern, ihn zu durchsuchen, dann klopfte er den anderen Mann rasch und professionell ab. Miles ließ die Arme sinken.

»Ich bin ein alter Fuchs«, sagte Wainwright. »Burschen wie Sie denken, sie sind helle und können einen reinlegen, dann einen Prozeß anfangen. Sie sind also zum Knastadvokaten geworden?«

»Nein. Nur das mit dem Geständnis hab' ich rausgekriegt.«

»Na gut, da Sie damit angefangen haben, dürfen Sie's auch gern wissen. Natürlich war mir klar, daß es juristisch nicht hieb- und stichfest war. Natürlich habe ich Sie reingelegt. Und noch was: Unter den gleichen Umständen würde ich es wieder tun. Sie waren schuldig, oder etwa nicht? Sie waren drauf und dran, Mrs. Núñez ins Gefängnis zu schicken. Wollen Sie mir da meine Tricks vorhalten?«

»Ich dachte nur . . .«

»Ich weiß, was Sie dachten. Sie dachten, Sie kommen her, und weil mich mein Gewissen peinigt, bin ich Wachs in Ihren Händen für irgendwelche Pläne, die Sie haben. Pustekuchen. Nichts zu machen.«

Miles Eastin murmelte: »Ich hatte keine Pläne. Es tut mir leid, daß ich gekommen bin.«

»Was *wollen* Sie denn?«

Es entstand eine Pause, in der sie einander abschätzten. Dann sagte Miles: »Einen Job.«

»Hier? Sie müssen verrückt sein.«

»Warum? Ich wäre der ehrlichste Angestellte, den die Bank je gehabt hat.«

»Bis jemand Sie unter Druck setzt, mal wieder was zu klauen.«

»Niemals!« Ganz kurz kehrte ein wenig von Miles Eastins altem Temperament zurück. »Können Sie denn nicht glauben, daß ich was dazugelernt habe? Daß ich gelernt habe, was passiert, wenn man stiehlt! Daß ich gelernt habe, es niemals wieder zu tun. Können Sie sich nicht vorstellen, daß es keine Versuchung gibt, der ich jetzt nicht widerstehen würde, nur um nicht noch einmal das Gefängnis zu riskieren?«

Wainwright sagte brummig: »Was ich glaube oder nicht glaube, spielt keine Rolle. Die Bank hat Grundsätze. Einer davon lautet, keinen Vorbestraften einzustellen. Auch wenn ich wollte, könnte ich nichts daran ändern.«

»Aber Sie könnten's versuchen. Sogar hier gibt es Jobs, wo Vorstrafen nichts ausmachen, wo es überhaupt *keine Möglichkeit* gibt, etwas zu stehlen. Könnte ich nicht so eine Arbeit haben?«

»Nein.« Dann kam Neugier ins Spiel. »Warum sind Sie denn so scharf darauf, wieder zu uns zu kommen?«

»Weil ich keine Arbeit finden kann, nichts, gar nichts, nirgendwo.« Miles' Stimme wurde unsicher. »Und weil ich Hunger habe.«

»*Was* haben Sie?«

»Mr. Wainwright, es ist drei Wochen her seit meiner vorzeitigen Entlassung zur Bewährung. Seit mehr als einer Woche hab' ich kein Geld mehr. Seit drei Tagen hab' ich nichts mehr gegessen. Ich bin fertig, glaub' ich.« Die Stimme, die unsicher gewesen war, versagte und brach. »Herzukommen . . . zu Ihnen, schon zu wissen, was Sie sagen . . . das war das letzte . . .«

Wainwright hörte zu, und einiges von der Härte wich aus seinem Gesicht. Jetzt zeigte er auf einen Stuhl auf der anderen Seite des Zimmers. »Setzen Sie sich.«

Er ging hinaus und gab seiner Sekretärin fünf Dollar. »Gehen Sie in die Cafeteria«, wies er sie an, »holen Sie zwei Roastbeef-Sandwiches und einen halben Liter Milch.«

Als er wieder hereinkam, saß Miles noch auf dem Stuhl, der ihm zugewiesen worden war, vornübergesunken, mit leerem Gesichtsausdruck.

»Hat Ihr Bewährungshelfer nichts unternommen?«

Mit Bitterkeit in der Stimme sagte Miles: »Er hat eine Menge Fälle – sagte er mir –, einhundertfünfundsiebzig, die zur Bewährung vorzeitig entlassen wurden. Jeden einzelnen muß er einmal im Monat sprechen, und was kann er da schon tun? Es gibt keine Jobs. Er gibt mir nur gute Ratschläge.«

Aus Erfahrung wußte Wainwright, was das für Ratschläge sein würden: Nicht mit anderen Kriminellen zu verkehren, die Miles im Gefängnis kennengelernt haben könnte; keine bekannten Treffpunkte von Kriminellen aufzusuchen. Eins von beidem zu tun und dabei erwischt zu werden, bedeutete die prompte Rückkehr ins Gefängnis. Aber in der Praxis waren die Vorschriften ebenso unrealistisch wie veraltet. Ein Gefangener ohne Einkommen hatte alles gegen sich; der Umgang mit anderen, die im gleichen Boot saßen, war oft seine einzige Chance, am Leben zu bleiben. Das war auch ein Grund für die hohe Rückfallquote unter Ex-Strafgefangenen.

Wainwright fragte: »Sie haben wirklich Arbeit gesucht?«

»Ich war überall, wo vielleicht eine Chance bestand. Und wählerisch war ich nicht.«

In den drei Wochen seiner Suche hatte Miles ein einziges Mal fast eine Chance gehabt, als Küchenhilfe in einem drittklassigen, stets überfüllten italienischen Restaurant unterzukommen. Der Job war frei, und der Inhaber, ein Mann mit traurigem Windhundgesicht, war geneigt, ihn einzustellen. Aber als Miles seine Vorstrafe erwähnte, wozu er, wie er wußte, verpflichtet war, sah er, wie der andere einen raschen Blick zur Kassenlade warf, die ganz in der Nähe war. Selbst dann noch hatte der Restaurantbesitzer gezögert, aber seine Frau, ein Feldwebel in Frauenkleidern, entschied: »Nein! Wir können uns das Risiko nicht leisten.« Alle Bitten und Schwüre hatten nichts ausgerichtet.

Anderswo hatte sein Status als Bewährungs-Sträfling alle Hoffnungen noch schneller zunichte gemacht.

»Wenn ich etwas für Sie tun könnte, würde ich es vielleicht tun.« Wainwrights Ton war seit Beginn des Gesprächs milder geworden. »Aber ich kann's nicht. Hier gibt's nichts. Glauben Sie mir.«

Miles nickte bedrückt. »Im Grunde hab' ich das erwartet.«

»Was werden Sie nun als nächstes versuchen?«

Bevor er antworten konnte, kam die Sekretärin zurück und gab Wainwright eine Papiertüte und Wechselgeld. Als das Mädchen wieder gegangen war, nahm er die Milch und die Sandwiches heraus und legte alles auf den Tisch; Eastin sah zu und befeuchtete sich die Lippen.

»Sie können das hier essen, wenn Sie wollen.«

Miles bewegte sich rasch, mit hastigen Fingern wickelte er das erste Sandwich aus. Alle Zweifel über die Wahrheit seiner Aussage, daß er hungrig sei, verschwanden, als Wainwright zusah, wie die Nahrungsmittel schweigend, gierig verschlungen wurden. Und während der Sicherheitschef zusah, begann sich ein Gedanke in ihm zu bilden.

Am Ende trank Miles den letzten Schluck Milch aus einem Pappbecher und wischte sich die Lippen. Von den Sandwiches war keine Krume übriggeblieben.

»Sie haben meine Frage nicht beantwortet«, sagte Wainwright. »Was wollen Sie als nächstes unternehmen?«

Eastin zögerte merklich, dann sagte er tonlos: »Weiß nicht.«

»Ich glaube, Sie wissen es wohl. Und ich glaube, Sie lügen – zum ersten Mal, seit Sie hereingekommen sind.«

Miles Eastin zuckte die Achseln. »Spielt das noch eine Rolle?«

»Ich vermute folgendes«, sagte Wainwright, als ob er die Bemerkung nicht gehört hätte. »Bis jetzt haben Sie sich von den Leuten ferngehalten, die Sie im Gefängnis kennengelernt haben. Aber da Sie hier nichts erreicht haben, haben Sie beschlossen, zu ihnen zu gehen. Das Risiko, gesehen zu werden und die Bewährungsfrist zu verlieren, nehmen Sie auf sich.«

»Verdammt noch mal, was bleibt mir denn anderes übrig? Und wenn Sie das alles schon wissen, warum fragen Sie?«

»Sie *haben* also solche Verbindungen.«

»Wenn ich ja sage«, sagte Eastin verächtlich, »greifen Sie, wenn ich zur Tür raus bin, nach dem Telefon und rufen den Bewährungsausschuß an.«

»Nein.« Wainwright schüttelte den Kopf. »Was wir auch beschließen, ich verspreche Ihnen, das nicht zu tun.«

»Was meinen Sie damit: ›Was wir auch beschließen‹?«

»Wir könnten uns da eventuell auf was einigen. Wenn Sie bereit wären, ein gewisses Wagnis auf sich zu nehmen. Ein ziemlich großes sogar.«

»Was für ein Wagnis?«

»Lassen wir das vorerst. Wenn's nötig wird, kommen wir darauf zurück. Erzählen Sie mir erst mal von den Leuten, die Sie im Knast kennengelernt haben, und von denen, mit denen Sie jetzt Verbindung aufnehmen können.« Vorsicht und Mißtrauen hatten sich nicht gelegt; Wainwright spürte das und fügte hinzu: »Ich gebe Ihnen mein Wort, daß ich – ohne Ihre Zustimmung – keinen Gebrauch von dem mache, was Sie mir sagen.«

»Woher soll ich wissen, daß es kein Trick ist – so, wie Sie mich schon mal reingelegt haben?«

»Das können Sie auch nicht wissen. Sie werden das Risiko eingehen müssen, mir zu vertrauen. Entweder das, oder Sie gehen und kommen nie wieder.«

Miles schwieg, dachte nach, feuchtete gelegentlich seine

Lippen an. Dann begann er plötzlich, ohne zu erkennen zu geben, daß er sich entschieden hatte, zu erzählen.

Er schilderte, wie der Abgesandte von der Mafiastraße sich im Gefängnis Drummonburg zum ersten Mal an ihn herangemacht hatte. Die ihm übermittelte Nachricht, erklärte er Wainwright, war von draußen gekommen, von dem Wucherer, dem Kredithai Igor (»der Russe«) Ominsky, und sie besagte, daß er, Eastin, ein brauchbarer Kerl sei, weil er »die Schnauze gehalten« und bei seiner Verhaftung und auch später nicht die Identität des Hais und des Buchmachers verraten hatte. Als Zugeständnis würden deshalb die Zinsen für Eastins Darlehen während seiner Haftzeit ruhen. »Der Bote der Mafiastraße sagte, daß Ominsky die Uhr angehalten habe, solange ich im Knast bin.«

»Jetzt sind Sie aber nicht im Knast«, stellte Wainwright fest. »Die Uhr läuft also wieder.«

Miles machte ein sorgenvolles Gesicht. »Ja, ich weiß.« Das war ihm klar, und er bemühte sich, nicht daran zu denken, während er Arbeit suchte. Er war auch der Gegend ferngeblieben, wo er, wie man ihm gesagt hatte, Kontakt zu dem Wucherer Ominsky und anderen aufnehmen konnte. Es handelte sich um den Fitness-Club Doppelte Sieben, nicht weit vom Stadtzentrum; diese Mitteilung hatte ihn wenige Tage vor der Entlassung aus dem Gefängnis erreicht. Er wiederholte die Adresse, als Wainwright noch einmal nachfragte.

»Die Doppelte Sieben«, sagte der Sicherheitschef der Bank nachdenklich. »Ich kenne den Club nicht, aber ich habe davon gehört. Gilt als Ganoven-Treffpunkt.«

Noch etwas hatte man Miles in Drummonburg erzählt: Er werde, durch Kontakte, die man ihm vermitteln würde, Möglichkeiten finden, Geld zum Leben und zur Abzahlung seiner Schuld zu verdienen. Er hatte keines weiteren Hinweises bedurft, um zu begreifen, daß diese »Möglichkeiten« außerhalb der Legalität liegen würden. Dieses Wissen und seine Furcht vor einer Rückkehr ins Gefängnis hatten ihn einen entschlossenen Bogen um die Doppelte Sieben machen lassen. Bisher.

»Meine Vermutung war also richtig. Sie wären von hier aus dorthin gegangen.«

»O Gott, Mr. Wainwright, ich wollte es nicht! Ich will es immer noch nicht.«

»Vielleicht können wir hier, Sie und ich, einen Weg finden, der beides verbindet.«

»Wie?«

»Haben Sie schon mal von einem Tarnagenten gehört?«

Miles Eastin machte ein überraschtes Gesicht, bevor er zugab: »Ja.«

»Dann hören Sie genau zu.«

Wainwright begann zu sprechen.

Als der Sicherheitschef der Bank vor vier Monaten die aus dem Wasser gezogene, verstümmelte Leiche seines Spitzels Vic betrachtete, hatte er daran gezweifelt, daß er jemals wieder einen Agenten in den Untergrund schicken werde. Damals, schockiert und erfüllt von einem Gefühl persönlicher Schuld, hatte er gemeint, was er sagte, und er hatte seither auch nichts unternommen, um einen Ersatzmann anzuwerben. Aber diese Chance – Eastins Verzweiflung und seine maßgeschneiderten Verbindungen – war zu verheißungsvoll, als daß er sie ignorieren konnte.

Ebenso wichtig: Immer mehr gefälschte Keycharge-Kreditkarten tauchten auf, es war wie eine Sintflut, während ihr Ursprung unentdeckt blieb. Konventionelle Methoden zum Aufspüren der Hersteller und Verteiler waren, wie Wainwright wußte, gescheitert; behindert wurden die Nachforschungen auch durch die Tatsache, daß die Fälschung von Kreditkarten nach geltendem Bundesgesetz kein strafrechtliches Vergehen war. Betrug mußte nachgewiesen werden; die Absicht, zu betrügen, reichte nicht aus. Aus allen diesen Gründen interessierten sich die Strafverfolgungsbehörden mehr für andere Formen der Fälschung; mit Kreditkarten befaßten sie sich nur im Zusammenhang mit anderen Fälschungsdelikten. Die Banken hatten – zum Kummer von Professionellen wie Nolan Wainwright – keine ernsthaften Anstrengungen unternommen, um daran etwas zu ändern.

Das meiste davon erklärte der Banksicherheitschef Miles Eastin ausführlich. Außerdem breitete er einen im Grunde einfachen Plan aus. Miles würde zum Fitness-Club Doppelte Sieben gehen und die Kontakte aufnehmen, die sich ihm boten. Er würde versuchen, sich beliebt zu machen, und er würde auch alle sich ihm bietenden Gelegenheiten nutzen, um zu Geld zu kommen.

»Das bedeutet ein doppeltes Risiko, darüber müssen Sie sich im klaren sein«, sagte Wainwright. »Wenn Sie was Kriminelles tun und dabei geschnappt werden, dann werden Sie verhaftet und vor Gericht gestellt, und kein Mensch kann Ihnen helfen. Das andere Risiko ist, selbst wenn Sie nicht geschnappt werden, aber der Bewährungsausschuß kriegt davon Wind, dann bringt Sie das mit ebensolcher Sicherheit wieder ins Gefängnis.«

Passierte aber keine der beiden Pannen, fuhr Wainwright fort, dann sollte Miles versuchen, seine Kontakte zu erweitern, sich umhören und Informationen sammeln. Zu Anfang sollte er sich hüten, neugierig zu erscheinen. »Sie lassen es langsam angehen«, mahnte Wainwright ihn. »Nichts überstürzen, immer mit Geduld. Es muß sich herumsprechen; lassen Sie die Leute kommen.«

Erst wenn man Miles akzeptiert hatte, sollte er energischer daran arbeiten, mehr zu erfahren. Er konnte dann erste diskrete Erkundigungen nach gefälschten Kreditkarten einziehen, sich persönlich interessiert zeigen und versuchen, näher an die heranzukommen, die damit handelten. »Es gibt immer jemanden«, erklärte Wainwright, »der einen anderen kennt, der wieder von irgendeinem Kerl gehört hat, der weiß, wo was los ist. Auf die Weise rutschen Sie da rein.«

Von Zeit zu Zeit, sagte Wainwright, würde Eastin ihm berichten. Niemals aber direkt.

Das Problem des Berichtens erinnerte Wainwright an seine Pflicht, von Vic zu erzählen. Er tat das ohne Beschönigung, er ließ keine Einzelheit aus. Während er sprach, sah er, wie Miles Eastin blaß wurde, und ihm fiel die Nacht in Eastins Wohnung wieder ein, der Augenblick der Konfrontation und Überführung, als die instinktive Furcht des jüngeren Mannes vor physischer Gewalt sich so deutlich gezeigt hatte.

»Was auch geschieht«, sagte Wainwright mit Strenge, »ich will nicht, daß Sie später sagen oder denken, ich hätte Sie nicht vor den Gefahren gewarnt.« Er hielt inne, dachte nach. »Jetzt zum Thema Geld.«

Wenn Miles sich bereit erklärte, für die Bank als Spitzel zu arbeiten, sagte der Sicherheitchef, dann garantiere er ihm die Zahlung von fünfhundert Dollar monatlich, bis der Auftrag – so oder so – beendet war. Das Geld werde über einen Mittelsmann gezahlt.

»Wäre ich damit Angestellter der Bank?«

»Absolut nicht.«

Die Antwort war eindeutig, nachdrücklich, endgültig. Wainwright führte aus: Die Bank werde offiziell überhaupt nicht beteiligt sein. Erklärte Miles Eastin sich bereit, die vorgeschlagene Rolle zu übernehmen, so war er von dem Augenblick an auf sich allein gestellt. Geriet er in Schwierigkeiten und versuchte er, die First Mercantile American hereinzuziehen, so werde man jede Verbindung zu ihm leugnen, und kein Mensch werde ihm glauben. »Seit Sie rechtsgültig verurteilt worden und ins Gefängnis gekommen sind«, erklärte Wainwright, »haben wir nicht einmal mehr etwas von Ihnen gehört.«

Miles zog eine Grimasse. »Einseitig mein Risiko.«

»Darauf können Sie Gift nehmen! Aber vergessen Sie nicht: Sie sind hergekommen. Ich bin nicht zu Ihnen gekommen. Also antworten Sie – ja oder nein?«

»Was würden Sie an meiner Stelle tun?«

»Ich bin nicht an Ihrer Stelle, und ich werde es kaum jemals sein. Aber ich sage Ihnen, wie ich es sehe. So wie die Dinge stehen, haben Sie keine große Wahl.«

Einen Augenblick lang blitzten Humor und gute Laune des alten Miles Eastin wieder auf. »Kopf – ich verliere; Zahl – ich verliere. Ich habe den großen Preis für Verlierer gewonnen. Eine Frage habe ich noch.«

»Die wäre?«

»Wenn es klappt, wenn ich – wenn *Sie* die Beweise bekommen, die Sie brauchen, werden Sie mir dann hinterher helfen, einen Job bei der FMA zu finden?«

»Das kann ich nicht versprechen. Ich sagte schon, die Regeln habe ich nicht erfunden.«

»Aber Sie haben Einfluß genug, um sie ein bißchen zurechtzubiegen.«

Wainwright überlegte eine Weile, bevor er antwortete. Er

dachte: Wenn es soweit ist, könnte er letzten Endes immer noch zu Alex Vandervoort gehen und ein gutes Wort für Eastin einlegen. Ein Erfolg wäre das wert. Laut sagte er: »Ich werd's versuchen. *Mehr* verspreche ich nicht.«

»Sie sind hart«, sagte Miles Eastin. »Gut. Ich mache es.«

Sie sprachen über eine Mittelsperson.

»Von heute an«, sagte Wainwright eindringlich, »werden wir beide uns nicht mehr direkt treffen. Das ist zu gefährlich; wir beide werden möglicherweise beobachtet. Wir brauchen jemanden, der Nachrichten weiterleiten kann – in beiden Richtungen – und Geld; jemanden, dem wir beide absolut vertrauen.«

Miles sagte langsam: »Da wäre Juanita Núñez. *Wenn* sie dazu bereit ist.«

Wainwright sah ihn ungläubig an. »Die Kassiererin, die Sie . . .«

»Ja. Aber sie hat mir verziehen.« In seiner Stimme klang eine Mischung von Überschwang und Erregung mit. »Ich habe sie besucht, und, der Himmel segne sie, sie hat mir verziehen!«

»Der Teufel soll mich holen.«

»Fragen Sie sie selbst«, sagte Miles Eastin. »Es gibt absolut keinen Grund, warum sie mitmachen sollte. Aber ich glaube . . . ich glaube, vielleicht tut sie's doch.«

## 5

Wie zuverlässig war Lewis D'Orseys Instinkt in bezug auf Supranational Corporation? Wie solide war Supranational? Dieser Gedanke beschäftigte und quälte Alex Vandervoort weiter.

An einem Samstagabend hatte das Gespräch zwischen Alex und Lewis über SuNatCo stattgefunden. Während des ganzen verbleibenden Wochenendes grübelte Alex über die Empfehlung des »D'Orsey Newsletter« nach, Supranational-Aktien zu jedem auf dem Markt erhältlichen Kurs zu verkaufen, und über Lewis' Zweifel an der Solidität des Konzerns.

Das gesamte Thema war von überragender, ja, lebenswichtiger Bedeutung für die Bank. Doch es konnte eine delikate Situation entstehen, in der er, wie Alex einsah, mit Behutsamkeit vorgehen mußte.

Vor allem war Supranational jetzt ein Großkunde, und jeder Kunde würde mit Recht ungehalten sein, wenn seine eigenen Bankiers abträgliche Gerüchte über ihn in Umlauf setzten, besonders wenn sie falsch waren. Und Alex machte sich keine Illusionen: Begann er erst einmal, Erkundigungen einzuziehen und Fragen zu stellen, würde sich das sehr schnell herumsprechen.

Aber waren die Gerüchte falsch? Gewiß fehlte es – wie Lewis D'Orsey zugegeben hatte – an Substanz. Aber das hatte auch für die ersten Gerüchte über so aufsehenerregende Pleiten gegolten wie die von Penn Central, Equity Funding, Franklin National Bank, Security National Bank, American Bank & Trust, U. S. National Bank of San Diego und andere. Und dann gab es ja noch Lockheed, die zwar nicht pleite, aber dem sehr nahegekommen waren, bis eine Spende der US-Regierung sie ausgelöst hatte. Mit beunruhigender Deutlichkeit erinnerte Alex sich an Lewis D'Orseys Bemerkung über den SuNatCo-Vorsitzenden Quartermain, der in Washington nach einem Kredit à la Lockheed Ausschau halte – nur hatte Lewis das Wort »Subvention« gebraucht, was der Wahrheit recht nahe kam.

Es war natürlich denkbar, daß Supranational nur an einem vorläufigen Liquiditätsengpaß litt, was manchmal den gesündesten Firmen passierte. Alex hoffte, daß es nur das – oder weniger als das – war. Aber als einer der leitenden Direktoren der FMA konnte er es sich nicht leisten, die Augen zu schließen und das Beste zu hoffen. Fünfzig Millionen Dollar vom Geld der Bank waren in die SuNatCo geschleust worden; außerdem hatte die Treuhandabteilung unter Verwendung von Mitteln, deren Hütung und Vermehrung Aufgabe der Bank war, große Mengen Supranational-Aktien gekauft, eine Tatsache, die Alex noch immer kalte Schauer über den Rücken jagte, wenn er daran dachte.

Er kam zu dem Schluß, daß er als erstes, fairerweise, Roscoe Heyward unterrichten müsse.

Am Montag morgen ging er von seinem Büro durch den mit Teppich ausgelegten Korridor im sechsunddreißigsten Stock zu Heywards Büro. Die neueste Nummer von »The D'Orsey Newsletter«, die Lewis ihm am Samstag abend gegeben hatte, hatte Alex bei sich.

Heyward war nicht da. Der Chefsekretärin, Mrs. Callaghan, freundlich zunickend, schlenderte Alex hinein und legte den Informationsbrief mitten auf Heywards Schreibtisch. Er hatte einen Kreis um die Meldung über Supranational gezogen und einen Zettel mit folgendem Text darangeklammert:

Roscoe –
ich dachte, Sie sollten das lesen.

A.

Dann kehrte Alex in sein eigenes Büro zurück.

Eine halbe Stunde später stürmte Heyward herein, das Gesicht rot angelaufen, und knallte ihm den Informationsbrief auf den Tisch. »Haben Sie mir diesen Wisch, der eine Beleidigung für jeden intelligenten Menschen darstellt, hingelegt?«

Alex zeigte auf den Zettel, der noch immer angeheftet war. »Es sieht so aus.«

»Dann verschonen Sie mich bitte fortan mit diesen Elaboraten eines eingebildeten Dummkopfs!«

»Na, na! Sicher, Lewis D'Orsey ist eingebildet, und ich stimme auch nicht mit allem, was er schreibt, überein. Sie ja offenbar auch nicht. Aber ein Dummkopf ist er nicht, und manche seiner Ansichten verdienen zumindest Aufmerksamkeit.«

»Das finden Sie vielleicht. Andere nicht. Ich empfehle Ihnen, dies hier zu lesen.« Heyward klatschte ein aufgeschlagenes Magazin auf den Informationsbrief.

Alex warf einen Blick darauf, erstaunt über die Heftigkeit des anderen. »Das habe ich schon gelesen.«

Das Magazin war »Forbes«, der fragliche zweiseitige Artikel eine wilde Attacke gegen Lewis D'Orsey. Alex war zu dem Urteil gelangt, daß der Artikel viele bösartige Spitzen, aber wenig Fakten enthielt. Aber er unterstrich, was er schon wußte – daß Angriffe gegen »The D'Orsey Newsletter« in der

Presse des Finanz-Establishments keine Seltenheit waren. Alex erinnerte daran: »›The Wall Street Journal‹ hat vor einem Jahr etwas Ähnliches gebracht.«

»Dann wundert es mich nur, daß Sie die Augen vor Tatsachen verschließen. D'Orsey hat weder Ausbildung noch Qualifikation als Anlageberater aufzuweisen. In gewisser Hinsicht bedaure ich, daß seine Frau für uns arbeitet.«

Mit Schärfe entgegnete Alex: »Edwina und Lewis D'Orsey halten bewußt eine säuberliche Trennung zwischen ihren beruflichen Tätigkeiten aufrecht, und das wissen Sie genauso gut wie ich. Was die Qualifikation betrifft, so darf ich Sie daran erinnern, daß viele studierte Experten sich in Wirtschaftsprognosen sehr schwer getan haben. Im Gegensatz zu Lewis D'Orsey.«

»Nicht, was Supranational betrifft.«

»Sie glauben also, daß SuNatCo solide ist?«

Alex hatte die letzte Frage mit ruhiger Stimme gestellt, nicht aus Feindseligkeit, sondern wie jemand, der Auskunft sucht. Aber sie schien auf Roscoe Heyward eine nahezu explosive Wirkung zu haben. Heyward blitzte ihn durch seine randlose Brille an; sein gerötetes Gesicht lief noch mehr an. »Ihnen würde natürlich nichts größere Freude bereiten, als einen Rückschlag für SuNatCo zu erleben und damit für mich.«

»Nein, das ist . . .«

»Lassen Sie mich ausreden!« Heywards Gesichtsmuskeln zuckten, als seine Wut sich Luft machte. »Ich habe mehr als genug von Ihren kleinkarierten Intrigen und vertrauensschädigenden Umtrieben, wie diesen Schmutz hier zu verbreiten« – er zeigte auf »The D'Orsey Newsletter« –, »und jetzt sage ich Ihnen, hören Sie auf, lassen Sie's genug sein. Supranational war und ist eine solide, fortschrittliche Gesellschaft mit hohem Ertrag und gutem Management. Das SuNatCo-Konto hereingeholt zu haben – wie eifersüchtig Sie persönlich auch sein mögen –, war mein Verdienst; es ist meine Sache. Und ich warne Sie: Halten Sie sich da heraus!«

Heyward machte auf dem Absatz kehrt und stolzierte hinaus.

Mehrere Minuten lang saß Alex Vandervoort schweigend

da und versuchte abzuwägen, was gerade geschehen war. Der Ausbruch hatte ihn erstaunt. In den zweieinhalb Jahren, die er Roscoe Heyward kannte und in denen er mit ihm gearbeitet hatte, war es zwischen den beiden zu Meinungsverschiedenheiten gekommen und gelegentlich auch deutlich geworden, daß sie einander nicht mochten. Aber noch nie hatte Heyward, wie an diesem Vormittag, die Selbstbeherrschung verloren.

Alex glaubte, den Grund zu kennen. Das ganze Getöse sollte nur verdecken, daß Roscoe Heyward sich Sorgen machte. Je mehr Alex darüber nachdachte, desto überzeugter war er davon.

Da Alex sich zuvor ebenfalls Sorgen gemacht hatte – und zwar über Supranational –, stellte sich nun die Frage von selbst: Machte auch Heyward sich Sorgen über SuNatCo? Und wenn ja, was war zu tun?

Während er grübelte, kam ihm plötzlich die Erinnerung an eine Bemerkung aus einer kürzlich stattgefundenen Unterhaltung. Alex drückte eine Taste der Sprechanlage. »Versuchen Sie, Miss Bracken zu erreichen«, bat er seine Sekretärin.

Es dauerte fünfzehn Minuten, dann sagte Margots Stimme aufgekratzt: »Hoffentlich hast du einen stichhaltigen Grund. Du hast mich aus der Verhandlung herausgeholt.«

»Hab' ich, Bracken.« Er vergeudete keine Zeit. »In deinem Kaufhaus-Musterprozeß – von dem du uns Samstag abend erzählt hast – hast du einen Privatdetektiv beschäftigt, sagtest du.«

»Ja. Vernon Jax.«

»Ich glaube, Lewis kannte ihn oder hatte von ihm gehört.«

»Richtig.«

»Und Lewis sagte, er wäre ein guter Mann, der schon für die Börsenaufsicht gearbeitet hat.«

»Habe ich auch gehört. Wahrscheinlich deshalb, weil Vernon promovierter Volkswirtschaftler ist.«

Alex fügte diese Information den Notizen hinzu, die er sich schon gemacht hatte. »Ist Jax diskret? Vertrauenswürdig?«

»Absolut.«

»Wie erreiche ich ihn?«

»Das werde ich erledigen. Sag mir, wo und wann du ihn sprechen willst.«

»In meinem Büro, Bracken. Heute – unbedingt.«

Alex betrachtete den unordentlich gekleideten, unauffälligen Mann mit beginnender Stirnglatze, der ihm in der Besprechungsecke seines Büros gegenüber saß. Es war gegen drei Uhr nachmittags.

Jax, schätzte Alex, mochte Anfang Fünfzig sein. Er sah wie ein Kleinstadtkrämer aus, dem es nicht allzu gut ging. Das Oberleder seiner Schuhe war brüchig, und sein Jackett wies Flecke von Essensresten auf. Alex wußte schon, daß Jax als Fahndungsbeamter für die Steuerbehörde gearbeitet hatte, bevor er sich selbständig machte.

»Ich höre, daß Sie promovierter Volkswirtschaftler sind«, begann Alex.

Der andere tat das mit einem Achselzucken ab. »Abenduniversität. Sie wissen ja, wie es ist. Abends hat man Zeit und da . . .« Seine Stimme verlor sich, er ließ den Satz in der Luft hängen.

»Bilanzwesen? Verstehen Sie viel davon?«

»Ein wenig. Bereite mich gerade auf die Buchsachverständigen-Prüfung vor.«

»Wohl auch Abenduniversität, was?« Alex begann, den anderen zu begreifen.

»Richtig.« Der leiseste Anflug eines Lächelns.

»Mr. Jax«, sagte Alex.

»Die meisten sagen einfach Vernon zu mir.«

»Vernon, ich möchte Sie mit einer Nachforschung beauftragen. Absolute Diskretion ist Vorbedingung, und es muß sehr schnell gehen. Sie haben von der Supranational Corporation gehört?«

»Sicher.«

»Ich brauche eine Finanzprüfung der Gesellschaft. Aber es muß ohne ihr Wissen gemacht werden; Schnüffelei also.«

Jax lächelte wieder. »Mr. Vandervoort« – dieses Mal war sein Ton etwas forscher –, »genau das ist mein Geschäft.«

Sie einigten sich auf eine Zeitspanne von einem Monat,

aber wenn es gerechtfertigt erschien, sollte Alex einen Zwischenbericht erhalten. Daß die Bank Erkundigungen einziehen ließ, sollte absolut geheim bleiben. In keiner Weise durfte mit illegalen Mitteln gearbeitet werden. Das Honorar für die Ermittlungen sollte 15 000 Dollar plus angemessener Spesen betragen, die Hälfte des Honorars sofort, die andere Hälfte nach Vorlage des Abschlußberichts. Alex würde die Zahlung aus FMA-Betriebsmitteln veranlassen. Er wußte, daß man später Rechenschaft darüber verlangen würde, aber darüber wollte er sich den Kopf erst zerbrechen, wenn es soweit war.

Am späten Nachmittag, als Jax gegangen war, rief Margot an.

»Hast du ihn angeheuert?«

»Ja.«

»Warst du beeindruckt?«

Alex beschloß, auf das Spiel einzugehen. »Nicht besonders.«

Margot lachte leise. »Das kommt noch. Wart's ab.«

Alex hoffte, daß es nicht dazu kommen würde. Er hoffte inständig, daß Lewis D'Orseys Instinkte getrogen hatten, daß Vernon Jax nichts finden würde und daß die unguten Gerüchte über Supranational sich als Gerüchte erweisen würden – als nicht mehr.


Am Abend stattete Alex einen seiner periodischen Besuche bei Celia im Pflegeheim ab. Er fürchtete diese Besuche jetzt noch mehr; sie deprimierten ihn tief, aber aus einem Gefühl der Pflicht heraus setzte er sie fort. Oder war es Schuld? Er konnte es selbst nicht genau unterscheiden.

Wie üblich wurde er von einer Schwester zu Celias Einzelzimmer in der Klinik geführt. Als die Schwester gegangen war, setzte Alex sich, redete, plauderte in sinnleerer, einseitiger Unterhaltung über alles, was ihm gerade in den Kopf kam, obwohl Celia durch kein Zeichen zu erkennen gab, daß sie zuhörte, ja, nicht einmal, daß ihr seine Gegenwart bewußt war. Bei einem seiner früheren Besuche hatte er Kauderwelsch geredet, nur um zu sehen, ob sich ihr leerer Gesichtsausdruck veränderte. Er hatte sich nicht verändert. Danach hatte er sich geschämt und es nicht wieder getan.

Aber er hatte es sich angewöhnt, während dieser Sitzungen bei Celia vor sich hin zu reden, kaum selbst zuzuhören, während die Hälfte seines Verstandes abschweifte. An diesem Abend sagte er unter anderem zu seiner Frau: »Die Menschen haben heutzutage alle möglichen Probleme, Celia; Probleme, an die noch vor ein paar Jahren kein Mensch auch nur dachte. Mit jeder cleveren Erfindung oder Entdeckung erheben sich Dutzende von Fragen und Entscheidungen, um die wir uns früher nie zu kümmern brauchten. Nehmen wir doch nur elektrische Büchsenöffner. Hat man so ein Ding – und ich habe eins in meiner Wohnung –, taucht gleich das Problem auf, wo eine Steckdose für den Stecker ist, wenn man das Ding benutzen soll, wie man es reinigt, was man tun kann, wenn es kaputt geht; samt und sonders Probleme, die kein Mensch hätte, wenn es keine elektrischen Büchsenöffner gäbe, und wer braucht die Dinger eigentlich? Apropos Probleme, ich habe mehrere in diesem Augenblick – persönliche und auch in der Bank. Heute ist ein großes aufgetaucht. In mancher Beziehung hast du es hier vielleicht besser . . .«

Alex rief sich zur Ordnung, merkte, daß er vielleicht kein Kauderwelsch, auf jeden Fall aber Unfug redete. Hier hatte niemand es besser, in diesem tragischen Viertel-Leben im Dämmerzustand.

Nichts anderes aber war für Celia geblieben; in den letzten Monaten war diese Tatsache noch deutlicher geworden. Noch vor einem Jahr waren Spuren ihrer früheren mädchenhaften, zerbrechlichen Schönheit sichtbar gewesen. Auch sie waren nun verschwunden. Ihr einst prachtvolles blondes Haar war stumpf und schütter. Ihre Haut hatte einen Anflug von Grau; hier und da zeigten Striemen, wo sie sich gekratzt hatte.

War ihre zusammengekauerte Fötalhaltung früher nur gelegentlich vorgekommen, so nahm sie jetzt kaum mehr eine andere ein. Und trotz der Tatsache, daß Celia zehn Jahre jünger war als Alex, wirkte sie jetzt hexenhaft und zwanzig Jahre älter.

Fast fünf Jahre waren seit Celias Einzug in das Pflegeheim vergangen. Jetzt war sie total institutionalisiert, und sie würde es wahrscheinlich auch bleiben.

Während er seine Frau betrachtete und dabei weiter

sprach, empfand Alex Mitleid und Trauer, aber eine innere Verbindung zu ihr war nicht mehr vorhanden, auch keine Zuneigung. Vielleicht sollte er derartige Gefühle empfinden, aber es wollte ihm, wenn er ehrlich mit sich selbst war, nicht gelingen. Dennoch war er an Celia gebunden, das erkannte er – durch Bande, die er niemals trennen wollte und konnte, bis der eine oder der andere von ihnen starb.

Er dachte an sein Gespräch mit Dr. McCartney, dem Leiter des Pflegeheims, das er vor fast elf Monaten geführt hatte, am Tage, nachdem Ben Rosselli auf so dramatische Weise seinen nahen Tod bekanntgegeben hatte. Auf Alex' Frage nach der Auswirkung einer Scheidung und Alex' Wiederverheiratung auf Celia hatte der Psychiater geantwortet: *Es könnte sie über die Schwelle treiben, die sie noch von der totalen geistigen Verwirrung trennt.*

Und Margot hatte später erklärt: *Das, was von Celias geistiger Gesundheit noch vorhanden ist, in eine Grube ohne Boden zu stoßen, das will ich nicht auf mein Gewissen laden, und ich will auch nicht, daß du dir so etwas auflädst.*

An diesem Abend fragte Alex sich, ob Celias geistige Gesundheit vielleicht schon in einer Grube ohne Boden angelangt sei. Aber selbst wenn es so war, änderte es nichts an seiner Abneigung dagegen, die endgültige, rücksichtslose Maschinerie der Scheidung in Gang zu setzen.

Auch war er nicht dazu übergegangen, dauernd mit Margot Bracken zusammen zu leben, und sie war nicht für immer zu ihm gezogen. Margot war das eine so recht wie das andere, doch Alex wollte noch immer die Heirat – die er offensichtlich nicht haben konnte, ohne sich von Celia scheiden zu lassen. In letzter Zeit jedoch hatte er Margots Ungeduld wegen des Ausbleibens einer Entscheidung gespürt.

Wie sonderbar, daß er, in der First Mercantile American gewohnt, große Entscheidungen rasch, wie sie kamen, zu treffen, in seinem Privatleben mit Entschlußlosigkeit ringen sollte!

Im Kern des Problems, das erkannte Alex, steckte seine alte Ambivalenz hinsichtlich seiner persönlichen Schuld. Hätte er, vor Jahren, durch mehr Mühe, Liebe und Verständnis seine junge, nervöse, sich unsicher fühlende Frau vor dem bewahren können, was aus ihr geworden war? Noch immer hatte er das Gefühl, es hätte ihm gelingen können, wenn er sich mehr ihr anstatt der Bank gewidmet hätte.

Deshalb kam er her, deshalb fuhr er fort, das wenige zu tun, das er vermochte.

Als es Zeit war, Celia zu verlassen, erhob er sich und ging auf sie zu, um sie auf die Stirn zu küssen, wie er es immer tat, wenn sie es zuließ. Aber heute abend zuckte sie zurück, kroch noch mehr in sich zusammen, die Augen geweitet vor plötzlicher Furcht. Er seufzte und gab den Versuch auf.

»Gute Nacht, Celia«, sagte Alex.

Es kam keine Antwort. Er ging hinaus und überließ seine Frau der einsamen Welt, in der sie jetzt wohnte.

Am nächsten Morgen ließ Alex Nolan Wainwright rufen. Er teilte dem Sicherheitschef mit, daß das Honorar für den Privatdetektiv Vernon Jax über Wainwrights Abteilung angewiesen werden sollte. Alex werde die Zahlung genehmigen. Alex sagte nichts über die Art der Nachforschung, die Jax anstellen sollte, und Wainwright fragte nicht. Im Augenblick, sagte sich Alex, konnte es nur von Nutzen sein, wenn möglichst wenig Leute das Ziel kannten.

Nolan Wainwright hatte seinerseits einen Bericht für Alex. Er betraf seine Absprache mit Miles Eastin über seine Tätigkeit als Spitzel für die Bank. Alex reagierte sofort.

»Nein. Ich will den Mann nie wieder auf unserer Gehaltsliste haben.«

»Er wird nicht auf der Gehaltsliste stehen«, machte Wainwright geltend. »Ich habe ihm klargemacht, daß er, was die Bank angeht, keinerlei Status hat. Bekommt er Geld, so wird es ihm bar ausgezahlt, ohne irgendwelche Belege, die Aufschluß über die Herkunft geben könnten.«

»Das ist Haarspalterei, Nolan. So oder so wäre er von uns beschäftigt, und dem kann ich nicht zustimmen.«

»Wenn Sie nicht zustimmen«, wandte Wainwright ein, »dann binden Sie mir die Hände, hindern mich daran, meine Arbeit zu tun.«

»Ihre Arbeit zu machen, das zwingt Sie nicht, einen verurteilten Dieb anzustellen.«

»Haben Sie schon mal was davon gehört, daß man einen Dieb braucht, um einen anderen zu fangen?«

»Dann nehmen Sie einen, der nicht ausgerechnet unsere Bank geschädigt hat.«

Sie stritten hin und her, zum Teil hitzig. Am Ende gab Alex widerstrebend nach. Dann fragte er: »Ist Eastin sich klar, was für ein großes Risiko er eingeht?«

»Er weiß das.«

»Sie haben ihm von dem toten Mann erzählt?« Alex hatte vor mehreren Monaten Vics Geschichte gehört, von Wainwright.

»Ja.«

»Mir gefällt die Sache immer noch nicht – gar nicht.«

»Sie wird Ihnen noch weniger gefallen, wenn die Keycharge-Verluste immer weiter ansteigen, wie sie's tun.«

Alex seufzte. »Na gut. Es ist Ihre Abteilung, und Sie können sie auf Ihre Art führen, deshalb habe ich nachgegeben. Eines möchte ich Ihnen aber deutlich sagen: Wenn Sie Grund zu der Annahme haben, daß Eastin in unmittelbarer Gefahr ist, ziehen Sie ihn sofort von der Sache ab.«

»Das hatte ich vor.«

Wainwright war froh, daß er sich durchgesetzt hatte, wenn es auch eine härtere Auseinandersetzung geworden war, als er erwartet hatte. Es schien jedoch nicht klug, jetzt etwas anderes zu erwähnen – zum Beispiel seine Hoffnung, Juanita Núñez als Zwischenträgerin gewinnen zu können. Schließlich, redete er sich selbst ein, hatte Alex prinzipiell zugestimmt, weshalb ihn also mit Einzelheiten behelligen?


6


Juanita Núñez war zwischen Argwohn und Neugier hin- und hergerissen. Argwohn deshalb, weil sie dem für Sicherheitsfragen zuständigen Vizepräsidenten der Bank, Nolan Wainwright, nicht traute und ihn nicht mochte. Neugier deshalb, weil sie zu gern gewußt hätte, warum er sie sprechen wollte, und allem Anschein nach heimlich.

Es handele sich um nichts, was sie persönlich beträfe und sie beunruhigen müsse, hatte Wainwright ihr am Telefon versichert, als er Juanita gestern in der Cityfiliale anrief. Er hätte nur gern vertraulich und unter vier Augen mit ihr gesprochen, sagte er. »Es geht darum, ob Sie bereit wären, einem anderen zu helfen.«

»Ihnen zum Beispiel?«

»Nicht unmittelbar.«

»Wem dann?«

»Das möchte ich Ihnen lieber unter vier Augen mitteilen.«

Dem Klang seiner Stimme entnahm Juanita, daß Wainwright sich bemühte, freundlich zu sein. Aber sie wehrte sich gegen diese Freundlichkeit; sie hatte seine gefühllose Härte nicht vergessen, als sie unter Diebstahlsverdacht stand. Diese Erinnerung hatte nicht einmal seine anschließende Entschuldigung auslöschen können. Sie glaubte nicht, daß irgend etwas sie auslöschen konnte.

Wie dem auch sei, er war ein leitender Angestellter der FMA und sie eine kleine Kassiererin. »Gut«, sagte Juanita, »ich bin hier, und als ich das letzte Mal hingesehen habe, war der Tunnel offen.« Sie nahm an, daß entweder Wainwright von der Zentrale herüberkommen oder sie aufgefordert werden würde, sich dort zu melden. Aber er hatte eine Überraschung für sie.

»Es wäre das beste, wenn wir uns nicht in der Bank träfen, Mrs. Núñez. Das werden Sie verstehen, sobald ich Ihnen erklärt habe, worum es geht. Wie wär's, wenn ich Sie heute abend mit meinem Wagen von zu Hause abhole, und wir unterhalten uns, während wir herumfahren?«

»Das geht nicht.« Sie war mehr denn je auf der Hut.

»Sie meinen, heute abend nicht?«

»Ja.«

»Wie wär's morgen?«

Juanita versuchte, Zeit zu gewinnen, um einen Entschluß fassen zu können. »Das werde ich erst später entscheiden können.«

»Na gut, rufen Sie mich morgen an. So früh Sie können. Und inzwischen erwähnen Sie bitte niemandem gegenüber, daß wir dieses Gespräch geführt haben.«

Das war gestern gewesen, und heute, am Dienstag der dritten Septemberwoche, war der Vormittag schon halb herum, und Juanita wußte, daß sie Wainwright nun bald anrufen müßte, oder er würde sie anrufen.

Sie hatte noch immer ein ungutes Gefühl. Manchmal, dachte sie, hatte sie eine Nase für Unheil, und Unheil witterte sie jetzt. Sie hatte daran gedacht, Mrs. D'Orsey um Rat zu bitten, die sie auf der anderen Seite der Bank an ihrem Schreibtisch sehen konnte. Aber sie zögerte, denn Wainwright hatte sie ausdrücklich davor gewarnt, etwas von ihrem Gespräch verlauten zu lassen. Und gerade das hatte ihre Neugier geweckt.

Heute bearbeitete Juanita neue Konten. Neben ihr stand ein Telefon. Sie starrte es an; schließlich nahm sie den Hörer ab und wählte den Hausanschluß der Sicherheitsabteilung. Augenblicke später fragte Nolan Wainwrights tiefe Stimme: »Nun, können Sie es heute abend einrichten?«

Die Neugier siegte. »Ja, aber nicht lange.« Sie erklärte ihm, daß sie Estela eine halbe Stunde allein lassen werde; nicht länger.

»Das wird reichen. Wann und wo?«

Die Abenddämmerung sank herab, als Nolan Wainwrights Mustang II vor dem Mietshaus in Forum East, in dem Juanita Núñez wohnte, sich mit der Nase an den Bordstein schob und hielt. Augenblicke später tauchte Juanita in der Haustür auf und schloß sie sorgsam hinter sich. Wainwright beugte sich von seinem Platz hinter dem Steuer hinüber, öffnete die Tür des Beifahrersitzes, und sie kletterte in den Wagen.

Er half ihr dabei, den Gurt anzulegen, dann sagte er: »Vielen Dank, daß Sie gekommen sind.«

»Eine halbe Stunde«, erinnerte Juanita ihn. »Nicht länger.« Sie gab sich keine Mühe, freundlich zu sein, und der Gedanke, Estela alleingelassen zu haben, machte sie schon nervös.

Der Sicherheitchef der Bank nickte, während er den Wagen vom Bordstein weg lenkte und sich behutsam in den Verkehrsstrom einordnete. Schweigend fuhren sie zwei Straßenblocks weit, dann bogen sie nach links in eine lebhaftere Straße mit Mittelstreifen ein, gesäumt mit hell erleuchteten

Geschäften und Schnellrestaurants. Im Fahren sagte Wainwright: »Wie ich höre, hat der junge Eastin Sie besucht.«

»Woher wissen Sie das?« fragte sie scharf.

»Von ihm selber. Er hat auch gesagt, daß Sie ihm verziehen haben.«

»Wenn er's gesagt hat, dann wissen Sie's ja.«

»Juanita – darf ich Sie so nennen?«

»So heiße ich. Wenn Sie unbedingt wollen.«

Wainwright seufzte. »Juanita, ich habe Ihnen schon einmal gesagt, daß es mir leid tut, was zwischen uns passiert ist. Wenn Sie mir das noch immer verübeln, dann kann ich das verstehen.«

Sie taute ein wenig auf. »*Bueno*, sagen Sie mir lieber, was Sie von mir wollen.«

»Ich möchte von Ihnen wissen, ob Sie bereit wären, Eastin zu helfen.«

»Um ihn geht's also.«

»Ja.«

»Warum sollte ich? Ist es nicht genug, wenn ich ihm verzeihe?«

»Wenn Sie meine Meinung hören wollen – es ist mehr als genug. Aber er hat mir gesagt, daß Sie vielleicht . . .«

Sie fiel ihm ins Wort. »Wie soll ich ihm denn helfen?«

»Bevor ich Ihnen das sage, müssen Sie mir bitte versprechen, daß unter uns bleibt, was heute abend gesagt wird.«

Sie zuckte die Achseln. »Ich habe keinen, dem ich es weitersagen könnte. Aber ich verspreche es Ihnen.«

»Eastin wird einiges aufzuspüren versuchen. Für die Bank, aber inoffiziell. Hat er Erfolg, könnte es ihm bei seiner Rehabilitierung helfen, und darum geht es ihm.« Wainwright machte eine Pause, während er einen Traktor mit Anhänger überholte. Er fuhr fort: »Die Arbeit ist riskant. Sie wäre noch riskanter, wenn Eastin mir direkt berichtete. Wir brauchen jemanden, der Nachrichten vom einen zum anderen befördert – einen Zwischenträger.«

»Und da sind Sie auf mich verfallen?«

»Es wäre eine Möglichkeit, die Entscheidung liegt aber ganz allein bei Ihnen. Stimmen Sie zu, würde es Eastin helfen, wieder auf die Beine zu kommen.«

»Und ist Miles der einzige, dem es helfen würde?«

»Nein«, gab Wainwright zu. »Es würde mir helfen; der Bank auch.«

»So ähnlich habe ich es mir gedacht.«

Sie hatten jetzt die hellen Lichter hinter sich gelassen und passierten eine Brücke über den Fluß, dessen Wasser tief unter ihnen schwarz in der zunehmenden Dunkelheit schimmerte. Die Räder des Wagens summten auf der metallenen Straßenoberfläche. Am Ende der Brücke lag die Auffahrt zu einer Fernstraße, die zum Nachbarstaat führte. Wainwright lenkte den Wagen dorthin.

»Sie sagen, er soll einiges aufspüren . . . Erzählen Sie mir mehr davon.« Juanitas Stimme war leise, ausdruckslos.

»Bitte.« Er schilderte ihr, wie Miles Eastin unter Ausnutzung der im Gefängnis hergestellten Kontakte arbeiten und nach welchen Beweisen er suchen sollte. Es hatte keinen Sinn, sagte sich Wainwright, ihr etwas vorzuenthalten, denn Juanita würde es später doch erfahren. Er berichtete ihr deshalb auch von dem Mord an Vic, verschwieg allerdings die Einzelheiten. »Ich sage nicht, daß Eastin das Gleiche passieren muß«, schloß er, »jedenfalls werde ich mein möglichstes tun, um das zu verhindern. Ich erwähne es nur, damit Sie wissen, auf was er sich da einläßt; er selbst weiß es natürlich auch. Wenn Sie bereit wären, ihm in der Weise zu helfen, die ich Ihnen geschildert habe, würde es seine Sicherheit erhöhen.«

»Und wer sorgt für *meine* Sicherheit?«

»Sie gehen praktisch kein Risiko ein. Sie würden nur mit Eastin und mit mir Kontakt haben. Kein anderer erfährt davon, Sie werden nicht in die Sache hineingezogen. Dafür würden wir sorgen.«

»Wenn Sie da so sicher sind, warum treffen wir uns dann unter diesen Umständen?«

»Nur aus Vorsicht. Um sicherzustellen, daß wir nicht zusammen gesehen werden und niemand mithören kann.«

Juanita wartete, dann sagte sie: »Und das ist alles? Mehr haben Sie mir nicht mitzuteilen?«

»Ich denke, das wäre alles.«

Sie waren jetzt auf der Fernstraße, und er fuhr gleichmäßige 70 Stundenkilometer. Er blieb in der rechten Fahrspur, während andere Fahrzeuge sie überholten. Aus der Gegenrichtung strömten ihnen in Dreierreihen Scheinwerfer entgegen, zogen dann, verschwimmend, an ihnen vorbei. Bald würde er eine Ausfahrt nehmen und in die Richtung, aus der sie gekommen waren, zurückfahren. Juanita saß schweigend neben ihm, den Blick nach vorn gerichtet.

Er fragte sich, woran sie denken mochte und wie ihre Antwort ausfallen würde. Er hoffte auf ihr Ja. Wie früher schon, war er sich der sexuellen Anziehung bewußt, die diese zierliche Mädchenfrau auf ihn ausübte. Ihre Widerborstigkeit war ein Teil davon; auch ihr Geruch – eine körperliche feminine Präsenz in dem kleinen, geschlossenen Auto. In Nolan Wainwrights Leben hatte es seit seiner Scheidung wenige Frauen gegeben, und zu jeder anderen Zeit hätte er vielleicht sein Glück versucht. Was er aber jetzt von Juanita wollte, durfte er nicht durch ein Techtelmechtel aufs Spiel setzen.

Gerade wollte er dem Schweigen ein Ende machen, als Juanita sich ihm zuwandte. Trotz des Halbdunkels konnte er sehen, daß ihre Augen blitzten.

»Sie müssen *verrückt* sein! *Verrückt! Verrückt!*« Ihre Stimme wurde lauter. »Halten Sie mich für schwachsinnig? *¡Una boba! ¡Una tonta!* Kein Risiko für mich, sagen Sie! Natürlich ist da ein Risiko, sogar ein ganz gewaltiges. Und wofür? Für den Ruhm des Mr. Wainwright und seiner Bank.«

»Moment mal . . .«

Sie achtete nicht auf seine Unterbrechung und ließ ihrem Zorn freien Lauf. »Bin ich so ein Nichts? Ich bin allein, ich bin Puertorikanerin. Das genügt wohl, um mir in dieser Welt alles zuzumuten. Ist es Ihnen gleichgültig, *wen* Sie mißbrauchen und wie? *Bringen Sie mich nach Hause!* Was für eine *pendejada* ist das eigentlich?«

»Halt mal!« sagte Wainwright; diese Reaktion hatte er nicht erwartet. »Was ist das, *pendejada*?«

»Idiotie! *Pendejada*, daß Sie das Leben eines Menschen für Ihre Interessen, für Ihre Kreditkarten wegwerfen! *Pendejada*, daß Miles sich darauf einläßt.«

»Er ist zu mir gekommen, hat mich um Hilfe gebeten. Ich bin nicht zu ihm gegangen.«

»Und *das* nennen Sie Hilfe?«

»Für das, was er tut, wird er bezahlt. Das wollte er auch. Und er war es, der Sie vorgeschlagen hat.«

»Was stimmt denn bei ihm nicht, daß er mich nicht selbst fragen kann? Hat Miles die Sprache verloren? Oder schämt er sich, versteckt er sich hinter Ihrem Rockschoß?«

»Ist ja schon gut, ist ja gut«, wehrte Wainwright die Attacke ab. »Ich habe kapiert. Ich bringe Sie nach Hause.« Eine Ausfahrt lag kurz vor ihnen; er nahm sie, fuhr über eine Brücke und steuerte wieder in Richtung Stadt.

Juanita saß da, noch immer vor Wut kochend.

Zuerst hatte sie versucht, Wainwrights Vorschlag in aller Ruhe zu überdenken. Aber während er sprach und während sie zuhörte, stürmten Zweifel und Fragen auf sie ein, und dann, als sie einen Punkt nach dem anderen bedachte, wuchsen Zorn und Empörung und machten sich schließlich in einer Explosion Luft. Mit diesem Gefühlsausbruch kamen erneuter Haß und Ekel gegen den Mann hoch, der da neben ihr saß. Die schmerzliche Erinnerung an ihr erstes Zusammentreffen mit ihm kehrte jetzt wieder und nahm an Heftigkeit zu. Und sie empfand Zorn, nicht nur, was sie selbst betraf, sondern auch wegen des Mißbrauchs, den Wainwright und die Bank mit Miles treiben wollten.

Gleichzeitig richtete ihr Zorn sich auch gegen Miles. Warum hatte er sich nicht selbst, direkt, an sie gewandt? War er nicht Manns genug? Ihr fiel wieder ein, wie sie vor nicht ganz drei Wochen seinen Mut bewundert hatte, zu ihr zu kommen, ihr entgegenzutreten, sie um Verzeihung zu bitten. Aber seine jetzige Handlungsweise, die Art, sie durch einen anderen bearbeiten zu lassen, das paßte schon eher zu seinem früheren Verrat, als er ihr die Schuld an seinen eigenen Verfehlungen hatte zuschieben wollen. Aber dann schlugen ihre Gedanken um. War sie zu hart, war sie ungerecht? Und wenn sie ehrlich sein wollte – spielte bei all ihrem Zorn nicht auch die Enttäuschung eine Rolle, daß Miles nach der Begegnung in ihrer Wohnung nicht wiedergekommen war? Und daß nicht er – den sie trotz allem mochte – mit diesem Vorschlag gekommen war, sondern Nolan Wainwright vorgeschickt hatte, den sie nicht mochte?

Ihr Zorn, der sich nie lange hielt, verebbte langsam; Unsicherheit trat an seine Stelle.

»Und was werden Sie jetzt tun?« fragte sie.

»Wofür ich mich auch entscheide, Ihnen werde ich es gewiß nicht anvertrauen.« Seine Stimme klang schroff, von seinem Versuch, freundlich zu sein, war nichts mehr geblieben.

Plötzlich beunruhigt, fragte Juanita sich, ob sie unnötig feindselig gewesen war; sie hätte die Bitte abschlagen können, ohne beleidigend zu werden. Ob Wainwright nach einer Möglichkeit suchen würde, es ihr in der Bank heimzuzahlen? Hatte sie ihren Arbeitsplatz in Gefahr gebracht – die Arbeit, auf die sie angewiesen war, um für Estela sorgen zu können? Juanitas Angst nahm zu. Sie hatte nun doch das Gefühl, in einer Falle zu sitzen.

Und noch etwas kam hinzu, gestand sie sich ein: Wenn sie aufrichtig war – worum sie sich bemühte –, so tat es ihr leid, daß sie wegen ihrer Entscheidung nun Miles nie wiedersehen würde.

Der Wagen fuhr langsamer. Sie waren in der Nähe der Abzweigung, die sie wieder zurückbringen würde über die Brücke.

Zu ihrer eigenen Überraschung hörte Juanita sich mit einer tonlosen, leisen Stimme sagen: »Also gut. Ich mache es.«

»Sie machen – was?«

»Ich mache es, ich werde als – wie haben Sie es genannt . . .«

»Als Zwischenträger fungieren.« Wainwright sah sie von der Seite her an. »Haben Sie es sich auch gut überlegt?«

»*Sí, estoy segura.* Ich bin ganz sicher, daß ich es will.«

Zum zweitenmal an diesem Abend seufzte er. »Sie sind ein seltsamer Mensch.«

»Ich bin eine Frau.«

»Ja«, sagte er, und einiges von seiner Freundlichkeit kehrte zurück. »Das habe ich gemerkt.«

Anderthalb Straßenblocks von Forum East entfernt hielt Wainwright an, ließ aber den Motor laufen. Er zog zwei Umschläge aus einer Innentasche seines Jacketts – einen dicken, einen kleineren – und gab Juanita den dickeren.

»Das ist Geld für Eastin. Verwahren Sie es, bis er sich meldet.« Der Umschlag, erklärte Wainwright, enthielt vierhundertfünfzig Dollar in bar – die vereinbarte monatliche Summe, abzüglich eines Vorschusses von fünfzig Dollar, den Miles in der vorigen Woche von Wainwright bekommen hatte.

»Ende der Woche«, fügte er hinzu, »ruft Eastin mich an, und ich nenne dann ein Codewort, das wir schon vereinbart haben. Ihr Name fällt nicht. Aber er weiß dann, daß er sich bei Ihnen melden soll, und das wird er kurz darauf tun.«

Juanita nickte, sich konzentrierend, und merkte sich, was ihr gesagt worden war.

»Nach diesem Telefonanruf werden Eastin und ich keinen direkten Kontakt mehr aufnehmen. Was wir uns mitzuteilen haben, läuft über Sie. Am besten schreiben Sie nichts auf, sondern behalten alles im Kopf. Ich weiß zufällig, daß Sie ein gutes Gedächtnis haben.«

Wainwright lächelte, als er das sagte, und plötzlich lachte Juanita auf. Wie merkwürdig, daß ihr außerordentlich gutes Gedächtnis, einst Ursache ihrer Schwierigkeiten mit der Bank und Nolan Wainwright, jetzt von ihm als Pluspunkt verbucht und genutzt wurde!

»Übrigens brauche ich Ihre private Telefonnummer«, setzte er hinzu. »Ich habe sie auf der Liste nicht gefunden.«

»Das liegt daran, daß ich kein Telefon habe. Zu teuer.«

»Aber Sie brauchen eins. Vielleicht will Eastin Sie anrufen; vielleicht ich. Wenn Sie sich sofort ein Telefon legen lassen, werde ich dafür sorgen, daß Ihnen die Bank die Kosten ersetzt.«

»Ich will's versuchen. Aber ich weiß von anderen, daß es in Forum East lange dauert, bis man einen Anschluß bekommt.«

»Dann lassen Sie mich das regeln. Ich rufe die Telefongesellschaft morgen an. Ich garantiere Ihnen, daß es schnell über die Bühne geht.«

»Gut.«

Jetzt öffnete Wainwright den zweiten, kleineren Umschlag. »Wenn Sie Eastin das Geld geben, dann geben Sie ihm auch dies.«

»Dies« war eine Keycharge-Bankkreditkarte, ausgestellt auf den Namen H. E. LYNCOLP. Auf der Rückseite der Karte war ein freier Platz für die Unterschrift.

»Lassen Sie Eastin die Karte unterschreiben, mit diesem Namen, in seiner normalen Handschrift. Der Name ist erfunden, aber wenn er die Anfangsbuchstaben und den letzten Buchstaben ansieht, wird er merken, daß sie das Wort H-E-L-P ergeben, HILFE. Dafür ist die Karte da.«

Der Sicherheitschef der Bank erklärte, daß der Keycharge-Computer so programmiert worden sei, daß bei Vorlage dieser Karte, wo es auch sei, ein Kauf bis zu hundert Dollar genehmigt würde, gleichzeitig aber würde automatisch in der Bank ein Alarm ausgelöst. Wainwright erhielt auf diese Weise die Nachricht, daß Eastin Hilfe brauchte, und auch, wo er sich gerade befand.

»Er kann die Karte benutzen, wenn er eine heiße Spur gefunden hat und Unterstützung braucht oder auch, wenn er glaubt, daß er in Gefahr ist. Je nachdem, was bis dahin geschehen ist, werde ich entscheiden, was zu tun ist. Sagen Sie ihm, er soll etwas kaufen, das mehr als fünfzig Dollar kostet; so können wir sicher sein, daß das Geschäft telefonische Bestätigung einholt. Nach dem Anruf soll er dann so lange trödeln wie irgend möglich, um mir Zeit zum Handeln zu geben.«

Wainwright fügte hinzu: »Vielleicht wird er die Karte nicht brauchen. Aber wenn er sie braucht, dann ist das ein Signal, von dem kein anderer etwas erfährt.«

Auf Wainwrights Bitte wiederholte Juanita seine Anweisungen fast Wort für Wort. Er sah sie bewundernd an. »Sie sind ein kluges Kind.«

» ¿De qué me vale, muerta?«

»Was heißt das?«

Sie zögerte, dann übersetzte sie: »Was nützt mir das, wenn ich tot bin?«

»Sie brauchen sich keine Sorgen zu machen!« Er streckte eine Hand aus und berührte flüchtig ihre gefalteten Hände. »Ich verspreche Ihnen, es wird alles gutgehen.«

In diesem Augenblick wirkte seine Zuversicht ansteckend. Aber später, als Juanita in ihre Wohnung zurückgekehrt war und Estela schlief, war dieser Instinkt, der sie hartnäckig vor kommenden Gefahren warnte, plötzlich wieder da und wollte nicht von ihr weichen.

7

Der Fitness-Club Doppelte Sieben roch nach Dampf, abgestandenem Urin, menschlichen Leibern und Schnaps. Aber wenn man sich erst einmal daran gewöhnt hatte, mischten sich die Ausdünstungen zu einem einzigen scharfen, auf seltsame Weise nicht unangenehmen Geruch, so daß gelegentlich hereinziehende frische Luft störend wirkte.

Der Club war ein kastenähnliches, dreistöckiges Gebäude aus braunen Ziegeln in einer heruntergekommenen Sackgasse am Rande des Stadtkerns. Seine Fassade trug die Spuren von fünfzigjähriger Abnutzung, Vernachlässigung und – neueren Datums – Kritzelei. Auf dem Dach dieses Baus befand sich ein ungeschmückter Stumpf einer Fahnenstange, und niemand konnte sich erinnern, sie je anders als abgebrochen gesehen zu haben. Der Haupteingang bestand aus einer massiven, nicht gekennzeichneten Tür, die auf einen durch Risse, umgestürzte Mülleimer und unzählige Haufen von Hundekot verschandelten Bürgersteig führte. Unmittelbar hinter der Tür war die Empfangshalle mit abblätternder Farbe an den Wänden, die von einem schwachsinnig geschlagenen Exboxer bewacht werden sollte. Er hatte Auftrag, Mitglieder hereinzulassen und Fremde abzuwimmeln. Er war aber manchmal nicht da, was die Tatsache erklärte, daß Miles Eastin unangefochten hineinspazieren konnte.

Es war kurz vor zwölf, mitten in der Woche, und ein Schwall lauter Stimmen trieb von irgendwoher aus dem hinteren Teil des Gebäudes nach vorn. Miles ging dem Stimmengeräusch entgegen, einen Korridor entlang, der nicht besonders sauber war und dessen Wände mit vergilbten Preisboxer-Fotos behängt waren. Am Ende führte eine offenstehende Tür zu einer halb verdunkelten Bar, aus der die Stimmen kamen. Miles ging hinein.

Anfangs konnte er in dem Dämmerlicht kaum etwas erkennen und tappte mit unsicheren Schritten vorwärts, so daß er von einem Kellner, der es eilig hatte und ein Tablett voller Gläser trug, angerempelt wurde. Der Kellner fluchte, konnte seine Gläser gerade noch retten und ging weiter. Zwei Männer auf Barhockern drehten sich um. Einer sagte: »Dies is 'n Privatclub, Mann. Wennse kein Mitglied sind – raus!«

Der andere beklagte sich: »Pedro, das faule Schwein, is' wohl wieder verduftet. Mensch, das 'n Portier! He, wer biste? Was willste?«

»Ich such' Jules LaRocca«, sagte Miles.

»Such woanders«, befahl ihm der erste. »Keiner da, der so heißt.«

»He, Miles, Baby!« Ein vierschrötiger Mann mit Schmerbauch ruderte emsig durch die Halbfinsternis auf ihn zu. Das vertraute Wieselgesicht nahm Konturen an. Es war LaRocca, der im Gefängnis Drummonburg Emissär der Mafiastraße gewesen war und der sich später Miles und seinem Beschützer Karl angeschlossen hatte. Karl war noch im Knast, und da würde er sehr wahrscheinlich auch bleiben. Jules LaRocca war kurz vor Miles Eastin zur Bewährung entlassen worden.

»Hallo, Jules«, sagte Miles und nickte.

»Komm her. Ich mach' dich mal bekannt hier.« LaRocca packte Miles mit dicken Fingern am Arm. »Freund von mir«, erklärte er den beiden Männern auf Barhockern, die ihm gleichgültig den Rücken zukehrten.

»Warte«, sagte Miles, »bei mir is' nix zu holen. Bin pleite. Kann nix schmeißen.« Er verfiel mühelos in den Jargon, den er im Gefängnis gelernt hatte.

»Macht nichts. Ich schmeiß' 'n Bier.« Als sie ihren Weg zwischen Tischen suchten, fragte LaRocca: »Wo haste gesteckt?«

»'n Job gesucht. Bin erledigt, Jules. Könnte 'n bißchen Hilfe gebrauchen. Wie isses, du hast doch gesagt, daß du was für mich tun willst.«

»Aber ja doch.« Sie blieben an einem Tisch stehen, an dem zwei andere Männer saßen. Einer war dünn und faltig, mit traurigem, pockennarbigem Gesicht; der andere hatte langes blondes Haar, Cowboy-Stiefel und trug eine dunkle Brille.

LaRocca zog einen vierten Stuhl heran. »Das 'n Freund von mir, Milesy.«

Der Mann mit der dunklen Brille grunzte. Der andere sagte: »Der Kumpel, der was von Moos versteht?«

»Das isser.« LaRocca brüllte quer durch den Raum nach Bier, dann drängte er den Mann, der zuerst etwas gesagt hatte: »Frag ihn was.«

»Zum Beispiel?«

»Zum Beispiel was über Geld, Arschloch«, sagte der mit der dunklen Brille. Er dachte nach. »Wo isses mit 'm ersten Dollar losgegangen?«

»Das is' leicht«, sagte Miles. »Viele glauben, Amerika hat den Dollar erfunden. Stimmt nicht. Kam aus Böhmen in Deutschland, hieß aber zuerst ›Thaler‹, was sonst kein Schwein aussprechen konnte, also hat man's zu Dollar verquatscht, und dabei is' es geblieben. So ziemlich zum ersten Mal wird er in ›Macbeth‹ erwähnt – ›Zehntausend Taler in den Schatz gezahlt.‹«

»Mac . . . wer?«

»Mac Scheiße«, sagte LaRocca. »Willste 'n gedrucktes Programm?« Stolz sagte er zu den beiden anderen: »Seht ihr? Der Junge weiß alles.«

»Nicht ganz«, sagte Miles, »sonst wüßte ich, wie ich im Augenblick 'n paar Piepen machen könnte.«

Zwei Biere wurden vor ihm auf den Tisch geknallt. LaRocca fischte nach Geld und gab es dem Kellner.

»Bevor du Moos machst«, sagte LaRocca zu Miles, »mußte Ominsky zahlen.« Er ignorierte die beiden anderen und beugte sich vertraulich über den Tisch. »Der Russe weiß, daß du aus'm Knast raus bist. Hat schon nach dir gefragt.«

Die Erwähnung des Wucherers, dem er noch immer mindestens dreitausend Dollar schuldete, brachte Miles ins Schwitzen. Und ungefähr die gleiche Summe schuldete er dem Buchmacher, bei dem er gewettet hatte, und die Chance, auch nur eine der beiden Summen zurückzahlen zu können, schien in diesem Augenblick verschwindend gering. Aber er hatte gewußt, daß sein Erscheinen hier an diesem Ort die alten Konten wieder öffnen würde, daß brutaler Druck folgen würde, wenn er nicht mit Geld herausrückte.

Er fragte LaRocca: »Wie soll ich denen was abzahlen, wenn ich keine Arbeit finde?«

Der Mann mit Schmerbauch schüttelte den Kopf. »Erst mal mußte den Russen besuchen.«

»Wo?« Miles wußte, daß Ominsky kein Büro hatte, sondern seine Geschäfte da betrieb, wohin seine Wege ihn gerade führten.

LaRocca zeigte auf das Bier. »Trink aus, dann gehn wir zwei beide mal nachsehen.«

»Betrachten Sie es doch einmal von meiner Warte aus«, sagte der elegant gekleidete Mann und widmete sich weiter seinem Lunch. Seine brillantberingten Hände bewegten sich geschickt über seinem Teller. »Wir hatten eine geschäftliche Vereinbarung, Sie und ich, auf die wir uns geeinigt hatten. Ich habe meine Verpflichtungen eingehalten. Sie Ihre aber nicht. Ich frage Sie, wie stehe ich jetzt da?«

»Hören Sie«, sagte Miles beschwörend, »Sie wissen, was geschehen ist, und ich bin Ihnen auch sehr dankbar, daß Sie die Uhr angehalten haben. Aber ich kann jetzt nicht zahlen. Ich möchte ja, aber ich kann nicht. Bitte lassen Sie mir Zeit.«

Igor (der Russe) Ominsky schüttelte den teuer frisierten Kopf; manikürte Finger berührten eine rosige, sauber rasierte Wange. Er legte Wert auf eine gepflegte Erscheinung. Er lebte gut und kleidete sich gut. Er konnte es sich leisten.

»Zeit ist Geld«, sagte er mit sanfter Stimme, »von beidem haben Sie schon zuviel gehabt.«

LaRocca hatte Miles in das Restaurant geführt, wo er Igor jetzt in seiner Nische gegenübersaß und ihn anstarrte wie eine Maus die Schlange. Auf seiner Seite des Tisches stand kein Essen, nicht mal ein Glas Wasser, das er gut hätte brauchen können, denn seine Lippen waren trocken, und Angst nagte an seinem Magen. Hätte er jetzt seine Abmachung mit Nolan Wainwright rückgängig machen können, die ihn hierhergebracht hatte – Miles hätte es augenblicklich getan. So aber saß er da, schwitzend, beobachtend, während Ominsky sich seiner Seezunge Bonne Femme widmete. Jules LaRocca war diskret in der Bar verschwunden.

Miles' Angst hatte einen einfachen Grund. Den Umfang von Ominskys Geschäft konnte er erraten und daraus folgern, wie absolut seine Macht war.

Miles hatte einmal eine Fernsehdiskussion gesehen, in der man einem Kriminologen, Ralph Salerno, die Frage gestellt hatte: Angenommen, Sie müßten als Verbrecher leben – für welche Art der Kriminalität würden Sie sich entscheiden? Wie aus der Pistole geschossen, hatte der Experte geantwortet: Für den Wucher. Was Miles von seinen Kontakten im Gefängnis wußte, bestätigte diese Ansicht.

Ein Kredithai wie der Russe Ominsky war ein Banker, der schwindelerregende Profite bei minimalem Risiko machte, da er völlig unbehelligt von Vorschriften arbeitete. Er brauchte sich nicht um Kunden zu bemühen, sie kamen von allein zu ihm. Er benötigte kein teures Geschäftslokal und wickelte seine Geschäfte in einem Auto ab, in einer Bar – oder beim Essen, wie jetzt. Seine Buchhaltung war von allereinfachster Art, meist verschlüsselt, und seine Transaktionen – weitgehend in bar – waren nicht zu kontrollieren. Verluste durch faule Kunden kamen selten vor. Doch die Zinssätze, die er berechnete, lagen normalerweise bei 100 Prozent pro Jahr und oft höher.

Miles schätzte, daß Ominsky ständig mindestens zwei Millionen Dollar »auf der Straße« hatte. Ein Teil davon wäre das eigene Geld des Kredithais, der Rest bei ihm investiert von Bossen des organisierten Verbrechens, für die er gegen eine Kommission, die er einbehielt, einen hübschen Gewinn erarbeitete. Es war normal, daß ein Kapital von 100 000 Dollar, im Kreditwucher investiert, sich binnen fünf Jahren zu einer Pyramide von 1,5 Millionen Dollar aufschichtete – ein Kapitalgewinn von 1 400 Prozent. Damit konnte kein anderes Geschäft der Welt konkurrieren.

Dabei waren die Kunden eines Kredithais keineswegs immer kleine Fische. Mit überraschender Häufigkeit borgten große Namen und geachtete Unternehmen bei Kredithaien, wenn andere Kreditquellen erschöpft waren. Manchmal stieg der Kredithai unter Verzicht auf eine Rückzahlung als Partner – oder Eigentümer – in ein anderes Geschäft ein. Wie bei einem menschenfressenden Hai war sein Appetit gewaltig.

Die Hauptkosten in dem Geschäft verursachte das zwangsweise Eintreiben von Außenständen, und der Kredithai sorgte dafür, daß sie minimal blieben, denn er wußte, daß gebrochene Gliedmaßen und krankenhausreife Körper wenig oder überhaupt kein Geld abwarfen; aber er wußte auch, daß seine stärkste Waffe beim Eintreiben die Angst war.

Und diese Angst mußte geschürt werden; zahlte also ein Schuldner nicht, kam die Bestrafung durch angeworbene Gorillas schnell und hart.

Die Risiken, die ein Kredithai einging, waren gering, verglichen mit anderen Formen des Verbrechens. Sehr selten wurde ein Verfahren gegen solche Leute eingeleitet, und nur wenige wurden jemals verurteilt, da die Gerichte nicht genügend Beweise beibringen konnten. Die Kunden des Kredithais waren verschwiegen; teils aus Angst, etliche auch aus Scham, weil sie seine Dienste überhaupt in Anspruch genommen hatten. Und diejenigen, die zusammengeschlagen wurden, erstatteten keine Anzeige, da sie sonst weitere Kostproben zu erwarten hatten, wie ihnen wohl bekannt war.

Also harrte Miles furchtsam aus, während Ominsky seine Seezunge verspeiste.

Unerwartet sagte der Kredithai: »Verstehen Sie was von Buchführung?«

»Buchführung? Aber ja; als ich in der Bank arbeitete . . .«

Eine Handbewegung gebot ihm Schweigen; kalte, harte Augen musterten ihn abschätzend. »Vielleicht kann ich Sie beschäftigen. Ich brauche einen Buchhalter für die Doppelte Sieben.«

»Für den Fitness-Club?« Es war neu für Miles, daß Ominsky Besitzer oder Manager des Clubs war. Er fügte hinzu: »Ich war heute da, bevor . . .«

Der andere schnitt ihm das Wort ab. »Wenn ich rede, haben Sie den Mund zu halten und zuzuhören; antworten Sie nur, wenn Sie gefragt werden. LaRocca sagt, daß Sie arbeiten wollen. Wenn ich Ihnen Arbeit verschaffe, geht alles, was Sie verdienen, an mich, als Abzahlung für den Kredit und die Zinsen. Mit anderen Worten, *Sie gehören mir*. Das möchte ich verstanden wissen.«

»Ja, Mr. Ominsky.« Erleichterung durchflutete Miles. Man

wollte ihm also doch Zeit lassen. Das Wie und Warum war unwichtig.

»Sie bekommen Ihr Essen und ein Zimmer«, sagte der Russe Ominsky. »Aber ich warne Sie – Finger weg von der Kasse. Ertappe ich Sie je dabei, daß Sie lange Finger machen, dann werden Sie wünschen, Sie hätten noch einmal die Bank bestohlen, nicht mich.«

Miles lief es unwillkürlich kalt über den Rücken, weniger aus Sorge vor dem Stehlen – er hatte nicht die Absicht, das zu tun –, sondern vielmehr, weil er wußte, was Ominsky tun würde, wenn er jemals erfuhr, daß sich ein Judas in seinem Lager befand.

»Jules wird Sie abholen und unterbringen. Sie werden erfahren, was Sie zu tun haben. Das ist alles.« Ominsky entließ Miles mit einer Handbewegung und nickte LaRocca zu, der sie von der Bar her beobachtet hatte. Während Miles an der äußeren Tür des Restaurants wartete, konferierten die beiden anderen; der Kredithai erteilte Anweisungen, LaRocca nickte.

Jules LaRocca erschien wieder bei Miles. »Da haste Schwein gehabt, Junge. Ab durch die Mitte.«

Als sie gingen, machte sich Ominsky über seinen Nachtisch her, während eine andere wartende Gestalt auf den Platz ihm gegenüber glitt.

Das Zimmer, das man ihm in der Doppelten Sieben angewiesen hatte, lag im obersten Geschoß des Gebäudes und war wenig mehr als eine schäbig möblierte Zelle. Miles machte das nichts aus. Es stellte einen höchst zaghaften Neubeginn dar, eine Chance, sein Leben neu zu gestalten und etwas von dem zurückzuerlangen, was er verloren hatte, wenn er auch wußte, daß es Zeit kosten würde, riskant war und Unternehmungsgeist erforderte. Im Augenblick versuchte er, nicht allzuviel über seine Doppelrolle nachzudenken, sich statt dessen darauf zu konzentrieren, sich nützlich zu machen und akzeptiert zu werden, wie Nolan Wainwright es ihm aufgetragen hatte.

Zunächst erforschte er das Innere des Gebäudes. Der größte Teil des Erdgeschosses – abgesehen von der Bar, in der er zu Anfang gewesen war – wurde von einer Sporthalle und Handballplätzen eingenommen. Im ersten Stock befanden sich Dampfbad- und Massageräume. Der zweite Stock umfaßte Büros; außerdem mehrere andere Räume, deren Verwendungszweck er später kennenlernen sollte. Der dritte Stock, weniger geräumig als die anderen, enthielt mehrere andere Zellen, die Miles' eigener Kammer glichen und in denen Clubmitglieder gelegentlich übernachteten.

Miles fand sich mit Leichtigkeit in die Aufgabe des Buchhalters. Die Arbeit sagte ihm zu; er holte Liegengebliebenes auf und verbesserte die Übertragung in das Hauptbuch, die bisher nachlässig gehandhabt worden war. Er machte dem Clubmanager Vorschläge, wie man andere Bücher vernünftiger führen konnte, vermied es aber, daß ihm selbst das Verdienst an den Verbesserungen zugeschrieben wurde.

Der Manager, ein ehemaliger Boxpromoter namens Nathanson, dem Büroarbeit nicht leicht von der Hand ging, war dankbar. Noch mehr wußte er es zu schätzen, als Miles sich erbot, zusätzliche Arbeiten im Club zu übernehmen, wie Reorganisation des Lagers und des Inventurverfahrens. Nathanson ließ Miles deshalb einen Teil seiner Freizeit auf den Handball-Plätzen verbringen, was ihm zusätzliche Gelegenheit verschaffte, Mitglieder kennenzulernen.

Die ausschließlich männliche Mitgliedschaft des Clubs teilte sich, soweit Miles das übersehen konnte, gewissermaßen in zwei Gruppen. Die eine umfaßte diejenigen, die ernsthaft die Sportanlagen des Clubs benutzten, einschließlich der Dampfbäder und der Massage-Räume. Diese Leute kamen und gingen jeweils allein und schienen sich untereinander kaum zu kennen; Miles vermutete, daß es sich um Angestellte oder kleinere Geschäftsleute handelte, die der Doppelten Sieben ganz schlicht aus Fitness-Gründen angehörten. Er vermutete auch, daß die erste Gruppe eine willkommene legitime Fassade für die zweite abgab, die die Sportanlagen so gut wie nie in Anspruch nahm, mit Ausnahme gelegentlicher Dampfbäder.

Die zur zweiten Gruppe Gehörigen hielten sich vorwiegend in der Bar oder in den Räumen des zweiten Stocks auf. Am zahlreichsten waren sie am späten Abend zugegen, wenn die nach sportlicher Betätigung suchenden Mitglieder selten im Club anzutreffen waren. Miles wurde klar, daß Nolan Wainwright sich auf dieses zweite Element bezogen hatte, als er die Doppelte Sieben einen »Ganoventreff« genannt hatte.

Noch etwas anderes merkte Miles Eastin sehr bald, nämlich daß die oberen Räume für illegale Karten- und Würfelspiele mit hohen Einsätzen benutzt wurden. Es dauerte eine Woche, bis einige der nächtlichen Stammgäste sich an ihn gewöhnt hatten und ihm ohne Mißtrauen begegneten, zumal Jules LaRocca ihnen versichert hatte, daß er »okay« sei, »ein Kerl, der die Schnauze hält«.

Wenig später, immer im Bestreben, sich nützlich zu machen, begann Miles mitzuhelfen, wenn Getränke und Sandwiches in den zweiten Stock getragen werden mußten. Beim ersten Mal, als er das tat, nahm einer von sechs stämmigen Männern, die draußen vor den Spielzimmern standen und offensichtlich dort Wache hielten, ihm das Tablett ab und trug es hinein. Aber am nächsten Abend und an den folgenden durfte er die Räume betreten, in denen gespielt wurde. Miles machte sich auch nützlich, indem er unten Zigaretten kaufte und sie dem hinaufbrachte, der gerade welche brauchte, einschließlich der Wächter.

Er wußte, daß man ihn mit Wohlwollen zu betrachten begann.

Hauptsächlich wegen seiner allgemeinen Hilfsbereitschaft. Aber auch, weil er trotz aller Sorgen und Gefahren etwas von seiner alten gutgelaunten Munterkeit zurückgewonnen hatte. Und ein dritter Grund war, daß Jules LaRocca, der überall an der Peripherie herumzuflitzen schien, zu Miles' Gönner und Förderer geworden war, auch wenn er Miles manchmal das Gefühl verlieh, in einem Schmierentheater mitzuwirken.

Was LaRocca und seine Genossen immer wieder faszinierte, das war Miles Eastins Kenntnis des Geldes und seiner Geschichte. Besonders beliebt war die Saga des im Regierungsauftrag gedruckten Falschgelds, die Miles im Gefängnis zum ersten Mal erzählt hatte. Während der ersten Wochen im Club mußte er sie, von LaRocca aufgefordert, mindestens ein dutzendmal wiederholen. Sie wurde immer mit gläubigem Kopfnicken und Bemerkungen wie »verfluchte Heuchlerbande« und »gottverdammte Gangster, die da oben« begleitet.

Um seinen Vorrat an Geschichten zu ergänzen, ging Miles eines Tages zu dem Wohnblock, in dem er vor seiner Gefängnisstrafe gewohnt hatte, und holte seine Nachschlagebücher. Das meiste von dem wenigen, was er außerdem besessen hatte, war längst verkauft, um rückständige Miete zu bezahlen, aber der Hausmeister hatte die Bücher verwahrt, und er gab sie Miles wieder. Früher hatte Miles eine Münzen- und Banknotensammlung besessen, sie dann aber verkauft, als er tief in Schulden steckte. Eines Tages, hoffte er, würde er wieder sammeln können, wenn das auch in weiter Ferne liegen mochte.

Nun wieder in der Lage, in seinen Büchern blättern zu können, die er in seiner Kammer im dritten Stock verwahrte, erzählte Miles seinen lauschenden Zuhörern von selteneren Formen des Geldes. Die schwerste aller Währungen, berichtete er, war das mühlsteinähnliche Geld, das bis zum Ausbruch des Zweiten Weltkrieges auf der Pazifik-Insel Jap im Umlauf war. Die meisten steinernen Scheiben aus Korallenkalk, erklärte er, hatten einen Durchmesser von dreißig Zentimetern, aber es gab auch welche mit einem Durchmesser von zwei Meter sechzig; solche mußten, wenn sie für einen Kauf benötigt wurden, an einem Pfahl hängend transportiert werden. »Was is' mit Wechselgeld?« fragte einer unter allgemeinem Gelächter, und Miles versicherte ihm, daß auch auf Jap herausgegeben wurde – in kleineren Steinscheiben.

Das leichteste Geld dagegen, belehrte er sie, waren seltene Federn, die auf den Neuen Hebriden benutzt wurden. Außerdem war jahrhundertelang Salz als Zahlungsmittel verwendet worden, vor allem in Äthiopien, und die Römer entlohnten damit ihre Arbeiter; das Wort »Salär« leite sich daher ab. Und auf Borneo, erzählte Miles den anderen, galten noch im neunzehnten Jahrhundert menschliche Schädel als gesetzliche Währung.

Aber keine Sitzung dieser Art endete, ohne daß die Unterhaltung sich wieder der Falschmünzerei zuwandte.

Nach einem solchen Gespräch nahm ein vierschrötiger

Chauffeur und Leibwächter, der im Club herumlungerte, während sein Boss oben Karten spielte, Miles beiseite.

»Hör mal, Junge, du quatschst immer so große Töne von Falschgeld. Guck dir das hier mal an.« Damit hielt er ihm eine saubere, knisternd frische Zwanzig-Dollar-Note hin.

Miles nahm den Geldschein und betrachtete ihn genau. Die Situation war nicht neu für ihn. Früher, in der First Mercantile American Bank, pflegte man ihm wegen seiner Spezialkenntnisse alle verdächtigen Scheine zu zeigen.

Der stämmige Mann grinste. »Ziemlich gut, was?«

»Wenn das 'ne Fälschung ist«, sagte Miles, »dann ist es die beste, die mir je unter die Augen gekommen ist.«

»Willste 'n paar kaufen?« Aus einer Innentasche zog der Leibwächter neun weitere Zwanziger hervor. »Gib mir vierzig echte Eier, Junge, und die ganzen zweihundert gehör'n dir.«

Das war so ungefähr der gängige Tarif, wußte Miles, für Blüten von hoher Qualität. Er sah auch sofort, daß die anderen Scheine ebenso gut waren wie der erste.

Schon wollte er das Angebot ausschlagen, dann zögerte er. Er hatte keinerlei Absicht, Falschgeld in Umlauf zu setzen, aber ihm fiel ein, daß er hier etwas in die Hand bekam, was er Wainwright schicken konnte.

»Wart mal«, sagte er zu dem vierschrötigen Mann und ging nach oben in seine Kammer, wo er etwas mehr als vierzig Dollar beiseite gebracht hatte. Ein Teil davon war der Rest von Wainwrights fünfzig Dollar; das übrige stammte aus Trinkgeldern, die Miles in den Spielzimmern bekommen hatte. Er nahm das Geld, zum größten Teil kleine Scheine, und tauschte es unten gegen die zweihundert gefälschten ein. Später an diesem Abend versteckte er das Falschgeld in seiner Kammer.

Am nächsten Tag bemerkte Jules LaRocca grinsend: »Hab' gehört, daß du 'n kleines Geschäft gemacht hast.« Miles saß an seinem Buchhalterschreibtisch in einem der Büros des zweiten Stocks.

»'n kleines«, gab er zu.

LaRocca schob seinen Schmerbauch näher heran und senkte die Stimme. »Willste 'n bißchen was Größeres machen?«

Miles sagte mit Vorsicht: »Kommt drauf an.«

»Wie wär's mit 'ner Tour nach Louisville? 'n bißchen von dem Zeug transportieren, das du gestern abend gekauft hast.«

Miles spürte, wie sich sein Magen zusammenzog; wenn er sich darauf einließ und man ihn schnappte, würde er nicht nur wieder in den Knast zurückwandern, sondern für sehr viel längere Zeit als beim ersten Mal, wie er genau wußte. Aber andererseits, wie sollte er jemals etwas in Erfahrung bringen und das Vertrauen der anderen in diesem Haus erwerben, wenn er jedem Risiko aus dem Weg ging?

»Kinderleicht, brauchst nur 'n Auto von hier nach da steuern. Zwei Hunderter springen dabei raus.«

»Und wenn sie mich anhalten? Ich hab' Bewährung und darf keinen Führerschein haben.«

»'n Führerschein is' doch kein Problem, wenn du 'n Foto hast – von vorn, Kopf und Schultern.«

»Hab' ich nicht, kann ich aber beschaffen.«

»Na, dann aber fix.«

In seiner Mittagspause ging Miles zu einer Bushaltestelle in der Stadt und holte sich ein Automatenfoto. Noch am selben Nachmittag gab er es LaRocca.

Zwei Tage später, als Miles wieder bei der Arbeit saß, legte eine Hand lautlos ein kleines rechteckiges Papier auf das Buch. Staunend sah er, daß es ein bundesstaatlicher Führerschein war, komplett mit dem Foto, das er geliefert hatte.

Als er sich umwandte, stand LaRocca grinsend hinter ihm. »Der Service is' besser als bei der Behörde, was?«

Ungläubig sagte Miles: »Willst du etwa behaupten, das hier is' 'ne Fälschung?«

»Kannste 'n Unterschied seh'n?«

»Nee, kann ich nicht.« Er kniff die Augen zusammen und betrachtete den Führerschein, der sich in nichts von einem amtlichen Papier zu unterscheiden schien. »Wo haste den denn her?«

»Kann dir Wurst sein.«

»Nee«, sagte Miles, »das würd' ich schon gern wissen. Du weißt doch, daß mich solche Sachen interessieren.«

LaRoccas Gesicht verdüsterte sich; zum ersten Mal zeigte sich Mißtrauen in seinen Augen. »Warum willste das wissen?«

»Interessiert mich. Hab' dir doch gesagt, warum.« Miles hoffte, daß man ihm seine plötzliche Nervosität nicht anmerkte.

»Es gibt Fragen, die sind verdammt unklug. Wenn einer zuviel Fragen stellt, fangen die Leute an, sich zu wundern. So was kann verdammt übel ausgehn.«

Miles hielt den Mund. LaRocca beobachtete ihn. Dann, schien es, war der Moment des Mißtrauens vorbei.

»Morgen abend geht's los«, teilte Jules LaRocca ihm mit. »Du kriegst Bescheid, was du zu tun hast und wann.«

Am frühen Abend des nächsten Tages wurden ihm seine Instruktionen überbracht – wieder von dem ewigen Boten LaRocca, der Miles ein Paar Autoschlüssel gab, einen Parkschein von einem städtischen Parkplatz und ein Flugticket. Miles sollte den Wagen – einen kastanienbraunen Chevrolet Impala – vom Parkplatz abholen und ihn noch in der Nacht nach Louisville fahren. Dort sollte er ihn auf dem Parkplatz des Flughafens Louisville abstellen. Parkschein und Autoschlüssel sollte er unter dem Fahrersitz verstecken. Alle Fingerabdrücke sollte er sorgfältig abwischen. Mit einer Morgenmaschine sollte er zurückfliegen.

Die schlimmsten Minuten für Miles kamen gleich zu Anfang, als er den Wagen gefunden hatte und ihn vom städtischen Parkplatz herunterfuhr. Nervös fragte er sich: Ließ die Polizei den Chevrolet beobachten? Vielleicht stand der, der den Wagen geparkt hatte, unter Verdacht, vielleicht war man ihm bis dorthin gefolgt. Wenn ja, dann würde sich das Netz in diesem Augenblick höchstwahrscheinlich zusammenziehen. Miles wußte, daß der Auftrag mit einem größeren Risiko verbunden sein mußte, sonst hätte man sich einen anderen als Kurier ausgesucht. Obwohl man ihm nichts dergleichen mitgeteilt hatte, nahm er an, daß sich das Falschgeld – wahrscheinlich eine ganze Menge – im Kofferraum befand.

Doch es passierte nichts. Dennoch beruhigte er sich erst, als er den Parkplatz weit hinter sich gelassen hatte und sich der Stadtgrenze näherte.

Ein- oder zweimal auf der Fernstraße, als ihm Streifenwagen der Polizei des Bundesstaates begegneten, schlug sein Herz schneller, aber niemand hielt ihn an, und er erreichte Louisville kurz vor Morgengrauen nach einer ereignislosen Fahrt.

Nur eins geschah, was nicht im Plan vorgesehen war. Ungefähr fünfzig Kilometer vor Louisville verließ Miles die Fernstraße und öffnete den Kofferraum des Wagens. Im Licht der Taschenlampe sah er zwei schwere Koffer, beide gut verschlossen. Er erwog kurz den Gedanken, eins der Schlösser aufzusprengen, doch siegte die Vernunft – es wäre viel zu gefährlich gewesen. So schloß er den Kofferraum wieder, notierte sich nur das Kennzeichen des Impala und fuhr weiter.

Ohne Schwierigkeit fand er den Flughafen Louisville, und nachdem er den Rest seiner Anweisungen befolgt hatte, ging er an Bord eines Flugzeuges und war kurz vor zehn Uhr vormittags wieder im Club. Niemand fragte ihn, wo er gewesen sei.

Obwohl sich bei ihm der mangelnde Schlaf bemerkbar machte, gelang es Miles, seine Arbeit zu erledigen. Am Nachmittag erschien LaRocca, strahlend, im Mund eine dicke Zigarre.

»Das war 'n sauberer Job, Milesy. Alle sind zufrieden.«

»Na prima«, sagte Miles. »Wann krieg' ich die zweihundert Dollar?«

»Haste schon gekriegt. Ominsky hat sie mit deinen Schulden verrechnet.«

Miles seufzte. Darauf hätte er auch allein kommen können, dachte er, aber es war schon etwas grotesk, soviel riskiert zu haben, zum alleinigen Nutzen des Russen. »Wieso hat Ominsky das gewußt?« erkundigte er sich.

»Gibt nich' viel, was der nich' weiß.«

»Eben hast du gesagt, daß alle zufrieden sind. Wer ist das, ›alle‹? Bei einem Job wie dem von gestern weiß ich ganz gern, für wen ich arbeite.«

»Hab' dir ja gesagt, es ist unklug, nach gewissen Dingen zu fragen.«

»Mag sein.« Es war klar, daß er nicht mehr erfahren wür-

de, und er zwang sich, LaRocca zuzulächeln, obwohl Miles'
sonstige Fröhlichkeit an diesem Tag in Bedrückung umge-
schlagen war. Die Nachtfahrt war anstrengend gewesen, und
trotz der ungeheuren Risiken, die er auf sich genommen
hatte, war, wie er sich eingestehen mußte, wenig Neues dabei
herausgekommen.

Etwa achtundvierzig Stunden später, noch zerschlagen und
mutlos, teilte er seine Befürchtungen und Bedenken Juanita
mit.

## 8

Schon zweimal hatten Eastin und Juanita sich in dem Monat,
in dem er jetzt im Fitness-Club Doppelte Sieben arbeitete,
getroffen.

Das erste Mal – wenige Tage nach Juanitas abendlicher
Fahrt mit Nolan Wainwright und ihrer Zusage, als Zwischenträger zu fungieren – waren beide verlegen und unsicher gewesen. In Juanitas Wohnung war zwar prompt ein Telefon
angeschlossen worden, wie Wainwright versprochen hatte,
aber Miles hatte nichts davon gewußt und war unangemeldet
gekommen, spät abends, nachdem er mit dem Bus hinaus-
gefahren war. Nach einer vorsichtigen Inspektion durch die
einen Spaltbreit geöffnete Wohnungstür hatte Juanita die
Sicherheitskette abgenommen und ihn eingelassen.

»Hallo«, sagte Estela. Das kleine dunkelhaarige Kind –
eine Miniaturausgabe der Mutter – sah von einem Malbuch
auf und musterte Miles mit großen feuchten Augen. »Du bist
der dünne Mann, der schon mal hier war. Du bist jetzt dik-
ker.«

»Ich weiß«, sagte Miles. »Ich habe Zauberfutter für Riesen
gegessen.«

Estela kicherte, aber Juanita runzelte die Stirn. Er glaubte,
sich entschuldigen zu müssen: »Ich hatte keine Möglichkeit,
mich anzumelden. Aber Mr. Wainwright sagte, daß Sie mich
erwarten.«

»Der Heuchler!«

»Mögen Sie ihn nicht?«

»Ich kann ihn nicht ausstehen.«

»Den Weihnachtsmann stell' ich mir auch anders vor«, sagte Miles. »Aber daß ich ihn nicht ausstehen könnte, wäre zuviel gesagt. Er tut wohl auch nur seine Arbeit.«

»Dann soll *er* es doch machen. Nicht andere ausnutzen.«

»Wenn Ihnen das so nahegeht, warum haben Sie dann zugestimmt . . .?«

Juanita fauchte ihn an: »Glauben Sie, das habe ich mich nicht auch gefragt? *Maldito sea el día que lo conocí.* Ich muß verrückt gewesen sein, ihm diese Zusage zu geben, und ich hab' es auch schon oft bereut.«

»Kein Grund zu bereuen. Wer sagt denn, daß Sie es nicht rückgängig machen können?« Miles sprach mit sanfter Stimme. »Ich werde es Wainwright schon erklären.« Er ging einen Schritt zur Tür hin.

Juanita sah ihn mit blitzenden Augen an. »Und Sie? An wen wollen Sie Ihre Mitteilungen weitergeben?« Außer sich vor Ärger schüttelte sie den Kopf. »Sie müssen den Verstand verloren haben, sich auf so eine Dummheit einzulassen.«

»Nein«, sagte Miles. »Für mich war das eine Chance; vielleicht die einzige Chance, aber es gibt keinen Grund, Sie da hineinzuziehen. Als ich das vorschlug, hatte ich es nicht richtig überlegt. Es tut mir leid.«

»Mammi«, sagte Estela, »warum bist du so böse?«

Juanita griff nach ihrer Tochter und schloß sie in die Arme. »*No te preocupes, mi cielo.* Ich bin böse auf das Leben, mein Kleines. Auf Leute, die andern etwas antun.« Unvermittelt sagte sie zu Miles: »Setzen Sie sich schon.«

»Meinen Sie das wirklich?«

»Ob Sie sich setzen sollen? Ich weiß nicht, ob ich das wirklich meine. Nicht mal das weiß ich. *Aber setzen Sie sich!*«

Er gehorchte.

»Sie haben Temperament, Juanita, das gefällt mir.« Miles lächelte, und einen Augenblick lang, dachte sie, sah er so aus, wie er früher in der Bank ausgesehen hatte. Er fuhr fort: »Aber das ist nicht das einzige, was mir an Ihnen gefällt. Ehrlich gesagt, ich hab's gemacht, um Sie wiederzusehen.«

»Na, das haben Sie ja nun.« Juanita zuckte die Achseln. »Und das wird wohl noch häufiger geschehen. Also her mit Ihrem Geheimagenten-Bericht, und ich werd' ihn Mr. Wainwright weitergeben, der wie eine Spinne im Netz hockt und auf Beute lauert.«

»Mein Bericht ist, daß es nichts zu berichten gibt. Jedenfalls noch nicht.« Miles erzählte ihr vom Fitness-Club Doppelte Sieben, wie er aussah und roch, und er sah, wie sie angewidert die Nase rümpfte. Er beschrieb ihr auch seine Begegnung mit Jules LaRocca, dann das Treffen mit dem Kredithai, dem Russen Ominsky, und seiner eigenen neuen Aufgabe als Buchhalter des Fitness-Clubs. Zu dem Zeitpunkt ihrer Begegnung hatte Miles erst ein paar Tage in der Doppelten Sieben gearbeitet, und das war alles, was er wußte. »Aber ich bin drin«, versicherte er Juanita. »Und das wollte Mr. Wainwright.«

»Reinkommen ist manchmal leichter als wieder rauskommen«, sagte sie. »Denken Sie an einen Hummerkorb.«

Estela hatte mit ernster Miene zugehört. Jetzt fragte sie Miles: »Kommst du wieder?«

»Ich weiß nicht.« Er sah Juanita fragend an, die sie beide musterte und dann seufzte.

»Ja, *amorcito*, ja, er kommt wieder.«

Juanita ging in das Schlafzimmer, dann kam sie mit den beiden Umschlägen zurück, die Nolan Wainwright ihr anvertraut hatte. Sie gab sie Miles. »Die sind für Sie.«

Der größere Umschlag enthielt Geld, der andere die Keycharge-Kreditkarte auf den erfundenen Namen H. E. LYNCOLP. Sie erklärte ihm den Zweck der Karte – ein Signal, um Hilfe zu rufen.

Miles steckte die Kreditkarte aus Plastik ein, schob aber das Geld wieder in den ersten Umschlag und gab ihn Juanita zurück. »Behalten Sie das. Wenn ich damit erwischt werde, könnte jemand Verdacht schöpfen. Kaufen Sie sich was dafür, für sich und Estela. Das schulde ich Ihnen.«

Juanita zögerte. Dann sagte sie mit sanfterer Stimme als bisher: »Ich werde es für Sie aufheben.«

Am nächsten Tag, in der First Mercantile American Bank, hatte Juanita Wainwright über Haustelefon angerufen und seine Nachricht weitergegeben. Sie achtete darauf, weder sich selbst noch Miles, noch den Fitness-Club Doppelte Sieben mit Namen zu nennen. Wainwright hörte sich an, was sie zu sagen hatte, bedankte sich, und das war alles.

Die zweite Begegnung zwischen Juanita und Miles fand anderthalb Wochen später statt, am Samstag nachmittag. Dieses Mal hatte Miles vorher angerufen, und als er kam, schienen Juanita und Estela sich beide zu freuen. Sie wollten gerade einkaufen, und er kam mit. Die drei sahen sich auf einem Straßenmarkt um, wo Juanita polnische Wurst und Weißkohl kaufte. »Das ist für unser Abendessen«, erklärte sie. »Bleiben Sie?«

Er würde sehr gern bleiben, versicherte er ihr und fügte hinzu, daß er erst spät abends wieder im Fitness-Club zu sein brauche, eigentlich erst am nächsten Morgen.

Während sie nebeneinander über die Straße gingen, sagte Estela plötzlich: »Ich mag dich.« Sie ließ ihre winzige Hand in seine Hand gleiten, und da blieb sie. Juanita lächelte, als sie es bemerkte.

Während des ganzen Abendessens herrschte freundschaftliche Stimmung zwischen ihnen. Dann ging Estela zu Bett, nachdem sie Miles einen Gutenachtkuß gegeben hatte, und als er mit Juanita allein war, teilte er ihr mit, was er für Nolan Wainwright hatte. Sie saßen, Seite an Seite, auf der Schlafcouch. Als er fertig war, sah sie ihn an. »Wenn Sie wollen, können Sie heute nacht hierbleiben.«

»Das letzte Mal, als ich über Nacht geblieben bin, haben Sie da drinnen geschlafen.« Er zeigte auf das Schlafzimmer.

»Dieses Mal werde ich hier bleiben. Estela schläft fest. Wir werden ungestört sein.«

Er streckte die Arme nach Juanita aus, und sie kam ihm ungeduldig entgegen. Ihre Lippen, leicht geöffnet, waren warm, feucht und sinnlich, wie ein Vorgeschmack auf noch süßere Dinge, die kommen sollten. Ihre Zunge tanzte und erfüllte ihn mit Entzücken. Sie an sich drückend, konnte er fühlen, wie ihr Atem schneller ging und der kleine, schlanke Körper der Mädchenfrau auf seine Berührung reagierte und vor aufgestauter Leidenschaft bebte. Als sie sich fester aneinandergepreßten und seine Hände sie zu erkunden begannen, seufzte Juanita tief, die Wogen des aufsteigenden Begehrens auskostend, in Vorfreude auf die kommende Ekstase. Lange war es her, seit ein Mann sie genommen hatte. Sie gab zu verstehen, daß sie erregt war, ungeduldig, voller Erwartung. Eilig richtete sie die Bettcouch her.

Was dann folgte, war eine Katastrophe. Miles hatte Juanita mit all seinen Gedanken und – wie er glaubte – mit seinem Körper gewollt. Aber als der Augenblick kam, in dem ein Mann sich beweisen muß, ließ ihn sein Körper im Stich. Verzweifelt strengte er sich an, konzentrierte sich, schloß die Augen und spannte seinen Willen an, aber es änderte sich nichts. Was das glühende, gezückte Schwert eines jungen Mannes hätte sein sollen, war schlaff und nutzlos. Juanita versuchte, ihn zu beruhigen und ihm zu helfen. »Gräme dich nicht, Miles, Liebster, und hab Geduld. Laß mich helfen, und es wird gehen.«

Sie versuchten und sie versuchten es noch einmal. Am Ende hatte alles keinen Zweck. Miles lag ausgestreckt auf dem Rücken, er schämte sich und war den Tränen nahe. Er wußte und war tief unglücklich darüber, daß seine Impotenz durch die Erinnerung an seine Homosexualität im Gefängnis verursacht war. Er hatte geglaubt und gehofft, daß sie ihn bei einer Frau nicht hindern würde, aber sie hatte es getan. Gebrochen gestand er sich ein, daß nun das eingetreten war, was er gefürchtet hatte: Er war kein Mann mehr.

Müde, unglücklich, unbefriedigt schliefen sie endlich ein.

In der Nacht wachte Miles auf, warf sich eine Zeitlang ruhelos hin und her und stand dann auf. Juanita hörte ihn und knipste eine Lampe neben der Bettcouch an. »Was ist denn?« flüsterte sie.

»Ich habe nachgedacht«, sagte er. »Und konnte nicht schlafen.«

»Nachgedacht – über was?«

Und dann erzählte er es ihr – aufrecht sitzend, den Kopf halb abgewandt, um Juanita nicht in die Augen sehen zu müssen; erzählte ihr von der totalen Unerbittlichkeit seines Erlebnisses im Gefängnis, beginnend bei der Massenvergewaltigung; wie er dann, aus Selbstschutz, das Verhältnis mit Karl angefangen hatte, als dessen »Freundin«, davon, wie er die Zelle mit dem riesigen schwarzen Mann geteilt hatte; von dem Andauern der Homosexualität, wie er, Miles, begonnen hatte, es zu genießen. Er sprach von seinem Gefühlszwiespalt gegenüber Karl, an dessen Freundlichkeit und Zartheit Miles sich noch erinnerte, und zwar mit . . . Zuneigung? . . . Liebe? Auch jetzt war er sich darüber noch nicht im klaren.

Hier angelangt, fiel Juanita ihm ins Wort. »Nicht weiter! Ich habe genug gehört. Mir wird übel.«

»Was meinst du, wie ich mich fühle?«

»*No quiero saber*. Ich weiß es nicht, und es ist mir gleich.« Alles Entsetzen, der ganze Ekel, den sie empfand, lag in ihrer Stimme.

Sobald es hell war, zog er sich an und ging.

Zwei Wochen später. Wieder ein Samstagnachmittag – die beste Zeit, wie Miles festgestellt hatte, um sich unbemerkt aus dem Fitness-Club davonzumachen. Ihm steckte die Müdigkeit seiner nervenzermürbenden Fahrt nach Louisville von vor zwei Tagen immer noch in den Knochen, und er war entmutigt über das Fehlen jedes Fortschritts.

Er hatte sich auch Gedanken darüber gemacht, ob er wieder zu Juanita gehen sollte; er fragte sich, ob sie ihn überhaupt wiedersehen mochte. Aber dann hatte er sich gesagt, daß mindestens noch ein Besuch nötig sei, und als er kam, war sie sachlich und nüchtern, als habe sie das, was letztesmal geschehen war, überwunden und vergessen.

Sie hörte seinen Bericht an, dann erzählte er ihr von seinen Zweifeln. »Ich kann einfach nichts erfahren, was wichtig wäre. Okay, ich mache also mein Geschäft mit Jules La-Rocca und dem Kerl, der mir die gefälschten Zwanziger verkauft hat, aber die beiden sind kleine Fische. Und wenn ich LaRocca Fragen stelle – zum Beispiel, wo er den gefälschten Führerschein her hat –, dann klappt er den Mund zu und wird mißtrauisch. Ich weiß heute ebensowenig wie am ersten Tage, wer hinter den Fälschungen steckt, noch weiß ich, was in der Doppelten Sieben eigentlich vor sich geht.«

»Man kann in einem Monat nicht alles erfahren«, sagte Juanita.

»Vielleicht gibt es gar nichts zu erfahren – jedenfalls nicht das, was Wainwright wissen will.«

»Vielleicht nicht. Aber dann ist das nicht deine Schuld. Außerdem ist es möglich, daß du mehr entdeckt hast, als du selber weißt. Denk an das Falschgeld, das du mir gegeben hast, an die Nummer des Autos, mit dem du gefahren bist . . .«

»Was wahrscheinlich gestohlen war.«

»Das soll gefälligst Mr. Sherlock Holmes Wainwright feststellen.« Ein Gedanke schoß Juanita durch den Kopf. »Was ist mit deinem Flugschein? Den sie dir für die Rückreise gegeben haben?«

»Den habe ich benutzt.«

»Es gibt doch immer eine Kopie, die man behält.«

»Vielleicht habe ich . . .« Miles fühlte in seiner Jackentasche nach; es war derselbe Anzug, den er auch auf der Fahrt nach Louisville getragen hatte. Der Umschlag von der Fluggesellschaft war da, die Flugschein-Durchschrift war darin.

Juanita nahm beides. »Vielleicht kann sich irgend jemand daran erinnern. Und ich werde deine vierzig Dollar wiederbeschaffen, die du für das gefälschte Geld ausgelegt hast.«

»Du sorgst gut für mich.«

»¿Por qué no? Das ist anscheinend auch nötig.«

Estela, die eine Spielgefährtin in einer Nachbarwohnung besucht hatte, kam herein. »Hallo«, sagte sie, »bleibst du wieder bei uns?«

»Heute nicht«, sagte er zu ihr. »Ich gehe bald.«

Juanita fragte mit scharfer Stimme: »Warum ist das nötig?«

»Kein besonderer Grund. Ich dachte bloß . . .«

»Dann wirst du mit uns zu Abend essen. Estela wird sich freuen.«

»O ja«, sagte Estela. Dann setzte sie hinzu: »Liest du mir eine Geschichte vor?«

Als er nickte, holte sie ein Buch und ließ sich zufrieden auf seinem Knie nieder.

Nach dem Abendessen, bevor Estela gute Nacht sagte und zu Bett ging, las er ihr noch ein Stück vor.

»Du bist ein lieber Mensch, Miles«, sagte Juanita, als sie

aus dem Schlafzimmer herauskam und die Tür hinter sich schloß. Während sie Estela zu Bett brachte, war er aufgestanden, um zu gehen, aber sie sagte mit einer Handbewegung: »Nein, bleibe. Ich möchte dir etwas sagen.«

Wie schon einmal, setzten sie sich nebeneinander auf die Couch im Wohnzimmer. Juanita sprach langsam, überlegte jedes Wort.

»Letztes Mal, als du gegangen warst, habe ich die bösen Dinge bereut, die ich zu dir gesagt habe. Man soll nicht vorschnell richten, und das habe ich getan. Ich weiß, daß du im Gefängnis gelitten hast. Ich war nicht da, aber ich kann mir vorstellen, wie schlimm es war, und wie soll man wissen – wenn man es nicht erlebt hat –, was man selber tun würde? Was den Mann angeht, von dem du erzählt hast, Karl, wenn er freundlich war, wo sonst so vieles grausam war, dann sollte das das wichtigste sein.«

Juanita hielt inne, dachte nach, fuhr dann fort: »Für eine Frau ist es schwer zu verstehen, wie Männer einander lieben können, so, wie du es gesagt hast, und wie sie miteinander machen können, was ihr gemacht habt. Aber ich weiß, es gibt Frauen, die sich auf diese Weise lieben, ebenso wie es solche Männer gibt, und wer weiß, vielleicht ist solche Liebe besser als gar keine, besser als Haß. Deshalb denke bitte nicht mehr an die verletzenden Worte, die ich gesagt habe, und behalte deinen Karl in Erinnerung, gib dir selbst gegenüber ruhig zu, daß du ihn geliebt hast.« Sie hob den Blick und sah Miles in die Augen. »Du hast ihn doch geliebt, nicht wahr?«

»Ja«, sagte er; seine Stimme war leise. »Ich habe ihn geliebt.«

Juanita nickte. »Dann ist es besser, wenn man es ausspricht. Vielleicht wirst du jetzt andere Männer lieben. Ich weiß es nicht. Ich verstehe nichts von diesen Dingen – nur daß Liebe besser ist, wo man sie auch findet.«

»Danke, Juanita.« Miles sah, daß sie weinte, und er merkte, daß auch sein Gesicht tränennaß war.

Lange Zeit sagten sie nichts, horchten auf das Rauschen des Samstagabendverkehrs und auf Stimmen, die von der Straße hereinkamen. Dann begannen sie zu sprechen – als

Freunde, einander näher, als sie es je zuvor gewesen waren. Sie redeten weiter, sie vergaßen die Zeit, und sie vergaßen, wo sie waren; sie sprachen bis tief in die Nacht, von sich selbst, von ihren Erlebnissen, von Lehren, die sie eingesteckt hatten, von alten Träumen, gegenwärtigen Hoffnungen, von Zielen, die sie vielleicht noch erreichen könnten. Sie sprachen, bis Müdigkeit ihre Stimmen überwältigte. Dann, noch immer nebeneinander sitzend, einander bei der Hand haltend, versanken sie langsam in Schlaf.

Miles erwachte als erster. Sein Körper war verkrampft, er saß unbequem . . . Aber es gab etwas anderes, was ihn in Aufregung versetzte.

Zart weckte er Juanita, bettete sie von der Couch auf den Teppich, auf den er Kissen für ihren Kopf gelegt hatte. Sanft und liebevoll zog er sie aus, dann sich selbst, und danach küßte er sie, umarmte sie und legte sich ruhig und selbstsicher auf sie, stieß kraftvoll vor, drang beseligend ein, während Juanita ihn umfing, sich an ihn klammerte und vor Freude laut aufschrie.

»Ich liebe dich, Miles! *Cariño mío,* ich liebe dich!«

Da wußte er, daß er durch sie seine Männlichkeit wiedergefunden hatte.


9


»Ich habe zwei Fragen an Sie«, sagte Alex Vandervoort. Er sprach weniger scharf und konzentriert als gewöhnlich; seine Gedanken waren noch immer bei dem, was er gerade gelesen hatte, und er fühlte sich wie betäubt. »Erstens, wie in aller Welt haben Sie all diese Informationen zusammengetragen? Zweitens, wie zuverlässig ist das alles?«

»Wenn es Ihnen recht ist«, sagte Vernon Jax, »möchte ich Ihre Fragen in umgekehrter Reihenfolge beantworten.«

Es war später Nachmittag, und sie befanden sich in Alex' Büro-Suite in der Zentrale der FMA. Draußen war es still. Die meisten Angestellten des sechsunddreißigsten Stockwerks waren schon heimgegangen.

Der Privatdetektiv, den Alex vor einem Monat beauftragt hatte, eine Untersuchung der Supranational Corporation vorzunehmen – eine »Schnüffelei«, wie sie beide zugegeben hatten –, saß gelassen auf seinem Stuhl und las eine Nachmittagszeitung, während Alex den siebzig Seiten umfassenden Bericht mit fotokopierten Dokumenten als Anhang studierte, den Jax persönlich vorgelegt hatte.

An diesem Tag wirkte Vernon Jax' äußere Erscheinung noch weniger eindrucksvoll als beim letzten Mal, wenn das überhaupt noch möglich war. Der blankgescheuerte blaue Anzug, den er trug, hätte der Heilsarmee gespendet werden können – und sie hätte ihn nicht genommen. Seine Socken waren auf die Fußgelenke gerutscht, über Schuhe, die noch ungepflegter waren als beim letzten Mal. Was auf seinem Schädel noch an Haaren vorhanden war, sträubte sich unordentlich wie ein ausgedienter Topfkratzer. Aber es bestand kein Zweifel daran – was Jax an Eleganz der Kleidung fehlte, machte er durch Geschicklichkeit im Erkunden wieder wett.

»Zunächst also die Zuverlässigkeit«, begann er. »Wenn Sie mich fragen, ob man die von mir aufgeführten Tatsachen in ihrer gegenwärtigen Form als Beweis vor Gericht anführen könnte, lautet die Antwort: Nein. Aber ich bin überzeugt, daß die Information insgesamt authentisch ist, und ich habe nichts aufgenommen, was nicht durch Nachprüfung bei mindestens zwei, in einigen Fällen drei guten Quellen abgesichert ist. Noch eins, mein Ruf, den Dingen bis auf den Grund zu gehen, ist der wichtigste Aktivposten in meinem Geschäft. Es ist ein guter Ruf. Ich habe die Absicht, ihn mir zu erhalten.

Nun zu der Frage, wie ich das mache. Diese Frage wird mir von den meisten meiner Kunden gestellt, und Sie haben wohl auch ein Recht auf eine Erklärung, wenn ich auch einiges für mich behalten werde, Dinge, die in die Rubrik Geschäftsgeheimnis und Schutz der Informanten gehören.

Ich habe zwanzig Jahre lang für das US-Finanzministerium gearbeitet, die meiste Zeit als Steuerfahnder, und ich habe mir meine Verbindungen bewahrt, nicht nur dort, sondern auch an vielen anderen Stellen. Die meisten wissen es nicht, Mr. Vandervoort, aber zur Arbeit von Wirtschaftsdetektiven gehört es, untereinander vertrauliche Informationen auszutauschen. Man hilft diese Woche einem Kollegen, und früher oder später hat er etwas, was man selber braucht. So baut man Soll und Haben auf, und die Auszahlung – in guten Tips und Nachrichten – beruht auf Gegenseitigkeit. Wenn Sie mir einen Auftrag erteilen, verkaufe ich Ihnen also nicht nur mein wirtschaftliches Wissen – das ich übrigens für recht solide halte –, sondern ein ganzes Netz von Kontakten. Darunter etliche, über die Sie sich wundern würden.«

»Für heute hab' ich mich schon genug gewundert«, sagte Alex. Er tippte mit dem Finger auf den Bericht.

»Auf die Art habe ich mir eine Menge von dem verschafft, was da drinsteht«, fuhr Jax fort. »Der Rest war mühsame, langweilige Kleinarbeit, Geduld und die Fähigkeit zu wissen, welchen Stein man umdrehen muß.«

»Aha.«

»Es gibt da noch einen Punkt, den ich gern klarstellen möchte, Mr. Vandervoort, nämlich das, was Sie wohl ›gepflegte Erscheinung‹ nennen würden. Ich habe bemerkt, wie Sie mich bei unseren beiden Begegnungen gemustert haben, und was Sie gesehen haben, hat Ihnen nicht besonders gefallen. Aber auch das gehört mit zu meinem Geschäft. Jemand, der unauffällig und ein wenig abgerissen aussieht, wird von denjenigen, deren Angelegenheiten er zu erforschen versucht, höchstwahrscheinlich kaum bemerkt oder ernstgenommen. Es hat auch noch einen anderen Vorteil, denn die Leute, mit denen ich rede, halten mich für zu unwichtig, um mir gegenüber besonders auf der Hut zu sein. Aber ich darf Ihnen versichern: Laden Sie mich zur Hochzeit Ihrer Tochter ein, und ich werde ebenso gepflegt erscheinen wie jeder andere Gast.«

»Sollte ich mal eine Tochter haben«, sagte Alex, »werde ich daran denken.«

Als Jax gegangen war, nahm er sich den schockierenden Bericht noch einmal vor. Er strotzte von Dingen, dachte er, die sich schwerwiegend auf die First Mercantile American Bank auswirken konnten. Das mächtige Bauwerk der Supranational Corporation – SuNatCo – krachte in allen Fugen und war im Begriff einzustürzen.

Lewis D'Orsey, erinnerte Alex sich, hatte von Gerüchten gesprochen, in denen es um »hohe, nicht gemeldete Verluste« ging, um »bedenkliche Buchungspraktiken innerhalb der Tochtergesellschaften« und darum, daß »Big George Quartermain auf der Suche nach einer Subvention à la Lockheed« sei. Vernon Jax hatte das alles bestätigt, und er hatte noch viel, viel mehr entdeckt.

Es war zu spät, um heute noch etwas zu tun, sagte Alex sich. Er hatte die ganze Nacht, um sich zu überlegen, welchen Gebrauch er von den Informationen machen sollte.

## 10

Über Jerome Pattertons ständig leicht gerötetes Gesicht breitete sich ein dunkleres Rot. Er protestierte: »Verdammt noch mal! Um so etwas können Sie mich nicht bitten, das ist einfach lächerlich.«

»Das ist keine Bitte.« In Alex Vandervoorts Stimme klang der Zorn mit, der seit dem Vorabend in ihm schwelte. »Ich verlange von Ihnen – *tun Sie es!*«

»Bitten, verlangen – wo ist da der Unterschied? Sie muten mir zu, willkürlich, ohne handfesten Grund zu handeln.«

»Ich werde Ihnen später Gründe in Hülle und Fülle nennen. Gute Gründe. Jetzt haben wir dazu keine Zeit.«

Sie befanden sich in der Präsidenten-Suite der FMA, wo Alex seit dem Morgen gewartet hatte, bis Patterton erschien.

»Die New Yorker Börse ist bereits seit fünfzig Minuten geöffnet«, sagte Alex warnend. »Diese Zeit haben wir schon verloren. Und wir verlieren noch mehr, weil Sie der einzige sind, der die Treuhandabteilung anweisen kann, jede Supranational-Aktie abzustoßen, die wir besitzen.«

»Ich denke nicht daran!« Pattertons Stimme wurde lauter. »Und zum Teufel noch mal, wer sind Sie denn eigentlich? Was bilden Sie sich ein, Sie kommen hier hereinmarschiert, geben Befehle . . .«

Alex warf einen Blick über die Schulter. Die Bürotür stand offen. Er ging hinüber, machte sie zu, kam dann zurück.

»Ich werde Ihnen sagen, wer ich bin, Jerome. Ich bin derjenige, der Sie, der das Direktorium vor einer umfangreichen Beteiligung an SuNatCo gewarnt hat. Ich habe gegen Aktienkäufe durch die Treuhandabteilung Einspruch erhoben, aber niemand wollte auf mich hören – Sie auch nicht. Jetzt bricht Supranational zusammen.« Alex beugte sich über den Schreibtisch und schlug hart mit der Faust auf die Platte. Seine Augen sprühten, sein Gesicht war dicht vor Pattertons. »Begreifen Sie denn nicht? Supranational kann unsere Bank mit sich reißen!«

Patterton hatte seine Festigkeit verloren. Schwer ließ er sich in seinen Schreibtischsessel fallen. »Aber ist SuNatCo *wirklich* in Gefahr? Sind Sie *sicher*?«

»Wenn ich nicht sicher wäre, meinen Sie, ich wäre hier und würde mich so aufführen? Begreifen Sie denn nicht, daß ich Ihnen die Chance gebe, wenigstens etwas zu retten, ehe die Katastrophe hereinbricht?« Alex zeigte auf seine Armbanduhr. »Jetzt ist schon eine Stunde seit Markteröffnung vergangen. Jerome, nehmen Sie das Telefon, geben Sie die Anweisung!«

Das Gesicht des Bankpräsidenten zuckte nervös. Stärke oder Entschlußfreudigkeit gehörten nicht zu seinen hervorragenden Eigenschaften, und er reagierte eher auf Situationen, anstatt sie zu schaffen. Energischen Forderungen gegenüber wurde er schwankend, wie auch jetzt wieder.

»Um Gottes willen, Alex, um Ihretwillen, ich hoffe, Sie wissen, was Sie tun.« Patterton griff nach einem der beiden Telefone neben seinem Schreibtisch, zögerte, nahm dann den Hörer auf.

»Verbinden Sie mich mit Mitchell, Treuhand . . . Nein, ich bleibe dran . . . Mitch? Jerome hier. Hören Sie genau zu. Geben Sie sofort Verkaufsorder für alle Supranational-Aktien, die wir besitzen . . . Ja, *verkaufen*. Bis auf die letzte Aktie.« Patterton lauschte, dann entgegnete er ungeduldig: »Natürlich weiß ich, wie sich das auf den Markt auswirken wird, und ich weiß auch, daß der Kurs sowieso gefallen ist. Ich habe die gestrige Notierung gesehen. Wir nehmen einen Verlust hin. Trotzdem verkaufen . . . Ja, ich weiß, es ist gegen jede Regel.« Er suchte Alex' Blick, wie um sich zu vergewissern.

Die Hand, die den Hörer hielt, zitterte, als er sagte: »Uns bleibt keine Zeit, um Sitzungen abzuhalten. Tun Sie es also! Vergeuden Sie keine . . .« Patterton zog eine Grimasse, während er zuhörte. »Ja, ich übernehme die Verantwortung.«

Als er den Hörer aufgelegt hatte, schenkte Patterton sich ein Glas Wasser ein und trank. Dann sah er Alex an. »Sie haben gehört, was ich gesagt habe. Die Kurse sind schon gefallen. Unsere Verkäufe werden sie weiter drücken. Wir machen Verlust, aber kräftig.«

»Sie irren sich«, korrigierte Alex ihn. »Unsere Treuhandkunden – Menschen, die *uns* vertraut haben – werden den Verlust machen. Und es wäre noch viel schlimmer, wenn wir gewartet hätten. Auch jetzt sind wir noch nicht aus dem Schneider. Es kann gut sein, daß die Börsenaufsicht die Verkäufe in einer Woche für unzulässig erklärt.«

»Für unzulässig? Wieso?«

»Wenn sie sich zum Beispiel auf den Standpunkt stellt, daß wir über interne Informationen verfügten, die wir hätten melden müssen, was dann zur Einstellung des Handels mit diesen Papieren geführt hätte.«

»Was für Informationen denn?«

»Daß Supranational vor dem Bankrott steht.«

»Mein Gott!« Patterton stand auf und wandte sich ab. »SuNatCo! Mein Gott, SuNatCo!« Mit einem Ruck drehte er sich wieder zu Alex um und fragte mit überkippender Stimme: »Was ist mit unserem Kredit? *Fünfzig Millionen.*«

»Ich habe nachgesehen. Fast der volle Kreditbetrag ist abgerufen.«

»Das Ausgleichskonto?«

»Auf dem steht nicht mehr ganz eine Million.«

Es entstand ein Schweigen. Patterton seufzte tief; er war plötzlich ganz ruhig geworden. »Sie sagten, Sie hätten gute Gründe. Offensichtlich wissen Sie etwas. Es ist wohl besser, Sie sagen mir alles.«

»Vielleicht ist es einfacher, wenn Sie dies hier lesen.« Alex legte den Jax-Bericht auf den Schreibtisch des Präsidenten.

»Das lese ich später«, sagte Patterton. »Jetzt sagen *Sie* mir, was das ist und was darin steht.«

Alex erzählte ihm von den Gerüchten um Supranational,

die Lewis D'Orsey weitergegeben hatte, und von seiner Entscheidung, einen Privatfahnder zu beauftragen – Vernon Jax.

»Was Jax berichtet, paßt insgesamt zusammen«, erklärte Alex. »Gestern abend und heute morgen habe ich herumtelefoniert und verschiedene seiner Einzelfeststellungen bestätigt gefunden. Es stimmt alles. Tatsächlich hätte jeder, der nur geduldig genug nachgeforscht hätte, mehr oder weniger das gleiche entdecken können wie er – nur hat es eben keiner getan, oder besser, niemand hat bis jetzt die einzelnen Stücke zusammengesetzt. Darüber hinaus hat Jax vertrauliche Informationen beschafft, und zwar auch Dokumente, ich nehme an, durch . . .«

Patterton unterbrach ihn unwillig. »Schon gut, schon gut. Das will ich alles gar nicht wissen. Kommen Sie endlich zum Kern.«

»Den kann ich Ihnen in fünf Wörtern geben: Supranational hat kein Geld mehr. In den letzten drei Jahren hat der Konzern enorme Verluste gehabt und nur noch von Prestige und Kredit gelebt. Er hat Riesensummen aufgenommen, um Schulden bezahlen zu können; dann wurde noch mehr Geld aufgenommen, um *die* Schulden zu bezahlen; dann wurde weiter geborgt und so weiter. Denen fehlt bares Geld.«

Patterton wandte ein: »Aber SuNatCo hat erstklassige Erträge gemeldet, Jahr um Jahr, und immer ist Dividende ausgeschüttet worden.«

»Wie es jetzt scheint, sind die letzten paar Dividenden von geborgtem Geld bezahlt worden. Der Rest ist frisierte Bilanz. Wir wissen ja alle, wie so etwas gemacht wird. Es gibt viele große und berühmte Firmen, die nach solchen Methoden arbeiten.«

Der Bankpräsident wog das eben Gehörte ab und erklärte dann düster: »Es gab mal eine Zeit, da die Unterschrift eines Wirtschaftsprüfers auf der Jahresbilanz absolute Integrität bedeutete. Das ist wohl vorbei.«

»Hier« – Alex berührte den Bericht, der auf dem Schreibtisch zwischen ihnen lag – »haben Sie Beispiele für das, wovon wir reden. Am schlimmsten treibt es Horizon Land Development. Das ist eine SuNatCo-Tochter.«

»Ich weiß, ich weiß.«

»Dann wissen Sie vielleicht auch, daß Horizon weiten Grundbesitz in Texas, Arizona, Kanada hat. Das meiste ist entlegen, vielleicht wird bis zur Erschließung noch ein Menschenalter vergehen. Was aber macht Horizon? Die verkaufen an Spekulanten, akzeptieren kleine Anzahlungen mit allen möglichen Vorbehaltsklauseln und verschieben die volle Bezahlung auf ferne Zukunft. Bei zwei Geschäften wird die letzte Zahlung des Gesamtpreises von achtzig Millionen Dollar in vierzig Jahren fällig – wir sind dann schon ein gutes Stück im einundzwanzigsten Jahrhundert. Vielleicht kommt es nie zu diesen Zahlungen. In den Bilanzen von Horizon und Supranational werden diese achtzig Millionen aber als laufende Einnahmen ausgewiesen. Das sind nur zwei dieser Geschäfte. Davon gibt's mehr, nur kleinere, aber genauso chinesisch in der Buchführung. Und was in einer SuNatCo-Tochter passiert, ist von anderen nachgemacht worden.«

Alex machte eine Pause, dann fügte er hinzu: »Das hat natürlich alles zusammen dazu geführt, daß auf dem Papier ein großartiges Bild entsteht, so daß der Börsenkurs der Supranational-Aktien – völlig wirklichkeitsfremd – in die Höhe geschossen ist.«

»Irgend jemand hat da ein Vermögen gemacht«, sagte Patterton mit saurer Miene. »Leider aber nicht wir. Haben wir eine Vorstellung von der Höhe der Summen, die SuNatCo aufgenommen hat?«

»Ja. Jax scheint es gelungen zu sein, einen Blick auf etliche Steuerpapiere zu werfen, aus denen Zinsabschreibungen hervorgehen. Er schätzt die kurzfristige Verschuldung, Tochtergesellschaften inbegriffen, auf eine Milliarde Dollar. Davon sind allem Anschein nach fünfhundert Millionen Dollar Bankkredite. Der Rest sind im wesentlichen Schuldscheine mit 90 Tagen Laufzeit, finanziert nach dem Roll-over-Prinzip.«

Die verzinslichen Schuldscheine waren, wie beide Männer wußten, nur durch den guten Ruf des Borgenden gedeckt. Das Roll-over bedeutete, daß man neue Schuldscheine ausstellt, um ältere – zuzüglich der fällig gewordenen Zinsen – einlösen zu können.

»Ihr Kreditlimit ist fast erreicht«, sagte Alex. »Jedenfalls ist Jax dieser Meinung. Ich selbst habe Bestätigung dafür gefunden, daß die Käufer von kurzfristigen Schuldscheinen anfangen, vorsichtig und mißtrauisch zu werden.«

Patterton sagte nachdenklich: »Auf die Weise ist Penn Central zusammengebrochen. Alle Welt glaubte, daß die Eisenbahn Spitzenwerte ausgab – die sichersten Papiere, die man überhaupt kaufen und besitzen konnte, vergleichbar mit IBM und General Motors. Plötzlich, eines schönen Tages, war Penn Central in der Hand des Konkursverwalters, aus, erledigt.«

»Und dem kann man seither noch ein paar weitere berühmte Namen hinzufügen«, warf Alex ein.

Beide hatten denselben Gedanken: Würde nach Supranational auch die First Mercantile American Bank auf dieser Liste stehen?

Pattertons robustes, sonst immer leicht gerötetes Gesicht war bleich. Fast beschwörend fragte er Alex: »Wo stehen wir jetzt?« Jede Führerpose war dahin. Der Bankpräsident suchte Rat und Hilfe bei dem jüngeren Mann.

»Sehr viel hängt davon ab, wie lange sich Supranational noch über Wasser hält. Behaupten sie sich noch einige Monate lang, könnte es sein, daß wir mit unseren heutigen Verkäufen ihrer Aktien durchkommen, und vielleicht wird dann auch der Verstoß gegen das Reserve-Bank-Gesetz bei der Kreditvergabe nicht allzu genau untersucht. Kommt der Zusammenbruch schnell, sind wir ernstlich in Schwierigkeiten – bei der Börsenaufsicht, weil wir nicht bekanntgeben, was wir wissen, bei der Bankenaufsichtsbehörde wegen Treuhandmißbrauchs und wegen des Kredits bei der Bundes-Reserve-Bank. Außerdem blüht uns, daran brauche ich Sie wohl nicht zu erinnern, der direkte Verlust von fünfzig Millionen Dollar, und Sie wissen selbst, was das für die Gewinnrechnung dieses Jahres bedeutet; die Aktionäre werden wutentbrannt irgend jemandes Kopf fordern. Und außerdem kann es zu Prozessen gegen einzelne Direktoren kommen.«

»*Mein Gott!*« murmelte Patterton. »Ach du lieber Gott!« Er zog ein Taschentuch hervor und wischte sich das Gesicht und die eiförmige Kuppel seines Schädels.

Unbarmherzig fuhr Alex fort: »Noch etwas dürfen wir nicht vergessen – das öffentliche Aufsehen. Geht Supranational unter, dann wird es alle möglichen Untersuchungen geben. Aber schon vorher wird die Presse Wind von der Sache bekommen und ihre eigenen Recherchen anstellen. Einige Wirtschaftsjournalisten sind sehr gut darin. Wenn erst einmal Fragen gestellt werden, dann wird unsere Bank kaum der Aufmerksamkeit entgehen, das Ausmaß unserer Verluste wird bekannt und veröffentlicht. Nachrichten von der Sorte sind geeignet, Bankkunden zu beunruhigen. Es könnte dazu kommen, daß erhebliche Beträge abgehoben werden.«

»Sie meinen einen Run auf die Schalter? Das ist undenkbar!«

»Nein, keineswegs. Woanders ist das auch passiert. Denken Sie an Franklin in New York. Wenn Sie Geld auf der Bank haben, dann interessiert Sie nur eins, nämlich ob Ihr Geld sicher ist. Wenn Sie daran zweifeln, dann heben Sie es ab – und zwar schnell.«

Patterton trank noch einen Schluck Wasser, dann ließ er sich in einen Sessel fallen. Er sah womöglich noch bleicher aus als bisher.

»Ich schlage vor«, sagte Alex, »daß Sie sofort den finanzpolitischen Ausschuß einberufen und daß wir uns in den nächsten Tagen darauf konzentrieren, ein Höchstmaß an Liquidität sicherzustellen. Dann sind wir vorbereitet, wenn es plötzlich zu Barabhebungen kommt.«

Patterton nickte. »Gut.«

»Davon abgesehen, können wir nicht viel mehr tun als beten.« Zum ersten Mal, seit er hereingekommen war, lächelte Alex. »Darauf sollten wir vielleicht Roscoe ansetzen.«

»*Roscoe!*« sagte Patterton, als sei ihm plötzlich alles wieder eingefallen. »*Er* hat die Supranational-Zahlen geprüft, den Kredit empfohlen, uns versichert, daß alles ganz großartig sei.«

»Roscoe stand nicht allein«, erinnerte Alex ihn. »Sie und das Direktorium haben ihn unterstützt. Und viele andere haben die Zahlen geprüft und sind zu dem gleichen Schluß gelangt.«

»Sie nicht.«

»Ich hatte ein ungutes Gefühl – allgemeines Mißtrauen. Aber ich hatte keine Ahnung davon, daß SuNatCo derartig in der Tinte sitzt.«

Patterton nahm wieder das Telefon, das er vorhin benutzt hatte. »Bitten Sie Mr. Heyward herzukommen.« Eine Pause, dann sagte Patterton bissig: »Es ist mir egal, und wenn der liebe Gott bei ihm ist. Ich brauche ihn jetzt.« Er knallte den Hörer auf die Gabel und wischte sich wieder das Gesicht.

Die Bürotür wurde leise geöffnet, und Heyward kam herein. Er sagte: »Guten Morgen, Jerome«, Alex nickte er nur kühl zu.

Patterton sagte grollend: »Machen Sie die Tür zu.«

Heyward machte ein überrachtes Gesicht und tat es. »Man hat mir gesagt, es sei dringend. Wenn es nicht so dringend ist, dann würde ich . . .«

»Sagen Sie ihm, was mit Supranational los ist, Alex«, forderte Patterton.

Heywards Gesicht erstarrte.

Ruhig und sachlich wiederholte Alex die Substanz des Jax-Berichts. Sein Zorn der letzten Nacht und dieses Morgens – Zorn über die kurzsichtige Torheit und die Gier, die die Bank an den Rand des Ruins gebracht hatten – war jetzt verflogen. Er empfand nur noch Trauer darüber, daß so vieles verlorengehen, soviel Anstrengung vergeblich gewesen sein sollte. Mit Bedauern dachte er daran, wie andere, lohnende Projekte zurückgeschraubt worden waren, um Geld für den Supranational-Kredit freizumachen. Wenigstens, dachte er, war Ben Rosselli dieser Augenblick erspart geblieben.

Roscoe Heywards Haltung überraschte ihn. Alex hatte Feindseligkeit erwartet, vielleicht laute Empörung. Nichts davon. Statt dessen hörte Heyward still zu, warf hier und da eine Frage ein, enthielt sich aber jeden Kommentars. Alex konnte sich des Verdachts nicht erwehren, daß alles, was er sagte, nur andere Informationen bestätigte und stützte, die Heyward selbst schon erhalten oder erraten hatte.

Stille senkte sich herab, als Alex fertig war.

Patterton, der einiges von seinem alten Schwung wiedergefunden hatte, sagte: »Wir berufen für heute nachmittag eine Sitzung des finanzpolitischen Ausschusses ein, um die

Liquidität zu erörtern. Sie, Roscoe, setzen sich inzwischen mit Supranational in Verbindung, um festzustellen, ob wir von unserem Kredit noch etwas retten können, und wenn ja, wieviel.«

»Es ist ein sofort fälliger Kredit«, sagte Heyward. »Wir können ihn jederzeit kündigen.«

»Dann tun Sie es jetzt. Kündigen Sie ihn heute mündlich, lassen Sie die schriftliche Kündigung folgen. Es besteht zwar kaum die Hoffnung, daß SuNatCo über fünfzig Millionen Dollar in bar verfügt; nicht mal eine gesunde Firma hat soviel Geld in der Kasse. Aber vielleicht haben sie etwas, wenn ich auch keine große Hoffnung habe. Wie dem auch sei, wir setzen den Apparat in Bewegung.«

»Ich rufe sofort George Quartermain an«, sagte Heyward. »Darf ich den Bericht mitnehmen?«

Patterton sah Alex an.

»Ich habe nichts dagegen«, sagte Alex, »aber ich schlage vor, daß wir davon keine Kopien anfertigen. Je weniger Leute davon wissen, um so besser.«

Heyward nickte zustimmend. Er wirkte ruhelos, ängstlich darauf bedacht, endlich wegzukommen.


## 11

Alex Vandervoorts Vermutung, daß Roscoe Heyward schon über gewisse eigene Informationen verfügte, war zu einem Teil richtig gewesen. Heyward waren Gerüchte zu Ohren gekommen, daß Supranational Sorgen habe, und er hatte in den letzten Tagen erfahren, daß SuNatCos Schuldscheine zum Teil auf Widerstand bei den Käufern trafen. Heyward hatte auch an einer Supranational-Direktoriumssitzung teilgenommen – seiner ersten – und gespürt, daß die Informationen, die man den Mitgliedern vorlegte, weder vollständig noch offen waren. Aber er, als »der Neue«, hatte auf Fragen verzichtet und sich statt dessen vorgenommen, später genauer zu sondieren. In der Folgezeit nach der Sitzung hatte er ein Absakken des Supranational-Kurses beobachtet und schon selber am Vortag beschlossen, der Treuhandabteilung der Bank zu empfehlen, vorsichtshalber die Supranational-Aktien abzubauen. Unglücklicherweise hatte er seine Absicht noch nicht in die Tat umgesetzt, als Patterton ihn an diesem Morgen zu sich rief. Aber aus allem, was Heyward gehört oder vermutet hatte, war nicht zu schließen gewesen, daß die Lage so dringlich oder so katastrophal war, wie es in dem Bericht, den Vandervoort vorgelegt hatte, dargestellt wurde.

Aber nachdem er die Substanz des Berichts gehört hatte, stellte Heyward sie nicht in Frage. So düster und beunruhigend der Bericht auch war, sein Instinkt sagte ihm doch, daß – wie Vandervoort es ausgedrückt hatte – alles zusammenpaßte.

Das war auch der Grund, warum Heyward während der Dreierkonferenz meistens geschwiegen hatte, denn er wußte, daß es – im jetzigen Stadium – kaum etwas zu sagen gab. Aber sein Verstand war aktiv, Alarmsignale blitzten auf, während er Gedanken abwog, Eventualitäten, mögliche Fluchtwege für sich selbst. Es galt, verschiedene Maßnahmen rasch einzuleiten; allerdings mußte er zunächst einmal seinen persönlichen Informationsstand vervollständigen, indem er den Jax-Bericht studierte. Wieder in seinem Büro angelangt, besprach Heyward mit seinem Besucher in aller Eile die noch verbliebenen Punkte, dann setzte er sich zum Lesen.

Ihm wurde sehr bald klar, daß Alex Vandervoort die wesentlichen Punkte des Berichts und die dokumentarischen Beweise korrekt zusammengefaßt hatte. Nicht erwähnt hatte Vandervoort einige Details, wie zum Beispiel Big George Quartermains Vorstoß in Washington um eine staatliche Bürgschaft für Kredite, die Supranational liquide erhalten sollten. Der Wunsch nach einem derartigen Kredit war an Kongreßmitglieder herangetragen worden, an das Handelsministerium und an das Weiße Haus. Einmal, so hieß es in dem Bericht, habe Quartermain den Vizepräsidenten Byron Stonebridge auf die Bahamas eingeladen, um ihn als Fürsprecher für den Kreditgedanken zu gewinnen. Später habe Stonebridge diese Möglichkeit auf Kabinettsebene zur Sprache gebracht, wäre aber damit auf Ablehnung gestoßen.

Voller Bitterkeit dachte Heyward an den späten Abend auf

den Bahamas zurück, wo er Big George und den Vizepräsidenten, ins Gespräch vertieft, im Garten des Hauses hatte spazierengehen sehen. Jetzt wußte er, worüber die beiden gesprochen hatten. Und während der Washingtoner politische Apparat am Ende eine seiner klügeren Entscheidungen getroffen und einen Kredit für Supranational abgelehnt hatte, gewährte die First Mercantile American Bank – auf Roscoes Drängen – ihn mit Eifer. Big George hatte sich als Meister geschickter Verhandlungstaktik erwiesen. Heyward hörte ihn noch, wie er sagte: *Wenn fünfzig Millionen mehr sind, als ihr aufbringen könnt, dann vergessen wir die ganze Sache eben. Dann geb' ich's der Chase.* Es war ein uralter Hochstaplertrick, und Heyward – der durchtriebene, erfahrene Banker – war darauf hereingefallen.

Ein Gutes war allerdings dabei. Der Hinweis auf die Reise des Vizepräsidenten nach den Bahamas enthielt keine Details, offenbar wußte man nur wenig über diesen Ausflug. Und zu Heywards großer Erleichterung war in dem Bericht auch mit keinem Wort die Rede von Q-Investments.

Heyward fragte sich, ob Jerome Patterton sich wohl an den zusätzlichen Kredit in Höhe von insgesamt zwei Millionen Dollar erinnerte, den die FMA den Q-Investments gewährt hatte, der privaten Spekulantengruppe, an deren Spitze Big George stand. Wahrscheinlich nicht. Auch Alex Vandervoort hatte keine Kenntnis davon, wenn er es auch bald erfahren würde. Aber eins durfte er auf keinen Fall erfahren, daß Heyward die »Bonus«-Anteile an Q-Investments akzeptiert hatte. Er wünschte sich jetzt inbrünstig, daß er sie damals, wie ursprünglich beabsichtigt, an Quartermain zurückgeschickt hätte. Nun, dafür war es jetzt zu spät, aber er konnte wenigstens die Anteilscheine aus seinem Stahlschließfach nehmen und damit den Reißwolf füttern. Das wäre am sichersten. Glücklicherweise waren die Scheine nicht auf seinen Namen, sondern auf den eines Strohmannes registriert.

Heyward wurde sich bewußt, daß er für den Augenblick die zwischen ihm und Alex Vandervoort bestehende Rivalität ganz ignorierte und sich statt dessen aufs Überleben konzentrierte. Er gab sich keinen Illusionen darüber hin, was der Kollaps von Supranational für sein eigenes Renommee in der

Bank und im Direktorium bedeuten würde. Ein Aussätziger würde er sein – ihm allein würde jeder die Schuld geben. Vielleicht aber war es auch jetzt, bei raschem Handeln und einigem Glück, noch nicht zu spät. Gelang es, die Kreditsumme wieder hereinzuholen, könnte er sogar als Held dastehen.

Als allererstes mußte er mit Supranational Kontakt aufnehmen. Er gab seiner Sekretärin, Mrs. Callaghan, Anweisung, ihn mit G. G. Quartermain zu verbinden.

Mehrere Minuten verstrichen, dann meldete sie: »Mr. Quartermain ist nicht im Lande. Sein Büro weiß nicht genau, wo er sich aufhält. Weitere Auskünfte werden verweigert.«

Das war ein ungünstiger Anfang, und Heyward sagte barsch: »Dann geben Sie mir Inchbeck.« Seit ihrer ersten Begegnung auf den Bahamas hatte er mehrere Gespräche mit Stanley Inchbeck, dem Finanzdirektor von Supranational, geführt.

Inchbecks Stimme mit ihrem nasalen New Yorker Akzent drang forsch aus dem Hörer. »Roscoe, was kann ich für Sie tun?«

»Ich versuche, George zu erreichen. Ihre Leute scheinen nicht . . .«

»Er ist in Costa Rica.«

»Ich möchte ihn sprechen. Haben Sie seine Nummer?«

»Nein. Er hat Anweisung hinterlassen, daß er nicht angerufen werden möchte.«

»Es ist aber dringend.«

»Dann sagen Sie's mir.«

»Na gut. Wir kündigen unseren Kredit. Ich teile es Ihnen hiermit mündlich mit, die formgerechte schriftliche Kündigung folgt heute abend mit der Post.«

Es herrschte Schweigen. Schließlich sagte Inchbeck: »Das kann nicht Ihr Ernst sein.«

»Es ist mein voller Ernst.«

»Aber *warum*?«

»Ich meine, das können Sie sich denken. Außerdem möchten Sie doch wohl nicht, daß ich Ihnen die Gründe am Telefon nenne.«

Inchbeck schwieg – was an sich schon bedeutungsvoll war.

Dann protestierte er: »Das ist ebenso lächerlich wie unvernünftig. Erst letzte Woche hat Big George zu mir gesagt, er sei damit einverstanden, wenn ihr den Kredit um fünfzig Prozent aufstockt.«

Diese Kühnheit grenzte geradezu an Unverschämtheit, dachte Heyward verblüfft, bis ihm einfiel, daß Kühnheit sich schon einmal ausgezahlt hatte – für Supranational. Das sollte jetzt ein Ende haben.

»Wenn der Kredit prompt zurückgezahlt wird«, sagte Heyward, »würden wir alle zu unserer Kenntnis gelangten Informationen vertraulich behandeln. Das kann ich garantieren.«

Jetzt ging es nur noch darum, dachte er, ob Big George, Inchbeck und wer sonst noch die Wahrheit über SuNatCo kennen mochte, bereit waren, Zeit zu kaufen. Waren sie dazu bereit, dann war die FMA möglicherweise im Vorteil gegenüber anderen Gläubigern.

»Fünfzig Millionen Dollar!« sagte Inchbeck. »Soviel halten wir nicht flüssig.«

»Unsere Bank wäre mit einer Serie von Zahlungen einverstanden, vorausgesetzt, sie folgen rasch aufeinander.« In Wirklichkeit lautete die Frage natürlich: Woher sollte SuNat-Co bei ihrem gegenwärtigen Geldmangel die fünfzig Millionen nehmen? Heyward merkte, daß er vor Nervosität, Spannung und Hoffnung schwitzte.

»Ich werde mit Big George sprechen«, sagte Inchbeck. »Aber es wird ihm nicht gefallen.«

»Wenn Sie mit ihm sprechen, sagen Sie ihm, daß ich auch unseren Kredit für Q-Investments erörtern möchte.«

Als Heyward auflegte, meinte er Inchbeck stöhnen zu hören, aber ganz sicher war er nicht.

In der Stille seines Büros lehnte Roscoe Heyward sich in seinem gepolsterten Drehstuhl zurück und ließ die aufgestaute Hochspannung langsam abklingen. Was in der letzten Stunde geschehen war, hatte ihn wie ein Keulenschlag getroffen. Jetzt setzte die Reaktion ein, und er fühlte sich niedergeschlagen und verlassen. Am liebsten hätte er sich eine Zeitlang von dem allem zurückgezogen. Hätte er wählen können, dann wüßte er schon, wessen Gesellschaft er jetzt brauchte. Avrils. Aber seit ihrem letzten Treffen hatte er nichts mehr von ihr gehört, und das lag schon mehr als einen Monat zurück. Früher hatte sie ihn immer angerufen, nie umgekehrt.

Einem Impuls folgend, schlug er ein Taschenbuch mit Adressen auf, das er stets bei sich trug, und suchte eine Telefonnummer, die er sich mit Bleistift notiert hatte. Es war Avrils Nummer in New York. Er zog den Amtsapparat zu sich heran und wählte die Nummer.

Er hörte es läuten, dann kam Avrils weiche, angenehme Stimme: »Hallo.« Sein Herz machte einen Sprung, als er sie hörte.

»Hallo, Rossie«, sagte sie, als er seinen Namen genannt hatte.

»Es ist ziemlich lange her, seit wir uns zum letztenmal gesehen haben, Liebes. Ich hab' mich gefragt, wann ich wohl mal wieder von dir höre.«

Er spürte, daß sie zögerte. »Aber Rossie, Süßer, du stehst nicht mehr auf der Liste.«

»Auf welcher Liste?«

Wieder Unsicherheit. »Das hätte ich vielleicht nicht sagen sollen.«

»Doch, bitte, sag's mir. Es bleibt natürlich unter uns.«

»Na gut, es ist eine sehr vertrauliche Liste, die Supranational aufstellt über Leute, die auf Firmenkosten bewirtet werden können.«

Er hatte plötzlich das Gefühl, daß eine Schlinge langsam zugezogen wurde. »Wer bekommt die Liste?«

»Keine Ahnung. Ich weiß, daß wir Mädchen sie bekommen. Wer sie sonst noch sieht, weiß ich nicht.«

Er hielt inne, dachte nervös nach und sagte sich: Was geschehen war, war geschehen. Vielleicht sollte er froh sein, daß er jetzt auf keiner solchen Liste mehr stand, aber er ertappte sich bei der Frage – mit einem Stich Eifersucht –, wer wohl darauf stehen mochte. Jedenfalls hoffte er, daß alte Exemplare sorgfältig vernichtet wurden. Laut fragte er: »Bedeutet das, daß du nicht mehr herkommen kannst, um dich mit mir zu treffen?«

»Nicht unbedingt. Aber wenn ich käme, müßtest du die Kosten übernehmen, Rossie.«

»Wieviel wäre das?« Und als er diese Frage stellte, kamen ihm Zweifel, ob das wirklich er selbst war, der hier sprach.

»Da wäre mein Flug von New York«, sagte Avril sachlich. »Dann die Hotelrechnung. Und für mich – zweihundert Dollar.«

Heyward fiel ein, daß er sich schon einmal gefragt hatte, wieviel Supranational wohl für ihn ausgegeben hatte. Jetzt wußte er es. Er nahm den Hörer vom Ohr und rang innerlich mit sich: Vernunft gegen Verlangen; Gewissen gegen die Kenntnis, wie es war, mit Avril allein zu sein. Es war auch mehr Geld, als er sich leisten konnte. Aber es verlangte ihn nach ihr. Sehr heftig sogar.

Er nahm den Hörer wieder ans Ohr. »Wann könntest du frühestens hier sein?«

»Dienstag nächster Woche.«

»Eher nicht?«

»Leider nein, Süßer.«

Er wußte, daß er töricht handelte, daß er bis Dienstag Schlange stehen mußte hinter anderen Männern, die, aus welchen Gründen auch immer, größere Priorität hatten als er. Aber er konnte nicht anders. »Also gut. Dienstag.«

Sie vereinbarten, daß sie im Columbia Hilton buchen und ihn von dort anrufen würde.

Heyward begann, die Süße, die da kommen sollte, im voraus zu kosten.

Er dachte an das andere, was er zu tun hatte – er mußte seine Q-Investments-Anteilscheine vernichten.

Mit dem Expreß-Lift fuhr er vom sechsunddreißigsten Stock hinunter in die Halle, dann ging er durch den Tunnel zur benachbarten Cityfiliale. Es dauerte nur fünf Minuten, bis er vor seinem persönlichen Stahlschließfach stand und die vier Scheine herausnahm, jeder gut für fünfhundert Anteile. Er nahm sie wieder mit nach oben, wo er sie persönlich in den Reißwolf tun wollte.

In seinem Büro angelangt, kamen ihm andere Gedanken. Als er das letzte Mal nachgeprüft hatte, waren die Anteile zwanzigtausend Dollar wert gewesen. Handelte er übereilt? Wurde es erforderlich, so konnte er die Scheine schließlich jederzeit in wenigen Augenblicken vernichten.

Er änderte seinen Entschluß und verschloß sie in einer Schublade, in der er auch andere Privatpapiere aufbewahrte.

## 12

Die große Chance kam, als Miles Eastin sie am allerwenigsten erwartete.

Noch vor zwei Tagen, frustriert und deprimiert, überzeugt davon, daß seine Leibeigenschaft im Fitness-Club Doppelte Sieben zu nichts anderem führen würde als zu seiner tiefen Verstrickung in das Verbrechen, hatte der Schatten des Gefängnisses schwer auf ihm gelastet. Miles hatte Juanita von seiner Niedergeschlagenheit erzählt, und diese Grundstimmung war, wenn auch für kurze Zeit durch ihre Liebe gemildert, geblieben.

Am Samstag war er zu Juanita gegangen. Am späten Montagabend hatte Nate Nathanson, Clubmanager der Doppelten Sieben, Miles zu sich kommen lassen; er hatte wie üblich geholfen, Getränke und Sandwiches zu den Karten- und Würfelspielern im zweiten Stock zu tragen.

Als Miles das Büro des Managers betrat, waren außer ihm noch zwei Personen anwesend. Der eine war der Wucherer, der Russe Ominsky. Der andere war ein untersetzter Mann mit groben Gesichtszügen, den Miles schon mehrfach im Club gesehen hatte; hin und wieder hatte er seinen Namen gehört: Tony Bär Marino. Der Name »Bär« schien angemessen. Marino war von schwerer, mächtiger Gestalt, mit lockeren Bewegungen und einer unterschwelligen Wildheit in seinem Wesen. Daß Tony Bär Autorität besaß, war offensichtlich, schon aus der Unterwürfigkeit, mit der ihn alle behandelten. Traf er vor der Doppelten Sieben ein, dann stets in einer Cadillac-Limousine mit Chauffeur und einem Begleiter – beide offensichtlich Leibwächter.

Nathanson wirkte nervös, als er das Wort ergriff. »Miles, ich habe Mr. Marino und Mr. Ominsky berichtet, wie nützlich Sie sich hier gemacht haben. Sie möchten, daß Sie für . . .«

Ominsky befahl dem Manager kurz angebunden: »Warten Sie draußen.«

»Ja, Sir.« Nathanson verschwand eilig.

»Da sitzt ein alter Knacker draußen in einem Auto«, wandte sich Ominsky an Miles. »Lassen Sie sich von Mr. Marinos Leuten helfen. Tragen Sie ihn herein, aber sorgen Sie dafür, daß niemand ihn sieht. Bringen Sie ihn hinauf in eins der Zimmer in der Nähe von Ihrem. Sorgen Sie dafür, daß er da bleibt. Lassen Sie ihn nicht länger allein, als Sie unbedingt müssen, und schließen Sie ihn ein, wenn Sie weggehen. Sie sind mir dafür verantwortlich, daß er dieses Haus nicht verläßt.«

Voller Unbehagen fragte Miles: »Soll ich ihn mit Gewalt hier festhalten?«

»Sie werden keine Gewalt anwenden müssen.«

»Der Alte weiß, wie es steht. Er wird keine Schwierigkeiten machen«, sagte Tony Bär. Es war überraschend, daß jemand von seiner Körpermasse eine Falsettstimme hatte. »Wohlgemerkt, er ist wichtig für uns, behandeln Sie ihn also anständig. Aber geben Sie ihm keinen Schnaps. Er wird welchen verlangen. Geben Sie ihm *keinen Tropfen*. Kapiert?«

»Ich denke, doch«, sagte Miles. »Heißt das, was Sie sagen, daß er jetzt bewußtlos ist?«

»Er ist stockbesoffen«, erwiderte Ominsky. »Er säuft seit einer Woche. Ihr Job ist es, für ihn zu sorgen und ihn trockenzulegen. Solange er hier ist – drei, vier Tage –, kann Ihre andere Arbeit warten.« Er fügte hinzu: »Machen Sie's gut, kriegen Sie wieder einen Pluspunkt.«

»Ich werde mein Bestes tun«, versprach Miles. »Hat der alte Mann einen Namen? Irgendwie muß ich ihn ja anreden.«

Die beiden anderen tauschten Blicke aus. Ominsky sagte: »Danny. Mehr brauchen Sie nicht zu wissen.«

Draußen vor der Doppelten Sieben spuckte Tony Bär Marinos Leibwächter-Chauffeur angewidert auf den Fußweg: »Mein Gott! Der alte Furz stinkt wie ein Scheißhaus.«

Er, der zweite Leibwächter und Miles Eastin betrachteten die reglose Gestalt auf dem Rücksitz einer Dodge-Limousine, die am Bordstein geparkt war. Die rechte hintere Tür des Wagens stand offen.

»Ich werd' versuchen, ihn sauberzumachen«, sagte Miles. Auch sein Gesicht verzog sich, als ihm der Gestank von Erbrochenem in die Nase stieg. »Aber erstmal müssen wir ihn reinschaffen.«

Der zweite Leibwächter trieb zur Eile: »Verdammt noch mal! Dann mal los, damit wir's hinter uns haben.«

Zusammen griffen sie hinein und packten den Mann. In der schlecht beleuchteten Straße war von ihrer Last nicht mehr zu erkennen als wirres graues Haar, teigig hohle Wangen mit Bartstoppeln, geschlossene Augen und ein schlaffer, offener Mund, der zahnlose Kiefer zeigte. Die Kleider des Bewußtlosen waren beschmutzt und zerrissen.

»Ob der wohl abgekratzt ist?« überlegte der zweite Leibwächter laut, als sie die Gestalt aus dem Wagen hoben.

Genau in dem Augenblick, ausgelöst wahrscheinlich durch die Bewegung, schoß ein Strom gelber Flüssigkeit aus dem offenen Mund und ergoß sich über Miles.

Der Chauffeur und Leibwächter, der nichts abbekommen hatte, lachte glucksend. »Der is' nicht hin. Noch nicht.« Dann, als es Miles vor Übelkeit in der Kehle würgte: »Besser, es trifft dich als mich, Junge.«

Sie trugen die reglose Gestalt in den Club hinein und über eine Hintertreppe in den dritten Stock hinauf. Miles hatte einen Zimmerschlüssel mitgebracht und schloß eine Tür auf. Sie führte in eine Zelle, die seiner Kammer glich; die einzige Möblierung bestand aus einem schmalen Bett, einer Kommode, zwei Stühlen, einem Waschbecken und ein paar Regalen. Die Holzverschalung der Zelle endete einen Fuß unter der Decke und ließ einen Spalt frei. Miles warf einen Blick hinein, dann sagte er zu den beiden anderen: »Moment mal.« Während sie warteten, rannte er nach unten und holte ein Gummilaken aus der Sporthalle. Zurückgekehrt, breitete er es über das Bett. Sie luden den alten Mann darauf ab.

»Da, der gehört dir nun allein, Milesy«, sagte der Chauffeur. »Los, raus hier, bevor ich auch noch kotzen muß.«

Miles bezwang seinen Widerwillen und entkleidete den alten Mann, dann, während er noch in tiefem, bewußtlosem Schlaf auf dem Gummilaken lag, wusch Miles ihn mit einem

Schwamm. Als das getan war, entfernte er mit einigem Heben und Zerren das Gummilaken und packte die jetzt saubere, weniger übelriechende Gestalt ins Bett. Während der Prozedur stöhnte der alte Mann, und einmal rebellierte sein Magen, aber dieses Mal rann ihm nur ein Speichelfaden aus dem Mund, den Miles wegwischte. Als Miles ihn mit Laken und Decke zugedeckt hatte, schien der alte Mann zur Ruhe zu kommen.

Als er ihn auszog, hatte Miles die Kleider auf den Boden der Kammer fallen lassen. Nun raffte er sie zusammen und begann, sie in zwei Plastiktüten zu stopfen, um sie am nächsten Tag in die Reinigung und in die Wäsche zu geben. Dabei leerte er alle Taschen. Eine Manteltasche enthielt ein künstliches Gebiß. In anderen Taschen fand er verschiedene Gegenstände – einen Kamm, eine Brille mit dicken Gläsern, ein Etui mit goldenem Füller und Drehbleistift, mehrere Schlüssel an einem Ring und – sie steckten in einer Innentasche – drei Keycharge-Kreditkarten und eine dick mit Geld vollgestopfte Brieftasche.

Miles nahm die Zähne, spülte sie ab und tat sie in ein Glas Wasser, das er neben das Bett stellte. Daneben legte er die Brille. Dann untersuchte er die Bankkredit-Karten und die Brieftasche.

Die Kreditkarten waren auf die Namen Fred W. Riordan, R. K. Bennett und Alfred Shaw ausgestellt. Jede Karte trug auf der Rückseite eine Unterschrift, aber trotz der unterschiedlichen Namen war es in jedem Falle dieselbe Handschrift. Miles drehte die Karten wieder um und sah sich die Gültigkeitsdaten an, aus denen hervorging, daß alle drei Karten nicht abgelaufen waren. Soweit er es beurteilen konnte, waren sie echt.

Er wandte seine Aufmerksamkeit der Brieftasche zu. In einem Klarsichtfach steckte ein Führerschein, ausgestellt von der Verkehrsbehörde des Bundesstaates. Der Kunststoff des Brieftaschenfachs war vergilbt und kaum noch durchsichtig, deshalb nahm Miles den Führerschein heraus, entdeckte darunter einen zweiten und unter dem einen dritten. Die Namen auf den Führerscheinen waren dieselben wie auf den Kreditkarten, aber die Paßfotos auf allen drei Führerscheinen, die Kopf und Schultern zeigten, waren alle von derselben Person. Er sah genauer hin. Die Bilder waren zu verschiedenen Zeiten aufgenommen, aber sie zeigten zweifellos alle den alten Mann, der jetzt auf dem Bett lag.

Miles nahm das Geld aus der Brieftasche, um es zu zählen. Er hatte vor, Nate Nathanson zu bitten, die Kreditkarten und die Brieftasche in den Tresor des Clubs zu legen, aber vorher wollte er wissen, wieviel er ihm übergab. Die Summe war unerwartet groß – fünfhundertzwölf Dollar, davon etwa die Hälfte in neuen Zwanzig-Dollar-Noten. Die Zwanziger ließen ihn stutzen. Miles sah sich mehrere davon genau an und fühlte die Textur des Papiers mit den Fingerspitzen. Dann warf er dem alten Mann auf dem Bett einen Blick zu, aber er schlief anscheinend tief. Leise verließ Miles den Raum und ging über den Korridor des dritten Stocks zu seiner eigenen Kammer. Augenblicke später kehrte er mit einer Leuchtlupe zurück und betrachtete noch einmal die Zwanzig-Dollar-Scheine. Seine Ahnung war richtig. Es handelte sich um Fälschungen, und zwar von der gleichen hohen Qualität wie die anderen, die er vor einer Woche hier in der Doppelten Sieben gekauft hatte.

Er überlegte. Das Geld, oder richtiger, die Hälfte des Geldes war gefälscht. Das galt offensichtlich auch für die drei Führerscheine; wahrscheinlich stammten sie aus derselben Quelle wie Miles' eigener gefälschter Führerschein, den ihm Jules LaRocca vorige Woche gegeben hatte. War es dann nicht auch zu vermuten, daß die Kreditkarten ebenfalls gefälscht waren? Vielleicht war er jetzt doch dem Ursprung der falschen Keycharge-Karten nahe, den Nolan Wainwright so dringend suchte. Miles' Aufregung wuchs, gleichzeitig mit seiner Nervosität, die sein Herz hämmern ließ.

Er mußte sich die neu erlangten Informationen notieren. Auf ein Papierhandtuch schrieb er die Einzelangaben von den Kreditkarten und Führerscheinen ab, gelegentlich sich durch einen Blick vergewissernd, daß die Gestalt auf dem Bett sich nicht rührte.

Wenig später knipste Miles das Licht aus, verschloß die Tür von außen und nahm Brieftasche und Kreditkarten mit nach unten.

Er schlief unruhig in dieser Nacht, bei nur angelehnter Tür, sich seiner Verantwortung für den Bewohner der Zelle jenseits des Korridors bewußt. Miles verbrachte auch einige Zeit damit, Vermutungen über Rolle und Identität des alten Mannes anzustellen, den er in Gedanken Danny zu nennen begann. In welcher Beziehung stand Danny zu Ominsky und Tony Bär Marino? Warum hatten sie ihn hierher geschafft? Tony Bär hatte erklärt: *Er ist wichtig für uns.* Warum?

Miles wachte auf, als es hell wurde, und warf einen Blick auf die Uhr: 6.45 Uhr. Er stand auf, wusch sich rasch, rasierte sich, zog sich an. Kein Laut kam von jenseits des Korridors. Er ging hinüber, steckte leise den Schlüssel ins Schloß und warf einen Blick hinein. Danny hatte sich im Schlaf herumgedreht, aber er schlief noch, sanft schnarchend. Miles raffte die Plastiktüten mit Kleidung zusammen, schloß wieder ab und ging nach unten.

Zwanzig Minuten später war er wieder da mit einem Frühstückstablett – starker Kaffee, Toast und Rührreier.

»Danny!« Miles packte den alten Mann an der Schulter und schüttelte ihn. »Danny, wach auf!«

Keine Reaktion. Miles versuchte es noch einmal. Endlich öffneten sich mißtrauisch zwei Augen, inspizierten ihn, schlossen sich dann wieder fest. »Geh weg«, murmelte der alte Mann. »Geh weg. Bin noch nicht reif für die Hölle.«

»Ich bin nicht der Teufel«, sagte Miles. »Ich bin dein Freund. Tony Bär und Russe Ominsky haben gesagt, ich soll für dich sorgen.«

Wäßrige Augen öffneten sich wieder. »Die Ausgeburten von Sodom haben mich gefunden, was? Mußte ja so kommen. Finden einen immer.« Das Gesicht des alten Mannes verzog sich vor Schmerzen. »Jesses! Mein armer Schädel!«

»Ich hab' Kaffee gebracht. Laß mal sehen, ob der hilft.« Miles legte einen Arm um Dannys Schultern, half ihm, sich aufzurichten, trug dann den Kaffee zu ihm. Der alte Mann nahm einen kleinen Schluck und zog eine Grimasse.

Plötzlich schien er hellwach zu sein. »Hör mal, mein Sohn. Was mich aufmöbelt, weiß ich. Ein Schluck von dem, was mich umgehauen hat. Jetzt nimmst du 'n bißchen Geld . . .« Er sah sich suchend um.

»Dein Geld ist sicher«, sagte Miles. »Es liegt im Club-Safe. Ich hab's gestern abend unten abgegeben.«

»Das hier die Doppelte Sieben?«

»Ja.«

»Haben mich schon mal hergeschafft. Na, da weißt du ja, daß ich zahlen kann, mein Sohn, also spring mal schnell an die Bar . . .«

Miles sagte mit fester Stimme: »Nix spring mal. Weder für dich noch für mich.«

»Es wird dein Schaden nicht sein.« Die alten Augen blitzten schlau. »Sagen wir, vierzig Dollar für die Flasche. Na, was meinste?«

»Tut mir leid, Danny. Ich habe meine Vorschriften.« Miles wog ab, was er jetzt sagen sollte, dann tat er den Sprung ins kalte Wasser. »Außerdem – wenn ich mit den Zwanzigern von dir zahle, könnten sie mich verhaften.«

Es war, als hätte er eine Pistole abgedrückt: Danny schoß kerzengerade in die Höhe, sein Gesicht drückte höchste Unruhe und Mißtrauen aus. »Wer hat dir erlaubt, das . . .« Er hielt inne, stöhnte auf, verzog das Gesicht und preßte eine Hand an den schmerzenden Schädel.

»Irgend jemand mußte ja das Geld zählen. Also hab' ich's getan.«

Mit schwacher Stimme sagte der alte Mann: »Das sind gute Zwanziger.«

»Na klar«, stimmte Miles ihm zu. »So ziemlich die besten, die ich je gesehen habe. Fast so gut wie die von der staatlichen Münzdruckerei.«

Danny schlug die Augen zu ihm auf. Erwachendes Interesse mischte sich mit Argwohn. »Woher verstehste denn was davon?«

»Bevor ich in den Knast kam, hab' ich für eine Bank gearbeitet.«

Schweigen. Dann fragte der alte Mann: »Warum warste denn im Knast?«

»Unterschlagung. Vorzeitig entlassen, zur Bewährung.«

Danny entspannte sich sichtlich. »Na, da biste wohl in Ordnung. Sonst würdste ja auch nicht für Tony Bär und den Russen arbeiten.«

»Stimmt«, sagte Miles. »Ich bin in Ordnung. Jetzt müssen wir nur noch dich in Ordnung bringen. Nun gehen wir erst mal ins Dampfbad.«

»Ich brauch' keinen Dampf. Ich brauch' 'n Schnaps. Nur einen einzigen, mein Sohn«, flehte Danny. »Ich schwöre, das ist alles. Du wirst doch 'nem alten Mann den kleinen Gefallen nich' ausschlagen.«

»Wir schwitzen was von dem aus, was du schon getrunken hast. Dann kannst du dir die Finger ablecken.«

Der alte Mann stöhnte. »Herzlos! Herzlos!«

Es war beinahe so, als habe er ein Kind zu versorgen. Den nur halb ernstgemeinten Protest ignorierend, wickelte Miles den alten Mann in einen Bademantel und führte ihn die Treppen hinab, dann begleitete er ihn durch eine Reihe von Dampfräumen, rieb ihn mit Handtüchern ab und half ihm schließlich auf einen Massagetisch, wo Miles selbst ihn tüchtig und ziemlich geschickt bearbeitete und abrieb. So früh am Tage waren Sporthalle und Dampfräume wie ausgestorben, und von den Club-Angestellten waren erst wenige da. Kein anderer Mensch war zu sehen, als Miles den alten Mann wieder die Treppen hinauf begleitete.

Miles bezog das Bett mit frischen Laken, und Danny, inzwischen beruhigt und gehorsam, kletterte hinein. Fast im selben Augenblick schlief er ein, wenn auch heute, im Gegensatz zu gestern abend, ruhevoll, fast engelhaft. Seltsamerweise hatte Miles, ohne ihn eigentlich zu kennen, schon eine Zuneigung zu dem alten Mann gefaßt. Während er schlief, stopfte Miles ihm behutsam ein Handtuch unter den Kopf und rasierte ihn.

Später an diesem Vormittag, während er in seiner Kammer auf der anderen Seite des Korridors in einem Buch las, nickte Miles ein.

»He, Milesy! Baby, raus mit dir, du fauler Arsch!« Die schnarrende Stimme gehörte Jules LaRocca.

Aufgeschreckt fuhr Miles hoch und sah die vertraute Schmerbauchgestalt im Türrahmen. Miles streckte die Hand aus, suchte den Schlüssel für die Zelle auf der anderen Seite des Korridors. Erleichtert fand er ihn, wo er ihn gelassen hatte.

»Hab' da 'n paar Fetzen für den alten Penner«, sagte LaRocca. Er trug einen Pappkoffer in der Hand. »Ominsky sagt, ich sollse dir geben.«

LaRocca, der allgegenwärtige Bote.

»Okay.« Miles reckte sich und ging zu einem Waschbekken, wo er sich mit beiden Händen kaltes Wasser ins Gesicht spritzte. Dann öffnete er, gefolgt von LaRocca, die Tür gegenüber. Als die beiden hereinkamen, richtete Danny sich vorsichtig auf. Er war noch immer schlapp und bleich, aber es schien ihm jetzt besserzugehen als bei seiner Ankunft. Er hatte das Gebiß im Mund und die Brille auf der Nase.

»Du alter Penner, zu nichts biste zu gebrauchen!« sagte LaRocca. »Allen machste immer bloß Ärger.«

Danny richtete sich steiler auf und betrachtete seinen Ankläger mit Widerwillen. »Ich bin nich' 'n bißchen unnütz. Wie du und andere genau wissen. Was den Sprit angeht, na, jeder hat seine kleine Schwäche.« Er zeigte auf den Koffer. »Wenn du mir meine Sachen bringst, tu, was man dir gesagt hat, und häng sie auf.«

LaRocca machte das überhaupt nichts aus. Er grinste. »Hörst dich ja wieder ganz fidel an, du alter Furz. Scheint, daß Milesy dich wieder hingekriegt hat.«

»Jules«, sagte Miles, »bleibst du mal so lange hier, bis ich 'ne Höhensonne von unten geholt hab'? Ich glaube, die wird Danny guttun.«

»Na klar.«

»Aber erst mal möchte ich 'n Wort mit dir reden.« Miles machte eine Kopfbewegung, und LaRocca folgte ihm nach draußen.

Leise fragte Miles: »Jules, was hat das alles zu bedeuten? Wer ist das?«

»Nur 'n alter Penner. Gelegentlich haut er ab, macht 'ne Sauftour. Dann muß irgend jemand ihn suchen und die alte Schnapsdrossel austrocknen.«

»Warum? Und von wo haut er ab?«

LaRocca hielt inne, die Augen wieder voller Argwohn wie vor einer Woche. »Du fragst einfach zuviel, Junge. Was haben Tony Bär und Ominsky dir gesagt?«

»Nix, nur daß der alte Mann Danny heißt.«

»Wenn se dir mehr sagen wollen, dann werden sie's tun. Ich nich'.«

Als LaRocca gegangen war, stellte Miles eine Höhensonne in der Zelle auf und setzte Danny für einige Zeit darunter. Den Rest des Tages lag der alte Mann schweigend wach oder döste vor sich hin. Am frühen Abend brachte Miles das Abendessen von unten, das Danny zum größten Teil aß – seine erste volle Mahlzeit seit seiner Ankunft vor vierundzwanzig Stunden.

Am nächsten Morgen – Mittwoch – wiederholte Miles die Dampfraum- und Höhensonnenbehandlung, und später spielten die beiden Schach. Der alte Mann hatte einen raschen, scharfen Verstand, und sie waren ebenbürtige Gegner. Danny war inzwischen freundlich und gelöst, und er ließ keinen Zweifel daran, daß Miles' Gesellschaft und seine Fürsorge ihm angenehm waren.

Am zweiten Nachmittag wurde der alte Mann gesprächig. »Gestern hat mir der alte Schleicher LaRocca erzählt, daß du 'ne Menge von Geld verstehst.«

»Das sagt er jedem.« Miles berichtete ihm von seinem Hobby und dem Interesse, das er damit im Gefängnis erregt hatte.

Danny stellte weitere Fragen, dann erklärte er: »Wenn's dir nichts ausmacht, möchte ich mein eignes Geld wiederhaben, jetzt.«

»Ich hol's dir. Aber ich muß dich wieder einschließen.«

»Falls du dir wegen dem Schnaps Gedanken machst, vergiß es. Für diesmal bin ich drüber weg. So 'ne Pause, dann hab' ich's gepackt. Kann Monate dauern, bis ich wieder einen Schluck nehme.«

»Freut mich.« Trotzdem schloß Miles die Tür ab.

Als er sein Geld hatte, breitete Danny es auf dem Bett aus, dann sortierte er es in zwei Haufen. Die neuen Zwanziger lagen auf dem einen, die anderen, meist schmutzige Scheine verschiedener Größe, kamen auf den anderen. Aus der zweiten Gruppe wählte Danny drei Zehn-Dollar-Scheine aus und gab sie Miles. »Dafür, daß du an ein paar Kleinigkeiten gedacht hast, Junge – wie an meine Zähne, das Rasieren, die Höhensonne. Vielen Dank dafür.«

»Hör mal, das ist aber nicht nötig.«

»Nimm's. Übrigens sind die alle echt. Jetzt sag mir mal eins.«

»Wenn ich kann.«

»Wie hast du gemerkt, daß die Zwanziger da hausgemacht sind?«

»Hab' ich nicht sofort gemerkt. Aber mit dem Vergrößerer sieht man, daß ein paar Linien auf Andrew Jacksons Porträt verwaschen aussehen.«

Danny nickte weise. »Das ist eben der Unterschied zwischen Stahlstich, den die Regierung benutzt, und einer Foto-Offset-Platte. Allerdings kann ein Offset-Mann der Spitzenklasse dem Original verdammt nahekommen.«

»Wie in diesem Fall«, sagte Miles. »Andere Teile der Scheine sind so gut wie perfekt.«

Auf dem Gesicht des alten Mannes lag ein schwaches Lächeln. »Was hältst du von dem Papier?«

»Das hat mich reingelegt. Gewöhnlich fühlt man einen schlechten Schein mit den Fingern. Die da aber nicht.«

Danny sagte leise: »Vierundzwanzig Pfund Coupon Bond. Hundert Prozent Baumwollfaser. Die Leute denken immer, man kann das richtige Papier nicht kriegen. Is' nicht wahr. Man muß sich nur umsehen danach.«

»Wenn du dich so dafür interessierst«, sagte Miles, »ich hab' drüben ein paar Bücher über Geld. Ich denk' da an eins, veröffentlicht vom amerikanischen Secret Service.«

»Du meinst wohl ›Know Your Money‹, was?« Als Miles überrascht aufsah, lachte der alte Mann in sich hinein. »Das ist das Handbuch der Fälscher. Steht genau drin, worauf man achten muß, wenn man wissen will, ob ein Schein falsch ist. Führt alle Fehler auf, die von Fälschern gemacht werden. Ist sogar illustriert!«

»Ja«, nickte Miles. »Ich weiß.«

Danny gluckste und kicherte weiter. »Und die Regierung verschenkt es! Man schreibt nach Washington – und schon schicken sie's einem. Hat mal einen Klasse-Fälscher gegeben, der hieß Mike Landress, hat auch ein Buch geschrieben. Steht drin, daß jeder Fälscher ›Know Your Money‹ besitzen sollte.«

»Landress ist geschnappt worden«, erinnerte Miles ihn.

»Weil er mit Dummköpfen gearbeitet hat. Die hatten keine Organisation.«

»Du weißt ja 'ne ganze Menge.«

»'n bißchen schon.« Danny machte eine Pause, nahm einen von den echten Scheinen auf, dann einen von den gefälschten und verglich sie. Was er sah, freute ihn; er grinste. »Hast du schon gewußt, Junge, daß amerikanisches Geld leichter nachzudrucken ist als irgendeine andere Währung der Welt? Tatsache ist, man hat es so entworfen, daß die Graveure im vorigen Jahrhundert es mit den Werkzeugen, die sie hatten, nicht nachmachen konnten. Aber inzwischen gibt's Multilith-Maschinen und Foto-Offset mit hoher Auflösung, so daß ein guter Mann heutzutage mit entsprechender Ausrüstung, Geduld und einigem Ausschuß Dinger herstellen kann, die nur der Fachmann als Blüten erkennt.«

»Davon hab' ich schon gehört«, sagte Miles. »Aber viel kann da doch nicht los sein.«

»Das will ich dir sagen.« Danny schien die Sache Spaß zu machen; offensichtlich war er bei seinem Lieblingsthema. »Kein Mensch weiß genau, wie viele Blüten jedes Jahr gedruckt und nicht entdeckt werden, aber es ist ein *Haufen*. Die Regierung meint, dreißig Millionen Dollar, wobei ein Zehntel davon in Umlauf kommt. Aber das sind Regierungszahlen, und bei *allen* Zahlen, die die Regierung nennt, weiß man nur eins ganz genau, nämlich daß sie entweder zu hoch oder zu niedrig sind, je nachdem, was die da oben gerade beweisen wollen. In diesem Fall wollen sie eine möglichst niedrige Zahl. Ich schätze, in jedem Jahr siebzig Millionen, vielleicht sogar an die hundert.«

»Mag wohl sein«, sagte Miles. Er dachte daran, wieviel Falschgeld in der Bank entdeckt worden war und wieviel mehr keinem Menschen aufgefallen sein mochte.

»Weißt du, welches Geld am *schwersten* nachzumachen ist?«

»Nein, weiß ich nicht.«

»Ein Traveller-Scheck vom American Express. Weißte, warum?«

Miles schüttelte den Kopf.

»Der ist in Zyan-Blau gedruckt, und das für eine Offset-Platte zu fotografieren, ist so gut wie unmöglich. Kein Mensch, der auch nur ein bißchen Ahnung hat, versucht das. Reine Zeitverschwendung. Deshalb ist ein Amex-Scheck sicherer als amerikanisches Geld.«

»Es gibt Gerüchte«, sagte Miles, »daß es bald neues amerikanisches Geld geben soll in verschiedenen Farben für die verschiedenen Werte – wie in Kanada.«

»Das ist mehr als 'n Gerücht«, sagte Danny. »Is' Tatsache. Viel von dem bunten Geld ist schon gedruckt und eingelagert vom Finanzministerium. Wird schwerer nachzumachen sein als alles, was bisher gemacht worden ist.« Er lächelte spitzbübisch. »Aber das alte Zeug reicht noch für 'ne ganze Weile. Vielleicht so lange, wie ich lebe.«

Miles saß schweigend da und verdaute, was er gehört hatte. Am Ende sagte er: »Du hast mich was gefragt, Danny, und ich hab' geantwortet. Jetzt hätt' ich mal 'ne Frage an dich.«

»Ich sage nicht, daß ich antworte. Aber versuchen kannst du's.«

»Wer bist du, und was bist du?«

Der alte Mann grübelte nach, ein Daumen strich über sein Kinn, während er Miles abschätzend musterte. Was er dachte, spiegelte sich zum Teil auf seinem Gesicht: Ein Zwang zur Offenheit kämpfte gegen Vorsicht; Stolz mischte sich mit Verschwiegenheit. Mit einem Ruck entschloß Danny sich. »Ich bin 73 Jahre alt«, sagte er, »und ich bin Meister in meinem Handwerk. Bin mein ganzes Leben lang Drucker gewesen. Bin noch immer der beste. Das Drucken ist nicht nur ein Handwerk, es ist eine Kunst.« Er zeigte auf die Zwanzig-Dollar-Scheine, die noch immer auf dem Bett ausgebreitet waren. »Die sind mein Werk. Ich habe die Fotoplatten gemacht. Ich hab' sie gedruckt.«

»Und die Führerscheine und die Kreditkarten?« fragte Miles.

»Verglichen mit dem Drucken von Geld«, sagte Danny, »sind die Dinger leicht wie in 'ne Tonne pissen. Aber, ja – ich hab' die alle gemacht.«

Fiebernd vor Ungeduld wartete Miles auf eine Gelegenheit, das, was er erfahren hatte, Nolan Wainwright mitzuteilen, über Juanita. Zu seinem Ärger erwies es sich aber als unmöglich, die Doppelte Sieben zu verlassen, und das Risiko, so wichtige Dinge über das Telefon des Fitness-Clubs mitzuteilen, schien ihm viel zu groß.

Am Donnerstag morgen – dem Tag nach Dannys offenherzigen Enthüllungen – hatte sich der alte Mann anscheinend ganz von seiner alkoholischen Orgie erholt. Er genoß Miles' Gesellschaft offensichtlich, und sie spielten weiter Schach. Auch ihre Gespräche gingen weiter, allerdings war Danny mehr auf der Hut als am Tag zuvor.

Nicht klar war, ob Danny seinen Aufbruch nach Belieben beschleunigen konnte. Selbst wenn er es gekonnt hätte, so zeigte er keinerlei Neigung dazu und schien – jedenfalls vorläufig – mit seiner Internierung in der Zelle des dritten Stocks ganz zufrieden.

In ihren späteren Gesprächen, am Mittwoch und am Donnerstag, versuchte Miles, mehr über Dannys Fälschertätigkeit zu erfahren, und er schnitt andeutungsweise sogar die entscheidende Frage nach dem Sitz des Hauptquartiers an. Aber Danny vermied geschickt jede weitere Diskussion über dieses Thema, und Miles' Instinkt sagte ihm, daß der alte Mann einen Teil seiner früheren Offenheit schon bereute. Er dachte an Wainwrights Rat – *nichts überstürzen, immer mit Geduld* –, und er nahm sich vor, sein Glück nicht zu strapazieren.

Bei all seiner Hochstimmung bedrückte ihn ein Gedanke. Jedes bißchen von dem, was er entdeckt hatte, bedeutete garantiert die Verhaftung und Verurteilung von Danny. Miles mochte den alten Mann, und er bedauerte das, was kommen mußte. Aber, so sagte er sich, es war auch der einzige Weg, der zu seiner eigenen Rehabilitierung führte.

Ominsky, der Kredithai, und Tony Bär Marino hatten beide etwas mit Danny zu tun, aber unklar war noch immer die genaue Art ihrer Beziehungen. Um den Russen Ominsky oder Tony Bär machte Miles sich nicht die geringsten Gedanken, aber Angst packte ihn mit eisigen Fingern bei dem Gedanken daran, daß sie von seiner eigenen Spitzelrolle erfahren könnten – und irgendwann, dachte er, würden sie es wohl erfahren müssen.

Am späten Donnerstagnachmittag tauchte Jules LaRocca wieder auf. »Soll dir was von Tony sagen. Schickt morgen früh 'ne Karre für dich.«

Danny nickte, aber Miles fragte: »'ne Karre? Wo soll die ihn denn hinbringen?«

Danny und LaRocca warfen ihm beide einen scharfen Blick zu, ohne zu antworten, und Miles wünschte, er hätte diese Frage nicht gestellt.

In der Nacht beschloß Miles, ein einigermaßen akzeptables Risiko einzugehen, und rief Juanita an. Er wartete, bis er Danny kurz vor Mitternacht in seine Zelle eingeschlossen hatte, dann ging er die Treppe hinunter, um ein Münztelefon im Erdgeschoß des Clubs zu benutzen. Miles steckte zehn Cent in den Schlitz und wählte Juanitas Nummer. Nach dem ersten Läuten sagte sie mit leiser Stimme: »Hallo.«

Der Münzapparat hing an der Wand neben der Bar, und Miles flüsterte, damit niemand verstehen konnte, was er sagte: »Du weißt, wer hier spricht. Also keine Namen.«

»Ja«, sagte Juanita.

»Sag unserem gemeinsamen Freund, daß ich hier was Wichtiges entdeckt habe. Es ist wirklich wichtig. Fast alles, was er wissen wollte. Mehr kann ich nicht sagen, aber ich komme morgen abend zu dir.«

»Gut.«

Miles hängte ein. Im selben Augenblick schaltete sich ein im Keller des Clubs verborgenes Tonbandgerät, das sich beim Abheben des Hörers vom Haken automatisch eingeschaltet hatte, ebenso automatisch wieder ab.


14


Einige Zeilen aus der Schöpfungsgeschichte zuckten wie Schleichwerbung in Abständen durch Roscoe Heywards

Kopf: *Du sollst essen von allerlei Bäumen im Garten; aber von dem Baum der Erkenntnis des Guten und Bösen sollst du nicht essen. Denn welches Tages du davon issest, wirst du des Todes sterben.*

In den letzten Tagen hatte Heyward über die Frage gegrübelt: War sein unerlaubtes sexuelles Verhältnis mit Avril, das in jener unvergeßlichen Mondnacht auf den Bahamas begonnen hatte, zu seinem eigenen Baum des Bösen geworden, von dem er eines Tages die bitterste aller Früchte ernten würde? Und war all das Widrige, das jetzt geschah – die plötzliche, alarmierende Schwäche von Supranational, die seine eigenen Hoffnungen in der Bank zunichte machen konnte –, vielleicht von Gott als Strafe für ihn persönlich gewollt?

Anders herum: Wenn er nun entschlossen und sofort jede Verbindung zu Avril abbrach, wenn er sie aus seinen Gedanken tilgte, würde Gott ihm dann vergeben? Würde er zum Lohn die Supranational wieder stärken und damit das Glück seines Dieners, Roscoe, wiederherstellen? Er gedachte Nehemias . . . *aber Du, mein Gott, vergabest und warest gnädig, barmherzig, geduldig und von großer Barmherzigkeit . . .* und glaubte, daß Gott vielleicht vergeben würde.

Betrüblicherweise konnte man dessen nicht sicher sein.

Gegen eine Trennung von Avril fiel auch die Tatsache ins Gewicht, daß sie am Dienstag in der Stadt sein würde, wie sie es in der vorigen Woche besprochen hatten. Von seinen derzeitigen Sorgen fast erdrückt, sehnte Heyward sich nach ihr.

Den ganzen Montag über, und auch noch am Dienstag vormittag in seinem Büro, schwankte er; noch konnte er sie in New York anrufen und die Verabredung absagen. Aber dann hatte er den Dienstagmorgen halb verstreichen lassen, und nun war es zu spät dazu, denn er kannte die Flugpläne von New York, und erleichtert sagte er sich, daß es nichts mehr zu ändern gab.

Avril rief am späten Nachmittag an, über den Apparat direkt auf seinem Schreibtisch, dessen Nummer nicht im Buch stand. »Hallo, Rossie! Ich bin im Hotel. Suite 432. Der Champagner steht auf Eis – aber ich bin heiß für dich.«

Hätte er doch ein Zimmer vorgeschlagen, keine Suite, sagte er sich, als er an die Rechnung dachte. Aus dem gleichen Grund kam ihm Champagner unnötig und extravagant vor, und er fragte sich, ob es ungehörig wäre, wenn er ihr vorschlug, ihn zurückgehen zu lassen. Doch, ja, das wäre es wohl.

»Ich bin gleich bei dir, meine Liebe«, sagte er.

Ein wenig sparte er dann doch, indem er sich von einem chauffeurgesteuerten Wagen der Bank zum Columbia Hilton bringen ließ. »Sie brauchen nicht zu warten«, sagte Heyward zu dem Fahrer.

Als er die Suite 432 betrat, legten sich ihre Arme sofort um ihn, und hungrig gruben sich die vollen Lippen in seinen Mund. Er hielt sie ganz fest, und sein Körper reagierte sofort mit jener Erregung, die er nun schon kannte und nach der es ihn verlangte. Durch den Stoff seiner Hose konnte er Avrils lange, schlanke Schenkel und Beine fühlen, die sich bewegten und sich an ihn drängten, ihn aufreizten, sich zurückzogen, dann verheißungsvoll wieder da waren, bis sein ganzes Wesen auf ein paar Quadratzentimeter seines Körpers konzentriert schien. Dann, nach einigen Augenblicken, machte Avril sich von ihm frei, berührte seine Wange und zog sich zurück.

»Rossie, warum bringen wir das Geschäftliche nicht erst einmal hinter uns? Dann können wir uns entspannen, ohne Sorgen.«

Dieser plötzliche Übergang versetzte ihm einen Stoß. Ging das eigentlich immer so – erst das Geld vor der Erfüllung? überlegte er. Aber es war wohl vernünftig. Ließ man das bis nachher, konnte der Kunde, gesättigt und befriedigt, womöglich abgeneigt sein zu zahlen.

»In Ordnung«, sagte er. Er hatte zweihundert Dollar in einen Umschlag getan; den gab er Avril. Sie nahm das Geld heraus und begann, es zu zählen. »Traust du mir nicht?« fragte er etwas gekränkt.

»Die Frage könnte ich dir zurückgeben«, sagte Avril. »Angenommen, ich trage Geld auf eure Bank und zahle es ein, ist da nicht jemand, der es nachzählt?«

»Aber sicher.«

»Siehst du, Rossie, und jeder Mensch hat ebensoviel Recht wie die Bank, aufzupassen und an seine Interessen zu denken.« Sie zählte zu Ende und sagte pointiert: »Das sind die zweihundert für mich. Da wären dann noch der Flugschein, die Taxis, zusammen hundertzwanzig; die Suite kostet fünfundachtzig; Champagner und Trinkgeld machen fünfundzwanzig. Sagen wir doch einfach noch zweihundertfünfzig. Da wäre dann alles inklusive.«

Erschlagen von der Höhe der Summe, wandte er ein: »Das ist eine Menge Geld.«

»Ich bin eine Menge Frau. Das ist nicht mehr als das, was Supranational ausgegeben hat, als die noch bezahlten, und da hattest du anscheinend nichts dagegen. Außerdem, wenn du das Beste willst, wird's teuer.«

Ihre Stimme drückte Sachlichkeit und Direktheit aus, und er begriff, daß er hier eine andere Avril kennenlernte, schärfer und härter als das schmiegsam nachgebende Geschöpf, das er gerade im Arm gehabt hatte und das so begierig war zu erfreuen. Zögernd nahm Heyward zweihundertfünfzig Dollar aus seiner Brieftasche und gab sie ihr.

Avril steckte den vollen Betrag in ein inneres Abteil ihrer Handtasche. »So! Das Geschäftliche wäre also erledigt. Jetzt können wir uns der Liebe widmen.«

Sie wandte sich ihm zu und küßte ihn heftig, und gleichzeitig ließ sie ihre langen, geschickten Finger leicht durch sein Haar gleiten. Sein Hunger nach ihr, der einen kurzen Moment lang verdrängt worden war, lebte wieder auf.

»Rossie, Süßer«, flüsterte Avril, »als du hereinkamst, hast du müde und sorgenvoll ausgesehen.«

»Ich habe in letzter Zeit einige Sorgen in der Bank gehabt.«

»Dann werden wir dich auflockern. Du wirst erst mal ein wenig Champagner kriegen, dann kannst du mich haben.« Geschickt öffnete sie die Flasche, die in einem Eiskübel gestanden hatte, und schenkte zwei Gläser voll. Sie tranken langsam, und Heyward verzichtete dieses Mal darauf, sein Abstinenzlertum zu erwähnen. Bald begann Avril, ihn und sich selbst zu entkleiden.

Als sie im Bett lagen, hörte sie nicht auf, ihm ins Ohr zu

flüstern, Liebevolles, Ermutigendes . . . »Oh, Rossie! Du bist so groß und stark!« . . . »Was für ein Mann du bist!« . . . »Langsam, Liebster; langsam« . . . »Du hast uns ins Paradies gebracht« . . . »Ach, wenn's doch ewig so bleiben könnte!«

Sie besaß nicht nur die Fähigkeit, ihn physisch zu erwekken, sondern ihm auch das Gefühl zu geben, mehr Mann zu sein als je zuvor. Niemals hatte er sich in allen seinen flüchtigen Vereinigungen mit Beatrice etwas von diesem überwältigenden Gefühl träumen lassen, das ihn in jeder Hinsicht zu vollkommener Erfüllung führte.

»Fast sind wir da, Rossie« . . . »Sag mir, wann« . . . »Ja, Liebling! *Oh, bitte, ja!*«

Vielleicht war ein Teil ihrer Reaktionen gespielt; er hatte den Verdacht, daß es so war, aber es war nicht mehr wichtig. Wichtig war die tiefe, reiche, freudige Sinnlichkeit, die er durch sie in sich entdeckt hatte.

Das Crescendo verklang. Es würde ihm, dachte Roscoe Heyward, als eine weitere exquisite Erinnerung verbleiben. Jetzt lagen sie, in süßer Erschöpfung, da, während sich draußen vor dem Hotel die Dämmerung des frühen Abends in Dunkelheit verwandelte und die Lichter der Stadt aufblitzten. Avril rührte sich als erste. Barfuß ging sie vom Schlafzimmer ins Wohnzimmer der Suite und kehrte mit gefüllten Champagnergläsern zurück, die sie langsam austranken, während sie im Bett saßen und miteinander sprachen.

Nach einer Weile sagte Avril: »Rossie, ich möchte dich um Rat fragen.«

»Worum geht's denn?« Welches mädchenhafte Geheimnis würde er jetzt erfahren?

»Soll ich meine Supranational-Aktien verkaufen?«

Aufgeschreckt fragte er: »Hast du viele?«

»Fünfhundert Aktien. Ich weiß, für dich ist das nicht viel. Aber für mich – ungefähr ein Drittel meiner Ersparnisse.«

Rasch rechnete er aus, daß Avrils »Ersparnisse« annähernd siebenmal so groß waren wie seine eigenen.

»Was hast du über SuNatCo gehört? Warum fragst du?«

»Erstens haben die die Spesen gedrosselt, und man hat mir gesagt, daß sie knapp bei Kasse sind und Rechnungen nicht bezahlen. Ein Paar von den anderen Mädchen haben den Rat bekommen, ihre Aktien zu verkaufen, aber ich hab' meine bisher behalten, weil sie viel weniger bringen, als ich damals für sie bezahlt habe.«

»Hast du Quartermain schon gefragt?«

»Seit einiger Zeit hat keiner von uns ihn mehr gesehen. Mondstrahl . . . Du erinnerst dich an Mondstrahl?«

»Ja.« Heyward fiel ein, daß Big George angeboten hatte, ihm das exquisite japanische Mädchen aufs Zimmer zu schicken. Er fragte sich, wie es wohl gewesen wäre.

»Mondstrahl sagt, Georgie wäre nach Costa Rica gefahren und würde da vielleicht bleiben. Und sie sagt, er habe eine Menge seiner eigenen SuNatCo verkauft, bevor er abfuhr.«

Warum hatte er Avril nicht schon vor Wochen als Informationsquelle angezapft?

»An deiner Stelle«, sagte er, »würde ich die Aktien morgen verkaufen. Auch mit Verlust.«

Sie seufzte. »Es ist schwer genug, Geld zu verdienen. Noch schwerer ist es, es auch zu behalten.«

»Meine Liebe, soeben hast du eine fundamentale wirtschaftliche Wahrheit formuliert.«

Ein Schweigen trat ein, dann sagte Avril: »Ich werde dich immer als einen netten Mann in Erinnerung behalten, Rossie.«

»Danke. Ich werde auch auf besondere Weise an dich denken.«

Sie streckte ihre Arme nach ihm aus. »Noch mal versuchen?«

Er schloß die Augen vor Behagen, während sie ihn liebkoste. Sie tat es, wie immer, meisterhaft. Er dachte: Beide fanden sie sich damit ab, daß dies ihre letzte Begegnung sein würde. Ein Grund dafür war praktischer Natur: Er konnte sich Avril nicht mehr leisten. Darüber hinaus aber war da ein Gefühl sich regender Ereignisse, bevorstehender Veränderungen, einer Krise, die dem Höhepunkt zustrebte. Wer wußte schon, was danach sein würde?

Kurz bevor sie einander liebten, dachte er an seine Bedenken von vorhin wegen Gottes Zorn. Nun, vielleicht würde Gott – der Vater Christi, der die Schwäche des Menschen erkannte, der mit Sündern ging und sprach und der mit Dieben

starb – verstehen. Vergeben und die Wahrheit verstehen –
daß Roscoe Heyward einige wenige süße Augenblicke seines
größten Glücks der Gesellschaft einer Hure verdankte.

Als er das Hotel verließ, kaufte Heyward eine Abendzeitung.
Eine zweispaltige Schlagzeile auf der ersten Seite weckte
seine Aufmerksamkeit:

Sorge um Supranational Corp.
Wie liquide ist der globale Riese?

## 15

Es gelangte nie ans Tageslicht, welches spezifische Ereignis,
wenn es ein solches überhaupt gab, den endgültigen Zusammenbruch von Supranational ausgelöst hatte. Vielleicht war
es ein geringfügiger Zwischenfall. Vielleicht hatte aber auch
eine Anhäufung von vielen die allmähliche Verlagerung des
Gleichgewichts bewirkt, wie eine wachsende Belastung des
Unterbaus plötzlich ein Dach zum Einsturz bringt.

Wie bei jedem wirtschaftlichen Debakel, bei dem es um
eine große Aktiengesellschaft geht, waren schon Wochen und
Monate vorher einzelne Zeichen der Schwäche sichtbar geworden. Aber nur Beobachter mit schärfstem Blick für das
Kommende, wie Lewis D'Orsey, erkannten Zusammenhänge und ließen wenigen Bevorzugten Warnungen zukommen.

Eingeweihte – einschließlich Big George Quartermain, der,
wie man später erfuhr, den größten Teil seiner Aktien auf
dem absoluten SuNatCo-Scheitelpunkt durch einen Stroh-
mann verkauft hatte – waren früher gewarnt als andere und
stiegen rechtzeitig aus. Andere, die einen Tip von Ver-
trauensleuten bekommen hatten oder von Freunden, die sich
für einen erwiesenen Dienst revanchierten, erhielten ähnliche
Informationen und taten in aller Stille das gleiche.

Als nächste in der Reihe kamen Leute wie Alex Vandervoort – für die First Mercantile American Bank handelnd –,
die vertrauliche Informationen erlangten und schnellstens

alles, was sie an SuNatCo-Aktien besaßen, abstießen in der Hoffnung, daß man ihre Handlungsweise in zu erwartender späterer Konfusion nicht untersuchen werde. Andere Institutionen – Banken, Anlageberatungsfirmen, Investmentfonds – sahen die Aktienkurse rutschen, und da sie wußten, wie das System der Eingeweihten funktioniert, erkannten sie sehr bald die Lage und folgten nach.

Es gab Bundesgesetze gegen Aktienhandel aufgrund vertraulicher Informationen – auf dem Papier. In der Praxis wurde täglich gegen Gesetze dieser Art verstoßen, und es war weitgehend unmöglich, ihre Beachtung zu erzwingen. Gelegentlich, in einem flagranten Fall oder als Weißwäscherei, wurde auch Anklage erhoben, und es gab eine lächerlich geringe Geldstrafe. Aber selbst das war selten.

Individuelle Anleger – das große hoffende, vertrauende, naive, geprügelte, nach Strich und Faden betrogene Publikum – waren wie üblich die letzten, die erfuhren, daß etwas nicht stimmte.

Die erste öffentliche Ankündigung, daß SuNatCo in Schwierigkeiten sei, war in einem AP-Agenturbericht enthalten, der von Nachmittagszeitungen gedruckt wurde – es war der Bericht, den Roscoe Heyward beim Verlassen des Columbia Hilton sah. Am nächsten Morgen hatte die Presse ein paar zusätzliche Einzelheiten herausgeholt, und in den Morgenzeitungen, auch in »The Wall Street Journal«, erschienen ausführlichere Berichte. Aber die Einzelheiten waren immer noch recht mager, und vielen Leuten fiel es schwer zu glauben, daß etwas so beruhigend Ansehnliches wie die Supranational Corporation ernstlich in Schwierigkeiten sein sollte.

Ihr Vertrauen sollte bald erschüttert werden.

An jenem Morgen um 10.00 Uhr eröffneten Supranational-Aktien an der New Yorker Börse nicht, wie üblich, zusammen mit den übrigen Werten. Als Grund wurde »Auftrags-Unausgeglichenheit« genannt. Das bedeutete, daß der SuNatCo-Händler so mit Verkaufsorders überschwemmt wurde, daß ein geordneter Markt in diesen Aktien nicht mehr aufrechterhalten werden konnte.

Der Handel mit SuNatCo eröffnete wieder um 11.00 Uhr,

als eine große Kauforder für 52 000 Aktien über den Ticker kam. Aber inzwischen war die Aktie, die einen Monat vorher mit 48 1/2 gehandelt wurde, auf 19 gesunken. Am Nachmittag, als die Schlußglocke ertönte, stand sie auf 10.

Wahrscheinlich hätte die New Yorker Börse am nächsten Tag den Handel wieder eingestellt, wenn ihr die Entscheidung nicht über Nacht aus den Händen genommen worden wäre. Die Börsenaufsicht gab bekannt, daß sie die Angelegenheit Supranational untersuche und daß jeder Handel mit SuNatCo-Aktien bis zum Abschluß der Untersuchung suspendiert sei.

Es folgten nun fünfzehn bange Tage für die noch verbliebenen SuNatCo-Aktionäre und -Gläubiger, deren Investierungen und Kredite insgesamt mehr als fünf Milliarden Dollar ausmachten. Unter den Wartenden – aufgeschreckt, nervös und nägelkauend – waren die leitenden Angestellten und Direktoren der First Mercantile American Bank.

Supranational hielt sich nicht, wie Alex Vandervoort und Jerome Patterton es gehofft hatten, noch mehrere Monate über Wasser. Deshalb bestand die Möglichkeit, daß späte Transaktionen in SuNatCo-Aktien – einschließlich des großen Blockverkaufs durch die FMA-Treuhandabteilung – für ungültig erklärt würden. Dazu konnte es auf zweierlei Weise kommen – entweder durch Anordnung der Börsenaufsicht nach einer Beschwerde oder dadurch, daß die Aktienkäufer gerichtliche Schritte einleiteten mit der Begründung, die FMA habe den wahren Zustand von Supranational gekannt, dieses Wissen jedoch nicht publiziert, als die Aktien verkauft wurden. Kam es dazu, dann würde das für die Treuhand-Kunden einen noch größeren Verlust bedeuten als der, dem sie ohnehin entgegensahen, und es war so gut wie sicher, daß die Bank dann wegen Vertrauensmißbrauchs haftbar gemacht werden konnte.

Es gab noch eine andere Möglichkeit, auf die man sich gefaßt machen mußte – und sie war sogar noch wahrscheinlicher. Der Fünfzig-Millionen-Dollar-Kredit der First Mercantile American an die SuNatCo könnte als Totalverlust vollständig abgeschrieben werden. Kam es dazu, so würde die

Bank zum ersten Mal in der Geschichte der FMA einen substantiellen Betriebsverlust für das Jahr erleiden. Das warf die Wahrscheinlichkeit auf, daß die eigene Dividende der FMA an ihre Aktionäre nächstes Mal würde ausfallen müssen. Auch das wäre dann das erste Mal.

Niedergeschlagenheit und Ungewißheit durchdrang die höheren Ratsgremien der Bank.

Vandervoort hatte prophezeit, daß die Presse bei Bekanntwerden der Supranational-Geschichte darüber berichten, eigene Recherchen anstellen würde und daß die First Mercantile American hineingezogen werden würde. Auch damit sollte er recht behalten.

Reporter, in den letzten Jahren motiviert vom Beispiel der Watergate-Helden der »Washington Post«, Bernstein und Woodward, bohrten mit aller Beharrlichkeit nach. Ihre Mühen hatten Erfolg. Innerhalb weniger Tage hatten die Journalisten Quellen innerhalb und außerhalb der Supranational erschlossen, und es begannen enthüllende Berichte über Quartermains trickreiche Machenschaften zu erscheinen und über die trübe »chinesische Buchführung« des Konzerns. Auch die erschreckend hohe Verschuldung der SuNatCo wurde aufgedeckt. Und es kamen andere finanzielle Dinge ans Licht, darunter der Fünfzig-Millionen-Dollar-Kredit von der FMA.

Als der Dow Jones-Nachrichtendienst den ersten Hinweis auf einen Zusammenhang zwischen FMA und Supranational über den Draht schickte, verlangte Dick French, der Chef der Public Relations-Abteilung der Bank, eine Konferenz auf höchster Ebene, die auch hastig einberufen wurde. Zugegen waren Jerome Patterton, Roscoe Heyward, Alex Vandervoort und der stämmige French selbst, der wie üblich eine nicht angezündete Zigarre im Mundwinkel hielt.

Sie bildeten eine ernste Gruppe – Patterton ingrimmig und bedrückt wie schon seit Tagen; Heyward erschöpft, zerstreut und mit Zeichen nervöser Anspannung; und Alex voll inneren Zorns darüber, daß er in eine Katastrophe verwickelt war, die er vorausgesagt hatte und die sich nicht hätte ereignen müssen.

»In einer Stunde, und vielleicht schon eher«, begann der

für die Öffentlichkeitsarbeit zuständige Vizepräsident, »werden sie mich bestürmen, um Einzelheiten über unsere Geschäfte mit SuNatCo zu erfahren. Ich möchte wissen, welche offizielle Position wir beziehen und welche Antworten ich geben soll.«

»Sind wir verpflichtet, darauf zu antworten?« erkundigte sich Patterton.

»Nein«, sagte French. »Aber es ist auch niemand verpflichtet, Harakiri zu begehen.«

»Warum nicht zugeben, daß Supranational in unserer Schuld steht«, schlug Roscoe Heyward vor, »und damit basta?«

»Weil wir es nicht mit Einfaltspinseln zu tun haben. Unter den Fragestellern werden auch erfahrene Wirtschaftsjournalisten sein, die etwas von Bankgesetzen verstehen. Deshalb wird ihre zweite Frage lauten: Wie kommt es, daß Ihre Bank einen so großen Teil vom Geld ihrer Anleger einem einzigen Schuldner gegeben hat?«

Heyward fuhr dazwischen: »Es hat sich nicht um einen einzigen Schuldner gehandelt. Der Kredit war auf Supranational und fünf Tochtergesellschaften verteilt.«

»Wenn ich etwas sage«, entgegnete French, »dann möchte ich gern den Anschein erwecken, als ob ich selber daran glaube.« Er nahm die Zigarre aus dem Mund, legte sie hin und griff nach einem Notizblock. »Okay, nun zu den Einzelheiten. Es wird ohnehin alles herauskommen, aber wir stehen sehr viel schlechter da, wenn wir es schmerzhaft machen wie beim Zahnziehen.«

»Bevor wir weitermachen«, sagte Heyward, »muß ich Sie daran erinnern, daß wir nicht die einzige Bank sind, der Supranational Geld schuldet. Da gibt es noch die First National City, die Bank of America und die Chase Manhattan.«

»Aber die stehen alle an der Spitze von Konsortien«, hielt ihm Alex entgegen. »Deshalb teilen sie sich einen eventuellen Verlust mit anderen Banken. Soweit uns bekannt ist, sind wir die Bank mit der höchsten individuellen Belastung.« Es erschien ihm überflüssig hinzuzufügen, daß er alle, die es anging, einschließlich des Direktoriums, warnend darauf hingewiesen hatte, daß eine derartige Konzentration des Risikos gefährlich für FMA und möglicherweise ungesetzlich war. Aber der bittere Gedanke ließ sich nicht beiseite schieben.

Sie hämmerten schließlich eine Erklärung zurecht, in der die tiefe finanzielle Verstrickung der First Mercantile American mit Supranational zugegeben und einer gewissen Besorgnis Ausdruck verliehen wurde. In der Erklärung war dann die Rede von der Hoffnung, daß es zu einem Wandel in dem kränkelnden Konzern kommen möge, vielleicht unter einem neuen Management, worauf die FMA dringen werde, und zu einer Verringerung etwaiger Verluste. Das war eine vage Hoffnung, und jeder wußte es.

Dick French wurde mit einiger Bewegungsfreiheit ausgestattet, diese Erklärung notfalls zu erläutern, und es wurde beschlossen, daß er der alleinige Sprecher der Bank bleiben solle.

French sprach noch eine Warnung aus. »Die Presse wird versuchen, Kontakt zu jedem einzelnen von Ihnen aufzunehmen. Wenn Sie Wert darauf legen, daß unser Standpunkt konsequent dargelegt wird, verweisen Sie alle Anrufer und Besucher an mich, und sorgen Sie dafür, daß Ihre Mitarbeiter sich ebenso verhalten.«

Am selben Tag überprüfte Alex Vandervoort Verfahrenspläne für den Notfall, die er für die Bank ausgearbeitet hatte und die unter genau beschriebenen Umständen in Kraft treten sollten.


»Es hat etwas ganz entschieden Morbides an sich«, erklärte Edwina D'Orsey, »wie sich die Aufmerksamkeit auf eine Bank konzentriert, die in Schwierigkeiten ist.«

Sie hatte in Zeitungen geblättert, die in der Besprechungsecke von Alex Vandervoorts Büro in der Zentrale der FMA ausgebreitet lagen. Es war ein Donnerstag, der Tag nach der Presseerklärung von Dick French.

Das Lokalblatt »Times-Register« hatte seinem Hauptaufmacher die Schlagzeile gegeben:

BANKINSTITUT UNSERER STADT
GEHT IM GEFOLGE DES SUNATCO-DEBAKELS
RIESIGEM VERLUST ENTGEGEN

Zurückhaltender teilte die »New York Times« ihren Lesern
mit:

## FMA-BANK ERKLÄRT SICH FÜR GESUND
## TROTZ SORGEN MIT EINEM GROSSKREDIT

Auch die Fernsehnachrichten vom Vorabend und von diesem
Morgen hatten sich mit dem Thema befaßt.

Teil aller Berichte war eine hastig abgegebene Versiche-
rung der Bundes-Reserve-Bank, daß die First Mercantile
American Bank liquide sei und die Einleger keinen Grund zur
Beunruhigung hätten. Dessenungeachtet stand FMA jetzt auf
der »Problemliste« der Reserve-Bank, und an diesem Morgen
war in aller Stille eine Gruppe von Prüfern von der Bundes-
Reserve-Bank eingerückt – ganz offensichtlich die erste derartige Gruppe, entsandt von den verschiedenen Aufsichts-
behörden.

Tom Straughan, der Volkswirtschaftler der Bank, antwortete auf Edwinas Bemerkung. »Was die Aufmerksamkeit
wachruft, wenn eine Bank in Schwierigkeiten gerät, hat im
Grunde nichts mit Morbidität zu tun. Ich glaube, es ist hauptsächlich Angst. Angst unter den Konteninhabern, daß die
Bank ihre Schalter schließen muß und sie ihr Geld verlieren.
Auch eine allgemeinere Angst, daß, wenn eine Bank pleite
geht, andere davon mitgerissen werden könnten und das
ganze System auseinanderbricht.«

»Ich habe auch Angst«, sagte Edwina, »und zwar vor den
Auswirkungen dieser vielen Artikel.«

»Mir ist nicht minder unbehaglich zumute«, pflichtete Alex
Vandervoort bei. »Deshalb müssen wir weiter ganz genau
beobachten, welche Auswirkungen sich zeigen.«

Alex hatte für die Mittagsstunde eine strategische Besprechung einberufen. Zur Teilnahme waren auch diejenigen Abteilungsleiter gerufen worden, die für die Verwaltung der
Filialen zuständig waren, denn alle waren sich im klaren darüber, daß sich schwindendes Vertrauen zur FMA zuerst in
den Filialen bemerkbar machen würde. Tom Straughan hatte
schon gemeldet, daß am vergangenen Spätnachmittag wie
auch an diesem Morgen mehr Geld als üblich abgehoben
und weniger als üblich eingezahlt wurde, aber noch war es zu

früh, um eine klare Tendenz erkennen zu können. Beruhigenderweise hatte es unter den Kunden der Bank kein Zeichen einer Panik gegeben, obwohl die Vorsteher aller vierundachtzig FMA-Filialen Anweisung hatten, auch die geringfügigste Beobachtung dieser Art sofort zu melden. Jede Bank lebt von ihrem Ruf und von dem Vertrauen anderer – empfindliche Pflanzen, die unter Mißgeschick und ungünstiger Publizität welken können.

Auf der mittäglichen Konferenz sollte unter anderem sichergestellt werden, daß Maßnahmen, die im Falle einer plötzlichen Krise ergriffen werden mußten, von allen klar verstanden wurden und daß die Nachrichtenwege funktionierten. Das war allem Anschein nach der Fall.

»Das wär's fürs erste«, sagte Alex zu der Gruppe. »Wir treffen uns morgen zur gleichen Zeit.«

Dazu sollte es nicht mehr kommen.

Am nächsten Morgen um 10.15 Uhr, am Freitag, rief der Vorsteher der Filiale Tylersville, dreißig Kilometer weiter im Norden, die Hauptverwaltung der First Mercantile American an und wurde sofort mit Alex Vandervoort verbunden.

Als der Vorsteher, Fergus W. Gatwick, sich gemeldet hatte, fragte Alex ohne Umschweife: »Was ist passiert?«

»Ein Run auf die Schalter, Sir. Die Filiale ist gerammelt voll – mehr als hundert von unseren Stammkunden, sie stehen Schlange mit Sparbüchern und Scheckbüchern, und es kommen immer mehr. Sie heben alles ab, lösen die Konten auf, verlangen alles bis auf den letzten Dollar.« Die Stimme des Filialleiters klang zutiefst besorgt, obwohl man dem Mann anmerkte, daß er sich um Ruhe bemühte.

Alex lief es kalt über den Rücken. Ein Run auf die Schalter war der Alptraum jedes Bankers; und genau das hatten Alex und andere in der Geschäftsleitung in den letzten Tagen am meisten gefürchtet. Werden die Schalter gestürmt, so bedeutet das öffentliche Panik, Massenangst, totalen Vertrauensverlust. Schlimmer noch, verbreitete sich erst einmal die Nachricht von einem Sturm auf eine einzelne Filiale, so konnten andere im Filialsystem davon wie von einem großen Buschfeuer erfaßt werden, das niemand löschen konnte und das sich zu einer Katastrophe ausweitete. Kein Geldinstitut – auch das größte und solideste nicht – konnte je liquide genug sein, um die Mehrheit seiner Einleger auszuzahlen, wenn alle zugleich auf Barzahlung bestanden. Legte sich der Run nicht, würden die Bargeldreserven bald erschöpft sein, und FMA müßte ihre Tore schließen, vielleicht für immer.

Anderen Banken war das schon widerfahren. Trafen eine schlechte Geschäftsführung, ungünstige Termine und reines Pech zusammen, so konnte es überall geschehen.

Zunächst kam es, wie Alex wußte, darauf an, denjenigen, die ihr Geld abheben wollten, zu versichern, daß sie es erhalten würden. Zweitens galt es, den Ausbruch einzudämmen.

Seine Anweisungen an den Filialleiter in Tylersville waren knapp und scharf. »Fergus, Sie und alle Ihre Leute haben sich so zu verhalten, als geschehe nichts Ungewöhnliches. Zahlen Sie *ohne zu fragen* alles aus, was die Leute verlangen und auf ihren Konten haben. Und laufen Sie nicht mit besorgtem Gesicht herum. Seien Sie aufgeräumt und guter Dinge.«

»Das wird mir nicht leichtfallen, Sir. Ich will's versuchen.«

»Versuchen genügt nicht. In diesem Augenblick ruht das Schicksal unserer ganzen Bank auf Ihren Schultern.«

»Ja, Sir.«

»Wir schicken Ihnen Hilfe, so schnell wir können. Wie sieht's mit Ihren Barbeständen aus?«

»Wir haben ungefähr hundertundfünfzigtausend Dollar im Tresor«, sagte Gatwick. »Meiner Schätzung nach halten wir so, wie's jetzt läuft, eine Stunde aus, viel länger nicht.«

»Sie werden Geld bekommen«, versicherte Alex ihm. »Holen Sie inzwischen alles Geld, das Sie haben, aus dem Tresorraum, und stapeln Sie es auf Schreibtischen und Regalen auf, wo jeder es sehen kann. Mischen Sie sich dann unter Ihre Kunden. Sprechen Sie mit ihnen. Versichern Sie ihnen, daß unsere Bank in bester Verfassung ist, trotz der Sachen, die sie gelesen haben, und sagen Sie ihnen, daß jeder sein Geld bekommen wird.«

Alex legte auf. Über einen anderen Apparat rief er sofort Straughan an.

»Tom«, sagte Alex, »in Tylersville ist die Bombe hochge-gangen. Die Filiale braucht Hilfe und Bargeld – schleunigst. Setzen Sie Notstandsplan Eins in Gang.«

## 16

Die Stadtgemeinde Tylersville war, ähnlich wie manche Men-schen, vollauf damit beschäftigt, zu sich selbst zu finden. Es war ein neuer Vorort – eine Mischung aus geschäftiger Marktstadt und Farmland, das jetzt zum Teil von der vor-rückenden Stadt verschlungen wurde, aber noch war genug von der ursprünglichen Substanz vorhanden, um der vor-städtischen Gleichförmigkeit Widerstand entgegenzusetzen.

Die Bevölkerung war ein Gemisch aus alt und neu – aus konservativen, tief verwurzelten Farmer- und ortsansässigen Gewerbefamilien und frisch zugewanderten Pendlern, dar-unter vielen, die angewidert waren von den verrottenden sittlichen Werten der Stadt, die sie verlassen hatten, und die nun – mitsamt ihren wachsenden Familien – ein wenig das friedliche, ländliche Leben genießen wollten, bevor auch das verschwand. Das Ergebnis war eine unwahrscheinliche Ver-bindung von echten und freiwillig rückverpflanzten Land-bewohnern, die dem Big Business und allen großstädtischen Machenschaften mißtrauten, und ganz besonders den Um-trieben großer Banken.

Einzigartig war auch, im Fall des Runs auf die Schalter in Tylersville, die Rolle eines geschwätzigen Postboten. Den ganzen Donnerstag über hatte er beim Verteilen von Briefen und Päckchen das Gerücht verbreitet: »Haben Sie schon ge-hört, daß die First Mercantile American Bank pleite geht? Ich habe mir sagen lassen, daß jeder, der da Geld liegen hat und es bis morgen nicht abhebt, alles verliert.«

Nur wenige, die den Postboten hörten, glaubten ihm ohne Vorbehalt. Aber die Geschichte breitete sich aus, wurde von Nachrichten einschließlich der Abendnachrichten des Fern-sehens mit neuer Nahrung versorgt. Über Nacht wuchs unter der Landbevölkerung, den kleinen Geschäftsleuten, den

Handwerkern und den Zugewanderten die Unruhe, so daß am Freitag morgen alle denselben Gedanken hatten: Warum etwas riskieren? Wir holen unser Geld jetzt.

Jede Kleinstadt hat ihren eigenen Buschtelegraphen. Die Entscheidung der Leute sprach sich rasch herum, und als der Vormittag halb herum war, machten sich immer mehr Leute auf den Weg zur FMA-Filiale.

So werden aus kleinen Fäden große Gobelins gewoben.

In der FMA-Zentrale gab es etliche, die kaum jemals von Tylersville gehört hatten; jetzt hörten sie davon. Sie sollten noch mehr hören, während Alex Vandervoorts Notstandsplan Eins wie vorgesehen ablief.

Auf Anweisung von Tom Straughan wurde zunächst der Computer der Bank zu Rate gezogen. Ein Programmierer tippte auf einer Tastatur die Frage: Wie hoch ist die Summe der Spar- und Giro-Einlagen der Filiale Tylersville? Die Antwort war augenblicklich da – und sie entsprach dem Stand der letzten Minute, denn die Filiale war direkt mit dem Computer verbunden.

| | |
|---|---|
| SPAREINLAGEN . . . . . | 26 170 627,54 DOLLAR |
| GIRO-EINLAGEN . . . . . | 15 042 767,18 DOLLAR |
| SUMME . . . . . . . . . . | 41 213 394,72 DOLLAR |

Der Computer wurde dann angewiesen: Abzuziehen von dieser Summe sind der Betrag auf ruhenden Konten sowie die städtischen Einlagen. (Man durfte davon ausgehen, daß diese Gruppen auch während eines Runs auf die Schalter nicht angetastet wurden.)

Der Computer antwortete:

| | |
|---|---|
| RUHEND & STÄDTISCH . | 21 430 964,61 DOLLAR |
| SALDO . . . . . . . . . . . | 19 782 430,11 DOLLAR |

Mehr oder weniger zwanzig Millionen Dollar, die die Einleger im Gebiet von Tylersville abheben konnten und abheben würden.

Ein Untergebener Straughans hatte schon den Bargeldtresor alarmiert, eine unterirdische Festung unter dem FMA-Tower. Der Chef des Zentraltresors erhielt jetzt Anweisung:

»Zwanzig Millionen Dollar an die Filiale Tylersville – Blitz-auftrag!«

Das war mehr, als wahrscheinlich benötigt würde, aber ein Zweck, der damit erreicht werden sollte – laut Beschluß der von Alex Vandervoorts Gruppe aufgestellten Vorausplanung –, war eine Demonstration der Stärke, vergleichbar dem Hissen der Flagge. Oder, wie Alex es ausdrückte: »Wer einen Brand löschen will, muß mehr Wasser parat haben, als er braucht.«

Im Laufe der letzten achtundvierzig Stunden war – in Erwartung dessen, was jetzt geschah – der normale Geldvorrat im Zentraltresor durch Sonderabruf von der Bundes-Reserve-Bank vergrößert worden. Die Reserve-Bank war über die Notstandspläne der FMA unterrichtet worden und hatte sie gebilligt.

Ein Midasschatz in Noten und Münzen, schon gezählt und in Säcken mit Etiketten verpackt, wurde auf gepanzerte Fahrzeuge verladen, während ein Aufgebot an bewaffneten Wächtern die Laderampe auf und ab patrouillierte. Insgesamt würden es sechs Panzerfahrzeuge sein, etliche über Funk von anderen Aufgaben abberufen, und jedes einzelne würde die Strecke für sich mit Polizei-Eskorte zurücklegen – eine Vorsichtsmaßnahme, die man wegen der ungewöhnlichen Menge an Bargeld getroffen hatte. Aber nur drei Panzerwagen sollten Geld an Bord haben. Die anderen würden leer sein – Attrappen –, eine zusätzliche Schutzmaßnahme gegen Raub.

Zwanzig Minuten nach dem Anruf des Filialleiters war das erste gepanzerte Fahrzeug startbereit, und wenig später suchte es sich seinen Weg durch den Stadtverkehr nach Tylersville.

Schon vorher war anderes Bankpersonal mit Privatwagen und Banklimousinen unterwegs.

Edwina D'Orsey befand sich in der Spitzengruppe. Sie sollte die jetzt angelaufene Stützaktion leiten.

Edwina verließ sofort ihren Schreibtisch in der Cityfiliale; sie nahm sich nur die Zeit, ihren ersten Stellvertreter zu unterrichten und drei Angestellte auszuwählen, die sie begleiten sollten – einen Kreditmann, Cliff Castleman, und zwei Kassiererinnen. Eine davon war Juanita Núñez.

Gleichzeitig wurden kleine Angestelltenkontingente von zwei anderen Stadtfilialen angewiesen, sich direkt nach Tylersville zu begeben und sich dort bei Edwina zu melden. Es gehörte zur Gesamtstrategie, keine Filiale in bedenklichem Maß von Personal zu entblößen für den Fall, daß es anderswo zu einem Run auf die Schalter kam. Für diesen Fall lagen andere Notstandspläne bereit, allerdings war die Zahl derjenigen, die gleichzeitig ins Werk gesetzt werden konnten, begrenzt – nicht mehr als zwei oder drei.

Das von Edwina angeführte Quartett marschierte im Eilschritt durch den Verbindungstunnel von der Cityfiliale zur FMA-Zentrale. Von der Eingangshalle des Hauptgebäudes nahmen sie einen Lift in die Kellergarage der Bank, wo ein Wagen des Fuhrparks sie erwartete. Cliff Castleman setzte sich ans Steuer.

Als sie einstiegen, sprintete Nolan Wainwright an ihnen vorbei zu seinem eigenen, dort geparkten Mustang. Der Sicherheitschef war über den Tylersville-Einsatz informiert worden, und weil es hier um zwanzig Millionen Dollar in bar ging, wollte er die Sicherungsmaßnahmen selbst überwachen. Nicht weit hinter ihm würde ein Kombi mit einem halben Dutzend bewaffneter Wächter folgen. Die städtische Polizei und ihre Kollegen vom Bundesstaat in Tylersville waren alarmiert.

Alex Vandervoort und Tom Straughan blieben, wo sie waren: in der FMA-Zentrale. Straughans Büro in der Nähe der Geldhandels-Zentrale war zum Befehlsstand geworden. Alex' Hauptsorge im sechsunddreißigsten Stock war es, das ganze übrige Filialsystem genau im Auge zu behalten und sofort Bescheid zu wissen, wenn neue Schwierigkeiten auftauchten.

Alex hatte Patterton auf dem laufenden gehalten, und jetzt wartete der Bankpräsident in höchster Spannung zusammen mit Alex. Beide Männer grübelten über die unausgesprochene Frage nach: Gelang die Eindämmung in Tylersville? Würde die First Mercantile American den Geschäftstag überstehen, ohne daß es an anderer Stelle zu neuen Runs auf die Schalter kam?

Fergus W. Gatwick, Leiter der Filiale Tylersville, hatte damit gerechnet, daß die paar noch verbleibenden Jahre bis zu seiner Pensionierung gemächlich und ohne Aufregung verstreichen würden. Er war in den Sechzigern, ein rundlicher Apfel von einem Mann, mit rosa Wangen, blauen Augen, grauen Haaren, ein freundlicher Rotarier. In seiner Jugend war er nicht ohne Ehrgeiz gewesen, aber den hatte er längst abgestreift, denn er war zu der klugen Einsicht gelangt, daß ihm im Leben eine Nebenrolle beschieden war; er war ein Gefolgsmann, der nie selbst neue Wege erschließen würde. Die Leitung einer kleinen Filiale entsprach seinen Fähigkeiten und Grenzen auf ideale Weise.

Er war immer glücklich gewesen in Tylersville, wo bisher nur eine Krise einen Schatten auf seine Amtsführung geworfen hatte. Vor wenigen Jahren mietete eine Frau mit einem eingebildeten Groll auf die Bank ein Stahlschließfach. In dem Fach deponierte sie einen in Zeitungspapier gewikkelten Gegenstand und reiste dann, ohne eine Adresse zu hinterlassen, nach Europa ab. Nach wenigen Tagen zog ein ekelerregender Geruch durch die Bank. Anfangs hatte man Abwasserleitungen in Verdacht und inspizierte sie, ohne Erfolg, während der Gestank immer schlimmer wurde. Kunden beschwerten sich, Angestellten wurde übel. Am Ende konzentrierte sich der Verdacht auf die Stahlschließfächer, wo der fürchterliche Geruch am stärksten zu sein schien. Dann erhob sich die entscheidende Frage – welches Fach?

Fergus W. Gatwick, von der Pflicht gerufen, schnüffelte sich von Fach zu Fach vor und entschied sich schließlich für eines, in dessen unmittelbarer Nähe der üble Duft besonders stark war. Danach bedurfte es viertägiger rechtlicher Schritte, bis endlich ein gerichtlicher Befehl vorlag, der es der Bank gestattete, das Schließfach aufzubohren. Darin befanden sich die Überreste eines großen, einst frischen Seebarsches. Manchmal, auch jetzt noch in der Erinnerung, witterte Gatwick Spuren jenes ekelhaften Augenblicks.

Die Not dieses Tages aber, das wußte er, war weitaus ernster als ein Fisch in einem Schließfach. Er sah auf die Uhr. Eine Stunde und zehn Minuten waren vergangen, seit er die Hauptverwaltung angerufen hatte. Obwohl vier Kassierer stetig Geld ausgezahlt hatten, strömten immer mehr Menschen herein und drängten sich in der Bank.

»Mr. Gatwick!« Eine Kassiererin winkte ihn heran.

»Ja?« Er verließ den durch eine Schranke abgeteilten Bereich der Filialleitung, wo er normalerweise arbeitete, und ging zu ihr hinüber. Auf der anderen Seite des Schalters, am Kopf der wartenden Schlange, stand ein Geflügelfarmer, ein Stammkunde der Bank, den Gatwick gut kannte. Gutgelaunt sagte der Filialleiter: »Guten Morgen, Steve.«

Ihm antwortete ein kühles Kopfnicken, während die Kassiererin ihm wortlos zwei Schecks zeigte, gezogen auf zwei Konten. Der Geflügelmann hatte sie präsentiert. Sie beliefen sich zusammen auf eine Summe von 23 000 Dollar.

»Sind gedeckt«, sagte Gatwick. Er nahm die Schecks und zeichnete sie beide ab.

Leise, aber auf der anderen Seite des Schalters noch hörbar, sagte die Kassiererin: »Wir haben nicht mehr genug Geld, um so viel auszuzahlen.«

Er hätte es natürlich wissen müssen. Seit Schaltereröffnung war unausgesetzt Bargeld abgeflossen, und viele große Summen waren abgehoben worden. Aber es war eine bedauerliche Bemerkung. Es erhoben sich jetzt zornig grollende Stimmen, und die Äußerung der Kassiererin ging von Mund zu Mund weiter. »Hören Sie sich das an! Die sagen, sie haben kein Geld.«

»Gott ist mein Zeuge!« Der Geflügelfarmer lehnte sich voller Zorn vor, und seine geballte Faust hämmerte auf den Schaltertisch. »Zahlen Sie die Schecks aus, Gatwick, oder ich komm' da rüber und schlag' die ganze gottverdammte Bank in Stücke!«

»Das ist durchaus nicht nötig, Steve. Drohungen und Gebrüll können Sie sich auch sparen.« Fergus W. Gatwick sprach jetzt auch mit lauter Stimme und versuchte, sich in der plötzlich bösartig gewordenen Szene Gehör zu verschaffen. »Meine Damen, meine Herren, wegen ungewöhnlich hoher Auszahlungen ist ein vorübergehender Mangel an Bargeld eingetreten, aber ich versichere Ihnen, daß sehr viel mehr Geld auf dem Wege hierher ist und bald eintreffen wird.«

Die letzten Worte gingen in zornigen Protesten unter. »Wie kann denn einer Bank das Geld ausgehen?« . . . »Sofort her mit dem Geld!« . . . »Sparen Sie sich den Schmus! Wo ist das Geld?« . . . »Wir kampieren hier, bis die Bank zahlt, was sie uns schuldet!«

Gatwick hob beide Arme. »Ich versichere Ihnen noch einmal . . .«

»Mich interessieren Ihre fadenscheinigen Versicherungen nicht.« Sprecherin war eine adrett gekleidete Frau, von der Gatwick wußte, daß sie noch nicht allzu lange hier wohnte. Sie sagte mit Nachdruck: »Ich will mein Geld jetzt haben.«

»Ganz richtig!« rief ein Mann, der hinter ihr stand. »Das wollen wir alle.«

Wieder andere drängten nach vorn, Stimmen wurden laut, auf den Gesichtern lagen Zorn und Angst. Irgend jemand warf eine Zigarettenschachtel, die Gatwick im Gesicht traf. Plötzlich, so wurde ihm klar, war aus einer Schar gewöhnlicher Bürger, von denen er viele gut kannte, ein feindseliger Mob geworden. Es war natürlich das Geld; Geld, das bei Menschen seltsame Dinge bewirkte, sie gierig machte, in Panik versetzte, sie manchmal zu Untermenschen werden ließ. Auch echte Furcht war da – die Möglichkeit, wie manche es sahen, alles zu verlieren, was sie besaßen, und damit ihre Sicherheit. Gewalt, vor Augenblicken noch undenkbar, hing jetzt fast greifbar in der Luft. Zum ersten Mal seit vielen Jahren empfand Gatwick körperliche Angst.

»Bitte!« rief er beschwörend. »Bitte, so hören Sie doch!« Seine Stimme ging im wachsenden Tumult unter.

Mit einem Schlag, unerwartet, verringerten sich Lärm und Geschrei. Draußen auf der Straße schien irgend etwas im Gange zu sein, und diejenigen, die ganz hinten standen, verrenkten sich die Hälse, um zu sehen, was es war. Dann flogen mit theatralischem Schwung die Außentore der Bank auf, und eine Prozession marschierte herein.

An der Spitze schritt Edwina D'Orsey. Ihr folgten Cliff Castleman und die beiden jungen Kassiererinnen, eine davon die zierliche Gestalt von Juanita Núñez. Dahinter schritt eine Phalanx von Sicherheitswächtern mit schweren Leinensäcken auf der Schulter, eskortiert von anderen, nach allen

Seiten sichernden Wächtern mit gezogenem Revolver. Sechs weitere Angestellte, die von anderen Filialen eingetroffen waren, folgten den Wächtern im Gänsemarsch. Im Kielwasser dieser Schar – ein wachsamer, mißtrauischer Lordprotektor – kam Nolan Wainwright.

Edwinas klare Stimme hallte durch die überfüllte, jetzt nahezu lautlose Bank. »Guten Morgen, Mr. Gatwick. Es tut mir leid, daß wir so lange gebraucht haben, aber es herrschte dichter Verkehr. Ich habe gehört, daß Sie möglicherweise zwanzig Millionen Dollar brauchen. Etwa ein Drittel davon ist eben eingetroffen. Der Rest ist unterwegs.«

Während Edwina sprach, gingen Cliff Castleman, Juanita, die Wächter und die anderen weiter durch die abgeteilte Fläche für die Filialleitung, bis sie sich auf der anderen Seite der Schalter befanden. Zu der neu eingetroffenen Verstärkung gehörte ein Innenleiter, der sofort das Kommando über die Geldtransporte übernahm. Schon wurde reichlicher Nachschub an knisternden neuen Scheinen registriert, dann an Kassierer verteilt.

Die Menge in der Bank drängte sich um Edwina. Irgend jemand fragte: »Stimmt es? Habt ihr Geld genug, um allen auszuzahlen, was sie haben wollen?«

»Natürlich stimmt das.« Edwina schaute über die Menschen, die sich um sie drängten, und sprach jeden einzelnen an. »Ich bin Mrs. D'Orsey, und ich bin eine Vizepräsidentin der First Mercantile American Bank. Vielleicht haben Sie alle möglichen Gerüchte gehört, aber unsere Bank ist gesund, liquide, frei von Problemen, mit denen sie nicht fertig werden könnte. Wir haben reichliche Barreserven, um jeden Einleger auszuzahlen – hier in Tylersville und sonstwo auch.«

Die adrett gekleidete Frau, die vorhin ihre Stimme erhoben hatte, sagte: »Vielleicht stimmt das. Vielleicht sagen Sie es aber nur in der Hoffnung, daß wir es glauben. Wie dem auch sei, ich hebe mein Geld heute ab.«

»Das ist Ihr gutes Recht«, sagte Edwina.

Fergus W. Gatwick sah zu und war erleichtert, nicht mehr im Brennpunkt der Aufmerksamkeit zu stehen. Er spürte auch, daß die häßliche Stimmung, die noch vor wenigen Augenblicken geherrscht hatte, abflaute; hier und da sah man auf den Gesichtern der Wartenden sogar ein Lächeln, als immer neue Massen von Geld eintrafen. Wenn auch die Atmosphäre weniger aufsässig war als zuvor, es blieb doch die Absicht, die sie alle hergeführt hatte. Die Auszahlungen gingen in raschem Tempo weiter, und es wurde klar, daß der Sturm auf die Schalter sich nicht gelegt hatte.

Währenddessen marschierten – wieder wie Cäsars Legionäre – die Wächter mit ihrer Eskorte zum zweiten Mal von den draußen wartenden Panzerfahrzeugen mit neuen, prall gefüllten Leinwandsäcken herein.

Niemand, der jenen Tag in Tylersville miterlebt hatte, vergaß je die ungeheure Menge Geldes, die am Ende öffentlich zur Schau gestellt war. Selbst diejenigen, die in der FMA arbeiteten, hatten noch nie so viel Geld auf einmal gesehen. Auf Edwinas Anweisung und nach Alex Vandervoorts Plan lag der größte Teil der zwanzig Millionen Dollar, herbeigebracht, um den Sturm auf die Schalter abzuwehren, offen da, wo jedermann es sehen konnte. Hinter den Schaltern war jeder Schreibtisch freigeräumt; aus anderen Räumen der Bank wurden zusätzlich Tische herangeschafft. Auf alle Tische wurden große Stapel Noten und Münzen gehäuft, während die zur Verstärkung entsandten Angestellten trotz des geschäftigen Durcheinanders den Überblick über den ständig fließenden Gesamtbestand behielten.

Wie Nolan Wainwright später sagte, war das ganze Unternehmen »der Traum eines Bankräubers, der Alptraum des Sicherheitsmannes«. Erfuhren Räuber, was hier geschah, so erfuhren sie es glücklicherweise zu spät.

Edwina, ruhig, kompetent und höflich gegenüber Fergus W. Gatwick, überwachte alles.

Sie wies Cliff Castleman auch an, sich um neue Kreditgeschäfte zu bemühen.

Kurz vor Mittag – in der Bank drängten sich noch immer die Menschen, und die wartende Schlange draußen wurde länger – trug Castleman einen Stuhl mitten in die Halle und stellte sich darauf.

»Meine Damen und Herren«, rief er, »ich möchte mich Ihnen vorstellen. Ich bin ein Kreditbearbeiter aus der City, was nicht viel heißen will, außer, daß ich Vollmacht habe, höhere Kredite zu bewilligen, als normalerweise von dieser Filiale gewährt werden. Wenn also jemand von Ihnen daran gedacht hat, einen Kredit zu beantragen, und eine rasche Antwort haben möchte, jetzt ist die Zeit dafür. Ich werde mir anhören, was Sie zu sagen haben, und ich freue mich immer, wenn ich Leuten helfen kann, die irgendwelche Probleme haben. Mr. Gatwick, der gerade alle Hände voll mit anderen Dingen zu tun hat, war so freundlich, mir vorläufig seinen Schreibtisch zu überlassen, da finden Sie mich also. Ich hoffe, Sie kommen und reden mit mir.«

Ein Mann mit einem Bein in Gips rief: »Ich bin sofort da, sowie ich mein anderes Geld habe. Wenn diese Bank schon pleite geht, werde ich mir rasch noch einen Kredit schnappen. Brauch' ich dann nicht zurückzuzahlen.«

»Nichts geht hier pleite«, sagte Cliff Castleman. Er erkundigte sich: »Was haben Sie denn mit Ihrem Bein gemacht?«

»Bin im Dunkeln gestürzt.«

»So, wie Sie reden, tappen Sie immer noch im dunkeln. Dieser Bank geht's besser als Ihnen und mir. Und wenn Sie Geld pumpen, werden Sie's hübsch zurückzahlen, oder wir brechen Ihnen auch noch das andere Bein.«

Hier und da wurde gelacht, als Castleman wieder von seinem Stuhl herunterkletterte, und später schlenderten ein paar Leute hinüber zum Schreibtisch des Filialleiters, um über einen Kredit zu sprechen. Aber die Leute hörten nicht auf, ihr Geld abzuheben. Die Panik ließ nach, aber nichts, so schien es – weder eine Demonstration der Stärke noch Zusicherungen, noch auch angewandte Psychologie –, vermochte den Sturm auf die Schalter der Filiale Tylersville anzuhalten.

Am frühen Nachmittag schien es für die niedergeschlagenen Angestellten der FMA nur noch eine Frage zu geben: Wie lange noch, bis das Virus sich ausbreitete?

Alex Vandervoort, der mehrfach mit Edwina telefoniert hatte, fuhr am Nachmittag selbst nach Tylersville hinaus. Er war jetzt noch beunruhigter als am Morgen; da hatte er noch die Hoffnung gehabt, den Ansturm rasch stoppen zu können.

Seine Fortdauer bedeutete, daß sich die Panik übers Wochenende unter den Einlegern ausbreiten würde; der Run auf andere FMA-Filialen am Montag war gewiß.

Bisher war es an diesem Tag in einigen anderen Filialen zwar zu erheblichen Abhebungen gekommen, aber nirgendwo anders zu einer Situation, die mit Tylersville vergleichbar gewesen wäre. Offensichtlich konnte dieses Glück nicht mehr lange dauern.

Alex ließ sich von einem Chauffeur der Bank nach Tylersville hinausfahren, und Margot Bracken begleitete ihn. Margot war am Vormittag früher als erwartet mit einem Gerichtsverfahren fertig geworden und hatte mit Alex in der Bank zu Mittag gegessen. Auf seinen Vorschlag blieb sie da, und etwas von den Spannungen, die sich mittlerweile über den sechsunddreißigsten Stock des Verwaltungshochhauses ausgebreitet hatten, ging auf sie über.

In der Limousine lehnte Alex sich weit zurück und genoß die Pause der Entspannung, die, wie er wußte, nur kurz sein würde.

»Dieses Jahr war nicht leicht für dich«, sagte Margot.

»Merkt man es mir an?«

Sie beugte sich vor und ließ einen Zeigefinger sanft über seine Stirn gleiten. »Da sind ein paar Falten mehr. An den Schläfen bist du grauer geworden.«

Er zog eine Grimasse. »Auch älter.«

»So viel älter nicht.«

»Dann ist das der Preis, den wir dafür zahlen, unter Streß zu leben. Den zahlst du auch, Bracken.«

»Stimmt«, sagte Margot. »Wichtig wäre nur, ob es die Sache wirklich lohnt, einen Teil von uns selbst zu opfern.«

»Eine Bank zu retten lohnt ein bißchen persönliche Anstrengung«, sagte Alex mit Schärfe. »Jetzt, zum Beispiel, wenn wir unsere nicht retten, dann werden eine Menge Leute leiden, die es nicht verdient haben.«

»Und ein paar, die es verdient haben?«

»Bei einer Rettungsaktion versucht man, jeden zu bergen. Vergeltung hat Zeit bis später.«

Sie hatten fünfzehn der dreißig Kilometer bis Tylersville zurückgelegt.

»Alex, steht es wirklich so schlimm?«

»Wenn wir am Montag einen Run erleben, den wir nicht eindämmen können«, sagte er, »dann werden wir schließen müssen. Vielleicht bildet sich dann ein Konsortium anderer Banken, um uns auszulösen – wofür sie sich bezahlen lassen werden –, und danach werden sie die Reste auseinanderklauben, und irgendwann, meine ich, werden alle Einleger ihr Geld zurückbekommen. Die FMA aber wird als selbständige Firmeneinheit erledigt sein.«

»Das unglaublichste daran ist, daß es so plötzlich passieren kann.«

»Das macht deutlich«, sagte Alex, »was sehr viele Leute nicht ganz begriffen haben, Leute, die es wissen müßten. Banken und das Geldsystem, zu dem genommene und gegebene Darlehen gehören, gleichen einer hochempfindlichen Maschine. Spielt man tolpatschig daran herum, läßt man ein Teil der Maschinerie – durch Habsucht oder aus politischen Erwägungen oder einfach aus Dummheit – aus dem Gleichgewicht geraten, bringt man alle anderen Teile in Gefahr. Und hat man erst einmal das System gefährdet – oder eine einzelne Bank – und sickert die Sache nach draußen, was meistens geschieht, dann wird vermindertes öffentliches Vertrauen den Rest besorgen. Das erleben wir jetzt.«

»Nach allem, was du mir gesagt hast«, sagte Margot, »und nach allem, was ich sonst noch gehört habe, ist das, was deiner Bank jetzt passiert, auf Habgier zurückzuführen.«

Voller Bitterkeit sagte Alex: »Auf das und auf einen hohen Prozentsatz von Idioten in unserem Direktorium.« Er war offener als sonst, und es tat ihm gut.

Ein Schweigen breitete sich aus, bis Alex ausrief: »Mein Gott! Wie er mir fehlt.«

»Wer?«

»Ben Rosselli.«

Margot nahm seine Hand. »Ist denn diese Rettungsaktion, die du gestartet hast, nicht genau das, was Ben selbst unternommen hätte?«

»Vielleicht.« Er seufzte. »Nur – sie funktioniert nicht. Deshalb wünsche ich mir, daß Ben hier wäre.«

Der Chauffeur ließ die Trennscheibe zwischen dem Fahrersitz und seinen Passagieren herunter. Er sprach über die Schulter. »Wir sind gleich in Tylersville, Sir.«

»Viel Glück, Alex«, sagte Margot.

Schon aus einer größeren Entfernung konnten sie vor der Bank eine wartende Menschenschlange sehen. Immer neue Menschen kamen hinzu und stellten sich hinten an. Als die Limousine vor der Bank hielt, bremste auf der anderen Straßenseite quietschend ein Übertragungswagen, und mehrere Männer und ein junges Mädchen sprangen heraus. An der Seitenwand des Wagens stand in großen Lettern WTLC-TV. »Mein Gott!« sagte Alex. »Das hat uns gerade noch gefehlt.«

In der Bank sprach Alex, während Margot sich neugierig umsah, kurz mit Edwina und Fergus W. Gatwick und hörte von beiden, daß es wenig oder nichts gab, was man jetzt noch tun könnte. Es war wohl eine vergebliche Fahrt gewesen, gestand sich Alex ein, aber er hatte den Drang verspürt, selbst herauszukommen und mit den Wartenden zu sprechen. Größeren Schaden konnte er auch nicht mehr damit anrichten, und vielleicht würde es sogar etwas nützen. Er ging an einigen Reihen von Wartenden entlang, stellte sich hier und da mit ruhiger Stimme vor.

Mindestens zweihundert Menschen waren da, ein ansehnlicher Querschnitt durch Tylersville – alte und junge, Leute in den besten Jahren, einige wohlhabend, andere offensichtlich ärmer, Frauen mit kleinen Kindern, Männer in Arbeitskleidung, ein paar Leute sorgfältig gekleidet wie zu einem besonderen Anlaß. Die meisten waren freundlich, ein paar nicht, hier und da gab es Feindseligkeit. Fast alle zeigten sich mehr oder minder nervös. Erleichterung spiegelte sich in den Mienen derjenigen, die ihr Geld bekommen hatten und gingen. Eine ältere Frau sprach auf dem Weg zur Tür Alex an. Sie ahnte nicht, daß er leitender Angestellter der Bank war. »Gott sei Dank, daß das vorbei ist! Das war der schlimmste Tag, den ich bisher erlebt habe. Das sind meine Ersparnisse – alles, was ich habe.« Sie hielt ungefähr ein Dutzend Fünfzig-Dollar-Scheine hoch. Andere gingen mit viel größeren oder kleineren Summen.

Der Eindruck, den Alex aus seinen Gesprächen mit verschiedenen Leuten gewann, war etwa so: Vielleicht war die

First Mercantile American Bank gesund; vielleicht auch nicht. Aber das Geld auf einer Bank lassen, die vielleicht pleite ging, das wollte niemand riskieren. Die Berichterstattung, in der die FMA mit Supranational in Verbindung gebracht worden war, hatte ihr Werk getan. Jeder wußte, daß die First Mercantile American sehr wahrscheinlich eine gewaltige Summe Geldes verlieren werde, denn die Bank selbst gab es ja zu. Auf Einzelheiten kam es da nicht an. Und die wenigen Kunden, mit denen Alex sprach und dabei die Einlagenversicherung erwähnte, trauten diesem System auch nicht. Die von den Bundesbehörden vorgeschriebene Versicherungssumme war begrenzt, sagten einige der Leute, und man glaubte zu wissen, daß die verfügbaren Versicherungsgelder bei einem großen Bankkrach niemals ausreichen konnten.

Und Alex spürte, daß da noch etwas anderes, vielleicht noch Tiefergehendes war: Die Leute glaubten nicht mehr, was man ihnen sagte; sie hatten sich zu sehr daran gewöhnt, daß man sie täuschte und belog. In jüngster Vergangenheit waren sie von ihrem Präsidenten belogen worden, von anderen Regierungsmitgliedern, von Politikern, Geschäftsleuten, Industriellen. Belogen von Arbeitgebern, von Gewerkschaften. Belogen in der Werbung. Belogen bei finanziellen Transaktionen, belogen in Marktberichten und Analysen, in Jahresberichten und »geprüften« Jahresbilanzen. Manches Mal belogen – durch Färbung oder Fortlassung – von den Nachrichtenmedien. Endlos war die Liste. Täuschung war auf Täuschung gehäuft worden, bis die Lüge – oder bestenfalls Verzerrung und unvollständige Aufklärung – zum festen Bestandteil des Lebens geworden war.

Weshalb sollte man also Alex glauben, wenn er ihnen versicherte, daß die FMA kein sinkendes Schiff sei und daß ihr Geld – ließen sie es auf den Konten stehen – sicher war? Als die Stunden vergingen und der Nachmittag schwand, wurde deutlich, daß niemand ihm glaubte.

Am späten Nachmittag resignierte Alex. Was kommen mußte, würde kommen; für jeden einzelnen ebenso wie für große Gesellschaften, dachte er, kam einmal die Zeit, wo man sich mit dem Unvermeidlichen abfinden mußte. Ungefähr um diese Zeit – gegen 17.30 Uhr, als die Dunkelheit des Oktoberabends schon herabzusinken begann – kam Nolan Wainwright und berichtete von einer neuen Sorge, die sich in der Menge ausbreitete.

»Sie machen sich Gedanken«, sagte Wainwright, »weil wir um sechs schließen. Die Leute sagen sich, daß wir in der halben Stunde, die noch bleibt, nicht alle abfertigen können.«

Alex schwankte. Es wäre einfach, die Filiale Tylersville pünktlich und ordnungsgemäß zu schließen; es wäre legal, und niemand könnte ernstlich etwas dagegen einwenden. Ganz flüchtig schoß ihm der aus Zorn und Enttäuschung geborene rachsüchtige Gedanke durch den Kopf, dem Sinne nach den immer noch Wartenden zu sagen: *Ihr habt mir nicht vertraut, schwitzt also bis Montag Blut und Wasser und schert euch zum Teufel, meinetwegen!* Aber er zögerte; eine solche Haltung entsprach nicht seiner Natur, außerdem mußte er an die Bemerkung denken, die Margot über Ben Rosselli gemacht hatte. Was Alex jetzt tat, hatte sie gesagt, sei »genau das, was Ben selbst unternommen hätte«. Wie hätte Ben entschieden, angesichts der nahenden Schalterschluß-Zeit? Alex wußte es.

»Ich möchte etwas bekanntgeben«, sagte er zu Wainwright, nachdem er sich kurz mit Edwina besprochen und ihr einige Anweisungen gegeben hatte.

Alex arbeitete sich bis an den Eingang der Bank vor und stellte sich an einer Stelle auf, von der ihn diejenigen in der Bank und andere, die noch auf der Straße warteten, hören konnten. Er nahm wahr, daß Fernsehkameras auf ihn gerichtet waren. Dem ersten Fernsehteam hatte sich ein zweites von einem anderen Sender zugesellt, und vor einer Stunde hatte Alex für beide eine Erklärung abgegeben. Die Kamerateams harrten aus, und einer der Fernsehleute hatte verraten, daß sie zusätzliches Material für eine Magazinsendung am Wochenende drehten, denn »einen Run auf Bankschalter, das erlebt man nicht alle Tage«.

»Meine Damen und Herren« – Alex' Stimme war stark und klar; sie verschaffte sich mühelos Gehör –, »ich habe gehört, daß einige von Ihnen sich Sorgen machen wegen des heutigen Schalterschlusses. Das ist ganz unnötig. Im Namen der Geschäftsleitung unserer Bank gebe ich Ihnen mein Wort, daß wir hier in Tylersville geöffnet bleiben, bis wir Sie alle bedient haben.« Zufriedenes Stimmengemurmel wurde laut, hier und da klatschte jemand Beifall.

»Um eines jedoch möchte ich Sie alle dringend bitten.« Wieder verstummte das Gemurmel, die allgemeine Aufmerksamkeit richtete sich erneut auf Alex. Er fuhr fort: »Ich rate Ihnen mit allem Nachdruck, übers Wochenende keine großen Summen Geldes bei sich zu tragen oder zu Hause zu behalten. Es wäre in vieler Hinsicht unsicher. Deshalb empfehle ich Ihnen dringend, eine andere Bank aufzusuchen und dort einzuzahlen, was Sie hier abgehoben haben. Um Ihnen dabei zu helfen, telefoniert meine Kollegin Mrs. D'Orsey in diesem Augenblick mit anderen Banken in der näheren Umgebung und ersucht sie, die Schalter länger als üblich geöffnet zu halten und Ihnen zur Verfügung zu stehen.«

Wieder erhob sich beifälliges Gemurmel.

Nolan Wainwright trat zu Alex, flüsterte ihm kurz etwas zu, und Alex gab bekannt: »Ich erfahre soeben, daß zwei Banken bereits unserer Bitte entsprochen haben. Mit anderen werden wir noch Kontakt aufnehmen.«

Aus der Schar, die noch auf der Straße wartete, erhob sich eine Männerstimme: »Können Sie eine gute Bank empfehlen?«

»Ja«, sagte Alex. »Ich selbst würde die First Mercantile American wählen. Die kenne ich am besten, da weiß ich, daß ich am sichersten bin, und sie hat eine lange und ehrenhafte Tradition. Ich wünschte nur, daß Sie alle auch so denken.« Zum ersten Mal schwang ein Hauch von Emotion in seiner Stimme mit. Ein paar Menschen lächelten oder lachten ein wenig unsicher, aber die meisten Gesichter, die ihn beobachteten, waren ernst.

»Ich habe auch immer so gedacht«, meldete sich eine Stimme hinter Alex. Er wandte sich um. Gesprochen hatte ein alter Mann, wohl eher achtzig als siebzig, runzlig, weißhaarig, gebeugt, auf einen Stock gestützt. Aber die Augen des alten Mannes waren klar und scharf, seine Stimme fest. Neben ihm stand eine Frau etwa gleichen Alters. Beide waren ordentlich gekleidet, wenn auch etwas altmodisch und abgetragen. Die Frau hatte ein Einkaufsnetz in der Hand, das, wie jeder sehen konnte, Bündel von Geldscheinen enthielt. Sie waren gerade vom Schalter der Bank gekommen.

»Meine Frau und ich haben schon seit mehr als dreißig Jahren ein Konto bei der FMA«, sagte der alte Mann. »'n komisches Gefühl, es jetzt da wegzunehmen.«

»Warum tun Sie's dann?«

»Kann all die Gerüchte doch nicht einfach übergehen. Zuviel Rauch, irgendwo wird schon ein Funke Wahrheit sein.«

»Ein Funke Wahrheit ist da, und wir haben es zugegeben«, sagte Alex. »Wegen eines Kredits an die Supranational Corporation wird unsere Bank wahrscheinlich einen Verlust erleiden. Aber die Bank kann ihn tragen, und sie wird ihn tragen.«

Der alte Mann schüttelte den Kopf. »Wäre ich jünger, könnte ich noch arbeiten, würde ich's vielleicht riskieren und Ihnen glauben. Aber ich bin alt. Was da drin steckt« – er zeigte auf das Einkaufsnetz –, »ist so ziemlich alles, was wir noch haben, bis wir sterben. Es ist auch so nicht viel. Die Dollars da reichen nicht halb so weit wie damals, als wir gearbeitet und sie verdient haben.«

»Ganz gewiß«, sagte Alex. »Die Inflation trifft gute Leute wie Sie am schwersten. Aber da hilft es Ihnen auch nichts, wenn Sie die Bank wechseln.«

»Ich will Sie mal was fragen, junger Mann. Wenn Sie an meiner Stelle wären, nehmen wir mal an, und das Geld da wäre Ihr Geld, würden Sie da nicht dasselbe tun wie ich?«

Alex spürte, daß andere sich näher heranschoben und zuhörten. Einen Kopf oder zwei entfernt sah er Margot. Und genau hinter ihr waren Lampen der Fernsehkameras eingeschaltet. Irgend jemand beugte sich mit einem Mikrofon vor.

»Ja«, gab er zu. »Ich glaub' schon.«

Der alte Mann schien überrascht. »Auf jeden Fall sind Sie ehrlich. Ich hab' eben gehört, wie Sie geraten haben, zu 'ner anderen Bank zu gehen, und das weiß ich zu schätzen. Ich denk', wir gehen und zahlen da unser Geld ein.«

»Warten Sie«, sagte Alex. »Haben Sie einen Wagen?«

»Nee. Wir wohnen gleich da hinten. Wir gehen zu Fuß.«

»Aber nicht mit dem Geld. Sie könnten überfallen werden. Ich lasse Sie zu einer anderen Bank fahren.« Alex winkte Nolan Wainwright heran und setzte ihn ins Bild. »Das hier ist unser Sicherheitschef«, sagte er zu dem alten Ehepaar.

»Ich fahre Sie selbst«, sagte Wainwright. »Macht mir nichts aus.«

Der alte Mann rührte sich nicht von der Stelle. Er sah von einem Gesicht zum anderen. »Das tun Sie für uns? Wo wir gerade unser Geld von Ihrer Bank abgehoben haben? Wenn wir Ihnen praktisch gesagt haben, daß wir Ihnen nicht mehr vertrauen?«

»Sagen wir, das gehört zu unserem Kundendienst. Außerdem«, sagte Alex, »wenn Sie dreißig Jahre bei uns waren, dann sollten wir uns als Freunde trennen.«

Noch immer hielt der alte Mann unsicher inne. »Vielleicht ist das nicht nötig. Ich möchte Ihnen noch eine Frage stellen, von Mann zu Mann.« Die klaren, scharfen, ehrlichen Augen betrachteten Alex mit festem Blick.

»Schießen Sie los.«

»Sie haben mir schon einmal die Wahrheit gesagt, junger Mann. Nun sagen Sie noch mal die Wahrheit, und denken Sie daran, was ich gesagt habe von meinem Alter und was die Ersparnisse da für uns bedeuten. Ist unser Geld in Ihrer Bank sicher? *Absolut sicher?*«

Man konnte die Sekunden zählen, während Alex die Frage in allen ihren Konsequenzen abwog. Er wußte, daß nicht nur das alte Ehepaar ihn gespannt ansah, sondern viele andere auch. Die allgegenwärtigen Fernsehkameras waren noch eingeschaltet. Aus den Augenwinkeln sah er Margot; auch sie war angespannt, auf ihrem Gesicht lag ein Ausdruck, der schwer zu deuten war. Er dachte an die Menschen, die hier waren, und an andere, anderswo, die von diesem Augenblick direkt betroffen würden; an diejenigen, die auf ihn bauten – an Jerome Patterton, Tom Straughan, an das Direktorium, Edwina, andere; daran, was geschehen konnte, wenn die FMA zusammenbrach, von den weitreichenden und schädlichen Folgen, nicht nur hier in Tylersville, sondern weit darüber hinaus. Trotz alledem erhob sich Zweifel. Er zwang ihn nieder, dann antwortete er mit knapper und zuversichtlicher

Stimme: »Ich gebe Ihnen mein Wort. Diese Bank ist absolut sicher.«

»Mein Gott noch mal, Freda«, sagte der alte Mann zu seiner Frau. »Sieht so aus, als ob wir uns unnötig den Kopf heiß gemacht haben. Komm, wir zahlen das verdammte Geld wieder ein.«

In allen nachträglichen Untersuchungen und Diskussionen der folgenden Wochen blieb eine Tatsache unangefochten: Der Run auf die Schalter in Tylersville war praktisch beendet, als der alte Mann und seine Frau sich umdrehten, in die FMA-Filiale zurückmarschierten und das Geld aus dem Einkaufsnetz wieder am Schalter einzahlten. Leute, die lange gewartet hatten, um ihr eigenes Geld abzuheben, und die das Gespräch zwischen dem alten Mann und dem Bankdirektor verfolgt hatten, vermieden es entweder, einander in die Augen zu sehen, oder, wenn sie das nicht taten, lächelten sie verlegen und gingen. Die Nachricht breitete sich rasch unter den Restlichen aus, die draußen und drinnen noch warteten; wie auf Kommando begannen sich die Warteschlangen aufzulösen, so schnell und so geheimnisvoll, wie sie sich gebildet hatten. Wie irgend jemand später sagte: Es war Herdeninstinkt, nur in umgekehrter Richtung. Als die wenigen, noch in der Bank verbliebenen Menschen abgefertigt waren, schloß die Filiale nur zehn Minuten später als normal an einem Freitagabend. Ein paar FMA-Leute in Tylersville und in der Zentrale hatten mit Sorge an den kommenden Montag gedacht. Ob die Menschen wiederkommen, der Ansturm wieder von neuem beginnen würde? Es zeigte sich, daß es dazu nicht kam.

Auch nirgendwo anders kam es am Montag zu einem Sturm auf die Schalter. Der Grund dafür – die meisten Analysen stimmten in diesem Punkt überein – war eine ausdrucksstarke, aufrichtige, rührende Szene zwischen einem alten Ehepaar und einem gutaussehenden, freimütigen Bank-Vizepräsidenten, wie sie in den Fernsehnachrichten am Wochenende ausgestrahlt wurde. Der Film, fertig geschnitten und redigiert, war so erfolgreich, daß verschiedene Sender ihn mehrfach verwendeten. Er erschien als ein Beispiel der menschlich unmittelbar anrührenden, wirkungsvollen Technik des *cinéma vérité*, die sich so vorzüglich für das Fernsehen eignet und von ihm so selten genutzt wird. Viele Menschen am Bildschirm waren bis zu Tränen gerührt.

Am Wochenende sah Alex Vandervoort den Fernsehfilm, behielt sich aber seinen eigenen Kommentar dazu vor. Ein Grund dafür war, daß er allein wußte, welche Gedanken ihn in dem alles entscheidenden Augenblick bewegt hatten, als ihm die Frage gestellt wurde: *Ist unser Geld ... absolut sicher?* Ein anderer Grund war die Tatsache, daß Alex die Fallgruben und Probleme kannte, die noch auf dem Weg der FMA lagen.

Auch Margot sagte am Freitag abend wenig über den Vorfall; ebensowenig erwähnte sie ihn am Sonntag, als sie in Alex' Wohnung blieb. Es gab eine wichtige Frage, die sie stellen wollte, aber sie war klug genug zu spüren, daß jetzt nicht die Zeit dafür war.

Auch Roscoe Heyward gehörte zu den Direktoren der First Mercantile American, die die Fernsehübertragung sahen, wenn auch nicht in voller Länge. Heyward schaltete das Fernsehen ein, als er am Sonntag abend von einer Versammlung des Kirchenvorstands nach Hause kam, stellte den Apparat aber in wütender Eifersucht wieder ab, als er erst einen Teil der Übertragung gesehen hatte. Heyward hatte eigene Probleme, die ernst genug waren, und mochte sich nicht auch noch an Vandervoorts Erfolg erinnern lassen. Und ganz abgesehen von dem Run auf die Bank, würden in der kommenden Woche sehr wahrscheinlich mehrere Dinge an die Oberfläche gelangen, die Heyward mit großer Nervosität erfüllten.

Ein anderes Nachspiel entwickelte sich aus jenem Freitagabend in Tylersville. Es betraf Juanita Núñez.

Juanita hatte am Nachmittag gesehen, wie Margot Bracken eintraf. Sie hatte in letzter Zeit mehrmals den Gedanken erwogen, ob sie Margot aufsuchen und sie um Rat fragen solle oder nicht. Jetzt nahm sie sich vor, es zu tun. Aber aus verschiedenen Gründen war es Juanita lieber, nicht von Nolan Wainwright beobachtet zu werden.

Die Gelegenheit, auf die Juanita gewartet hatte, ergab sich

kurz nach dem Ende des Sturms auf die Bank, als Wainwright damit beschäftigt war, die Sicherheitsvorkehrungen der Filiale für das Wochenende zu überprüfen, und die Anspannung dieses Tages bei den Angestellten abzuklingen begann. Juanita verließ den Schalter, an dem sie einem Kassierer der Filiale geholfen hatte, und ging zu dem abgeteilten Geschäftsleitungsbezirk hinüber. Dort saß Margot allein und wartete darauf, daß Alex Vandervoort gehen konnte.

»Miss Bracken«, begann Juanita leise, »Sie haben mal gesagt, daß ich zu Ihnen kommen darf, wenn ich Sorgen habe.«

»Ja, natürlich, Juanita. Haben Sie Probleme?«

Ihr kleines Gesicht legte sich in sorgenvolle Falten. »Ja, ich glaube schon.«

»Was ist das denn für ein Problem?«

»Wenn es Ihnen nichts ausmacht, könnten wir dann woanders sprechen?« Juanita beobachtete Wainwright, der sich auf der anderen Seite der Bank in der Nähe des Tresors aufhielt. Er schien gerade ein Gespräch zu beenden.

»Dann kommen Sie in mein Büro«, sagte Margot. »Wann wäre es Ihnen am liebsten?«

Sie einigten sich auf Montag abend.


17


Die Tonbandspule aus dem Fitness-Club Doppelte Sieben hatte seit sechs Tagen auf dem Regal über dem Arbeitstisch gelegen.

Wizard Wong hatte mehrfach einen Blick auf das Tonband geworfen, es widerstrebte ihm auszulöschen, was darauf war, aber er hatte auch ein ungutes Gefühl bei dem Gedanken, die Information weiterzugeben. Heutzutage war es riskant, *irgendein* Telefongespräch aufzuzeichnen. Noch riskanter war es, die Aufnahme einem anderen vorzuspielen.

Marino aber, das wußte Wizard genau, würde einen Teil dieses Tonbands sehr gern hören, und für dieses Privileg würde er gut zahlen. Über Tony Bär Marino mochte man geteilter Meinung sein, aber niemand konnte ihm nachsagen, daß er für gute Dienste nicht gut zahlte, und das war einer der Gründe, die Wizard veranlaßten, gelegentlich für ihn zu arbeiten.

Marino war ein Berufsverbrecher, das wußte er. Wong war keiner.

Wizard (sein Vorname war in Wirklichkeit Wayne, aber alle, die ihn kannten, nannten ihn nur Wizard, Zauberer) war ein junger, hellwacher chinesischer Amerikaner der zweiten Generation. Er war außerdem Experte für Elektronik und Tontechnik, und sein Spezialgebiet war das Aufspüren elektronischer Abhörgeräte. Auf diesem Gebiet war er ein Genie, und das hatte ihm auch seinen Namen Wizard eingebracht.

Einer langen Liste von Kunden lieferte Wong die Garantie, daß es in ihren Büros und Wohnungen keine »Wanzen« gab, daß ihre Telefone nicht abgehört wurden, daß ihre Privatsphäre sicher war vor versteckter Elektronik. Überraschend oft entdeckte er heimlich installierte Abhörgeräte, und wenn ihm das gelang, waren seine Kunden stets sehr beeindruckt und dankbar. Trotz offizieller Versicherungen des Gegenteils – einschließlich einiger vor kurzem abgegebener Erklärungen des Präsidenten selbst –, ging das Abhören und Anzapfen in den Vereinigten Staaten weiter, es war weit verbreitet, und es florierte.

Großindustrielle sicherten sich Wongs Dienste. Desgleichen Bankiers, Zeitungsverleger; Präsidentschaftskandidaten, etliche berühmte Anwälte, die eine oder andere ausländische Botschaft, ein paar US-Senatoren, drei Gouverneure von Bundesstaaten und ein Richter am Obersten Gerichtshof. Dann gab es noch die Oberbonzen von der Gegenseite – der Patriarch einer Mafia-Familie, dessen Consiglieri und etliche führende Köpfe von nicht ganz dieser Größenordnung, und zu denen gehörte Tony Marino.

Seinen kriminellen Kunden machte Wizard Wong eines ganz klar: Mit ihren illegalen Umtrieben wollte er nichts zu tun haben; er verdiente seinen beachtlichen Lebensunterhalt streng innerhalb der Grenzen des Gesetzes. Er sah aber keinen Grund, ihnen seine Dienste vorzuenthalten, da das Abhören fast in jedem Falle illegal war und selbst Kriminelle das

Recht hatten, sich mit gesetzlichen Mitteln zu schützen. Diese Grundregel wurde von allen respektiert und bewährte sich gut.

Dennoch gaben ihm seine Kunden aus der Welt des organisierten Verbrechens von Zeit zu Zeit zu verstehen, daß man brauchbare Informationen, die er im Zuge seiner Arbeit erlangte, wohl zu schätzen wissen und gut belohnen würde. Und gelegentlich hatte Wizard tatsächlich höchst interessante Informationen gegen Geld weitergegeben, denn auch er war nicht völlig gefeit gegen die älteste und einfachste aller Versuchungen – Habgier.

Diese Versuchung plagte ihn jetzt.

Vor anderthalb Wochen hatte Wizard Wong routinemäßig Marinos Räume und seine Telefone auf Wanzen untersucht. Kontrolliert wurde dabei auch immer der Fitness-Club Doppelte Sieben, an dem Marino finanziell beteiligt war. Im Laufe der Überprüfung – die ergab, daß alles sauber war – vergnügte Wizard sich damit, für kurze Zeit eine der Leitungen des Clubs anzuzapfen, eine Übung, die er hier und da praktizierte, um, wie er sich einredete, seine technischen Fähigkeiten im Interesse seiner Kunden immer auf dem höchsten Stand zu halten. Dieses Mal suchte er sich ein Münztelefon im Erdgeschoß des Clubs aus. Für achtundvierzig Stunden stellte Wizard eine Verbindung zwischen einem im Keller der Doppelten Sieben versteckten Tonbandgerät und dem Münztelefon her; es war ein Gerät, das sich selbst ein- und ausschaltete, wenn das Telefon benutzt wurde.

Was er da tat, war ungesetzlich, aber Wizard redete sich ein, das spiele keine Rolle, da niemand außer ihm selbst das Tonband später je zu hören bekommen würde. Aber als er es abspielte, erregte vor allem ein Gespräch seine Aufmerksamkeit.

Jetzt, am Samstag nachmittag und allein in seinem Tonlabor, nahm er das Band von dem Regal über seinem Arbeitstisch, legte es auf ein Tonbandgerät und hörte sich den Teil des Bandes noch einmal an.

*Eine Münze wurde eingeworfen, eine Nummer wurde gewählt. Das Geräusch des Wählens war deutlich zu vernehmen. Der Ton, der das Läuten anzeigte. Es läutete nur einmal.*

*Eine Frauenstimme (weich, mit leichtem Akzent): Hallo.*

*Eine männliche Stimme (flüsternd): Du weißt, wer hier spricht. Also keine Namen.*

*Die Frauenstimme: Ja.*

*Die erste Stimme (noch immer im Flüsterton): Sag unserem gemeinsamen Freund, daß ich hier was Wichtiges entdeckt habe. Es ist wirklich wichtig. Fast alles, was er wissen wollte. Mehr kann ich nicht sagen, aber ich komme morgen abend zu dir.*

*Die Frauenstimme: Gut.*

*Ein Klicken.* Der Anrufer im Fitness-Club Doppelte Sieben hatte eingehängt.

Wizard Wong wußte nicht genau, warum er glaubte, daß Tony Bär Marino sich dafür interessieren würde. Sein Riecher sagte es ihm, und sein Riecher hatte sich schon oft bezahlt gemacht. Er faßte einen Entschluß, blätterte in einem privaten Notizbuch, ging ans Telefon und wählte eine Nummer.

Es stellte sich heraus, daß Tony Bär frühestens am späten Montagnachmittag Zeit für ihn hatte. Wizard traf eine Verabredung mit ihm und machte sich dann – weil er sich ja nun festgelegt hatte – daran, mehr Informationen aus dem Band herauszuholen. Er spulte das Band zurück, dann spielte er es aufmerksam noch etliche Male ab.


»Verfluchter Mist!« Tony Bär Marinos fleischige, kräftige Gesichtszüge verzerrten sich vor wilder Wut. Seine groteske Falsettstimme überschlug sich und kletterte noch höher als gewöhnlich. »Du hattest dieses gottverdammte Band, und dann haste eine Woche lang auf deinem gottverdammten Arsch gesessen, bevor du endlich zu mir kommst!«

»Ich bin Techniker, Mr. Marino«, verteidigte sich Wizard Wong. »Meistens gehen mich die Dinge, die ich höre, gar nichts an. Aber nach einer Zeit habe ich dann gedacht, daß die Sache hier vielleicht anders liegt.« In gewisser Beziehung war er erleichtert. Es hatte wenigstens keinen Wutanfall gegeben, weil er eine Leitung der Doppelten Sieben angezapft hatte.

»Nächstes Mal«, fauchte Marino, »denk gefälligst schneller!«

Heute war Montag. Sie befanden sich in dem Fuhrunternehmen, wo Marino ein Büro unterhielt, und zwischen ihnen, auf dem Schreibtisch, stand ein tragbares Tonbandgerät, das Wong gerade abgeschaltet hatte. Bevor er hergekommen war, hatte er den bedeutungsvollen Teil des ursprünglichen Tonbands auf eine Kassette überspielt und den Rest gelöscht.

Tony Bär Marino, in Hemdsärmeln in dem muffigen, überheizten Büro, wirkte physisch furchteinflößend wie immer. Er hatte die Schultern eines Preisboxers, kräftige Handgelenke und gewaltige Bizepsmuskeln. Er quoll über den Stuhl hinaus, auf dem er saß, aber das war kein Fett; zum größten Teil bestand er aus soliden Muskelsträngen. Wizard Wong versuchte, sich nicht einschüchtern zu lassen, weder von Marinos Masse noch von dem Ruf der Skrupellosigkeit, der ihm vorauseilte. Aber ob es nun an dem überhitzten Raum lag oder andere Gründe hatte, Wong begann zu schwitzen.

Er wandte ein: »Soviel Zeit habe ich gar nicht vergeudet, Mr. Marino. Ich habe noch ein paar andere Sachen herausgefunden, die Sie vielleicht gern wissen wollen.«

»Zum Beispiel?«

»Ich kann Ihnen die angerufene Nummer sagen. Sehen Sie, wenn man mit der Stoppuhr die Zeit der Scheibendrehung mißt, wie sie auf dem Band aufgezeichnet ist, und sie dann vergleicht . . .«

»Verschon mich mit dem Quatsch. Sag mir die Nummer.«

»Da ist sie.« Ein Zettel wurde über den Schreibtisch gereicht.

»Haste rausgekriegt, wem die gehört?«

»Also ehrlich, so eine Nummer aufzuspüren, das ist nicht leicht. Besonders wenn sie nicht im Telefonbuch steht. Zum Glück habe ich Verbindungen in der Telefongesellschaft . . .«

Tony Bär explodierte. Er hieb mit der flachen Hand auf die Schreibtischplatte, und es hörte sich an wie ein Schuß. »Spiel nicht mit mir herum, du kleines Mistvieh! Wenn du was weißt, dann raus damit!«

»Was ich sagen will«, fuhr Wizard beharrlich fort und schwitzte dabei noch mehr, »ist, daß es was kostet. Ich mußte meinem Verbindungsmann Geld geben.«

»Du hast dem verdammt viel weniger bezahlt, als du aus mir herausquetschen willst. Los, weiter!«

Wizards Anspannung ließ ein wenig nach. Er hatte herausgebracht, was er sagen wollte, und Tony Bär würde den verlangten Preis zahlen, denn beide wußten, daß sie einander auch später noch brauchen würden.

»Das Telefon gehört einer Mrs. J. Núñez. Sie wohnt in Forum East. Hier die Hausnummer und die Nummer ihrer Wohnung.« Wong reichte einen zweiten Zettel hinüber. Marino nahm ihn, warf einen Blick auf die Adresse, legte ihn dann auf den Tisch.

»Da ist noch was, was Sie vielleicht interessiert. In der Kartei steht, daß der Anschluß vor einem Monat als besonders eilige Sache gelegt worden ist. Normalerweise gibt es für Anschlüsse in Forum East eine lange Warteliste, aber dieser hat überhaupt nicht auf der Liste gestanden, und dann plötzlich stand er ganz vorn.«

Marinos Gesicht verzerrte sich noch mehr, zum Teil aus Ungeduld, zum Teil aus Wut über das, was er hörte. Hastig fuhr Wizard Wong fort: »Also, da hat jemand Dampf dahinter gemacht. Mein Kontaktmann sagt, daß es in der Korrespondenz der Telefongesellschaft eine Aktennotiz darüber gibt. Der da so gedrängt hat, der heißt Nolan Wainwright, und der ist Chef der Sicherheitsabteilung einer Bank – der First Mercantile American. Er hat gesagt, man brauche den Anschluß für dringende Bankangelegenheiten. Die Rechnungen gehen auch an die Bank.«

Zum ersten Mal seit Ankunft des Tontechnikers war Tony Bär aufgeschreckt. Flüchtig zeigte sich Überraschung auf seinem Gesicht, verschwand aber sofort wieder und wurde durch absolute Ausdruckslosigkeit ersetzt. Unter dieser Maske arbeitete sein Verstand, setzte das soeben Gehörte mit gewissen, ihm schon bekannten Tatsachen in Beziehung. Die Verbindung war der Name Wainwright. Marino erinnerte sich an den Versuch vor sechs Monaten, einen Spitzel einzuschleusen, einen Schleimscheißer namens Vic, der »Wainwright« gesagt hatte, als sie ihm die Eier zerquetscht hatten. Marino, der damals eine sehr aktive Rolle gespielt hatte, hatte schon von dem Bankbullen gehört.

Gab es jetzt einen neuen Spitzel? Wenn ja, dann konnte Tony Bär sich denken, worauf der angesetzt war, obwohl über den Club auch noch allerhand andere Geschäfte liefen, die er auf keinen Fall aufgedeckt sehen wollte. Tony Bär vergeudete keine Zeit mit Vermutungen. Die Stimme des Anrufers, ein Flüstern nur, war nicht zu identifizieren. Aber die andere Stimme – eine Frauenstimme – war jetzt bekannt; was man sonst noch wissen mußte, konnte man von ihr erfahren. Der Gedanke, daß die Frau vielleicht nicht mitspielen würde, kam ihm gar nicht; wenn sie Dummheiten machte, hatte man ja seine Möglichkeiten.

Marino zahlte Wong rasch aus und blieb nachdenklich sitzen. Er hatte immer Vorsicht walten lassen und wollte auch jetzt keine überstürzten Entscheidungen treffen, sondern wie üblich seine Gedanken ein paar Stunden lang auf kleiner Flamme garkochen lassen. Aber er hatte Zeit verloren, eine ganze Woche.

Später an diesem Abend rief er zwei Muskelmänner. Tony Bär gab ihnen eine Adresse in Forum East und einen Befehl. »Greift euch diese Núñez.«


# 18


»Wenn sich herausstellt, daß alles tatsächlich stimmt, was du mir eben gesagt hast«, versicherte Alex, »dann werde ich Nolan Wainwright persönlich den wuchtigsten Tritt in den Hintern verpassen, den er je bekommen hat.«

Margot fuhr ihn wütend an: »Natürlich stimmt das. Warum sollte Mrs. Núñez sich das ausdenken? Und wie könnte sie das überhaupt?«

»Richtig«, gab er zu, »ich glaube nicht, daß sie das könnte.«

»Ich will dir noch was sagen, Alex. Ich will mehr als nur den Kopf deines Mr. Wainwright auf einer Silberschüssel – oder seinen Hintern. Ich will viel mehr.«

Sie waren in Alex' Wohnung, wo Margot vor einer halben Stunde erschienen war, nach ihrem Gespräch mit Juanita

Núñez, zu dem sie an diesem Montagabend mit ihr verabredet gewesen war. Was Juanita ihr berichtete, hatte sie zunächst mit Staunen, dann mit Empörung erfüllt. Nervös hatte Juanita über ihre vor einem Monat getroffene Vereinbarung berichtet, durch die sie zum Bindeglied zwischen Wainwright und Miles Eastin geworden war. Aber neuerdings, sagte Juanita, war ihr erst richtig bewußt geworden, auf welches Risiko sie sich eingelassen hatte, und ihre Angst nahm zu, vor allem wegen Estela. Mehrere Male war Margot Juanitas Bericht durchgegangen, hatte sie nach Einzelheiten befragt. Dann fuhr sie zu Alex.

»Ich wußte davon, daß Eastin untertauchte.« Alex' Gesicht drückte Sorge aus, wie so oft in letzter Zeit; er ging im Wohnzimmer auf und ab, in der Hand ein Glas Scotch, von dem er noch nicht getrunken hatte. »Nolan hat mir erzählt, was er vorhatte. Zuerst war ich dagegen, hab' nein gesagt, dann habe ich nachgegeben, weil seine Argumente überzeugend klangen. Aber ich schwöre dir, von einer Vereinbarung mit diesem Mädchen hat er kein Wort erwähnt.«

»Das glaub' ich gerne«, gab Margot zurück. »Weil er genau gewußt hat, daß du dein Veto einlegen würdest.«

»Weiß Edwina Bescheid?«

»Allem Anschein nach nicht.«

Verdrossen dachte Alex: Dann war Nolan also auch da aus der Reihe getanzt. Wie konnte er so kurzsichtig sein, mehr noch, so dumm? Aber es lag zum Teil auch daran, daß Abteilungschefs wie Wainwright oft nur ihre eigenen, begrenzten Ziele sahen, die größeren Zusammenhänge aber nicht beachteten.

Er hörte auf, hin- und herzumarschieren. »Vor einer Minute hast du was gesagt von ›viel mehr wollen‹. Was soll das heißen?«

»Als erstes will ich sofortige Sicherheit für meine Mandantin und ihr Kind, und mit Sicherheit meine ich, daß man sie irgendwo unterbringt, wo sie außer Gefahr ist. Danach können wir über Entschädigung reden.«

»Deine *Mandantin*?«

»Ich habe Juanita empfohlen, einen Anwalt zu nehmen. Sie hat mich gebeten, sie zu vertreten.«

Alex grinste und nahm einen Schluck Whisky. »Du und ich, wir sind also jetzt Gegner, Bracken.«

»In dem Sinne sind wir es wohl.« Margots Stimme wurde weicher. »Nur, du weißt ja, daß ich unsere Privatgespräche nicht beruflich nutze.«

»Ja, das weiß ich. Deshalb will ich dir privat sagen, daß wir etwas für Mrs. Núñez tun *werden* – sofort, morgen. Wenn es bedeutet, daß wir sie eine Zeitlang aus der Stadt wegschicken müssen, um sicherzugehen, daß ihr nichts passiert, dann werde ich das genehmigen. Was die Entschädigung betrifft, so will ich mich da nicht festlegen, aber wenn ich die ganze Geschichte gehört habe und wenn alles mit dem übereinstimmt, was du mir erzählst und was sie sagt, dann werden wir das in Erwägung ziehen.«

Was Alex nicht erwähnte, war seine Absicht, Nolan Wainwright am nächsten Morgen kommen zu lassen und ihm zu befehlen, die gesamte Spitzelaktion sofort einzustellen. Ein Teil davon wären die Sicherheitsmaßnahmen für das Mädchen, wie er es Margot versprochen hatte; außerdem mußte Eastin ausgezahlt werden. Alex wünschte inbrünstig, er wäre bei seinem ersten Urteil geblieben und hätte den ganzen Plan untersagt; alles in ihm hatte sich dagegen gewehrt, und es war falsch gewesen, sich von Wainwright überreden zu lassen. Die Risiken waren in jeder Beziehung viel zu groß. Zum Glück war es nicht zu spät, den Fehler rückgängig zu machen, denn Schaden hatte niemand genommen, weder Eastin noch die Núñez.

Margot musterte ihn. »Eins mag ich besonders gern an dir, nämlich deine Fairneß. Du gibst also zu, daß die Bank Verantwortung gegenüber Juanita Núñez hat?«

»Mein Gott!« sagte Alex und trank sein Glas aus. »Im Augenblick sind wir für so viel verantwortlich, was macht da schon eins mehr oder weniger noch aus?«

## 19

Ein einziges Stück nur noch. Nur noch eins war nötig, um das verlockende Puzzle zu vollenden. Ein glücklicher Zufall könnte es liefern, und dann hätte er die Antwort auf die Frage: Wo arbeitete der Fälscher?

Als Nolan Wainwright die zweite Spitzelaktion plante, erwartete er keine aufsehenerregenden Resultate. Auch von Miles Eastins Einsatz versprach er sich nicht viel, vielleicht ergab sich daraus irgendeine kleine Information, und selbst das konnte Monate dauern. Statt dessen aber war Eastin rasch von einer Enthüllung zur nächsten geeilt. Wainwright fragte sich, ob Eastin sich selbst wohl darüber im klaren war, welche großartigen Erfolge er erzielt hatte.

Am Dienstag gegen zehn Uhr früh saß Wainwright allein in seinem karg ausgestatteten Büro in der FMA-Zentrale und ließ noch einmal den bisher erzielten Fortschritt Revue passieren:

– *Der erste Bericht von Eastin hatte besagt: »Ich bin drin« im Fitness-Club Doppelte Sieben. Im Lichte der späteren Ereignisse war das allein schon wichtig. Es folgte die Bestätigung, daß die Doppelte Sieben ein Kriminellentreff war und daß sich dort auch der Kredithai, Ominsky, und Tony Bär Marino aufzuhalten pflegten.*

– *Eastin hatte sich Zugang zu den illegalen Glücksspielräumen verschafft und dadurch seine Infiltration verbessert.*

– *Gleich darauf hatte Eastin zehn gefälschte Zwanzig-Dollar-Noten gekauft. Als Wainwright und andere sie untersuchten, stellten sie fest, daß sie von der gleichen hohen Qualität waren wie diejenigen, die seit mehreren Monaten in diesem Gebiet im Umlauf und zweifellos gleichen Ursprungs waren. Eastin hatte den Namen seines Lieferanten gemeldet, und der Mann wurde beobachtet.*

– *Des weiteren, ein dreiteiliger Bericht: der gefälschte Führerschein; das Kennzeichen des Chevrolet Impala, mit dem Eastin nach Louisville gefahren war, allem Anschein nach mit einer Lieferung Falschgeld im Kofferraum; und das Flugscheindoppel des Tickets, das man Eastin für die Rückreise gegeben hatte. Von den drei Punkten hatte sich der*

*Flugschein als der nützlichste erwiesen. Er war zusammen mit anderen per Keycharge-Bankkreditkarte gekauft worden, und die war gefälscht. Endlich hatte der Bank-Sicherheitschef das Gefühl, sich seinem Hauptziel zu nähern – der Verschwörung, die das Keycharge-System um gewaltige Summen betrogen hatte und noch weiter betrog. Der falsche Führerschein bestätigte die Existenz einer vielseitigen, leistungsfähigen Organisation, auf die jetzt eine zusätzliche Spur hinwies – der Exgefangene Jules LaRocca. Nachforschungen ergaben, daß der Impala gestohlen worden war. Wenige Tage nach Eastins Fahrt wurde er verlassen in Louisville aufgefunden.*

*– Der letzte und wichtigste Erfolg war die Identifizierung des Fälschers Danny, zusammen mit einem wahren Füllhorn an Informationen einschließlich der Tatsache, daß der Ursprung der gefälschten Keycharge-Kreditkarten jetzt zuverlässig bekannt war.*

Gleichzeitig mit der Anhäufung von Informationen, die Wainwright über seine Nachrichten-Pipeline von Miles Eastin bezog, war eine Verpflichtung gewachsen – mitzuteilen, was er wußte. Deshalb hatte er vor einer Woche Agenten des FBI und des Secret Service zu einer Besprechung in die Bank eingeladen. Der Secret Service mußte beteiligt werden, weil es hier auch um Geldfälschung ging, denn nach der Verfassung war diesem US-Geheimdienst der Schutz des amerikanischen Währungssystems übertragen. Die Spezialagenten des FBI, die zu der Besprechung kamen, waren dasselbe Team – Innes und Dalrymple –, das vor fast einem Jahr den FMA-Bargeldverlust untersucht und Miles Eastin verhaftet hatte. Die Männer vom Secret Service – Jordan und Quimby – hatte Wainwright vorher noch nie gesehen.

Innes und Dalrymple beglückwünschten Wainwright zu den Informationen, weniger begeistert gaben sich die Männer vom Secret Service. Sie fanden, Wainwright hätte sie schon früher ins Bild setzen müssen – nämlich sobald er die ersten gefälschten Banknoten von Eastin erhalten hatte – und daß Eastin sie über Wainwright vor Antritt seiner Fahrt nach Louisville hätte informieren sollen.

Der Secret Service-Agent Jordan, ein störrischer, kalt blickender, untersetzter Mann, dessen Magen fortwährend knurrte, beklagte sich: »Wären wir informiert worden, hätten wir den Transport abfangen können. So aber hat sich Ihr Mann Eastin womöglich eines schweren Verbrechens schuldig gemacht, mit Ihnen als Helfershelfer.«

Geduldig setzte Wainwright ihm auseinander: »Ich habe schon erklärt, daß Eastin keine Chance hatte, irgend jemanden zu informieren, auch mich nicht. Er ist ein Risiko eingegangen, dessen er sich sehr wohl bewußt war. Ich finde, er hat richtig gehandelt. Und was das schwere Verbrechen betrifft – nun, wir wissen ja nicht einmal genau, ob sich Falschgeld in dem Wagen befunden hat.«

»Und ob das drin war!« beharrte Jordan ingrimmig. »Es ist seither überall in Louisville aufgetaucht. Wir wußten nur nicht, wie es dahin gelangt war.«

»Na, jetzt wissen Sie es«, warf der FBI-Agent Innes ein. »Und daß wir alle so sehr viel weiter sind, verdanken wir Nolan.«

Wainwright fügte hinzu: »Hätten Sie ihn abgefangen, da hätten Sie einen Haufen Falschgeld geschnappt, sicher. Viel mehr aber auch nicht, und mit Eastins Nützlichkeit wäre es vorbei gewesen.«

In gewisser Weise verstand Wainwright den Standpunkt der Leute vom Secret Service. Die Agenten waren überarbeitet, von allen Seiten bedrängt, sie hatten zu wenig Personal, und bei alledem hatte sich die Menge des im Umlauf befindlichen Falschgelds in den letzten Jahren ganz gewaltig vergrößert. Sie kämpften gegen eine Hydra. Kaum hatten sie eine Lieferantenquelle ausfindig gemacht, schon tat sich eine weitere auf; andere wieder konnten nie ausgemacht werden. Für den öffentlichen Gebrauch wurde das Märchen aufrechterhalten, daß Fälscher immer gefangen werden, daß sich ihre Art von Verbrechen überhaupt nicht bezahlt macht. In Wirklichkeit machte es sich, wie Wainwright wußte, glänzend bezahlt.

Trotz des anfänglichen Mißklanges ergab sich aus der Einschaltung der Strafverfolgungsbehörden ein gewaltiges Plus, der Zugang zu ihren Archiven. Individuen, deren Namen Eastin mitgeteilt hatte, wurden identifiziert, Dossiers wurden angelegt für den Tag, an dem man eine Serie von Verhaftungen vornehmen würde. Der Falschmünzer Danny wurde als ein gewisser Daniel Kerrigan identifiziert, 73 Jahre alt. »Vor langer Zeit«, berichtete Innes, »ist Kerrigan dreimal verhaftet und zweimal wegen Falschmünzerei verurteilt worden, aber seit fünfzehn Jahren haben wir nichts mehr von ihm gehört. Entweder hat er keine krummen Dinger mehr gedreht, oder er hat Glück gehabt beziehungsweise ist schlauer geworden.«

»Vor allem arbeitet er jetzt mit einer leistungsfähigen Organisation zusammen«, sagte Wainwright und wiederholte damit eine Bemerkung Dannys, die Eastin ihm weitergegeben hatte.

»Könnte sein«, meinte Innes.

Nach ihrer ersten Konferenz blieben Wainwright und die vier Agenten in ständigem Kontakt, und er versprach ihnen, sie sofort über einen etwaigen neuen Bericht von Eastin zu informieren. Alle waren sich einig, daß es jetzt nur noch darauf ankam, die letzte und wichtigste Information über den Sitz der Fälscherzentrale zu erhalten. Bislang hatte niemand auch nur eine Vorstellung davon, wo sie sich befinden konnte. Aber man hatte große Hoffnung, einen weiteren Hinweis zu erlangen, und sobald er kam, wollten FBI und Secret Service die Schlinge zuziehen.

Während Nolan Wainwright noch in tiefem Grübeln versunken war, schrillte sein Telefon. Eine Sekretärin sagte, daß Mr. Vandervoort ihn so bald wie möglich zu sprechen wünsche.

Wainwright glaubte, nicht richtig gehört zu haben. Er starrte Alex Vandervoort, der ihm gegenüber hinter seinem Schreibtisch saß, fassungslos an. »Das kann doch nicht Ihr Ernst sein!«

»Es ist mein voller Ernst«, sagte Alex. »Allerdings fällt es mir schwer zu glauben, daß es Ihr Ernst war, das Mädchen in dieser Weise zu mißbrauchen. Von allen Wahnsinnseinfällen . . .«

»Wahnsinnig oder nicht, es hat funktioniert.«

Alex ignorierte den Einwurf. »Sie haben das Mädchen, ohne jemand zu fragen, in Gefahr gebracht. Als Resultat sind wir jetzt verpflichtet, für ihre Sicherheit zu sorgen, und vielleicht haben wir sogar einen Prozeß am Hals.«

»Ich sehe die Sache genau umgekehrt«, sagte Wainwright. »Gerade die Tatsache, daß praktisch niemand weiß, was sie für uns tut, bürgt mir für ihre Sicherheit.«

»Nein! Das legen Sie sich jetzt zurecht, Nolan. In Wirklichkeit wußten Sie ganz genau, daß ich es Ihnen untersagt hätte, wenn ich eine Ahnung von Ihrer Absicht gehabt hätte. Ich wußte ja über *Eastin* Bescheid. Wäre ich dann weniger verschwiegen gewesen, was das Mädchen anging?«

Wainwright rieb einen Fingerknöchel an seinem Kinn. »Dagegen läßt sich wohl nichts sagen.«

»Das will ich, verdammt noch mal, meinen!«

»Aber das ist doch immer noch kein Grund, Alex, die Aktion abzubrechen. Zum ersten Mal in der Untersuchung der Keycharge-Fälschungen stehen wir ganz dicht vor einem großen Durchbruch. Okay, ich habe falsch gehandelt, als ich die Núñez eingespannt habe. Ich gebe es zu. Aber es war nicht falsch, Eastin einzusetzen, das beweisen schließlich die Resultate.«

Alex schüttelte entschieden den Kopf. »Nolan, ich habe mich einmal von Ihnen überreden lassen. Dieses Mal nicht. Wir sind im Bankgeschäft, nicht in der Verbrecherjagd tätig. Wir bitten Strafverfolgungsbehörden um Hilfe, wir werden nach Kräften mit ihnen zusammenarbeiten. Aber wir werden keine *eigenen*, aggressiven Programme zur Verbrecherbekämpfung ausarbeiten und durchführen. Ich sage Ihnen also – beenden Sie die Vereinbarung mit Eastin, heute noch, wenn es möglich ist.«

»Sehen Sie doch, Alex . . .«

»Ich habe schon gesehen, und was ich gesehen habe, das gefällt mir nicht. Ich lasse es nicht zu, daß die FMA für die Gefährdung von Menschenleben verantwortlich ist – nicht einmal Eastins. Das ist mein letztes Wort, vergeuden wir also keine Zeit mehr mit weiteren Argumenten.«

Als Wainwright verdrossen das Gesicht verzog, fuhr Alex fort: »Außerdem wünsche ich noch heute nachmittag eine Konferenz, an der Sie, Edwina D'Orsey und ich teilnehmen, um zu klären, was wir im Hinblick auf Mrs. Núñez unternehmen sollen. Sie können schon anfangen, sich Vorschläge zu überlegen. Es mag notwendig sein . . .«

Eine Sekretärin erschien in der Bürotür. Gereizt sagte Alex: »Ganz gleich, was es ist – später!«

Das Mädchen schüttelte den Kopf. »Mr. Vandervoort, Miss Bracken ist am Apparat. Sie sagt, es sei äußerst dringend, und Sie selber würden wollen, daß man Sie unterbricht, was Sie auch gerade tun.«

Alex seufzte. Er nahm den Hörer ab. »Ja, Bracken?«

»Alex«, sagte Margots Stimme, »es ist wegen Juanita Núñez.«

»Was ist mit ihr?«

»Sie ist verschwunden.«

»Warte.« Alex legte einen Schalter um, der Anruf lief jetzt über einen Apparat mit Lautsprecher, so daß Wainwright mithören konnte. »Sprich weiter.«

»Ich mache mir entsetzliche Sorgen. Juanita hatte gestern abend mit mir gesprochen, und da ich wußte, daß ich dich später sehen würde, hatte ich mit ihr vereinbart, daß ich sie heute an ihrem Arbeitsplatz anrufen würde. Sie war zutiefst beunruhigt. Ich hatte gehofft, beruhigende Mitteilungen für sie zu haben.«

»Ja?«

»Alex, sie ist heute nicht zur Arbeit erschienen.« Margots Stimme klang angsterfüllt.

»Na, vielleicht . . .«

»Bitte hör zu. Ich bin jetzt in Forum East. Ich bin sofort hingefahren, als ich hörte, daß sie nicht in der Bank war und sich auch bei ihr zu Hause niemand am Telefon meldete. Ich habe inzwischen mit etlichen der Hausbewohner gesprochen. Zwei von ihnen sagen, daß sie die Wohnung heute morgen zur üblichen Zeit mit ihrer kleinen Tochter Estela verlassen hat. Juanita bringt die Kleine auf dem Weg zur Arbeit immer in den Kindergarten. Ich habe festgestellt, welcher Kindergarten das ist, und ich habe da angerufen. Estela ist nicht da. Weder sie noch ihre Mutter haben sich heute morgen da sehen lassen.«

Eine Pause. Dann fragte Margots Stimme: »Alex, hörst du noch?«

»Ja, ich höre.«

»Danach habe ich noch einmal die Bank angerufen und dieses Mal mit Edwina gesprochen. Sie hat persönlich nachgesehen. Nicht nur, daß Juanita nicht aufgetaucht ist, sie hat auch nicht angerufen, und das ist nicht ihre Art. Deshalb mache ich mir Sorgen. Ich bin überzeugt, es ist etwas Schlimmes passiert.«

»Hast du bestimmte Vermutungen?«

»Ja«, sagte Margot. »Dieselben wie du.«

»Warte«, sagte er zu ihr. »Nolan ist bei mir.«

Wainwright hatte sich vorgebeugt und zugehört. Jetzt richtete er sich auf und sagte ruhig: »Mrs. Núñez ist entführt worden. Es gibt keinen Zweifel.«

»Von wem?«

»Von jemand aus der Doppelten Sieben. Wahrscheinlich wissen sie auch über Eastin Bescheid.«

»Glauben Sie, daß man sie in den Club verschleppt hat?«

»Nein. Das würden sie auf keinen Fall tun. Sie ist woanders.«

»Haben Sie eine Vorstellung, wo?«

»Nein.«

»Und wer sie entführt hat, hat auch das Kind?«

»Ich fürchte, ja.« Qual sprach aus Wainwrights Blick. »Es tut mir leid, Alex.«

»Sie haben uns das eingebrockt«, sagte Alex brutal. »Jetzt holen Sie, verdammt noch mal, Juanita und das Kind da wieder raus!«

Wainwright konzentrierte sich, dachte beim Sprechen angestrengt nach. »Zuerst müssen wir prüfen, ob es eine Chance gibt, Eastin zu warnen. Wenn wir zu ihm durchkommen können, wenn wir ihn herauskriegen, dann könnte er etwas wissen, was uns zu dem Mädchen führt.« Er hatte ein kleines schwarzes Notizbuch aufgeschlagen und griff schon nach einem anderen Telefonhörer.

## 20

Alles spielte sich so schnell ab und kam so völlig unerwartet, daß Wagentüren zugeschlagen wurden und die große schwarze Limousine anfuhr, bevor sie überhaupt eine Chance hatte aufzuschreien. Instinktiv wußte Juanita, daß es jetzt zu spät war, aber sie schrie trotzdem – »Hilfe! Hilfe!« –, bis eine Faust wütend in ihr Gesicht geschlagen wurde und sich dann eine behandschuhte Hand fest auf ihren Mund preßte. Aber auch dann kämpfte Juanita, die neben sich Estelas entsetzten Aufschrei hörte, verzweifelt weiter, bis die Faust ein zweites Mal wild zuschlug und ihr alles vor den Augen verschwamm und alle Geräusche weit von ihr zurückwichen.

Der Tag – ein klarer, frischer Morgen Anfang November – hatte normal angefangen. Juanita und Estela waren rechtzeitig auf, um zu frühstücken und dann auf ihrem kleinen tragbaren Schwarzweiß-Fernseher das NBC-Nachrichtenprogramm »Today« zu sehen. Danach machten sie sich eilig fertig, um wie üblich um 7.30 Uhr das Haus zu verlassen, so daß Juanita gerade genug Zeit hatte, um Estela in den Kindergarten zu bringen, bevor sie einen Bus in die Stadt und zur Bank nahm. Juanita liebte den frühen Morgen, und mit Estela zusammen zu sein, war jedesmal ein freudiger Tagesanfang.

Als sie aus dem Haus kamen, war Estela vorausgehüpft und hatte zurückgerufen: »Mammi, ich bin auf keinen Strich getreten«, und Juanita lächelte, denn die Kunst, auf keinen Strich und keinen Bruch in den Fußwegfliesen zu treten, war ein Spiel, das sie oft spielten. Etwa in diesem Augenblick nahm Juanita vage die unmittelbar voraus parkende Limousine mit den dunklen Fenstern wahr, deren hintere Tür zum Fußweg hin offenstand. Sie hatte genauer hingesehen, als Estela sich dem Wagen näherte und jemand von drinnen etwas zu ihr sagte. Estela ging näher heran. In dem Moment griff eine Hand hinaus und riß das kleine Mädchen in das Wageninnere. Sofort war Juanita zu der Wagentür gerannt. Dann kam von hinten eine Gestalt, die sie nicht gesehen hatte, dicht an sie heran und schob Juanita mit einem harten Stoß voran, so daß sie stolperte und vornüber in den Wagen stürzte, wobei sie sich schmerzhaft die Schienbeine schrammte. Bevor Juanita sich fassen konnte, hatte man sie zusammen mit Estela auf den Boden geworfen. Die Türen wurden zugeschlagen, der Wagen fuhr an.

Als ihr Kopf jetzt wieder klar wurde und das volle Bewußtsein zurückkehrte, hörte sie eine Stimme sagen: »Herr des Himmels, warum denn auch noch das gottverdammte Balg?«

»Wenn nich', hätte das Gör die ganze Straße zusammengeschrien, und irgendein Blödian hätte nach den Bullen gebrüllt. So sind wir verduftet ohne Ärger, schnell, kein Theater.«

Juanita bewegte sich. Stechende Schmerzen, ausgehend von der Stelle, wo man sie geschlagen hatte, schossen ihr durch den Kopf. Sie stöhnte.

»Hör zu, du Nutte!« sagte eine dritte Stimme. »Ein Mucks, und du kriegst wieder welche in die Fresse, aber feste. Und bild dir ja nicht ein, daß jemand von draußen reingucken kann. Das is' 'n Spezialglas, durch das kann man raus-, aber nicht reingucken.«

Juanita lag still, wehrte sich gegen aufsteigende Panik, zwang sich nachzudenken. Drei Männer saßen in dem Wagen, zwei auf dem Rücksitz über ihr, einer vorn. Was er über das Glas gesagt hatte, bestätigte ihren Eindruck vorhin von einem großen Auto mit dunklen Fenstern. Es stimmte also, was gesagt worden war: Es hatte keinen Sinn zu versuchen, Passanten aufmerksam zu machen. Wohin brachte man sie und Estela? Und warum? Juanita hatte nicht den geringsten Zweifel, daß die Antwort auf die zweite Frage etwas mit ihrer Verbindung zu Miles zu tun haben mußte. Wovor sie sich so gefürchtet hatte, das war jetzt eingetreten. Ihr war klar, daß sie sich in äußerster Gefahr befand. Aber, *heilige Mutter Gottes! – Warum Estela?* Die beiden lagen zusammengepreßt auf dem Boden des Wagens, Estelas Körper geschüttelt von verzweifeltem Schluchzen. Juanita bewegte sich, versuchte, sie zu umfassen und zu trösten.

»Da, *amorcito!* Sei tapfer, Kleines.«

»Schnauze!« kommandierte einer der Männer.

Eine andere Stimme – die Stimme des Fahrers, nahm sie an – sagte: »Knebelt sie, Binde vor die Augen.«

Juanita spürte Bewegungen, hörte, wie etwas, das Stoff sein mochte, zerrissen wurde. Sie flehte verzweifelt: »Bitte, nein! Ich will . . .« Die restlichen Worte gingen unter, während ein breiter Klebestreifen über ihren Mund gezogen und angepreßt wurde. Augenblicke später bedeckte ein dunkles Tuch ihre Augen; sie spürte, wie es fest angezogen wurde. Dann packte jemand ihre Hände und fesselte sie auf ihrem Rücken. Eine dünne Schnur schnitt in ihre Handgelenke. Der Boden des Wagens war staubig, und der Staub stieg Juanita in die Nase; unfähig, etwas zu sehen oder sich zu bewegen, unter dem breiten Pflaster auf ihrem Mund halb erstickt, blies sie verzweifelt, um ihre Nase freizubekommen und zu atmen. Aus anderen Bewegungen neben sich schloß sie, daß Estela genauso behandelt wurde. Verzweiflung überkam sie. Tränen des Zorns und der hilflosen Wut füllten ihre Augen. *Verdammt sollst du sein, Wainwright! Verdammt sollst du sein, Miles! Wo steckt ihr jetzt? . . .* Warum hatte sie sich darauf eingelassen . . . warum hatte sie ermöglicht . . . *Oh, warum? Warum? . . . Mutter Gottes, bitte, hilf mir! Und wenn du mir nicht hilfst, rette Estela!*

Als die Zeit verging, Schmerzen und Hilflosigkeit immer quälender wurden, begannen Juanitas Gedanken zu verschwimmen. Undeutlich wurde ihr bewußt, daß der Wagen langsam fuhr, hielt und wieder anfuhr, als sei er in dichtem Verkehr, dann kam eine lange Strecke mit hohem Tempo, dann ging es wieder langsam, Wenden, Kehren. Die Reise, wohin sie auch ging, erschien ihr endlos. Nach einer Stunde vielleicht – oder war es viel mehr, oder gar viel weniger? – spürte Juanita, wie mit aller Gewalt gebremst wurde. Einen Augenblick lang lief der Motor des Wagens lauter, wie in einem geschlossenen Raum. Dann erstarb er. Sie hörte ein elektrisches Summen, ein Poltern, als ob eine schwere Tür sich mechanisch schloß, dann einen Stoß, mit dem das Poltern aufhörte. Gleichzeitig klickten die Türen der Limousine auf, Scharniere ächzten, sie wurde grob auf die Beine gestellt und vorangestoßen. Juanita stolperte, schlug sich noch einmal schmerzhaft die Beine an einer Kante und wäre gestürzt, aber Hände packten sie. Eine der Stimmen, die sie schon gehört hatte, befahl: »Verdammt noch mal – marsch!«

Die Binde noch vor den Augen, bewegte sie sich ungeschickt. Ihre ganze Angst richtete sich auf Estela. Sie hörte Schritte – ihre eigenen, andere –, die von Beton widerhallten. Plötzlich fiel der Boden unter den Füßen ab, und sie stolperte, teils gehalten, teils Stufen hinab gestoßen. Am Fuß der Treppe hieß es wieder weitergehen. Plötzlich wurde sie nach hinten gestoßen, die Beine flogen in die Luft, bis ihr Sturz von einem harten, hölzernen Stuhl aufgefangen wurde. Dieselbe Stimme wie vorhin befahl irgend jemandem: »Runter mit der Binde und dem Streifen.«

Sie spürte die Bewegung von Händen und neuen Schmerz, als ihr das Pflaster rücksichtslos vom Mund heruntergerissen wurde. Die Binde lockerte sich, dann blinzelte Juanita, als die Finsternis einem hellen Licht wich, das ihr genau in die Augen schien.

Sie keuchte nur: »¡Por Dios! Wo ist mein . . .«, als eine Faust sie traf.

»Spar dir das Singen auf«, sagte eine der Stimmen aus dem Auto. »Wenn wir's dir sagen, wirste auspacken, aber tüchtig.«

Es gab gewisse Dinge, die mochte Tony Bär Marino. Zum Beispiel gewisse sexuelle Spiele, bei denen Frauen zu unwürdigen Handlungen gezwungen waren, die ihm das Gefühl der Überlegenheit gaben. Was er noch mochte, das waren Hahnenkämpfe – je blutiger, desto besser. Außerdem genoß er es, wenn ihm detailliert und bilderreich beschrieben wurde, wie man auf seinen Befehl andere Gangster zusammengeschlagen oder hingerichtet hatte. Allerdings achtete er peinlich darauf, daß er selbst solchen Szenen fernblieb, damit man ihm seine Rolle dabei später auf keinen Fall nachweisen konnte. Eine weitere, allerdings mildere Vorliebe von ihm gehörte dem sogenannten Spiegelglas.

Tony Bär Marino liebte speziell präparierte Glasscheiben und Spiegel, die es ihm gestatteten zu beobachten, ohne selbst gesehen zu werden, so sehr, daß er sie an allen möglichen Orten hatte einsetzen lassen – in seinen Autos, seinen Büros, seinen Stammkneipen, so in der Doppelten Sieben und in seinem entlegenen, bewachten Haus. In diesem

Haus bestand eine ganze Wand eines Badezimmers mit Toilette, das für die weiblichen Gäste vorgesehen war, aus derartigem Glas. Von der Badezimmerseite aus war dieses Glas eine hübsche Spiegelwand, aber auf der anderen Seite befand sich ein kleiner geschlossener Raum, in dem Tony Bär zu sitzen pflegte und seine Zigarre und die persönlichen, privaten Dinge genoß, die ihm ahnungslos dargeboten wurden. Wegen dieser seiner Besessenheit war Spiegelglas auch in der Fälscherzentrale installiert worden, und obwohl er dort vorsichtshalber nur selten erschien, hatte es sich gelegentlich als nützlich erwiesen, wie auch jetzt wieder.

Das Glas war in eine halbhohe Wand eingelassen, die ihrer Wirkung nach eine Sichtblende war. Durch das Glas konnte er jetzt diese Juanita Núñez sehen, die mit ihm zugewandtem Gesicht an einen Stuhl gefesselt war. Ihr Gesicht war geschwollen und blutig, Haar und Kleidung waren zerzaust. Neben ihr war ihr Kind an einen anderen Stuhl festgebunden, und das Gesicht des kleinen Mädchens war kalkweiß. Als Marino vor ein paar Minuten erfahren hatte, daß man auch das Kind angeschleppt hatte, war er vor Wut in die Luft gegangen, nicht weil er Kinder mochte – er mochte sie nicht –, sondern weil er Schwierigkeiten witterte. Einen Erwachsenen konnte man – wenn nötig und praktisch ohne Risiko – ausschalten, aber ein Kind umzubringen, das war etwas anderes. Da konnten die eigenen Leute plötzlich das Bibbern kriegen, und wenn etwas davon durchsickerte, kam es womöglich zu Emotionen und damit zu Gefahren. Tony Bär hatte in der Sache schon eine Entscheidung getroffen; sie bezog sich auf das Augenverbinden auf dem Weg hierher. Außerdem konstatierte er zufrieden, daß von ihm selbst nichts zu sehen war.

Jetzt zündete er sich eine Zigarre an und sah zu.

Angelo, einer von Tony Bärs Leibwächtern, der das Einkassieren der Frau geleitet hatte, beugte sich jetzt über sie. Angelo war ein ehemaliger Preisboxer, der es nie zu hohen Ehren im Ring gebracht hatte. Er hatte dicke, wulstige Lippen, die Figur von einem Rhinozeros und war ein Schläger aus Leidenschaft, der seine Arbeit genoß. »Okay, du Zweidollarnutte, quatsch dich aus.«

Juanita, die sich gegen ihre Fesseln gestemmt hatte, um Estela sehen zu können, wandte ihm den Kopf zu. » *¿De qué?* Worüber?«

»Wie heißt das Schwein, das dich aus der Doppelsieben angerufen hat?«

Ein kurzes Zucken des Begreifens ging über Juanitas Gesicht. Tony Bär sah das und wußte, daß es jetzt nur noch eine Frage der Zeit war, keiner sehr langen Zeit, bis er heraus hatte, was er wissen wollte.

»Du Schwein! . . . Tier!« Juanita spie Angelo an. » *¡Canalla!* Ich weiß nichts von einer Doppelsieben.«

Angelo schlug mit aller Kraft zu, so daß ihr das Blut aus Nase und Mundwinkeln rann. Juanitas Kopf sank vornüber. Er packte ihr Haar, riß ihren Kopf hoch und wiederholte: »Wer ist das Schwein, das dich aus der Doppelsieben angerufen hat?«

Sie antwortete mühsam, mit geschwollenen Lippen. » *Maricón*, nichts werd' ich dir sagen, bis du mein kleines Mädchen laufen läßt.«

Die Person hatte Mumm, gestand sich Tony Bär ein. Wäre sie anders gebaut gewesen, hätte er sich vielleicht damit amüsiert, sie auf andere Weise kleinzukriegen. Aber für seinen Geschmack war sie zu dürr – Hüften nicht der Rede wert, eine halbe Handvoll Arsch, Titten klein wie Erdnüsse.

Angelo nahm den Arm zurück und trieb ihn dann mit Wucht in ihren Leib. Juanita rang nach Luft und kippte nach vorn, so weit ihre Fesseln es zuließen. Estela, die auf dem Stuhl neben ihr alles sehen und hören konnte, schluchzte hysterisch. Das Geräusch störte Tony Bär. Das dauerte ihm alles viel zu lange. Man konnte das beschleunigen. Er winkte einen zweiten Leibwächter, Lou, zu sich heran und flüsterte ihm etwas zu. Lou machte ein Gesicht, als gefiele ihm nicht, was man ihm befahl, aber er nickte. Tony Bär gab ihm die Zigarre, die er geraucht hatte.

Während Lou wieder hinter der Trennwand hervorkam und leise etwas zu Angelo sagte, sah Tony Bär Marino sich um. Sie befanden sich in einem Kellerraum, sämtliche Türen waren geschlossen, man konnte also draußen nichts hören, aber selbst wenn Laute hinausdrangen, machte es nichts. Das fünfzig Jahre alte Haus, zu dem dieser Raum gehörte, stand auf eigenem großen Grundstück in allerbester Wohnlage und war geschützt wie eine Festung. Ein Syndikat, an dessen Spitze Tony Bär Marino stand, hatte das Haus vor acht Monaten gekauft und die Falschgeldzentrale hier installiert. Bald schon würde man das Haus als Vorsichtsmaßnahme wieder verkaufen und umziehen; ein neues Quartier war bereits ausgewählt. Es würde genauso harmlos, genauso unschuldig wirken wie dieses. Das war das Geheimnis des langen, erfolgreichen Betriebs, dachte Tony Bär manchmal voller Zufriedenheit: Häufige Umzüge, jedesmal in stille, hochanständige Gegenden, bei Reduzierung des Kommens und Gehens auf ein absolutes Minimum. Diese Übervorsicht hatte zwei Vorteile – nur ein paar Leute wußten genau, wo sich die Fälscherzentrale befand; und die Nachbarn schöpften keinen Verdacht, denn alles war gut getarnt. Es gab sogar ein genaues Programm für die Umzüge von einem Ort zum nächsten. Zu den Vorsichtsmaßregeln gehörten hölzerne Attrappen, die aussahen wie Möbel, die es in jedem Haushalt gibt und die genau über jedes Maschinenteil paßten, so daß ein zufälliger Beobachter es für einen ganz gewöhnlichen Familienumzug halten mußte. Und es wurde jedes Mal ein regulärer Möbelwagen benutzt, der einem der nach außen hin legalen Fuhrunternehmen der Organisation gehörte. Es gab auch Alarmpläne für den Notfall, wenn ein extra schneller Umzug erforderlich werden sollte.

Der Trick mit den Möbelattrappen, das war eine von Danny Kerrigans Ideen gewesen. Der alte Mann hatte noch ein paar andere gute gehabt, und außerdem hatte er sich als Meisterfälscher erwiesen, seit Tony Bär Marino ihn vor zwölf Jahren in die Organisation geholt hatte. Kurz davor hatte Tony Bär von Kerrigans Ruf als glänzendem Handwerker gehört und daß er heruntergekommen war, ein Säufer, ein Penner. Auf Tony Bärs Befehl hatte man den alten Mann gerettet, ihn trockengelegt und später an die Arbeit gesetzt – mit glanzvollem Resultat.

Es schien nichts zu geben, glaubte Tony Bär mittlerweile, was Danny nicht mit Erfolg drucken konnte – Geld, Briefmarken, Anteilscheine, Schecks, Führerscheine, Sozialversicherungs-Karten, was man wollte. Es war auch Dannys Idee gewesen, Tausende von falschen Bankkredit-Karten herzustellen. Durch Bestechung und einen sorgfältig geplanten Einbruch hatten sie sich Blanko-Plastikbogen verschafft, und man hatte genug Bogen, auf Jahre hinaus. Die Sache hatte immensen Profit gebracht.

Das einzig Ärgerliche an dem alten Mann war, daß er gelegentlich wieder aufs Saufen verfiel und dann manchmal eine Woche oder länger außer Gefecht war. Wenn das passierte, bestand die Gefahr, daß er redete, deshalb sperrte man ihn ein. Aber er war schlau, und manchmal gelang es ihm zu verschwinden, wie letztes Mal. Neuerdings aber hatte er diese Touren immer seltener, hauptsächlich wohl deshalb, weil Danny seinen Anteil an den Moneten vergnügt auf eine Schweizer Bank packte und davon träumte, in ein, zwei Jahren dahin zu reisen, seinen Kies einzusammeln und sich zur Ruhe zu setzen. Nun wußte aber Tony Bär, daß es sich da um eine Idee des alten Trunkenbolds handelte, aus der nichts werden würde. Er hatte fest vor, den alten Mann zu nutzen, so lange es ging. Außerdem wußte Danny viel zuviel; ihn durfte man nie laufenlassen.

Danny Kerrigan war zwar wichtig, aber es war doch die Organisation, die ihn geschützt und das meiste aus seinen Produkten gemacht hatte. Ohne ein leistungsstarkes Verteilersystem wäre der alte Mann nichts anderes gewesen als die meisten anderen seiner Art – ein kleiner Ganove oder ein Nichts. Deshalb ging es Tony Bär vor allem um die Sicherheit der Organisation. Hatte man einen Spion eingeschmuggelt, einen Spitzel? Und wenn ja, woher kam er? Und wieviel hatte er – oder sie – erfahren?

Seine Aufmerksamkeit richtete sich wieder auf die Vorgänge jenseits des Spiegelglases. Angelo hatte die brennende Zigarre. Seine dicken Lippen waren zu einem Grinsen verzogen. Mit der Seite seines Fußes verschob er die beiden Stühle, so daß diese Núñez und ihr Balg jetzt einander gegenüber saßen. Angelo zog an der Zigarre, bis die Spitze hell glühte. Beiläufig schlenderte er zu dem Stuhl, auf dem das gefesselte Kind saß.

Estela blickte auf, sie zitterte sichtbar, in ihren Augen

flackerte wilde Angst. Ohne Hast nahm Angelo die kleine rechte Hand, hob sie hoch, betrachtete die Handfläche, drehte sie dann um. Immer noch ganz langsam nahm er die glühende Zigarre aus dem Mund und drückte sie, wie in einen Aschenbecher, auf ihren Handrücken. Estela schrie auf – ein durchdringender Schrei der Qual. Ihr gegenüber stemmte sich Juanita, wild weinend, zusammenhanglos schreiend, verzweifelt gegen ihre Fesseln.

Die Zigarre war nicht erloschen. Angelo paffte sie zu neuer Röte, dann hob er, ebenso gemächlich wie gerade eben, Estelas andere Hand hoch.

Juanita kreischte: »Nein, nein, *déjela quieta*. Ich sage es.«

Angelo wartete, die Zigarre in Bereitschaft, während Juanita keuchend sagte: »Der Mann, den Sie wollen . . . ist Miles Eastin.«

»Für wen arbeitet er?«

Ihre Stimme war nur noch ein verzweifeltes Flüstern, als sie antwortete: »First Mercantile American Bank.«

Angelo ließ die Zigarre fallen und zertrat sie mit dem Absatz. Fragend sah er in die Richtung, wo, wie er wußte, Tony Bär saß, dann ging er um die Sichtblende herum.

Tony Bärs Gesicht war angespannt. Leise sagte er: »Holt ihn. Holt das Schwein. Bringt ihn her.«


21


»Milesy«, sagte Nate Nathanson brummig, wie es bei ihm selten war, »ich weiß nicht, wer dein Freund ist, der hier dauernd anruft, aber sag ihm, diese Bude wird nicht für die Angestellten betrieben, die ist für die Mitglieder da.«

»Welcher Freund?« Miles Eastin, der einen Teil des Vormittags in der Stadt allerlei Besorgungen für den Club erledigt hatte, sah den Manager unsicher an.

»Verdammt, woher soll ich das wissen? Derselbe Kerl hat viermal angerufen und hat nach dir gefragt. Wollte keinen Namen hinterlassen, keine Nachricht.« Ungeduldig sagte Nathanson: »Wo ist das Einzahlungsbuch?«

Miles gab es ihm. Zu den Dingen, die er erledigt hatte, gehörte auch das Einzahlen von Schecks bei einer Bank.

»Ladung Konserven ist gerade gekommen«, sagte Nathanson. »Kisten stehen im Lager. Vergleiche sie mit den Rechnungen.« Er gab Miles Papiere und einen Schlüssel.

»Wird gemacht, Nate. Und das mit den Anrufen tut mir leid.«

Aber der Manager hatte sich schon abgewandt und war auf dem Weg zu seinem Büro im zweiten Stock. Miles fühlte mit ihm. Er wußte, daß Tony Bär Marino und der Russe Ominsky, denen die Doppelte Sieben gemeinsam gehörte, in letzter Zeit Nathanson schwer unter Druck gesetzt hatten, weil sie mit der Führung des Clubs nicht zufrieden waren.

Auf seinem Weg zum Lager, das sich im Erdgeschoß an der Rückseite des Gebäudes befand, dachte Miles über die Anrufe nach. Wer sollte ihn anrufen? Und gleich viermal. Soweit er wußte, hatten nur drei Leute, die mit seinem früheren Leben in Verbindung standen, eine Ahnung davon, daß er hier war – sein Bewährungshelfer; Juanita; Nolan Wainwright. Der Bewährungshelfer? Höchst unwahrscheinlich. Als Miles seinen letzten vorgeschriebenen allmonatlichen Besuch bei ihm machte, war der Bewährungshelfer sehr in Eile, und alles war ihm gleichgültig gewesen; ihm schien es nur darum zu gehen, daß man ihm keine Schwierigkeiten machte. Er hatte sich notiert, wo Miles arbeitete, das war alles. Juanita also? Nein. Sie würde sich hüten; außerdem hatte Nathanson gesagt, es war ein Mann. Blieb also Wainwright.

Aber auch Wainwright würde keinesfalls anrufen ... *Oder vielleicht doch?* Würde er das Risiko nicht eingehen, wenn es sich um etwas wirklich Dringendes handelte ... *eine Warnung zum Beispiel?*

Eine Warnung wovor? *Daß Miles in Gefahr war? Daß man ihn als Spion erkannt hatte oder kurz davor war?* Plötzlich packte ihn eisige Angst. Sein Herz hämmerte schneller. Ihm wurde plötzlich bewußt: Er hatte sich in letzter Zeit für unverwundbar gehalten, hatte seine Sicherheit als Selbstverständlichkeit vorausgesetzt. Aber in Wirklichkeit gab es hier keine Sicherheit, hatte es sie nie gegeben; nur Gefahr – größere Gefahr jetzt als zu Anfang, denn jetzt wußte er zuviel.

Als er sich dem Lagerraum näherte und der Gedanke nicht von ihm wich, begannen seine Hände zu zittern. Er mußte sich selbst zur Ruhe zwingen, um das Schlüsselloch zu finden. Er fragte sich: Fing er an, sich ohne Grund zu fürchten, zitterte er feige vor Schatten? Vielleicht. Aber eine Vorahnung sagte ihm – nein. *Was sollte er also tun?* Wer angerufen hatte, würde es wahrscheinlich noch einmal versuchen. Aber war es klug, das abzuwarten? Miles nahm sich vor: Risiko oder nicht, er würde Wainwright direkt anrufen.

Er hatte die Lagerraumtür aufgestoßen. Jetzt begann er sie zu schließen, um zum am schnellsten zu erreichenden Münzapparat zu gehen – demselben, von dem aus er vor anderthalb Wochen Juanita angerufen hatte. In diesem Augenblick hörte er Geräusche aus der vorderen Halle des Clubs am anderen Ende des Korridors, der von vorn durch das ganze Gebäude nach hinten führte. Mehrere Männer kamen von der Straße herein. Sie schienen es eilig zu haben. Ohne zu wissen, warum, schlug Miles die andere Richtung ein und glitt in den Lagerraum, wo man ihn nicht sehen konnte. Er hörte Stimmengewirr, dann fragte eine laute Stimme: »Wo ist das Mistvieh Eastin?«

Er erkannte die Stimme: Angelo, einer von Marinos Leibwächtern.

»Oben im Büro, glaub' ich.« Das war Jules LaRocca. Miles hörte ihn sagen: »Was ist mit . . .«

»Tony Bär will . . .«

Die Stimmen wurden schwächer, als die Männer die Treppen hinaufliefen. Aber Miles hatte genug gehört; er wußte, jetzt war eingetreten, wovor er sich gefürchtet hatte. In einer Minute, vielleicht schon eher, würde Nate Nathanson Angelo und den anderen sagen, wo er war. Dann würden sie hier herunterkommen.

Er spürte, wie er am ganzen Körper zitterte, aber er zwang sich nachzudenken. Durch die vordere Halle zu verschwinden, war unmöglich. Selbst wenn er die Männer nicht traf, wenn sie wieder herunterkamen, hatten sie wahrscheinlich einen Aufpasser draußen gelassen. Also der hintere Ausgang? Der wurde selten benutzt und führte in der Nähe eines verlassenen Gebäudes ins Freie. Dahinter war ein unbebautes

Gelände, dann ein Brückenbogen der Hochbahn. Auf der anderen Seite des Schienenstrangs war ein Labyrinth enger, übler Straßen. Er konnte versuchen, durch diese Straßen zu verschwinden, aber die Chance, Verfolgern zu entkommen, war gering. Vielleicht gab es mehrere Verfolger; einige würden ein Auto haben, vielleicht mehrere Autos; Miles hatte keins. Ein Gedanke zuckte ihm immer wieder durch den Kopf: *Deine einzige Chance! Verliere jetzt keine Zeit mehr! Geh jetzt!* Er warf die Lagerraumtür ins Schloß und zog den Schlüssel ab; vielleicht würden die anderen kostbare Minuten damit verschwenden, die Tür aufzusprengen, weil sie glaubten, daß er dahinter war.

Dann rannte er.

Durch die kleine hintere Tür, ein Riegel mußte zurückgelegt werden ... Draußen blieb er stehen, um die Tür zuzumachen; warum sollte er Reklame machen für den Weg, den er genommen hatte ... Dann einen Gang entlang neben dem verlassenen Bau ... Das Gebäude war früher mal eine Fabrik gewesen; allerlei Schutt lag in dem Gang, alte Kisten, Büchsen, das verrostete Skelett eines Lastwagens neben einer eingefallenen Laderampe. Es war wie ein Hindernislauf. Ratten huschten davon ... Quer über ein unbebautes Grundstück, über Ziegelsteine, über Müll, einen toten Hund ... Einmal stolperte Miles und spürte, wie sich das eine Fußgelenk verdrehte; ein stechender Schmerz, aber er lief weiter ... Bisher hörte er keine Verfolger ... Dann, als er die Bahnbrücke erreichte, als die relativ große Sicherheit der Straßen vor ihm lag, hörte er eilige Schritte hinter sich, einen Schrei: »Da ist der Hund!«

Miles steigerte sein Tempo. Er spürte jetzt den festeren Boden von Straßen und Fußwegen unter den Füßen. Er nahm die erste Ecke, die er erreichte – scharf links; dann rechts; gleich danach wieder links. Hinter sich hörte er noch immer die dröhnenden Schritte ... Er kannte diese Straße nicht, aber sein Orientierungssinn sagte ihm, daß er in Richtung Stadtmitte lief. Wenn er es nur bis dahin schaffte, dann konnte er in der mittäglichen Menge untertauchen, konnte Zeit gewinnen, um nachzudenken, vielleicht, um Wainwright anzurufen, um Hilfe zu bitten. Vorläufig lief er schnell und gut, die Luft ging ihm nicht aus. Das Fußgelenk schmerzte ein bißchen, nicht sehr. Miles war durchtrainiert, die Stunden, die er in der Doppelten Sieben auf dem Handball-Platz verbracht hatte, machten sich bezahlt ... Das Geräusch der laufenden Schritte blieb zurück, aber er machte sich nichts vor. Kein Auto konnte den Weg nehmen, den er gewählt hatte, das stimmte – der Gang lag voll Gerümpel, das unbebaute Grundstück war unpassierbar für Autos –, aber es gab Wege, die führten darum herum. Ein Umweg von mehreren Straßenblocks, um die Bahnlinie zu unterqueren, das bedeutete Aufschub. Aber nicht viel. Wahrscheinlich versuchte irgend jemand in einem Auto jetzt, in diesem Augenblick, ihn zu überlisten, ihm den Weg abzuschneiden. Er bog nach links, dann wieder nach rechts ein, hoffte, wie von Anfang an, auf irgendein Fahrzeug. Einen Bus. Noch besser, ein Taxi. Aber es kam weder das eine noch das andere ... *Wenn man dringend ein Taxi brauchte, warum kam dann nie eins? ... Oder ein Bulle.* Wenn doch die Straßen belebter wären. Daß er rannte, machte ihn auffällig, aber noch konnte er es sich nicht leisten, das Tempo zu verringern. Ein paar Leute, an denen er vorüberkam, sahen ihn neugierig an, doch die Bürger, die hier wohnten, hatten es gelernt, sich um ihre eigenen Angelegenheiten zu kümmern.

Aber der Charakter der Gegend veränderte sich, während er rannte. Jetzt war es nicht mehr so sehr wie ein Getto, es gab Zeichen von etwas mehr Wohlstand. Er kam an verschiedenen ansehnlichen Läden vorbei. Vor ihm lagen noch größere Gebäude, die Silhouette der Stadt wurde sichtbar. Aber bevor er dahin gelangte, mußten noch zwei Querstraßen überwunden werden. Die erste konnte er jetzt sehen – breit, verkehrsreich, die beiden Fahrbahnen in der Mitte durch eine Allee getrennt. Dann sah er etwas anderes – auf der anderen Seite der Straße einen langen schwarzen Cadillac mit dunklen Fenstern, der langsam dahinrollte. *Marinos.* Als der Wagen die Straße überquerte, in der Miles sich befand, schien er zu zögern, dann gewann er an Tempo, verschwand rasch. Miles hatte keine Zeit gehabt, sich zu verstecken. Hatten sie ihn gesehen? War der Wagen losgefahren, um die Gegenfahrbahn zu erreichen und zurückzukommen, oder hatte er wieder Glück gehabt, hatte man ihn nicht entdeckt? Erneut packte ihn die Angst. Miles schwitzte, dennoch fröstelte ihn, aber er lief weiter. Etwas anderes konnte er gar nicht tun. Er hielt sich eng an den Häuserwänden, verringerte sein Tempo, so weit er es wagte. Anderthalb Minuten später, die Kreuzung war nur noch fünfzig Meter entfernt, schob sich ein Cadillac – dasselbe Auto – langsam um die Ecke.

Er wußte, daß sein Glück ihn jetzt verließ. Wer in dem Auto saß – höchstwahrscheinlich Angelo, oder auch andere –, der mußte ihn sehen, hatte ihn wahrscheinlich schon gesehen. Konnte weiterer Widerstand noch etwas nützen? Wäre es nicht einfacher aufzugeben, sich fangen zu lassen, geschehen zu lassen, was geschehen mußte? *Nein!* Weil er genug gesehen hatte von Tony Bär Marino und seiner Sorte, im Gefängnis und danach, wußte er genau, was mit denen passierte, die den Rachedurst dieser Leute geweckt hatten. Der schwarze Wagen fuhr langsamer. Sie *hatten* ihn gesehen. *Mein Gott!*

Eins der Geschäfte, die Miles vor wenigen Augenblicken wahrgenommen hatte, lag jetzt genau neben ihm. Er hörte auf zu laufen, wandte sich nach links, stieß eine Glastür auf und ging hinein. Drinnen sah er, daß es ein Geschäft für Sportartikel war. Ein bleicher, spindeldürrer Verkäufer, etwa in Miles' Alter, trat vor. »Guten Tag, Sir. Was darf ich Ihnen zeigen?«

»Hm . . . ja.« Er sagte das erste, was ihm in den Sinn kam. »Ich möchte mir Bowling-Kugeln ansehen.«

»Gewiß. An welche Preislage hatten Sie gedacht, welches Gewicht?«

»Die besten. Ungefähr sechzehn Pfund.«

»Farbe?«

»Egal.«

Miles beobachtete die paar Meter Fußweg draußen vor dem Eingang. Mehrere Passanten waren vorübergekommen. Niemand hatte sich aufgehalten oder hereingesehen.

»Wenn Sie bitte mitkommen wollen, ich zeige Ihnen, was wir haben.«

Er folgte dem Verkäufer, vorbei an Ständern mit Skiern, Vitrinen, einer Ausstellung von Handfeuerwaffen. Dann, sich umblickend, sah Miles die Silhouette einer einzelnen Gestalt, die draußen stehengeblieben war und durch das Fenster schaute. Jetzt gesellte sich eine zweite Gestalt zu der ersten. Sie standen beisammen, wichen nicht von der Ladenfront. Miles fragte sich: Konnte er durch einen Hinterausgang entkommen? Schon als ihm der Gedanke kam, verwarf er ihn. Die Männer, die ihn verfolgten, würden den gleichen Fehler nicht zweimal machen. Gab es einen Hinterausgang, so hatten sie ihn schon aufgespürt und bewacht.

»Das hier ist eine phantastische Kugel. Sie ist für zweiundvierzig Dollar zu haben.«

»Ich nehme sie.«

»Wir brauchen Ihre Handmaße für die . . .«

»Nicht nötig.«

Sollte er versuchen, Wainwright von hier aus anzurufen? Aber Miles war überzeugt, daß die Männer da draußen hereinkommen würden, wenn er einem Telefon zu nahe käme.

Der Angestellte machte ein verwundertes Gesicht. »Sie wollen nicht, daß wir Fingerlöcher bohren . . .?«

»Ich sagte schon, nicht nötig.«

»Wie Sie wünschen, Sir. Möchten Sie eine Tragetasche für die Kugel? Vielleicht ein Paar Bowling-Schuhe?«

»Ja«, sagte Miles. »Ja, okay.« Vielleicht verzögerte das seine Rückkehr auf die Straße noch weiter. Kaum wissend, was er tat, prüfte er Tragetaschen, die ihm vorgelegt wurden, wählte dann irgendeine aus, nahm Platz, um Schuhe anzuprobieren. Während er in ein Paar hineinschlüpfte, kam ihm der Gedanke. *Die Keycharge-Karte, die Wainwright ihm über Juanita geschickt hatte . . . die Karte auf den Namen H. E. Lyncolp . . . H-E-L-P – Hilfe.*

Er zeigte auf die Bowling-Kugel, auf die Tasche und die Schuhe, für die er sich entschieden hatte. »Was macht das zusammen?«

Der Verkäufer blickte von einer Rechnung auf. »Sechsundachtzig Dollar und fünfundneunzig Cent, plus Steuer.«

»Hören Sie«, sagte Miles, »ich möchte das mit meiner Keycharge-Karte bezahlen.« Er nahm seine Brieftasche heraus und reichte die LYNCOLP-Karte hinüber. Krampfhaft wehrte er sich gegen das Zittern seiner Hände.

»Das geht in Ordnung, aber . . .«

»Ich weiß, Sie brauchen die Bestätigung. Ich warte. Telefonieren Sie.«

Der Verkäufer ging mit Karte und Rechnung in eine verglaste Büroecke. Es dauerte mehrere Minuten, dann kam er zurück.

Zitternd vor Erwartung fragte Miles: »Sind Sie durchgekommen?«

»Gewiß. Alles in Ordnung, Mr. Lyncolp.«

Miles fragte sich, was wohl jetzt in der Keycharge-Zentrale geschehen mochte. Ob es ihm half? Konnte ihm *irgend etwas* noch helfen? . . . Dann fiel ihm die zweite Anweisung ein, die ihm über Juanita erteilt worden war: Nach Gebrauch der Karte so lange wie möglich zögern. Wainwright Zeit geben, um etwas zu veranlassen.

»Bitte hier unterschreiben, Mr. Lyncolp.« Ein Keycharge-Kontenblatt wurde auf den Betrag ausgestellt, den er ausgegeben hatte. Miles beugte sich über den Ladentisch, um die Unterschrift darunterzusetzen.

Als er sich wieder aufrichtete, spürte er, wie eine Hand leicht seine Schulter berührte. Eine ruhige Stimme sagte: »Milesy.«

Als er sich umdrehte, sagte Jules LaRocca: »Mach keinen Ärger. Hilft dir nichts, dir geht's nur noch dreckiger.«

Hinter LaRocca standen mit unbewegter Miene Angelo und Lou und ein vierter Mann – ebenfalls ein Schlägertyp –, den Miles noch nie gesehen hatte. Die vier umstellten ihn, packten ihn, drehten ihm die Arme auf den Rücken.

»Los, Scheißkerl.« Der Befehl kam von Angelo, mit leiser Stimme gesprochen.

Miles dachte daran zu schreien, aber wer sollte ihm helfen? Der pflaumenweiche Verkäufer, der mit offenem Mund gaffte, konnte es nicht. Die Jagd war zu Ende. Der Druck auf seine Arme wurde stärker. Hilflos mußte er sich in Richtung Ausgang stoßen lassen.

Der Verkäufer, der nichts begriffen hatte, rannte hinter ihnen her. »Mr. Lyncolp! Sie haben Ihre Bowling-Kugel vergessen.«

LaRocca drehte sich zu ihm um und sagte: »Behalt sie,

Jüngelchen. Der hier kriegt alle Kugeln, die er braucht, von jetzt an gratis.«

Der schwarze Cadillac war ein paar Meter weiter geparkt. Sie stießen Miles grob hinein, und der Wagen fuhr davon.

Der Arbeitsanfall in der Keycharge-Zentrale stand kurz vor dem täglichen Höhepunkt. Die Normalschicht von fünfzig Angestellten befand sich in der halbdunklen, hörsaalähnlichen Zentrale; jeder saß an einer Tastatur, über der sich eine Art Fernsehschirm befand.

Für die junge Angestellte, die den Anruf entgegennahm, war die Kreditanfrage H. E. LYNCOLP nur eine von Tausenden, die im Laufe eines Arbeitstages routinemäßig erledigt wurden. Weder sie noch ihre Kolleginnen wußten, woher die einzelnen Anrufe, die sie bearbeiteten, kamen – nicht einmal, aus welcher Stadt oder welchem Bundesstaat. Der angeforderte Kredit mochte dazu dienen, die Einkaufsrechnung einer New Yorker Hausfrau zu bezahlen, einem Farmer in Kansas zu neuer Kleidung zu verhelfen, es einer reichen alten Dame der Chicagoer Gesellschaft zu ermöglichen, sich mit unnötigem Schmuck zu behängen, die Studiengebühren eines jungen Semesters in Princeton zu entrichten oder einem Alkoholiker in Cleveland den Karton Spirituosen zu verschaffen, der ihn endlich doch unter die Erde bringen würde. Details erfuhr der Angestellte an Tastatur und Bildschirm nie. Erwies es sich später als nötig, konnten die Einzelheiten eines Kaufs zurückverfolgt werden, aber das kam selten vor. Der Grund: Es interessierte niemanden. Auf das Geld kam es an, das Geld, das von einer Hand in die andere wanderte, auf die Fähigkeit, den gewährten Kredit zurückzuzahlen; das war alles.

Der Ruf begann mit einem blinkenden Licht an der Konsole der Angestellten. Sie berührte einen Schalter und sprach in das Mikrofon, das an ihrem Kopfhörer befestigt war: »Ihre Geschäftsnummer, bitte.«

Der Anrufer – ein Sportartikelverkäufer, der Miles Eastin bediente – nannte sie. Die Angestellte tippte die Nummer mit. Gleichzeitig erschien sie auf ihrem Bildschirm.

Sie fragte: »Kartennummer und Ablaufdatum?«

Wieder eine Antwort. Wieder Angaben auf dem Bildschirm.

»Höhe des Betrages?«

»Neunzig Dollar dreiundvierzig.«

Getippt. Auf dem Schirm. Die Angestellte drückte eine
Taste, setzte damit einen mehrere Stockwerke tiefer stehenden Computer in Tätigkeit.

Binnen einer Millisekunde verdaute der Computer die Information, suchte in seinem Archiv und ließ eine Antwort
aufblitzen.

GENEHMIGT.
GEN. NR. 7416984
DRINGEND... NOTFALL... NICHT, WIEDERHOLE
NICHT, DEN VERKÄUFER INFORMIEREN . . .
BENACHRICHTIGEN SIE IHREN INSPEKTOR . . .
SOFORT NOTFALL-ANWEISUNG 17 BEFOLGEN.

»Der Kauf ist bewilligt«, sagte die Angestellte zu dem Anrufer. »Genehmigungsnummer . . .«

Sie sprach langsamer als gewöhnlich. Noch bevor sie anfing, hatte sie ein Signal in einer höhergelegenen Inspekto-
renkanzel aufleuchten lassen. Inzwischen las eine andere
junge Frau in der Kanzel, eine von sechs diensthabenden
Inspektorinnen, schon auf ihrem eigenen Bildschirm ein
Doppel der Computermitteilung. Sie griff nach einer Kartei,
suchte Notfall-Anweisung 17 heraus.

Die im Saal tätige Angestellte versprach sich absichtlich
bei der Genehmigungsnummer und fing von vorne an. Not-
fall-Signale blitzten nicht oft auf, aber wenn es geschah, gab
es Standardverfahren, die die Angestellten kannten. Zeitge-
winn gehörte dazu. Es waren schon Mörder gefangen, gestohlene Kunstschätze wiederbeschafft, ein Sohn ans Sterbe-
lager seiner Mutter gerufen worden – alles, weil ein Computer auf die Möglichkeit hin programmiert worden war, daß
eine bestimmte Kreditkarte benutzt wurde, und wenn das
geschah, war sofortiges Handeln unerläßlich. In solchen Augenblicken konnten ein paar verbummelte Sekunden, während andere die erforderlichen Maßnahmen einleiteten, von
erheblicher Bedeutung sein.

Die Inspektorin leitete schon Notfall-Anweisung 17 ein, die besagte, daß Sicherheitschef N. Wainwright sofort telefonisch davon in Kenntnis zu setzen sei, daß die Keycharge-Sonderkarte, die auf den Namen H. E. LYNCOLP lautete, vorgelegt worden sei und wo. Durch das Drücken von Tasten auf ihrer eigenen Tastatur rief die Inspektorin vom Computer die Zusatzinformation ab:

PETE'S SPORTARTIKEL

sowie Straße und Hausnummer. Inzwischen hatte sie die Hausanschlußnummer von Mr. Wainwright gewählt, der sich selbst meldete. Er hörte mit angespannter Aufmerksamkeit zu und notierte sich hastig die Angaben der Inspektorin.

Sekunden später war der kurze Notfall für die Keycharge-Inspektorin, die Angestellte und den Computer vorüber.

Nicht aber für Nolan Wainwright.

Seit der explosiven Sitzung mit Alex Vandervoort vor anderthalb Stunden, in der er vom Verschwinden von Juanita Núñez und ihrem Kind erfahren hatte, war Wainwright angespannt und unausgesetzt am Telefon gewesen, manchmal an zwei Apparaten gleichzeitig. Viermal hatte er versucht, Miles Eastin im Fitness-Club Doppelte Sieben zu erreichen, um ihn vor der drohenden Gefahr zu warnen. Er hatte Besprechungen mit FBI und Secret Service geführt. Das FBI untersuchte deshalb jetzt intensiv die vermutete Núñez-Entführung, hatte die Polizei der Stadt und des Bundesstaates alarmiert und Personenbeschreibungen verbreitet. Ein Beschattungsteam des FBI sollte das Kommen und Gehen in der Doppelten Sieben beobachten, sobald Beamte verfügbar waren, wahrscheinlich von diesem Nachmittag an.

Das war vorläufig alles, was hinsichtlich der Doppelten Sieben unternommen wurde. Wie FBI-Spezialagent Innes sagte: »Gehen wir rein und stellen wir Fragen, verraten wir denen, daß wir den Zusammenhang kennen, und für einen Haussuchungsbefehl fehlt uns die Begründung. Außerdem handelt es sich ja, wie Ihr Mann Eastin berichtet hat, hauptsächlich um einen Treff, an dem nichts Illegales passiert – abgesehen von etwas Glücksspiel.«

Innes war derselben Meinung wie Wainwright, nämlich

daß Juanita Núñez und ihre Tochter wahrscheinlich nicht in die Doppelte Sieben gebracht worden seien.

Der Secret Service, dem weniger Möglichkeiten zu Gebote standen als dem FBI, konzentrierte sich auf das Versteck, befragte Spitzel, suchte nach Spuren, und wären sie noch so schwach nach Tatsachen und Gerüchten, die als Hinweis dienen könnten. Für den Augenblick hatte man, was nicht oft geschah, alle Rivalitäten und Eifersüchteleien zwischen den beiden Behörden beiseite geschoben.

Als Wainwright den Keycharge-Alarm H. E. LYNCOLP erhielt, wählte er sofort die Nummer des FBI. Die Beamten Innes und Dalrymple waren, wie man ihm sagte, nicht im Haus, konnten jedoch über Funk erreicht werden. Er diktierte eine dringende Mitteilung und wartete. Es kam die Auskunft: Die Beamten waren in der Stadt, nicht weit von der angegebenen Adresse, und sie befanden sich auf dem Weg dorthin. Ob Wainwright sich dort mit ihnen treffen wollte?

Endlich etwas zu tun, war eine Erleichterung. Er lief durch das Gebäude zu seinem Wagen.

Draußen vor Pete's Sportartikelgeschäft befragte Innes Passanten, als Wainwright eintraf. Dalrymple war noch drinnen, nahm eine schriftliche Erklärung des Verkäufers auf. Innes brach die Befragungen ab und ging zu dem Sicherheitschef. »Eine Niete«, sagte er verdrossen. »Es war alles vorbei, als wir ankamen.« Er berichtete das wenige, das sie erfahren hatten.

»Beschreibungen?« erkundigte sich Wainwright.

Der FBI-Mann schüttelte den Kopf. »Der Kerl im Laden, der Eastin bedient hat, hatte solche Scheißangst, daß er nicht mal weiß, ob vier oder drei Männer in den Laden gekommen sind. Sagt, es sei alles so schnell gegangen, daß er niemanden beschreiben oder identifizieren kann. Und kein Mensch, weder im Laden noch draußen, kann sich an ein Auto erinnern.«

Wainwrights Gesicht war angespannt, man sah ihm Sorge und bedrücktes Gewissen an. »Also was nun?«

»Sie waren selber Bulle«, sagte Innes. »Sie wissen, wie es in Wirklichkeit aussieht. Wir warten. Wir hoffen, daß sich irgendwo etwas ergibt.«

## 22

Sie hörte scharrende Schritte und Stimmen. Jetzt wußte sie, daß sie Miles hatten und ihn herbrachten.

Juanita hatte alle Zeitvorstellungen verloren. Sie hatte keine Ahnung mehr, wie lange es her war, daß sie keuchend Miles Eastins Namen genannt, ihn verraten hatte, um die Folterung Estelas zu beenden. Gleich darauf hatte man sie wieder geknebelt, und die Stricke, mit denen sie an den Stuhl gefesselt war, wurden geprüft und noch strammer gezogen. Dann waren die Männer gegangen.

Sie mußte wohl eine Weile gedöst haben – oder, richtiger gesagt, ihr Körper hatte sie vom Bewußtsein erlöst, denn wirkliche Ruhe war ausgeschlossen, gefesselt, wie sie war. Aufgeschreckt durch das neue Geräusch, spürte sie den qualvollen Protest ihrer zusammengeschnürten Gliedmaßen, und sie wollte aufschreien, aber der Knebel verhinderte das. Juanita zwang sich mit aller Willenskraft, nicht in Panik zu verfallen, sich nicht gegen die Fesseln aufzubäumen, denn beides wäre vergeblich und würde ihre Lage nur noch verschlimmern.

Sie konnte Estela noch immer sehen. Man hatte die beiden Stühle, an die sie gefesselt waren, einander gegenüber stehen lassen. Die Augen des Mädchens waren geschlossen, sie schlief, ihr kleiner Kopf war vornüber gesunken; die Geräusche, die Juanita geweckt hatten, hatten sie nicht gestört. Auch Estela war geknebelt. Juanita hoffte, daß die Erschöpfung ihr so lange wie möglich die Wahrnehmung der Wirklichkeit ersparen mochte.

An Estelas rechter Hand war die häßliche rote Brandwunde zu sehen, die ihr mit der Zigarre zugefügt worden war. Kurz nachdem die Männer gegangen waren, war einer von ihnen – Juanita hatte gehört, daß sie ihn mit Lou anredeten – für einen Augenblick zurückgekehrt. Er hatte eine Tube in der Hand, aus der er irgendeine Salbe drückte und damit Estelas Brandwunde bestrich; dabei warf er Juanita einen raschen Blick zu, als wolle er ihr sagen, das sei alles, was er tun könne. Dann war auch er verschwunden.

Estela hatte sich aufgebäumt, als die Salbe aufgetragen

wurde, dann hatte sie eine Zeitlang hinter dem Klebestreifen, der sie knebelte, gewimmert, aber bald danach war sie in einen barmherzigen Schlaf gefallen.

Die Geräusche, die Juanita gehört hatte, kamen von hinten. Vermutlich aus einem Nebenraum, und sie nahm an, daß eine Verbindungstür offenstand. Sie hörte kurz Miles wild protestierende Stimme, dann einen schweren Schlag, ein Grunzen und Stille.

Es verstrich vielleicht eine Minute. Wieder Miles' Stimme, dieses Mal deutlicher. »Nein! O Gott, nein! Bitte! Ich ...« Sie hörte ein Geräusch wie Hammerschläge, Metall auf Metall. Miles' Worte versiegten, verwandelten sich in einen hohen, durchdringenden, wahnsinnigen Schrei. Das Schreien, schlimmer als alles, was sie je gehört hatte, ging weiter und weiter.

Hätte Miles sich in dem Auto töten können, er hätte es ohne Zaudern getan. Vom ersten Augenblick seiner Vereinbarung mit Wainwright an hatte er gewußt – und das war seither die Wurzel aller seiner Ängste gewesen –, daß einfaches Sterben leicht sein würde, verglichen mit dem, was einen ertappten Spitzel erwartete. Aber selbst das, was er sich in den schlimmsten Augenblicken der Angst ausgemalt hatte, war nichts, verglichen mit der unglaublich fürchterlichen, unerträglichen Bestrafung, die ihm jetzt zugemessen wurde.

Seine Beine und Schenkel waren grausam stramm zusammengebunden. Seine Arme hatte man auf einen rauhen Holztisch gezerrt. *Seine Hände und Handgelenke wurden an den Tisch genagelt ... mit Zimmermannsnägeln festgenagelt ... mit aller Gewalt genagelt ... Ein Nagel durchbohrte schon sein linkes Handgelenk, zwei weitere den Handrücken, unlösbar die Hand an die Platte befestigend ... Die letzten paar Schläge des Hammers hatten Knochen zertrümmert ... Ein Nagel steckte in der rechten Hand, ein anderer war bereit, Fleisch und Muskeln zu zerreißen, zu durchdringen ... Kein Schmerz ... O Gott, hilf mir! ... konnte jemals größer sein.* Miles wand sich, kreischte, flehte, kreischte wieder. Aber die Hände, die ihn hielten, faßten nur fester zu. Die Hammerschläge, die kurze Zeit ausgesetzt hatten, gingen jetzt weiter.

»Der jammert mir nicht laut genug«, sagte Marino zu Angelo, der den Hammer schwang. »Wenn du damit fertig bist, versuch mal, ein paar Finger von dem Schwein festzunageln.«

Tony Bär, der eine Zigarre paffte, während er zusah und zuhörte, hatte sich dieses Mal nicht die Mühe gemacht, sich zu verbergen. Eastin würde ihn später nicht mehr identifizieren können, denn Eastin würde bald tot sein. Erst einmal aber war es nötig, ihn daran zu erinnern – und die anderen, die bald hören würden, was hier passiert war –, daß es für Spitzel keinen leichten Tod gab.

»Ja, das gefällt mir schon besser«, sagte Tony Bär zufrieden. Miles' kreischende Schreie wurden noch lauter, als ein neuer Nagel den Mittelfinger seiner linken Hand in der Mitte zwischen den beiden Knöcheln durchdrang und in die Holzplatte getrieben wurde. Hörbar wurde der Knochen in dem Finger gespalten. Als Angelo das Verfahren mit dem Mittelfinger der rechten Hand wiederholen wollte, befahl Tony Bär: »Halt mal!«

Zu Eastin sagte er: »Hör mit dem verdammten Lärm auf! Fang an zu singen!«

Miles' Schreie wurden zu wildem Schluchzen, sein Körper hob und senkte sich. Die Hände, die ihn gehalten hatten, ließen ihn los. Sie wurden nicht mehr gebraucht.

»Okay«, sagte Tony Bär zu Angelo, »er will nicht, also mach weiter.«

»Nein! Nein! Ich rede! Ich rede! Ich rede!« Irgendwie gelang es Miles, das Schluchzen herunterzuwürgen. Das lauteste Geräusch war jetzt sein schweres, rasselndes Atmen.

Tony Bär winkte Angelo zurück. Die anderen im Raum blieben rings um den Tisch stehen. Es waren Lou; Punch Clancy, der vierte von den Leibwächtern, die vor einer Stunde in dem Sportartikelgeschäft aufgetaucht waren; La-Rocca, mit wütendem Gesicht darüber nachgrübelnd, wieviel Schuld man ihm wohl geben werde, weil er sich für Miles stark gemacht hatte; und der alte Drucker, Danny Kerrigan, nervös und sichtlich unangenehm berührt. Obwohl hier normalerweise Dannys Reich war – sie befanden sich in der eigentlichen Druckerei –, zog er es vor, sich in solchen

Augenblicken zu verziehen, aber Tony Bär hatte ihn holen lassen.

Tony Bär fauchte Eastin an: »Du warst also die ganze Zeit Spitzel für eine stinkende Bank?«

Miles keuchte. »Ja.«

»First Mercantile?«

»Ja.«

»Wem berichtest du?«

»Wainwright.«

»Was hast du rausgekriegt? Was haste ihm erzählt?«

»Vom . . . Club . . . vom Spielen . . . wer da war.«

»Darunter ich?«

»Ja.«

»Du Schwein, du!« Tony Bär holte aus und trieb seine geballte Faust mit aller Kraft in Miles' Gesicht.

Miles Körper sackte weg unter der Gewalt des Schlages, aber sein eigenes Gewicht riß an seinen Händen, und er gab sich verzweifelt einen Ruck, um wieder die schmerzhafte, weit vorgestreckte Haltung einzunehmen, in der er vorher gesessen hatte. Stille sank herab, unterbrochen nur von seinem röchelnden Schluchzen und Stöhnen. Tony Bär paffte ein paar Mal an seiner Zigarre, dann setzte er das Verhör fort.

»Was haste sonst noch rausgekriegt, du stinkender Scheißhaufen?«

»Nichts . . . nichts!« Miles zitterte unbeherrscht am ganzen Körper.

»Du lügst.« Tony Bär wandte sich zu Danny Kerrigan um. »Hol mir den Saft, den du zum Ätzen brauchst.«

Bis jetzt, während des ganzen Verhörs, hatte der alte Drucker Miles voller Haß angesehen. Jetzt nickte er. »Mach' ich. Sofort, Mr. Marino.«

Danny trat an eines der Regale und hob einen Viertelliterkrug mit Plastikdeckel herunter. Auf einem Etikett stand SALPETERSÄURE – ÄTZEND – NUR FÜR GRAPHISCHE ZWECKE. Danny nahm die Kappe ab und goß sorgfältig etwas aus dem Krug in ein Halbliterglas. Vorsichtig, um nur ja nichts zu verschütten, trug er das Glas zu dem Tisch, an dem Tony Bär stand und Miles ins Gesicht sah. Er setzte das Glas ab, dann legte er daneben einen kleinen Pinsel, wie er ihn für seine Gravuren benutzte.

Tony Bär nahm den Pinsel und tauchte ihn in die Salpetersäure. Mit einer beiläufig wirkenden Bewegung streckte er die Hand vor und strich mit dem Pinsel über eine Seite von Eastins Gesicht. Zwei, drei Sekunden lang, während die Säure die Oberflächenhaut durchdrang, blieb jede Reaktion aus. Dann schrie Miles in neuer, anders beschaffener Qual auf, während das ätzende Brennen sich immer tiefer ausbreitete. Während die anderen gebannt zusahen, warf das Fleisch unter der Säure Brandblasen und wechselte die Farbe; es wurde bräunlich-schwarz.

Wieder tauchte Tony Bär den Pinsel in das Glas. »Ich frag' dich noch einmal, Arschloch. Krieg' ich keine Antwort, kommt das auf die andere Seite. Was hast du noch rausgekriegt und verraten?«

Miles' Augen waren weit aufgerissen, wie die eines in die Enge getriebenen Tieres. Er sagte hastig, stotternd: »Das gefälschte . . . Geld.«

»Ja, und?«

»Ich hab' was gekauft . . . hab's der Bank geschickt . . . dann mit dem Auto gefahren . . . hab' was nach Louisville gebracht.«

»Und?«

»Kreditkarten . . . Führerscheine.«

»Du weißt, wer die gemacht hat? Wer das Falschgeld gedruckt hat?«

Miles nickte mit dem Kopf, so gut er konnte. »Danny.«

»Wer hat's dir gesagt?«

»Er . . . hat's mir gesagt.«

»Und dann haste ausgepackt bei dem Bullen in der Bank? Der weiß das alles?«

»Ja.«

Tony Bär fuhr wütend zu Kerrigan herum. »Du besoffener blöder Furz! Du taugst nicht mehr als der da.«

Der alte Mann stand schlotternd da. »Mr. Marino, ich war nicht betrunken. Ich dachte bloß, er . . .«

»Halt die Schnauze!« Tony Bär schien im Begriff zu sein, den alten Mann niederzuschlagen, dann besann er sich anders. Er wandte sich wieder Miles zu. »Was wissen die sonst noch?«

»Nichts!«

»Wissen die, wo gedruckt wird? Wo das hier ist?«

»Nein.«

Tony Bär tat den Pinsel wieder in die Säure und zog ihn heraus. Miles folgte jeder Bewegung. Die Erfahrung gab ihm die Antwort ein, die von ihm erwartet wurde. Er brüllte: »Ja! Ja, sie wissen es!«

»Du hast es dem Sicherheitsarsch von der Bank erzählt?«

In seiner Verzweiflung log Miles. »Ja, ja!«

»Wie haste das rausgekriegt?« Der Pinsel schwebte weiter über der Säure.

Miles wußte, daß er eine Antwort finden mußte. *Irgendeine* Antwort, solange sie Tony zufriedenstellte. Er drehte den Kopf zu Danny. »*Er* hat's mir gesagt.«

»Du lügst! Du verlauster, verstunkener, gottverdammter Lügner!« Das Gesicht des alten Mannes zuckte, sein Mund öffnete und schloß sich, sein Unterkiefer zitterte unter dem Aufruhr der Gefühle. Flehentlich sagte er zu Tony Bär: »Mr. Marino, er lügt! Ich schwöre: Er lügt! Es ist nicht wahr.« Aber was er in Marinos Augen sah, steigerte seine Verzweiflung. Jetzt stürzte sich Danny auf Miles. »Sag ihm die Wahrheit, du Mistvieh! Sag's ihm!« Wie von Sinnen, nur an die Strafe denkend, die ihm drohte, sah der alte Mann sich nach einer Waffe um. Er sah das Säureglas. Er packte es und schüttete den Inhalt Miles ins Gesicht.

Ein neuer Schrei erhob sich, erstarb dann plötzlich. Während sich der Säuregeruch mit dem übelkeiterregenden Geruch verbrennenden Fleisches mischte, kippte Miles, bewußtlos, nach vorn über den Tisch, an den seine zerschlagenen, blutenden Hände genagelt waren.

Obwohl sie nicht genau wußte, was Miles angetan wurde, litt Juanita durch seine Schreie, sein Flehen, am Ende durch das Verlöschen seiner Stimme. Sie dachte darüber nach – leidenschaftslos, weil ihre Gefühle jetzt bis über den Punkt hinaus strapaziert waren, an dem sie noch empfinden konnte –, ob er wohl tot sei. Sie fragte sich, wie lange es wohl noch dauern werde, bis sie und Estela Miles' Schicksal teilten. Denn daß sie beide sterben würden, daran zweifelte sie keinen Augenblick.

Für eins war Juanita dankbar: Estela hatte sich nicht gerührt, trotz des wilden Aufruhrs. Hoffentlich blieb ihr der Schlaf, vielleicht wurde ihr dann erspart, was an Scheußlichkeit noch vor dem Ende ihrer harrte. Juanita tat, was sie seit Jahren nicht mehr getan hatte. Sie betete zur Jungfrau Maria. Sie betete, sie möge Estela den Tod leichtmachen.

Juanita bemerkte neue Geschäftigkeit im Nachbarraum. Es hörte sich an, als würden Möbel gerückt, Schubladen aufgezogen und wieder zugeschoben, schwere Behälter abgesetzt. Einmal hörte man das klirrende Prasseln von Metallstücken auf Zement, danach Flüche.

Dann erschien zu ihrer Überraschung der Mann, den sie unter dem Namen Lou schon kannte, neben ihr und begann, ihre Fesseln zu lösen. Sie nahm an, daß man sie irgendwo anders hinbringen, eine Hölle gegen eine andere vertauschen werde. Als er fertig war, ließ er sie, wo sie war, und begann, Estela loszubinden.

»Steht auf!« befahl er beiden. Estela, die aufgewacht war, gehorchte, wenn auch schläfrig. Sie fing leise an zu weinen, kaum hörbar hinter dem Streifen, der ihren Mund verschloß. Juanita wollte zu ihr gehen, konnte sich aber noch nicht bewegen; sie stützte sich mit ihrem ganzen Gewicht auf den Stuhl, gekrümmt vor Schmerzen, während das Blut durch ihre verkrampften Glieder floß.

»Hör zu«, sagte Lou. »Du hast Schwein, wegen deines Kindes. Der Boss läßt dich laufen. Dir werden die Augen verbunden, dann wirst du mit einem Auto weit weg gebracht, dann kannste abhauen. Du hast keine Ahnung, wo du warst, du kannst also keinen hier mit herschleppen. Aber *wenn* du quatschst, wenn du *irgend jemandem* was sagst, dann finden wir dich, egal, wo du steckst, und dann bringen wir dein Kind um. Kapiert?«

Juanita, die Mühe hatte zu glauben, was sie hörte, nickte.

»Dann marsch, los.« Lou zeigte auf eine Tür. Offenbar hatte er noch nicht die Absicht, ihr die Augen zu verbinden. Trotz der Lähmung, unter der sie gerade eben gelitten hatte, spürte sie die normale Wachheit ihres Verstandes zurückkehren.

*Auf halbem Wege eine Betontreppe hinauf, lehnte sie sich an die Wand und hätte sich am liebsten übergeben.* In dem äußeren Raum, den sie gerade passiert hatte, hatte sie Miles gesehen – oder das, was von ihm übrig war –, vornübergesunken auf dem Tisch, die Hände ein blutiger Brei, Gesicht, Haar und Kopfhaut bis zur Unkenntlichkeit verbrannt. Lou hatte Juanita und Estela rasch vorangestoßen, aber doch nicht schnell genug, um zu verhindern, daß Juanita die fürchterliche Wahrheit in sich aufnahm. Sie hatte auch wahrgenommen, daß Miles nicht tot war, wenn er auch gewiß im Sterben lag. Er hatte sich ganz leicht gerührt und gestöhnt.

»Los, dalli, dalli!« drängte Lou. Sie stiegen weiter die Treppe hinauf.

Das entsetzliche Bild von Miles, das sie gesehen hatte, füllte Juanitas ganzes Denken. *Was konnte sie tun, um ihm zu helfen?* Hier ganz gewiß nichts. Aber wenn man sie und Estela freiließ, gab es dann eine Möglichkeit, Hilfe zu ihm zu bringen? Sie bezweifelte es. Sie hatte keine Ahnung, wo sie sich befand; es schien auch keine Möglichkeit zu geben, das festzustellen. Aber sie mußte *irgend etwas* tun. Etwas, um ihr furchtbares Schuldgefühl zu mindern – wenn auch nur um ein Geringes. Sie hatte Miles verraten. Was auch der Grund war, sie hatte seinen Namen ausgesprochen, und man hatte ihn gefangen, ihn hierhergebracht, ihm angetan, was sie gesehen hatte.

Der Keim eines Gedankens, noch ohne Form und Gestalt, regte sich. Sie konzentrierte sich, dachte angestrengt nach, löschte andere Dinge aus ihrem Bewußtsein, für den Augenblick sogar Estela. Juanita sagte sich: Vielleicht funktionierte es nicht, doch es gab eine ganz geringe Chance. Der Erfolg hing von der Schärfe ihrer Sinne und von ihrem Gedächtnis ab. Wichtig war auch, daß man sie *erst* ins Auto brachte, ihr *dann* erst die Augen verband.

Oben an der Treppe angelangt, wandten sie sich nach rechts und betraten eine Garage. Mit Wänden aus Zementplatten sah sie aus wie eine ganz gewöhnliche Garage für zwei

Autos, sie gehörte wahrscheinlich zu einem Haus oder einem Geschäft, und sich an die Geräusche bei ihrem Eintreffen erinnernd, vermutete Juanita, daß es der gleiche Weg war, der sie hergeführt hatte. Ein Auto stand in der Garage – nicht der große Wagen, der sie an diesem Morgen hergebracht hatte, sondern ein dunkelgrüner Ford. Sie versuchte, das Nummernschild zu erkennen, aber es lag nicht in ihrem Gesichtsfeld.

Juanita warf einen raschen Blick in die Runde, und irgend etwas fiel ihr auf. An einer der Garagenwände stand eine Kommode aus dunklem, poliertem Holz, aber es war eine seltsame Kommode, wie sie sie noch nie gesehen hatte. Anscheinend war sie von oben nach unten durchgesägt, die beiden Hälften standen getrennt voneinander, und sie konnte sehen, daß das Innere hohl war. Neben der Kommode stand etwas, das wie eine Anrichte aus einem Eßzimmer aussah, und sie war ebenfalls durchgesägt, nur wurde die eine Hälfte der Anrichte gerade von zwei Männern durch eine andere Tür hereingetragen; der eine war von der Tür verdeckt, der andere drehte ihr den Rücken zu.

Lou machte eine hintere Tür des Ford auf. »Da rein«, befahl er. Er hatte zwei dicke, dunkle Tücher in der Hand – die Binden für ihre Augen.

Juanita stieg zuerst ein. Als sie das tat, stolperte sie absichtlich, stürzte und stützte sich, indem sie die Lehne des Vordersitzes packte. Das gab ihr die Gelegenheit, die sie suchte – nach vorn auf das Armaturenbrett zu schauen, den Zähler abzulesen. Sie hatte nur eine Sekunde, um die Zahlen in sich aufzunehmen: 25714,8. Sie schloß die Augen, grub die Zahlenfolge – wie sie hoffte – ins Gedächtnis ein.

Estela folgte Juanita. Lou kletterte nach ihnen ins Auto, legte die Binden an und setzte sich auf den Rücksitz. Er stieß Juanita an der Schulter. »Runter mit euch auf den Boden, beide. Macht mir keinen Ärger, dann passiert euch nix.«

Sich auf den Boden hockend, Estela dicht neben sich, kreuzte Juanita die Beine und brachte es fertig, in Fahrtrichtung zu sitzen. Sie hörte, wie noch jemand ins Auto stieg, wie der Motor angelassen wurde, die Garagentüren sich polternd öffneten. Dann nahmen sie Fahrt auf.

Von dem Augenblick an, wo das Auto sich in Bewegung setzte, konzentrierte Juanita sich wie noch nie in ihrem Leben. Sie war entschlossen, Zeit und Richtung im Gedächtnis zu behalten – wenn es überhaupt möglich war. Sie begann, Sekunden zu zählen, wie eine Freundin von ihr, eine Fotografin, es ihr einmal beigebracht hatte. *Eintausend* und *EINS*; eintausend und *ZWEI*; eintausend und *DREI*; eintausend und *VIER* . . . Sie fühlte, wie der Wagen zurücksetzte und einschwenkte, dann zählte sie acht Sekunden, während er sich gerade voraus bewegte. Dann verlangsamte er die Fahrt, kam fast zum Stillstand. War das eine Einfahrt gewesen? Wahrscheinlich. Eine ziemlich lange? Wieder bewegte sich das Auto langsam, schob sich wahrscheinlich auf die Straße . . . *Linkswendung. Jetzt schneller voran.* Sie fing wieder an zu zählen. *Zehn Sekunden. Langsamer jetzt. Rechtskurve . . . Eintausend und EINS; eintausend und ZWEI; eintausend und DREI . . . Linkskurve . . . Schneller . . . Eine längere Strecke . . . Eintausend NEUNUNDVIERZIG; eintausend FÜNFZIG . . .* Kein Anzeichen von Verlangsamung . . . *Ja, jetzt ging es langsamer. Warten, vier Sekunden lang, dann geradeaus weiter.* Das konnte eine Verkehrsampel gewesen sein . . . *Eintausend und ACHT . . .*

*Lieber Gott!* Hilf mir, das zu behalten – für Miles! . . . Eintausend und NEUN; eintausend und ZEHN. *Rechtskurve . . .*

Schiebe alle anderen Gedanken weg. Reagiere auf jede Bewegung des Autos. Zähle die Zeit – hoffend, betend, daß dasselbe brillante Gedächtnis, das ihr geholfen hatte, stets die Summe des Geldes in der Bank zu kennen – was sie einst vor Miles' Falschheit gerettet hatte –, jetzt *ihn* rettete.

*. . . Eintausend ZWANZIG; eintausend und zwanzig Dollar. NEIN! . . . Gute Mutter Gottes! Hilf mir, meine Gedanken zusammenzunehmen . . .*

*Eine lange gerade Strecke, glatte Straßendecke, hohes Tempo* . . . Sie merkte, wie ihr Körper schwankte . . . *Die Straße machte eine Biegung nach links; eine langgestreckte Kurve, sanft . . . Halt, halt.* Das waren achtundsechzig Sekunden . . . *Rechtseinbiegen . . .* Wieder von vorn anfangen. *Eintausend und EINS; eintausend und ZWEI . . .*

Weiter und weiter.

Je mehr Zeit verging, um so geringer die Chance, daß es ihr in Erinnerung blieb, daß die Strecke rekonstruiert werden konnte.

23

»Sergeant Gladstone hier, Nachrichtenzentrale, Städtische Polizei«, sagte die flache, nasale Stimme am Telefon. »Hab' Anweisung, Sie da drüben sofort zu informieren, falls Juanita Núñez oder Kind Estela Núñez gesichtet werden.«

Spezialagent Innes richtete sich straff und kerzengerade auf. Instinktiv rückte er den Apparat näher an sich heran. »Was haben Sie für uns, Sergeant?«

»Bericht vom Streifenwagen über Funk. Frau und Kind auf die Beschreibung und Namen passen, in der Nähe Einmündung Cheviot Township und Shawnee Lake Road angetroffen. Zu ihrem Schutz in Gewahrsam genommen. Beamte bringen sie jetzt zur Revierwache Zwölf.«

Innes bedeckte die Sprechmuschel mit der Hand. Zu Nolan Wainwright, der ihm hier im FBI-Hauptquartier am Schreibtisch gegenübersaß, sagte er leise: »Stadtpolizei. Sie haben die Núñez und das Kind.«

Wainwright packte die Schreibtischkante mit klammerndem Griff. »Fragen Sie, in welchem Zustand sie sind.«

»Sergeant«, sagte Innes, »sind die beiden wohlbehalten?«

»Hab' Ihnen alles gesagt, was wir wissen, Chef. Wenn Sie mehr wissen wollen, rufen Sie doch das Zwölfte an.«

Innes nahm sich die Nummer des Zwölften Reviers vor und wählte sie. Man verband ihn mit Leutnant Fazackerly.

»Ja, wir wissen Bescheid«, sagte Fazackerly knapp. »Bleiben Sie dran. Zweiter Funkbericht kommt gerade.«

Der FBI-Mann wartete.

»Unsere Leute sagen, die Frau ist ein bißchen zusammengeschlagen worden«, sagte Fazackerly. »Schwellungen, Platzwunden im Gesicht. Kind hat 'ne schlimme Brandstelle an einer Hand. Beamte haben Erste Hilfe geleistet. Keine weiteren Verletzungen gemeldet.«

Innes gab die Mitteilung an Wainwright weiter, der seine Hand wie im Gebet vor das Gesicht legte.

Der Leutnant sprach wieder. »Irgendwas ist hier komisch.« »Was denn?«

»Beamte im Wagen sagen, die Núñez weigert sich zu reden. Sie verlangt Papier und Bleistift. Haben sie ihr gegeben. Sie kritzelt wie besessen. Sagt, sie hat sich was gemerkt, muß das aufschreiben.«

Spezialagent Innes atmete tief aus: »*Jesus Christus!*« Ihm fiel das fehlende Geld in der Bank ein, die Geschichte, die dazugehörte, die unglaubliche Genauigkeit von Juanita Núñez' Gedächtnis, absolut reif für den Zirkus.

»Hören Sie«, sagte er. »Fragen Sie nicht, glauben Sie mir einfach, ich erkläre Ihnen später alles, wir kommen jetzt raus zu Ihnen. Aber funken Sie Ihrem Wagen sofort. Sagen Sie Ihren Beamten, sie sollen die Núñez nicht stören, nicht mit ihr reden, sofort alles tun, was sie verlangt! Und wenn sie im Revier ist, gilt das weiter. Gehen Sie auf sie ein. Sie soll, wenn sie will, weiter schreiben. Behandeln Sie sie wie ein rohes Ei. Wie was ganz Besonderes.«

Er hielt inne, dann fügte er hinzu: »Das ist sie nämlich.«

*Kurzes Zurücksetzen. Aus Garage.*
*Vorwärts. 8 Sek. Fast anhalten. (Einfahrt?)*
*Links einbiegen. 10 Sek. Mittleres Tempo.*
*Rechts einbiegen. 3 Sek.*
*Links einbiegen. 55 Sek. Glatt, schnell.*
*Halt. 4 Sek. (Ampel?)*
*Geradeaus. 10 Sek. Mittleres Tempo.*
*Rechts einbiegen. Schlechte Straße (kurze Strecke), dann glatt. 18 Sek.*
*Langsamer. Halt. Sofort weiter. Rechtskurve. Halt und weiter. 25 Sek.*
*Links einbiegen. Gerade, glatt. 47 Sek.*
*Langsam. Rechts einbiegen . . .*

Als Juanitas Zusammenfassung fertig war, füllte sie sieben handschriftliche Seiten.

Sie arbeiteten intensiv eine Stunde lang in einem Raum hinten in der Revierwache, Stadtpläne in großem Maßstab vor sich, aber das Ergebnis war nicht schlüssig.

Juanitas hingekritzelte Notizen hatten sie alle in Staunen versetzt – Innes und Dalrymple, Jordan und Quimby vom Secret Service, die nach einem eiligen Anruf zu ihnen gestoßen waren, und Nolan Wainwright. Die Notizen waren unglaublich vollständig und, wie Juanita behauptete, ganz genau. Sie erklärte den anderen, daß sie nie sicher wußte, ob das, was ihr Verstand speicherte, später wieder ins Bewußtsein gerufen werden konnte – bis der Augenblick dafür gekommen war. Aber war die Arbeit einmal getan, konnte sie mit absoluter Gewißheit sagen, ob ihre Erinnerungen richtig waren. Davon war sie jetzt überzeugt.

Außer den Notizen hatten sie noch einen weiteren Anhaltspunkt. Die zurückgelegte Entfernung.

Wenige Augenblicke, bevor man Juanita und Estela aus dem Auto auf eine einsame Vorortstraße hinausstieß, hatte man ihnen Knebel und Augenbinden abgenommen. Gespielte Ungeschicklichkeit und Glück ermöglichten es Juanita, wieder einen Blick auf den Entfernungsmesser zu werfen. 25738,5. Sie hatten 23,7 Meilen zurückgelegt.

Aber war das eine Entfernung in einer klaren Richtung, oder hatte das Auto kehrtgemacht, die gleichen Strecken mehrfach zurückgelegt, um die Fahrt länger erscheinen zu lassen, als sie war, um Juanita zu verwirren? Trotz ihrer genauen Aufzeichnungen konnte man das nicht mit Bestimmtheit erkennen. Sie taten, was sie konnten, arbeiteten sich mühsam zurück, bezogen in ihre Überlegungen ein, daß das Auto diesen oder jenen Weg genommen haben könnte, hier oder dort eingebogen sein könnte, so und so weit auf dieser Straße gefahren sein könnte. Aber jeder wußte, wie ungenau das sein mußte, denn die Geschwindigkeiten konnten nur erraten werden, und Juanita konnte sich in ihren Wahrnehmungen geirrt haben, denn ihre Augen waren verbunden gewesen, so daß Irrtum sich auf Irrtum häufen und diese Arbeit sinnlos machen konnte, zur reinen Zeitvergeudung. Aber es bestand eine *gewisse* Chance, daß es tatsächlich gelang, den Weg dorthin zurückzuverfolgen, wo man sie gefangengehalten hatte, oder doch irgendwo in die Nähe. Und es fiel allen auf, daß eine gewisse Übereinstimmung zwischen den verschiedenen, bisher erarbeiteten Möglichkeiten bestand.

Secret Service-Agent Jordan zog den Schluß für sie alle. Auf einer großen Straßenkarte zeichnete er etliche Linien ein, die die wahrscheinlichsten Richtungen bezeichneten, die das Auto mit Juanita und Estela eingeschlagen haben konnte. Dann, am Endpunkt dieser Linien, zeichnete er einen Kreis. »Da drinnen.« Er tippte mit dem Finger auf die Karte. »Irgendwo da drinnen.«

In der entstandenen Stille hörte Wainwright Jordans Magen knurren, wie bei allen ihren bisherigen Begegnungen. Wainwright fragte sich, was Jordan wohl bei Einsätzen machte, bei denen er sich verbergen und absolute Stille wahren mußte. Oder war er wegen seines polternden Magens von solchen Einsätzen befreit?

»Das da«, sagte Dalrymple, »sind mindestens acht Quadratkilometer.«

»Dann wollen wir sie durchkämmen«, antwortete Jordan. »In Gruppen, in Wagen. Unser Verein, Ihr Verein, und wir verlangen Hilfe von der Stadtpolizei.«

Leutnant Fazackerly, der zu ihnen gestoßen war, fragte: »Und was suchen wir da eigentlich alle, meine Herren?«

»Soll ich Ihnen die Wahrheit sagen?« fragte Jordan. »Ich will verdammt sein, wenn ich das weiß.«

Juanita saß in einem FBI-Wagen zusammen mit Innes und Wainwright. Wainwright saß am Steuer, so daß Innes die Hände frei hatte, um zwei Sprechfunkgeräte zu bedienen: ein tragbares, eins von fünfen, die das FBI zur Verfügung gestellt hatte – sie ermöglichten den direkten Sprechverkehr mit den anderen Wagen –, und ein reguläres Funktelefon, das direkt mit dem FBI-Hauptquartier verbunden war.

Vorher hatten sie unter Anleitung des Leutnants von der Stadtpolizei das Gebiet in Sektoren eingeteilt, und die fünf Wagen fuhren jetzt kreuz und quer diese Sektoren ab. Zwei waren vom FBI, einer vom Secret Service und zwei von der Stadt. Das Personal hatte sich aufgeteilt. Jordan und Dalrymple fuhren mit je einem Kripo-Beamten der Stadt, die den Neuhinzugekommenen während der Fahrt Erläuterungen gaben. Sobald es sich als nötig erwies, sollten andere Streifenwagen der Stadt zur Verstärkung herbeigerufen werden.

Von einem waren sie alle überzeugt: Wo Juanita gefangengehalten worden war, befand sich die Fälscherzentrale. Ihre allgemeine Beschreibung und etliche Einzelheiten, an die sie sich erinnerte, ließen das so gut wie zur Gewißheit werden. Deshalb hatten alle Sondereinheiten dieselben Anweisungen: Ausschau halten nach jeder ungewöhnlichen Tätigkeit, die im Zusammenhang stehen könnte mit einer Zentrale des organisierten Verbrechens, Spezialität Geldfälschung, und sofortige Meldung jeder Wahrnehmung. Alle waren sich darüber einig, daß das eine ziemlich verschwommene Instruktion war, aber keinem war etwas eingefallen, was bessere Hinweise ergeben hätte. Wie Innes sagte: »Was haben wir denn Besseres?«

Juanita saß auf dem Rücksitz des FBI-Wagens.

Fast zwei Stunden waren vergangen, seit man sie und Estela plötzlich abgesetzt hatte. Man hatte ihnen befohlen, sich abzuwenden, dann war der dunkelgrüne Ford mit quietschenden, qualmenden Reifen davongejagt. Juanita hatte sich seither geweigert, ihre Schwellungen und Platzwunden im Gesicht, die Schnitte und Abschürfungen an den Beinen behandeln zu lassen – nur ein bißchen Erste Hilfe hatte sie geduldet. Sie wußte, daß sie schlimm aussah, die Kleidung beschmutzt und zerrissen, aber sie wußte auch, daß alles andere warten mußte, sogar ihre eigene Fürsorge für Estela – die zur Behandlung der Brandwunde und zur Beobachtung ins Krankenhaus gebracht worden war –, wenn Miles rechtzeitig gefunden werden sollte, rechtzeitig genug, um sein Leben zu retten. Während Juanita tat, was sie tun mußte, tröstete Margot Bracken, die kurz nach Wainwright und dem FBI in der Revierwache eingetroffen war, die kleine Estela.

Es war jetzt gegen drei Uhr nachmittags.

Vorhin, als sie die Abfolge ihrer Fahrt aufs Papier gekritzelt hatte, als sie ihre Gedanken durchforstete wie einen riesigen Raum voller Zettel mit Notizen, war Juanita der Erschöpfung nahe gewesen. Aber anschließend hatte sie sich scheinbar endlos von den FBI- und Secret Service-Leuten ausfragen lassen, die immer wieder nach den geringfügigsten Einzelheiten ihrer Erlebnisse bohrten, stets in der Hoffnung, daß irgendein unbeachtetes Fragment sie näher an das heranführen könnte, was sie jetzt am dringendsten suchten – irgendeine spezifische Ortsangabe. Bisher waren alle Mühen ohne Erfolg geblieben.

Jetzt aber dachte Juanita nicht an Einzelheiten, als sie in dem Wagen saß, sondern sie dachte an Miles, wie sie ihn zuletzt gesehen hatte. Das Bild blieb scharf eingegraben in ihrem Gedächtnis – und sie empfand Qual und Schuld. Sie glaubte nicht, daß dieses Bild jemals ganz von ihr weichen würde. Immer wieder suchte die Frage sie heim: Angenommen, die Fälscherzentrale wurde entdeckt, würde es dann zu spät sein, um Miles zu retten? War es jetzt schon zu spät?

Das Gebiet, das der Agent Jordan eingekreist hatte – nahe am östlichen Rand der Stadt –, war seinem Charakter nach nicht einheitlich. Zum Teil war es gewerbliches Gelände mit etlichen Fabriken, Lagerhäusern und einem geräumigen Gelände mit Leichtindustrie. Dies war das am ehesten Erfolg versprechende Gebiet, hierauf konzentrierte sich die Aufmerksamkeit der Streifenfahrer. Es gab verschiedene Einkaufsgebiete. Der Rest war Wohngegend, angefangen von Regimentern kastenförmiger Bungalows bis zu einer Gruppe stattlicher Villen, die beinahe Herrenhaus-Charakter hatten.

Den suchenden Augen der kreuz und quer fahrenden Beamten, die häufig über Sprechfunk miteinander verkehrten, bot sich überall ein Bild alltäglicher und üblicher Aktivität. Selbst etliche nicht ganz so gewöhnliche Geschehnisse hatten doch normale Begleitumstände. In einer Ladengegend war ein Mann, der sich einen Sicherheitsgurt für Anstreicher kaufte, über diesen Gurt gestolpert und hatte sich ein Bein gebrochen. Nicht weit davon entfernt war ein Auto mit verklemmtem Gashebel in eine leere Theater-Vorhalle gerast. »Vielleicht hat das einer für ein Drive-in-Kino gehalten«, sagte Innes, aber niemand lachte. Im Industriegebiet war ein kleines Feuer in einer Werkhalle ausgebrochen, die Feuerwehr, rechtzeitig alarmiert, löschte es. Die Fabrik stellte

Wasserbetten her; ein Beamter von der städtischen Kriminalpolizei hatte sich vergewissert. In einer der großen Villen versammelte sich eine Teegesellschaft zu wohltätigen Zwecken. Vor einer anderen lud ein Sattelschlepper-Möbelwagen der Alliance Van Lines Möbel ein. Drüben bei den Bungalows reparierte ein Klempnerteam ein gebrochenes Wasserrohr. Zwei Nachbarn hatten sich verzankt und führten auf dem Fußweg einen Boxkampf aus. Secret Service-Agent Jordan stieg aus und trennte sie.

Und so weiter.

Eine Stunde lang. Am Ende der Stunde waren sie nicht weiter als am Anfang.

»Ich hab' ein komisches Gefühl«, sagte Wainwright. »Ein Gefühl, wie ich es früher manchmal bei der Polizei hatte, wenn ich genau wußte, daß ich etwas übersehen hatte.«

Innes warf einen Blick zur Seite. »Ich weiß, was Sie meinen. Man bildet sich ein, daß man genau was vor der Nase hat, wenn man's nur packen könnte.«

»Juanita«, sagte Wainwright über seine Schulter, »gibt es noch *irgend etwas*, irgendeine Kleinigkeit, von der Sie uns noch nichts gesagt haben?«

Mit fester Stimme sagte sie: »Ich habe Ihnen alles gesagt.«

»Dann wollen wir alles noch einmal durchgehen.«

Nach einer Weile sagte Wainwright: »Etwa zu der Zeit, als Eastin aufhörte zu schreien und als Sie noch gefesselt waren, haben Sie etwas von allerhand Lärm gesagt.«

Sie korrigierte ihn: »*No, una conmoción*. Lärm und Tätigkeit. Ich konnte Leute hören, die umherliefen, Dinge, die hin- und hergeschoben wurden, Schubladen, die aufgemacht und zugeschoben wurden, solche Dinge.«

»Vielleicht suchten sie etwas«, meinte Innes. »Aber was?«

»Als Sie auf dem Weg nach draußen waren«, fragte Wainwright, »haben Sie da irgend etwas gemerkt, was es mit der Geschäftigkeit auf sich gehabt haben könnte?«

»*Por última vez, yo no sé*.« Juanita schüttelte den Kopf. »Ich habe Ihnen gesagt, ich war zu aufgeregt, als ich Miles da sah, um irgendwas anderes zu sehen.« Sie zögerte. »Na ja, da waren allerdings die Männer in der Garage, die die komischen Möbel trugen.«

»Ja«, sagte Innes. »Das haben Sie uns erzählt. Ist schon komisch, aber 'ne Erklärung dafür ist uns noch nicht eingefallen.«

»Einen Moment mal! Vielleicht gibt's eine.«

Innes und Juanita sahen Wainwright an. Er runzelte die Stirn. Er schien sich angestrengt zu konzentrieren, sich irgend etwas zurechtzulegen. »Die Geschäftigkeit, die Juanita gehört hat . . . Angenommen, die haben gar nichts gesucht. Angenommen, die haben gepackt, sich darauf vorbereitet, sich abzusetzen?«

»Könnte sein«, gab Innes zu. »Aber das Umzugsgut wären dann Maschinen. Druckmaschinen, Zubehör. Keine Möbel.«

»Das heißt«, sagte Wainwright, »wenn die Möbel nicht nur Tarnung waren. *Hohle* Möbel.«

Sie starrten sich an. Die Antwort kam ihnen beiden gleichzeitig. »Mein Gott!« schrie Innes. »Der Möbelwagen!«

Wainwright setzte den Wagen schon zurück, ließ das Steuerrad herumsausen, wendete in kurzem, schnellem Kreis.

Innes packte das tragbare Sprechfunkgerät. Er sprach knapp und angespannt: »Gruppenleiter an alle Sondereinheiten. Konzentrisch großem grauen Haus nähern, steht von der Straße zurück, nahe östlichem Ende der Earlham Avenue. Ausschau halten nach Möbelwagen der Alliance Van Lines. Anhalten und Insassen festnehmen. Stadtpolizei: Alle in der Nähe befindlichen Wagen rufen. Code 10–13.«

Code 10–13 bedeutete: Höchstgeschwindigkeit, Scheinwerfer, Sirenen. Innes schaltete ihre eigene Sirene ein. Wainwright trat den Gashebel durch.

»Jesus Christus!« sagte Innes; es hörte sich an, als ob er den Tränen nahe war. »Zweimal sind wir dran vorbeigefahren. Und letztes Mal waren sie fast fertig mit dem Aufladen.«

»Wenn du hier raus bist«, wies Marino den Fahrer des Sattelschleppers an, »fährst du in Richtung Westküste. Laß dir Zeit, fahr genauso wie mit 'ner ganz normalen Fracht, und schlaf dich jede Nacht gut aus. Aber melde dich regelmäßig, du weißt, wo du anzurufen hast. Und wenn du unterwegs keine neuen Anweisungen kriegst, dann kriegst du sie in Los Angeles.«

»Okay, Mr. Marino«, sagte der Fahrer. Er war ein zuverlässiger Bursche, der genau wußte, worauf es ankam, und der auch wußte, daß er eine fette Prämie bekommen würde als Entschädigung für sein persönliches Risiko. Außerdem hatte er das früher schon mehrfach gemacht, wenn Tony Bär die Ausrüstung der Fälscherzentrale mal wieder auf den Weg und in Sicherheit bringen wollte; manchmal ging es dann im ganzen Land herum, von Versteck zu Versteck, bis sich alles wieder beruhigt hatte.

»Also gut«, sagte der Fahrer, »alles ist aufgeladen. Dann woll'n wir mal. Also bis später, Mr. Marino.«

Tony Bär nickte; er fühlte sich erleichtert. Er war ungewöhnlich nervös gewesen während des Packens und Verladens, irgendein Gefühl hatte ihn hier ausharren lassen, er hatte alles selbst überwacht, die Leute zur Eile angetrieben, obwohl er ganz genau wußte, daß es unklug war, noch zu bleiben. Normalerweise achtete er streng darauf, in sicherer Entfernung von der Frontlinie jeder seiner Unternehmungen zu bleiben, stets darauf bedacht, daß es kein Indiz gab, das ihn mit der Sache in Verbindung bringen konnte, falls etwas schieflaufen sollte. Andere wurden dafür bezahlt, solche Risiken auf sich zu nehmen – auch die Urteile, wenn's denn gar nicht zu vermeiden war. Nun war dieses Projekt mit den Fälschungen, zu Anfang wirklich nur Kleinkram, zu so einem dicken Ding aufgelaufen – tatsächlich die reine Geldmacherei –, daß es jetzt fast an der Spitze seiner Interessen stand, aufgestiegen von ziemlich der letzten Position. Gute Organisation hatte das bewirkt; das, und absolute Supervorsicht – Tony Bär liebte dieses Wort –, und dazu gehörte, daß man jetzt abhaute.

Streng genommen glaubte er nicht, daß dieser Umzug wirklich nötig war – jedenfalls noch nicht –, denn er war überzeugt, daß Eastin gelogen hatte, als er sagte, er habe die Adresse von Danny Kerrigan erfahren und sie weitergegeben. Tony Bär war ausnahmsweise geneigt, Kerrigan zu glauben, auch wenn der alte Furz *tatsächlich* zuviel gequatscht hatte und sich auf ein paar unangenehme Überraschungen gefaßt machen konnte, die ihn ein für allemal vom Quasseln kurieren würden. Hätte Eastin wirklich gewußt, was er angeblich wußte, und hätte er das weitergegeben, dann wären die Bullen und die Bankleute hier schon längst aufgetaucht, und zwar in Schwärmen. Tony Bär wunderte sich überhaupt nicht über die Lüge. Er wußte genau, wie Leute während der Folterung in ihrer Verzweiflung reagierten, wie sie von Lügen zu Wahrheiten übergingen, dann wieder zu Lügen zurückkehrten, weil sie glaubten, ihre Peiniger wollten das hören. Es war schon 'ne interessante Sache, sie dabei zu überlisten. Tony Bär hatte immer viel Freude an solchen Spielen gehabt.

Trotzdem war es schon vernünftig abzuhauen; man brauchte ja nur den Alarmplan in Gang zu setzen, der mit dem Fuhrunternehmen vereinbart war. Das Unternehmen gehörte der Bande. Wie üblich – superklug. Haste Zweifel, dann verdufte. Und jetzt, wo alles verladen war, wurde es Zeit zu beseitigen, was von dem Spitzel Eastin noch vorhanden war. Abfall. Eine Einzelheit, um die Angelo sich kümmern würde. Übrigens war es inzwischen höchste Zeit, fand Tony Bär, daß er selbst hier verschwand. In allerbester Laune kicherte er in sich hinein. *Super*klug.

In diesem Augenblick hörte er das schwache, aber rasch lauter werdende Sirengeheul, das sich aus verschiedenen Richtungen näherte.

Minuten später wußte er, daß er nicht im geringsten klug gewesen war.


»Mach mal 'n bißchen Tempo, Harry!« rief der junge Krankenträger dem Fahrer zu. »Der hier hat nicht mehr viel Zeit zu verlieren.«

»So wie der aussieht«, sagte der Fahrer – er sah unverwandt geradeaus, fuhr aufgeblendet, mit Warnlicht und heulender Sirene und kurvte tollkühn durch den langsam stärker werdenden Verkehr der beginnenden Rush-hour –, »so wie der aussieht, tun wir dem armen Kerl wahrscheinlich nur 'nen Gefallen, wenn wir jetzt parken und in aller Ruhe ein Bierchen zischen.«

»Halt die Klappe, Harry.« Der Träger, dessen Qualifikationen etwas unter denen eines Krankenpflegers im Krankenhaus lagen, warf einen Blick zu Juanita hinüber. Sie saß auf einem Klappsitz angestrengt vorgebeugt, um an ihm vorbei Miles im Auge behalten zu können; ihre Miene war angespannt, ihre Lippen bewegten sich. »Tut mir leid, Miss. Haben ganz vergessen, daß Sie hier sind. Dieser Job härtet ab, wissen Sie.«

Es dauerte einen Augenblick, bis sie in sich aufgenommen hatte, was eben gesagt worden war. Sie fragte: »Wie geht es ihm?«

»Schlecht. Hat keinen Zweck, Ihnen was vorzumachen.« Der junge Halb-Sanitäter hatte ein Viertel Gran Morphium subkutan injiziert. Er hatte Miles einen Blutdruckmesser angelegt und goß ihm jetzt Wasser aufs Gesicht. Miles war halb bei Bewußtsein und stöhnte, trotz des Morphiums, vor Schmerzen. Der Träger redete ohne Pause weiter: »Er hat einen Schock. Das kann ihn umbringen, wenn die Ätzungen das nicht besorgen. Das Wasser soll die Säure wegspülen, wenn's auch ziemlich spät dafür ist. Und was die Augen betrifft, also ich möchte nicht ... Sagen Sie mal, was ist da drinnen eigentlich los gewesen?«

Juanita schüttelte den Kopf, sie mochte jetzt weder Zeit noch Mühe aufs Reden verschwenden. Sie streckte die Hand aus, versuchte, Miles zu berühren, und wäre es auch nur durch die Decke, mit der sie ihn zugedeckt hatten. Tränen stiegen ihr in die Augen. Sie flüsterte, nicht sicher, ob er sie auch hörte: »Verzeih mir! O bitte, verzeih mir!«

»Das Ihr Mann?« fragte der Träger. Er machte sich daran, Schienen an Miles Hände zu legen und sie mit Mullbinden zu umwickeln.

»Nein.«

»Ihr Freund?«

»Ja.« Sie weinte jetzt stärker. *War* er noch ihr Freund? *Mußte* sie ihn wirklich verraten? Sie sehnte sich danach, Vergebung zu finden, so wie er einst sie um Vergebung angefleht hatte – es schien eine Ewigkeit her zu sein, in Wirklichkeit lag es noch gar nicht so lange zurück. Sie wußte, es hatte keinen Zweck.

»Halten Sie mal«, sagte der Krankenträger. Er legte eine Maske auf Miles' Gesicht und gab ihr eine tragbare Sauerstoff-Flasche. Sie hörte es zischen, als der Sauerstoff aufgedreht wurde, und sie umklammerte die Flasche, als könne sie durch die Berührung ihm etwas mitteilen, was sie ihm mitteilen wollte, seit sie Miles gefunden hatten, bewußtlos, blutend, verbrannt, noch immer an den Tisch genagelt.

Juanita und Nolan Wainwright waren den Bundeskriminalbeamten und den Stadtpolizisten in das große graue Herrenhaus gefolgt, nachdem Wainwright sie zurückgehalten hatte, bis klar war, daß es nicht zu einer Schießerei kommen würde. Es war nicht geschossen worden; anscheinend hatte es nicht einmal Widerstand gegeben. Die Leute im Haus hatten rasch begriffen, daß sie umzingelt und an Zahl unterlegen waren.

Wainwright, das Gesicht verzerrter, als sie es je gesehen hatte, löste, so sanft er nur konnte, die Nägel und befreite Miles' zerschlagene Hände. Dalrymple, aschfahl, leise vor sich hin fluchend, hielt Eastin fest, während die Nägel, einer nach dem anderen, aus dem Holz gezogen wurden. Juanita hatte undeutlich wahrgenommen, daß da noch andere Männer im Haus waren, an der Wand aufgereiht, mit Handschellen gefesselt, aber es war ihr gleichgültig gewesen. Als der Krankenwagen kam, war sie dicht neben der Trage geblieben, die sie für Miles hereingebracht hatten. Sie folgte ihr nach draußen, dann in den Krankenwagen. Niemand versuchte, sie aufzuhalten.

Jetzt fing sie an zu beten. Die Worte gingen ihr leicht von den Lippen; Worte aus längst vergangener Zeit . . . *Acordaos, oh piadosísima Virgen María . . . nie ist ohne Trost geblieben, wer sich in deine Obhut begeben hat, deine Hilfe erfleht hat, gebetet hat, daß du ihm beistehst. Fest in diesem Glauben fliehe ich zu dir . . .*

Was hatte der Krankenträger gesagt? Sie hatte es nicht aufgenommen, aber es ging in ihrem Unterbewußtsein um. *Miles' Augen.* Sie waren verbrannt, verbrannt wie sein Gesicht. Ihre Stimme zitterte. »Wird er blind?«

»Das müssen Ihnen die Fachärzte sagen. Sobald wir ihn in der Unfallstation haben, bekommt er die allerbeste Behandlung. Hier kann ich jetzt nicht viel mehr tun.«

Juanita dachte: auch sie konnte nichts tun. Sie konnte nur bei Miles bleiben, und das wollte sie auch, erfüllt von Liebe und Treue, so lange er wollte, so lange er sie brauchte. Das konnte sie – und beten . . . *¡Oh Virgen Madre de las vírgines! Zu dir komme ich, vor dir stehe ich, sündenbeladen und leiderfüllt. O Mutter des fleischgewordenen Wortes, verachte meine Gebete nicht, sondern erhöre mich und antworte mir. Amen.*

Gebäude mit Säulengängen davor huschten draußen vorbei. »Wir sind gleich da«, sagte der Krankenträger. Er hatte die Finger an Miles' Puls. »Er lebt jedenfalls noch.«


## 24

In den fünfzehn Tagen seit Beginn der offiziellen Untersuchung des Irrgartens der Supranational-Finanzen durch die Börsenaufsicht hatte Roscoe Heyward gebetet, es möge ein Wunder geschehen, das die totale Katastrophe abwendete. Heyward selbst nahm an Versammlungen mit anderen SuNatCo-Gläubigern teil, deren Ziel es war, den multinationalen Riesen nach Möglichkeit betriebs- und lebensfähig zu erhalten. Das hatte sich als unmöglich erwiesen. Je tiefer die Prüfer sondierten, um so schlimmer erschien das finanzielle Debakel. Es sah nun auch so aus, als würde es zu strafrechtlicher Verfolgung einiger Supranational-Direktoren wegen Betruges kommen, zu denen auch G. G. Quartermain gerechnet wurde; dazu mußte er allerdings erst einmal aus seinem Versteck in Costa Rica herausgelockt werden – und darauf bestand im Augenblick wenig Aussicht.

Deshalb wurde Anfang November ein Konkurseröffnungsantrag gemäß Paragraph 77 des Konkursgesetzes namens der Supranational Corporation gestellt. Obwohl man das befürchtet und sogar damit gerechnet hatte, löste das Ereignis prompte Erschütterungen rund um den Erdball aus. Es galt als wahrscheinlich, daß mehrere große Gläubiger sowie angegliederte Gesellschaften und viele Einzelpersonen zusammen mit SuNatCo in den Untergang gerissen werden würden. Ob die First Mercantile American Bank dazugehören würde oder ob die Bank ihren enormen Verlust überleben konnte, das war eine noch offene Frage.

Keine offene Frage mehr war – wie Heyward genau wußte – das Thema seiner eigenen Karriere. In der FMA war er als der Urheber der größten Kalamität in der einhundertjährigen Geschichte der Bank praktisch erledigt. Noch ungeklärt war nur, ob er nach den geltenden gesetzlichen Bestimmungen persönlich haftbar war. Offensichtlich gab es Leute, die das annahmen. Am Vortag hatte ein Beamter der Börsenaufsicht, den Heyward gut kannte, ihm eindringlich geraten: »Roscoe, ich glaube, Sie sollten sich jetzt einen Anwalt nehmen.«

Als Heyward kurz nach Beginn des Geschäftstages in seinem Büro den Bericht über den Supranational-Konkursantrag auf Seite eins des »Wall Street Journal« las, zitterten seine Hände. Er wurde von seiner Chefsekretärin, Mrs. Callaghan, unterbrochen. »Mr. Heyward – Mr. Austin ist hier.«

Ohne die Aufforderung abzuwarten, betrat Harold Austin eilig das Büro. Im Gegensatz zu seiner normalen Erscheinung wirkte der alternde Playboy heute nur noch wie ein zu auffällig gekleideter alter Mann. Sein Gesicht war angespannt, ernst und blaß; die Säcke unter seinen Augen waren Altersringe, und sie zeugten von Mangel an Schlaf.

Er verschwendete keine Zeit mit einleitenden Worten. »Haben Sie *irgendwas* von Quartermain gehört?«

Heyward zeigte auf das »Journal«. »Nur, was ich lese.« Während der letzten beiden Wochen hatte er mehrere Male versucht, Big George telefonisch in Costa Rica zu erreichen; ohne Erfolg. Der SuNatCo-Vorsitzende ließ sich von niemandem sprechen. In den kargen Berichten, die an die Außenwelt drangen, hieß es, er lebe inmitten feudaler Pracht, geschützt von einer kleinen Armee von Schlägern, und habe – nach seinen eigenen Worten – nicht die Absicht, jemals in die Vereinigten Staaten zurückzukehren. Es galt als allgemein bekannt, daß Costa Rica auf Auslieferungsanträge der Vereinigten Staaten nicht reagierte. Das hatten andere Schwindler und Flüchtlinge schon bewiesen.

»Ich bin ruiniert«, sagte The Hon. Harold. Seine Stimme schien ihm jeden Augenblick den Dienst versagen zu wollen. »Ich habe einen großen Teil des Familientrusts in SuNatCo gesteckt, und ich selbst bin verschuldet, weil ich Geld aufgenommen habe, um Q-Investments zu kaufen.«

»Wie steht es mit Q-Investments?«

Heyward hatte schon versucht, Klarheit über die Situation von Quartermains privater Gruppe zu gewinnen, die der FMA zwei Millionen Dollar schuldete, zusätzlich zu den fünfzig Millionen Schulden der Supranational.

»Soll das heißen, daß Sie es noch nicht gehört haben?«

»Meinen Sie, ich würde sonst fragen?« entgegnete Heyward aufbrausend.

»Ich habe es gestern abend von Inchbeck erfahren. Das Schwein Quartermain hat den gesamten Aktienbesitz von Q-Investments – zum größten Teil Aktien von SuNatCo-Töchtern – abgestoßen, als die Notierung der Gruppe auf dem Gipfelpunkt war. Er muß ein Schwimmbad voll Bargeld gehabt haben.«

Und darunter die zwei Millionen von der FMA, dachte Heyward. Er fragte: »Was hat er damit gemacht?«

»Er hat alles an seine eigenen Briefkastenfirmen im Ausland überwiesen, der Hund, und dann hat er das Geld von ihnen abgezogen, so daß Q-Investments jetzt nur noch Anteile an diesen Briefkastenfirmen besitzt – also wertloses Papier.« Heyward empfand Ekel, als Austin zu schluchzen begann. »Das gute Geld . . . mein Geld . . . kann in Costa Rica sein, auf den Bahamas, in der Schweiz . . . Roscoe, Sie müssen mir helfen, es wiederzubekommen . . . Sonst bin ich erledigt . . . pleite.«

Mit harter Stimme sagte Heyward: »Ich habe keine Möglichkeit, Ihnen zu helfen, Harold.« Er hatte mit seiner eigenen Rolle in Q-Investments genug Sorgen; da konnte er sich nicht auch noch mit Austin belasten.

»Aber wenn Sie etwas Neues hören . . . wenn es irgendeine Hoffnung gibt . . .«

»Wenn es die gibt, sage ich es Ihnen.«

So schnell, wie er konnte, schob Heyward Austin aus dem Büro. Kaum war er gegangen, als Mrs. Callaghan über die Sprechanlage meldete: »Hier ist ein Reporter vom ›Newsday‹ in der Leitung. Er heißt Endicott. Es handelt sich um Supranational, und er sagt, es sei sehr wichtig, daß er mit Ihnen persönlich spricht.«

»Sagen Sie ihm, ich habe nichts zu erklären, und er soll die

PR-Abteilung anrufen.« Heyward hatte sich an das erinnert, was Dick French den Direktoren eingeschärft hatte: *Die Presse wird versuchen, Kontakt zu jedem einzelnen von Ihnen aufzunehmen . . . verweisen Sie alle an mich.* Wenigstens das war eine Last, die er nicht zu tragen brauchte.

Augenblicke später hörte er Dora Callaghans Stimme wieder: »Es tut mir leid, Mr. Heyward.«

»Was *ist* denn?«

»Mr. Endicott ist noch immer in der Leitung. Er hat mich gebeten, Ihnen zu sagen: Möchten Sie, daß er Miss Avril Devereaux mit der PR-Abteilung erörtert, oder wäre es Ihnen lieber, selbst über sie zu sprechen?«

Heyward riß einen Hörer ans Ohr. »Was hat das alles zu bedeuten?«

»Guten Morgen, Sir«, sagte eine ruhige Stimme. »Ich bitte um Entschuldigung wegen der Störung. Hier spricht Bruce Endicott vom ›Newsday‹.«

»Sie haben meiner Sekretärin gesagt . . .«

»Ich habe ihr gesagt, Sir, daß es meiner Meinung nach Dinge gibt, die Sie sicher lieber privat mit mir besprechen wollen, als daß ich mir bei Dick French Auskunft hole.«

Bildete er es sich ein, oder hatte der Mann das Wort »privat« fast unmerklich hervorgehoben? Heyward sagte: »Ich habe sehr viel zu tun. Ein paar Minuten kann ich erübrigen, mehr nicht.«

»Vielen Dank, Mr. Heyward. Ich fasse mich so kurz, wie ich kann. Unsere Zeitung hat Recherchen bei der Supranational Corporation angestellt. Wie Sie wissen, herrscht beträchtliches öffentliches Interesse, und wir bringen morgen einen längeren Artikel über dieses Thema. Unter anderem ist uns bekannt, daß Ihre Bank der SuNatCo einen hohen Kredit gewährt hat. Darüber habe ich mit Dick French gesprochen.«

»Dann haben Sie also alle Informationen, die Sie brauchen.«

»Nicht ganz, Sir. Wir haben von anderer Seite erfahren, daß Sie persönlich den Supranational-Kredit ausgehandelt haben, und es entsteht die Frage, wann das Thema zuerst angeschnitten worden ist. Damit meine ich, wann hat die

SuNatCo zum ersten Mal um das Geld gebeten? Erinnern Sie sich zufällig daran?«

»Ich fürchte nein. Ich habe mit vielen Großkrediten zu tun.«

»Aber doch sicher nicht mit vielen, die sich auf fünfzig Millionen belaufen.«

»Ich glaube, ich habe Ihre Frage schon beantwortet.«

»Vielleicht kann ich Ihnen helfen, Sir. Könnte es im März während einer Reise nach den Bahamas gewesen sein? Eine Reise, die Sie zusammen mit Mr. Quartermain, Vizepräsident Stonebridge und einigen anderen unternommen haben?«

Heyward zögerte. »Ja, könnte sein.«

»Können Sie mit Bestimmtheit sagen, daß es damals war?« Die Stimme des Reporters klang äußerst respektvoll, aber es war kein Zweifel, daß er sich nicht mit Ausflüchten abspeisen lassen würde.

»Ja, jetzt kann ich mich wieder erinnern. Es war damals.«

»Vielen Dank, Sir. Sie waren auf der Reise damals, glaube ich, Passagier in Mr. Quartermains Privat-Jet – einer 707?«

»Ja.«

»Mit einer Anzahl junger Damen als Begleiterinnen.«

»Begleiterinnen würde ich nicht sagen. Ich erinnere mich schwach, daß mehrere Stewardessen an Bord waren.«

»War eine von ihnen Miss Avril Devereaux? Haben Sie sie damals kennengelernt, und sind Sie ihr auch während der folgenden Tage auf den Bahamas begegnet?«

»Schon möglich. Der Name, den Sie genannt haben, kommt mir bekannt vor.«

»Mr. Heyward, verzeihen Sie mir, wenn ich es einfach so sage, aber hat man Ihnen Miss Devereaux angeboten – sexuell, meine ich – als Gegenleistung dafür, daß Sie sich für die Gewährung des Supranational-Kredits einsetzen?«

»Ganz sicher nicht!« Heyward schwitzte jetzt, die Hand, die den Hörer hielt, zitterte. Er fragte sich, wieviel dieser Inquisitor mit der glatten Stimme schon wußte. Natürlich könnte er das Gespräch hier und jetzt beenden; das wäre vielleicht das beste, aber tat er es, dann würde er weiter darüber nachgrübeln und im ungewissen bleiben.

»Aber ist es als Folge dieser Reise zu den Bahamas, Sir,

zu einer Freundschaft zwischen Ihnen und Miss Devereaux gekommen?«

»Vielleicht könnte man es so bezeichnen. Sie ist eine angenehme, reizende junge Dame.«

»Sie erinnern sich also *doch* an sie?«

Er war in die Falle gegangen. Er gab zu: »Ja.«

»Danke, Sir. Übrigens, haben Sie Miss Devereaux in der Folgezeit wiedergesehen?«

Die Frage wurde ganz beiläufig gestellt. Aber *dieser Mann Endicott wußte es.* Heyward bemühte sich um Festigkeit in der Stimme und sagte: »Ich habe nicht die Absicht, weitere Fragen zu beantworten. Ich sagte Ihnen schon, daß ich sehr viel zu tun habe.«

»Wie Sie wünschen, Sir. Aber ich meine, wir sollten Sie davon in Kenntnis setzen, daß wir mit Miss Devereaux gesprochen haben und daß sie sich äußerst kooperativ gezeigt hat.«

Äußerst kooperativ? Das war anzunehmen bei Avril, dachte Heyward. Vor allem, wenn die Zeitung sie bezahlte, und das war sicherlich geschehen. Aber er empfand keine Bitterkeit beim Gedanken an sie; Avril war nun einmal so, und nichts konnte je die Süße zerstören, die sie ihm gegeben hatte.

Der Reporter sprach weiter: »Sie hat uns Einzelheiten Ihrer Begegnungen mit ihr mitgeteilt, und wir besitzen einige Rechnungen vom Columbia Hilton – Ihre Rechnungen, bezahlt von Supranational. Möchten Sie Ihre Erklärungen noch einmal überdenken, Sir, daß das alles nichts mit dem Kredit der First Mercantile American Bank an Supranational zu tun hatte?«

Heyward schwieg. Was konnte er sagen? *Verwünscht* sollten sie sein, alle Zeitungen und Reporter, mitsamt ihrer Besessenheit, im Privatleben anderer Leute herumzuschnüffeln, zu bohren, bohren, bohren! Offensichtlich hatte man jemanden von SuNatCo zum Reden gebracht, hatte ihn veranlaßt, Papiere zu stehlen oder zu kopieren. Ihm fiel ein, daß Avril etwas von einer »Liste« gesagt hatte – einem vertraulichen Verzeichnis all derer, die auf Kosten von Supranational bewirtet werden durften. Eine Zeitlang hatte sein eigener Name darauf gestanden. Wahrscheinlich waren sie auch im Besitz dieser Information. Die Ironie lag natürlich darin, daß Avril in keiner Weise seine Entscheidung über den SuNatCo-Kredit beeinflußt hatte. Lange bevor er sich mit ihr eingelassen hatte, stand schon sein Entschluß fest, den Kredit zu empfehlen. Wer aber würde ihm das glauben?

»Nur noch eins, Sir.« Offensichtlich nahm Endicott an, daß eine Antwort auf die letzte Frage ausbleiben würde. »Darf ich nach einer privaten Kapitalanlagegesellschaft namens Q-Investments fragen? Um Zeit zu sparen, will ich Ihnen gleich sagen, daß wir Kopien einiger Akten besitzen, und Sie sind aufgeführt als Inhaber von zweitausend Anteilen. Stimmt das?«

»Ich habe dazu nichts zu sagen.«

»Mr. Heyward, hat man Ihnen diese Anteile als Vergütung für die Beschaffung des Supranational-Kredits und weiterer Kredite von insgesamt zwei Millionen Dollar an Q-Investments überlassen?«

Ohne ein Wort legte Roscoe Heyward langsam den Hörer auf die Gabel.

In der morgigen Ausgabe, hatte der Anrufer gesagt. Alles würden sie drucken, da sie ganz offensichtlich die Beweise hatten, und was eine Zeitung erst einmal anfing, das wiederholten dann die anderen Medien. Er hatte keine Illusionen, keine Hoffnung hinsichtlich dessen, was nun folgen mußte. Ein Zeitungsartikel, ein Reporter, das bedeutete Schande — totale, absolute Schande. Nicht nur in der Bank, auch bei Freunden, in der Familie. In seiner Kirche, überall. Sein Prestige, sein Einfluß, sein Stolz, alles würde sich auflösen; zum ersten Mal erkannte er, was für eine brüchige Maske das alles war. Schlimmer noch war die Gewißheit strafrechtlicher Verfolgung wegen passiver Bestechung, die Möglichkeit anderer Anklagen, die Wahrscheinlichkeit, ins Gefängnis zu kommen.

Manchmal hatte er darüber nachgedacht, wie wohl den einst so stolzen Nixon-Komplicen zumute sein mochte, tief herabgestürzt von ihren hohen Ämtern, unter schwerer Anklage vor Gericht, mit anderen Verbrechern in der Fingerabdruck-Kartei, jeder Würde entkleidet, gewogen und zu leicht befunden von Geschworenen, die sie vor nicht langer

Zeit noch voller Verachtung ignoriert hätten. Jetzt wußte er es. Oder würde es bald wissen.

Ein Wort aus der Schöpfungsgeschichte kam ihm in den Sinn: *Meine Sünde ist größer, denn daß sie mir vergeben werden möge.*

Ein Telefon läutete auf seinem Schreibtisch. Er ignorierte es. Es gab hier nichts mehr zu tun. Nie mehr.

Fast ohne es wahrzunehmen, stand er auf und ging aus dem Büro hinaus, vorbei an Mrs. Callaghan, die ihn mit einem merkwürdigen Blick ansah und ihm eine Frage stellte, die er weder aufnahm noch beantwortet hätte, wäre sie ihm ins Bewußtsein gedrungen. Er ging den Korridor des sechsunddreißigsten Stocks entlang, vorüber am Direktorium-Sitzungszimmer, vor so kurzer Zeit noch die Arena seines Ehrgeizes. Mehrere Leute sprachen ihn an. Er beachtete sie nicht. Nicht weit hinter dem Sitzungszimmer befand sich eine kleine, selten benutzte Tür. Er machte sie auf. Dahinter waren Treppen, die hinauf führten, und er stieg sie empor, mehrere Treppenabsätze und Wendungen nahm er mit gleichmäßigem Schritt, weder eilig noch zögernd.

Einst, als der Tower der FMA-Zentrale ganz neu war, hatte Ben Rosselli seine Direktoren diesen Weg geführt. Roscoe Heyward gehörte zu ihnen, und sie waren durch eine andere kleine Tür hinausgegangen, die er jetzt vor sich sehen konnte. Heyward öffnete sie und trat hinaus auf einen schmalen Balkon, der sich fast auf dem höchsten Punkt des Gebäudes befand, hoch über der Stadt.

Ein rauher Novemberwind traf ihn mit ruppiger Gewalt. Er stemmte sich dagegen und empfand ihn beinahe als beruhigend, so als hülle er ihn ein. Damals, erinnerte er sich, hatte Ben Rosselli die Arme zur Stadt hin ausgebreitet und gesagt: »Meine Herren, was einst hier war, das war das Gelobte Land meines Großvaters. Was Sie heute sehen, ist unseres. Denken Sie immer daran – wie er es tat –, daß wir, wollen wir im wahrsten Sinne des Wortes profitieren, ihm etwas geben, nicht nur nehmen müssen.« Es schien sehr lange her zu sein, dem Gebot nach ebenso wie nach der Zeit. Jetzt sah Heyward in die Tiefe. Er konnte kleinere Gebäude sehen, den windungsreichen, allgegenwärtigen Fluß, den Verkehr,

Menschen, die sich tief unten auf der Rosselli Plaza wie Ameisen bewegten. Mit dem Wind kamen die Geräusche von alledem zu ihm, gedämpft und vermischt.

Er schob ein Bein über das hüfthohe Geländer, das den Balkon von einem schmalen, nicht geschützten Mauervorsprung trennte. Sein zweites Bein folgte. Bis zu diesem Augenblick hatte er keine Furcht empfunden, aber jetzt zitterte er am ganzen Körper, und seine Hände umklammerten fest das Geländer in seinem Rücken.

Irgendwo hinter sich hörte er aufgeregte Stimmen, Füße, die über die Treppen rannten. Irgend jemand schrie: »Roscoe!«

Sein vorletzter Gedanke war eine Zeile aus dem 1. Buch Samuelis: *Gehe hin, der Herr sei mit dir.* Der letzte galt Avril. *O du Schönste unter den Weibern . . . Stehe auf, meine Freundin, meine Schöne, und komm her!*

Dann, als Gestalten durch die Tür hinter ihm stürmten, schloß er die Augen und tat einen Schritt nach vorn ins Nichts.


# 25

Es gab ein paar Tage in jedermanns Leben, dachte Alex Vandervoort, die blieben scharf und schmerzhaft eingegraben im Gedächtnis, so lange man atmete und sich an irgend etwas erinnerte. Der Tag – vor wenig mehr als einem Jahr –, an dem Ben Rosselli von seinem bevorstehenden Tod gesprochen hatte, war so ein Tag gewesen. Heute war ein anderer.

Es war Abend. Zu Hause in seiner Wohnung wartete Alex – noch unter dem Schock des eben Geschehenen, unsicher und entmutigt – auf Margot. Bald würde sie hier sein. Er mischte einen zweiten Scotch mit Soda und warf ein Scheit auf das Feuer, das heruntergebrannt war.

An diesem Morgen war er als erster durch die Tür auf den hohen Turmbalkon gekommen; er war die Treppen hinaufgerannt, nachdem er besorgte Äußerungen über Heywards Gemütsverfassung gehört und – nach raschen Fragen an andere – gefolgt hatte, wohin Roscoe gegangen sein konnte.

Alex hatte aufgeschrien, als er durch die Tür ins Freie stürzte, aber er war zu spät gekommen.

Der Anblick Roscoes, der einen Augenblick lang in der Luft zu hängen schien, der dann mit einem entsetzlichen, rasch verhallenden Schrei aus dem Blickfeld verschwunden war, hatte Alex mit Schrecken erfüllt; er zitterte am ganzen Leibe und war Augenblicke lang außerstande, ein Wort zu sagen. Tom Straughan, der auf der Treppe unmittelbar hinter ihm war, hatte dann die Initiative ergriffen und befohlen, den Balkon zu räumen, ein Befehl, dem Alex schweigend gehorcht hatte.

Später, so sinnlos es nun auch schien, hatte man die Tür zum Balkon verschlossen.

Wieder in den sechsunddreißigsten Stock zurückgekehrt, hatte Alex sich zusammengenommen und war zu Jerome Patterton gegangen, um ihm zu berichten. Der Rest des Tages war ein Gemisch von Ereignissen, Entscheidungen, Einzelheiten gewesen, die aufeinander folgten und ineinander übergingen, bis das Ganze zu einem Nachruf auf Heyward wurde, der auch jetzt noch nicht fertig war, und mehr davon würde der morgige Tag bringen. Heute aber hatte man Roscoes Frau und Sohn benachrichtigt und sie getröstet; Erkundigungen der Polizei waren – wenigstens zum Teil – beantwortet worden; Vorbereitungen des Begräbnisses mußten geregelt werden – da der Tote unkenntlich war, würde man den Sarg verschließen, sobald die Behörden die Genehmigung erteilten; es gab eine von Dick French entworfene, von Alex genehmigte Presseerklärung; und immer neue Fragen wurden beantwortet oder aufgeschoben.

Antworten auf andere Fragen wurden Alex am Spätnachmittag klarer, kurz nachdem Dick French ihm empfohlen hatte, einen Anruf von einem »Newsday«-Reporter namens Endicott entgegenzunehmen. Als Alex mit ihm sprach, wirkte der Reporter verstört. Er sagte, er habe vor wenigen Minuten die AP-Meldung über Roscoe Heywards vermuteten Selbstmord gelesen. Endicott berichtete von seinem Telefongespräch an diesem Vormittag mit Heyward und was dabei herausgekommen sei. »Wenn ich geahnt hätte . . .«, schloß er lahm.

Alex versuchte nicht, dem Reporter Trost zu spenden. Sollte er doch selbst ins reine kommen mit den Moralbegriffen seines Berufes. Er fragte nur: »Druckt Ihre Zeitung den Bericht auch jetzt noch?«

»Ja, Sir. Die Redaktion schreibt einen neuen Vorspann. Davon abgesehen, erscheint er morgen wie geplant.«

»Warum haben Sie mich dann angerufen?«

»Ich glaube, ich wollte nur zu irgend jemand sagen – daß es mir leid tut.«

»Ja«, sagte Alex. »Mir auch.«

An diesem Abend dachte Alex noch einmal über das Gespräch nach, und er bedauerte Roscoe wegen der inneren Qual, die er in jenen letzten Minuten erlitten haben mußte.

Auf ganz anderer Ebene konnte nicht bezweifelt werden, daß die »Newsday«-Geschichte, wenn sie morgen erschien, der Bank schweren Schaden zufügen würde. Schaden wurde auf Schaden gehäuft. Obwohl es Alex gelungen war, den Run in Tylersville zu beenden, und obwohl es anderswo nicht zu einem sichtbaren Sturm auf die Schalter gekommen war, hatte es doch einen Schwund des Vertrauens im Publikum gegenüber der First Mercantile American gegeben und ein Abbröckeln der Einlagen. Während der letzten zehn Tage waren fast vierzig Millionen Dollar abgehoben worden, und die Einzahlungen blieben weit hinter der üblichen Höhe zurück. Gleichzeitig war der Kurs der FMA-Aktien an der New Yorker Börse stark abgerutscht.

Natürlich stand die FMA in dieser Beziehung nicht allein da. Seit der ursprünglichen Nachricht von der Illiquidität der Supranational hatte sich Besorgnis unter den Anlegern, der ganzen Geschäftswelt und auch unter den Bankern breitgemacht; die Kurse sackten allgemein ab; im Ausland waren erneute Zweifel am Wert des Dollars entstanden; einigen erschien das alles als die letzte deutliche Warnung vor dem großen Sog der weltweiten Depression.

Es war, dachte Alex, als habe der Sturz eines Riesen die Einsicht gebracht, daß auch andere Riesen, die einst als unverwundbar gegolten hatten, stürzen könnten; daß weder Menschen noch Konzerne, noch Regierungen jeglicher Couleur sich auf ewig dem einfachsten aller Gesetze der Buchführung entziehen konnten – daß man eines Tages zahlen muß, was man schuldet.

Lewis D'Orsey, der diese Doktrin seit zwei Jahrzehnten gepredigt hatte, schrieb etwa das gleiche in seinem neuesten »Newsletter«. Alex hatte den Informationsbrief an diesem Morgen in der Post gefunden, hatte einen Blick darauf geworfen und ihn dann in die Tasche gesteckt, um ihn abends aufmerksamer zu lesen. Jetzt zog er den Brief aus der Tasche.

Glauben Sie der eilfertig feilgebotenen Legende nicht (schrieb Lewis), daß Konzern-, Staats- oder internationalen Finanzen etwas Kompliziertes, kaum Faßliches anhaftet, das sich der leichten Analyse entzieht.

Es ist alles nichts weiter als einfaches Haushalten – ganz gewöhnliches Haushalten, nur in größerem Maßstab.

Die angeblichen Verwicklungen und Verflechtungen, das ganze Dickicht existiert nur in der Einbildung. Das alles gibt es in Wirklichkeit nicht, sondern ist nur von Politikern auf Stimmenfang (das heißt, von *allen* Politikern), von Manipulatoren und keyneskranken »Wirtschaftswissenschaftlern« geschaffen worden. Sie alle gebrauchen ihr Hexenmeister-Kauderwelsch, um zu vertuschen, was sie tun und was sie getan haben.

Am meisten Angst haben diese Schwachköpfe davor, daß wir ganz schlicht ihr Tun im klaren und ehrlichen Licht der Vernunft betrachten.

Denn sie – die Politiker zumeist – haben auf der einen Seite Schulden von Himalajahöhe angehäuft, die sie nicht, wir nicht und unsere Ur-Ur-Ur-Urenkel auch nicht bezahlen können, nie und nimmer. Und auf der anderen Seite haben sie, als produzierten sie Toilettenpapier, eine Flut von Scheinen gedruckt, haben damit unser gutes Geld zuschanden gemacht – insbesondere den grundsoliden, auf Gold gegründeten Dollar, den die Amerikaner einst in der Tasche hatten.

Wir wiederholen: Es ist alles nichts weiter als einfaches Haushalten – das allerunfähigste, allerunehrlichste Haushalten in der Geschichte des Menschen.

Dies, und dies allein, ist der eigentliche Grund der Inflation.

Es folgte noch mehr von der Sorte. Lewis war es lieber, zu viele als zu wenige Worte zu machen.

Und wie üblich hatte Lewis auch eine Lösung für alle wirtschaftlichen Mißstände parat.

Wie ein Becher Wasser für einen verdurstenden Wanderer, so steht eine Lösung bereit und fertig, wie es immer der Fall war und immer sein wird.

Gold.

Gold wieder als Basis für die Geldsysteme der Welt.

Gold, die älteste, die *einzige* Bastion der monetären Integrität. Gold, die *einzige* nicht zu korrumpierende Quelle der wirtschaftlichen Disziplin.

Gold, das Politiker nicht drucken oder machen oder fälschen oder auf andere Weise erniedrigen können.

Gold, das durch sein eigenes streng begrenztes Vorkommen seinen eigenen *realen*, dauernden Wert schafft.

Gold, das durch diesen beständigen Wert, als Deckung des Geldes, die ehrlichen Ersparnisse aller Menschen vor der Ausplünderung durch Schufte, Scharlatane, Unfähige und Träumer in Ämtern und Behörden schützt.

Gold, das über die Jahrhunderte hin bewiesen hat:
– ohne Gold als Währungsdeckung kommt es unweigerlich zu Inflation, gefolgt von Anarchie;
– mit Gold kann Inflation eingedämmt und beseitigt, die Stabilität geschützt werden.

Gold, das Gott in seiner Weisheit womöglich geschaffen hat, um die Ausschweifung des Menschen zu beschneiden.

Gold – »so gut wie Gold«, hatten die Amerikaner einst voller Stolz von ihrem Dollar gesagt.

Gold, zu dem Amerika in absehbarer Zeit in Ehren als seinem Standard zurückkehren muß. Die Alternative – und das wird von Tag zu Tag klarer – ist die wirtschaftliche und nationale Auflösung. Zum Glück mehren sich schon jetzt trotz aller Skepsis und trotz der goldfeindlichen Fanatiker die Anzeichen reiferen Urteils in der Regierung, Anzeichen für eine Rückkehr zur Vernunft . . .

Alex legte »The D'Orsey Newsletter« hin. Wie viele im Bankgeschäft und in anderen Wirtschaftszweigen hatte er bisweilen über die engstirnigen Goldkäfer gespottet – Lewis D'Orsey, Harry Schultz, James Dines, den Abgeordneten Crane, Exter, Browne, Pick, eine Handvoll andere. In letzter Zeit jedoch hatte er angefangen, sich zu fragen, ob sie mit ihren simplen Ansichten nicht doch recht haben könnten. Ebenso wie an das Gold glaubten sie ans *laissez-faire*, an das freie, unbehinderte Funktionieren der Marktwirtschaft, in der man zuließ, daß untüchtige Firmen scheiterten und tüchtige Erfolg hatten, und wo der Teufel den letzten holte. Auf der anderen Seite der Medaille gab es die Keynes-Theoretiker, die das Gold haßten und darauf schworen, an der Wirtschaft herumzubasteln, auch mit den Mitteln der Subventionen und Kontrollen, was sie dann die »Feinabstimmung« nannten. Konnte es sein, daß die Keynesianer die Ketzer waren, fragte Alex sich, und D'Orsey, Schultz und die anderen die wahren Propheten? Vielleicht. Andere Propheten waren einsame, verhöhnte Rufer gewesen, und doch hatten einige es erlebt, daß ihre Prophezeiungen Wirklichkeit wurden. Eine Überzeugung, die Alex mit Lewis und den anderen teilte, war der Glaube, daß schlimmere Zeiten kurz bevorstünden. Sie waren, was die FMA betraf, schon angebrochen.

Er hörte das Geräusch eines sich im Schloß drehenden Schlüssels. Die Wohnungstür ging auf, und Margot kam herein. Sie schlüpfte aus einem Kamelhaarmantel und warf ihn auf einen Stuhl.

»O Gott, Alex. Ich muß immer an Roscoe denken. Wie konnte er das nur tun? *Warum?*«

Sie ging ohne Umweg zur Bar und mixte sich einen Drink.

»Es scheint Gründe gegeben zu haben«, sagte er langsam. »Sie kommen allmählich ans Licht. Wenn es dir recht ist, Bracken, dann reden wir noch nicht darüber.«

»Ich verstehe.« Sie ging zu ihm. Er hielt sie eng an sich gepreßt, als sie sich küßten.

Nach einiger Zeit sagte er: »Erzähle mir von Eastin, Juanita, dem kleinen Mädchen.«

Seit dem vergangenen Tag hatte Margot alles, was die drei betraf, fest in die Hand genommen.

Sie setzte sich ihm gegenüber und trank einen Schluck. »Es kommt so viel zusammen, alles auf einmal . . .«

»Das ist manchmal so.« Er fragte sich, was noch passieren mochte, bevor dieser Tag endlich zu Ende ging.

»Fangen wir mit Miles an«, sagte Margot. »Er ist nicht mehr in Lebensgefahr, und vor allem wird er, durch ein Wunder, nicht blind. Die Ärzte nehmen an, daß er die Augen zugemacht hat, einen Bruchteil einer Sekunde, bevor die Säure ihn traf, so daß die Augenlider ihn gerettet haben. Die sind natürlich fürchterlich verbrannt, wie sein ganzes Gesicht auch, und er wird eine plastische Operation nach der anderen durchmachen müssen.«

»Und seine Hände?«

Margot nahm ein Notizbuch aus der Handtasche und schlug es auf. »Das Krankenhaus hat sich mit einem Chirurgen an der Westküste in Verbindung gesetzt – einem Dr. Jack Tupper aus Oakland. Er gilt als der beste Mann im ganzen Land für chirurgische Wiederherstellung von Händen. Man hat ihn telefonisch konsultiert. Er hat zugesagt, Mitte nächster Woche herzufliegen und zu operieren. Ich nehme an, daß die Bank die Kosten übernimmt.«

»Ja«, sagte Alex. »Das wird sie tun.«

»Ich habe mit FBI-Agent Innes gesprochen«, fuhr Margot fort. »Er sagt, daß man ihm als Gegenleistung für seine gerichtliche Aussage Straffreiheit zubilligen und ihm irgendwo anders im Lande eine neue Existenz unter anderem Namen ermöglichen wird.« Sie legte das Notizbuch hin. »Hat Nolan heute schon mit dir gesprochen?«

Alex schüttelte den Kopf. »Es war nicht viel Zeit dazu.«

»Er wird dich bitten, deinen Einfluß geltend zu machen, um Miles zu einem Job zu verhelfen. Nolan sagt, wenn's nötig wird, will er bei dir mit der Faust auf den Tisch schlagen, damit du etwas tust.«

»Das wird nicht nötig sein«, sagte Alex. »Unserer Holding gehören Verbraucherkredit-Läden in Texas und in Kalifornien. Da werden wir schon irgendwo etwas für Eastin finden.«

»Vielleicht stellen die ja auch Juanita an. Sie sagt, sie wird mit ihm gehen, wo er auch hingeht. Estela auch.«

Alex seufzte. Er war froh, daß es wenigstens ein Happy End in dem ganzen Unheil geben würde. Er fragte: »Was hat Tim McCartney zu dem Kind gesagt?«

Die Idee, Estela Núñez zu Dr. McCartney, dem Psychiater der Privatklinik, zu schicken, hatte Alex gehabt. Hatte das Kind, fragte Alex sich, durch die Entführung und Folterung seelische Schäden davongetragen, wenn ja, welche?

Aber der Gedanke an das Heim war für ihn jetzt auch eine bedrückende Erinnerung an Celia.

»Das eine kann ich dir sagen«, erklärte Margot. »Wenn du und ich geistig so gesund und ausgeglichen wären wie die kleine Estela, dann wären wir beide bessere Menschen. Dr. McCartney sagt, daß sie beide die ganze Sache gründlich durchgesprochen haben. Mit dem Ergebnis, daß Estela dieses Erlebnis nicht in ihrem Unterbewußtsein vergraben wird; sie wird sich deutlich daran erinnern – wie man sich an einen schlimmen Alptraum erinnert; mehr nicht.«

Alex spürte, wie ihm Tränen in die Augen stiegen. »Da bin ich froh«, sagte er leise. »Wirklich froh.«

»Es war viel los heute.« Margot reckte sich und streifte mit einer Fußbewegung die Schuhe ab. »Ich habe auch mit eurer Rechtsabteilung über eine Entschädigung für Juanita gesprochen. Ich glaube, wir kommen zu einer Einigung, ohne daß wir dich vor den Kadi zerren müssen.«

»Danke, Bracken.« Er nahm ihr Glas und sein eigenes, um nachzuschenken. Während er das tat, läutete das Telefon. Margot stand auf und meldete sich.

»Leonard Kingswood. Für dich.«

Alex ging quer durch das Wohnzimmer und nahm den Hörer. »Ja, Len?«

»Ich weiß, daß Sie Feierabend haben nach einem schlimmen Tag«, sagte der Vorsitzende von Northam Steel, »und mich hat das mit Roscoe auch mitgenommen. Aber was ich zu sagen habe, eilt.«

Alex zog eine Grimasse. »Also, dann schießen Sie los.«

»Es hat Beratungen unter Direktoren gegeben. Seit heute nachmittag sind wir zweimal zu Konferenzen gerufen worden, andere Besprechungen haben zwischendurch stattgefunden. Eine Vollsitzung des FMA-Direktoriums ist für morgen mittag angesetzt worden.«

»Und?«

»Der erste Punkt der Tagesordnung wird die Annahme des Rücktrittsgesuchs von Jerome als Präsident sein. Etliche von uns haben das verlangt. Jerome ist einverstanden. Ich habe sogar das Gefühl, daß er erleichtert war.«

Ja, dachte Alex, das sah Patterton ähnlich. Er hatte ganz offensichtlich nicht die Nerven für die plötzliche Lawine von Problemen, auch nicht für die kritischen Entscheidungen, die jetzt zu treffen waren.

»Danach«, sagte Kingswood mit gewohnter unverblümter Direktheit, »werden Sie zum Präsidenten gewählt, Alex. Die Ernennung tritt sofort in Kraft.«

Beim Sprechen hatte Alex den Hörer zwischen Schulter und Wange geklemmt und sich die Pfeife angezündet. Jetzt zog er daran und dachte nach. »Wie die Lage im Augenblick ist, Len, weiß ich nicht, ob ich den Job überhaupt haben möchte.«

»Man hat damit gerechnet, daß Sie das sagen könnten, deshalb hat man mich ausgewählt, Sie anzurufen. Sagen wir ruhig, daß ich Sie bitte, Alex; in meinem Namen, im Namen des Direktoriums.« Kingswood machte eine Pause, und Alex spürte, daß ihm die Sache schwer wurde. Zu betteln, das fiel einem Mann von Leonard L. Kingswoods Machart nicht leicht, aber er ließ nicht locker.

»Wir wissen alle, daß Sie uns vor Supranational gewarnt haben, aber wir haben uns damals für klüger gehalten. Also schön, das war falsch. Wir haben Ihren Rat in den Wind geschlagen, und jetzt ist eingetreten, was Sie vorausgesagt haben. Deshalb bitten wir Sie, Alex – ziemlich spät, das gebe ich zu –, uns aus dem Morast herauszuhelfen, in dem wir stecken. Ich darf ruhig sagen, daß einige Direktoren sich Sorgen machen wegen ihrer persönlichen Haftbarkeit. Wir wissen alle, daß Sie uns auch darauf hingewiesen haben.«

»Lassen Sie mich eine Minute nachdenken, Len.«

»Ich habe Zeit.«

Vielleicht, fand Alex, sollte er jetzt persönliche Befriedigung empfinden, weil er recht behalten hatte: *Ich hab's euch ja gesagt*; ein Machtgefühl, Trumpfkarten in der Hand zu haben – und die hatte er, wie er wußte.

Er empfand nichts dergleichen. Nur große Trauer über Fruchtlosigkeit und Vergeudung, weil über lange Zeit – angenommen, er hatte Erfolg – nicht mehr zu erreichen sein würde, als die Bank wieder in den Zustand zurückzuführen, in dem Ben Rosselli sie hinterlassen hatte.

War das der Mühe wert? Worum ging es eigentlich? Waren der außerordentliche Einsatz, das tiefe persönliche Engagement, das Opfer, die Anstrengung und Belastung überhaupt zu rechtfertigen? Und wofür das alles? Um eine Bank, einen Geldladen, eine Geldmaschine vor dem Scheitern zu retten. War Margots Arbeit unter den Armen und Benachteiligten nicht weit wichtiger als seine eigene, ein wertvollerer Beitrag zu ihrer beider Gegenwart? Aber so einfach war das alles nicht, denn Banken waren nötig, auf ihre Weise so wichtig wie das tägliche Brot. Die Zivilisation würde ohne ein Geldsystem zusammenbrechen. Banken waren zwar unvollkommen, aber sie machten das Geldsystem arbeitsfähig.

Das waren abstrakte Erwägungen; es gab auch eine praktische. Selbst wenn Alex in diesem späten Stadium die Führung der First Mercantile American übernahm, gab es keine Garantie für den Erfolg. Vielleicht würde er nur ruhmlos dem Hinscheiden der FMA präsidieren oder ihrer Übernahme durch eine andere Bank. In dem Fall würde man es nicht vergessen, auch sein Ruf als Banker wäre dann erledigt. Andererseits – wenn überhaupt jemand die Bank retten konnte, dann er; das wußte Alex. Er besaß nicht nur die Fähigkeit, sondern auch die Kenntnis der Interna. Einem Außenseiter würde die Zeit fehlen, um sich diese Kenntnis anzueignen. Noch wichtiger war: Trotz aller Probleme, trotz der späten Stunde – er glaubte, daß er es schaffen könnte.

»Wenn ich annehme, Len«, sagte er, »würde ich mir freie Hand für Veränderungen vorbehalten, auch im Direktorium.«

»Sie würden freie Hand bekommen«, antwortete Kingswood. »Dafür stehe ich persönlich ein.«

Alex zog an der Pfeife, legte sie dann hin. »Ich möchte darüber schlafen. Morgen früh haben Sie meine Entscheidung.«

Er legte auf und holte sein Glas von der Bar. Margot hatte sich ihres schon selbst geholt.

Sie sah ihn halb fragend, halb lächelnd an. »Warum hast du nicht angenommen? Wir beide wissen doch genau, daß du es tun wirst.«

»Du hast erraten, worum es geht.«

»Natürlich.«

»Warum glaubst du, daß ich annehme?«

»Weil dich die Aufgabe lockt. Weil das Bankgeschäft dein Leben ist. Alles andere kommt an zweiter Stelle.«

»Ich bin nicht so sicher«, sagte er langsam, »ob es mir recht wäre, wenn das stimmt.« Aber es *hatte* gestimmt, dachte er, als er noch mit Celia zusammen war. Stimmte es noch? Vielleicht, wie Margot es gesagt hatte. Wahrscheinlich konnte im Grunde kein Mensch aus seiner Haut.

»Übrigens wollte ich dich etwas fragen«, sagte Margot. »Das kann ich ebensogut auch jetzt tun.«

Er nickte. »Ich höre.«

»An dem Abend in Tylersville, während des Sturms auf die Schalter, haben die beiden alten Leute mit den Ersparnissen ihres ganzen Lebens im Einkaufsnetz dich gefragt: *Ist unser Geld in Ihrer Bank absolut sicher?* Du hast mit ›Ja‹ geantwortet. Warst du deiner Sache wirklich sicher?«

»Das habe ich mich auch schon gefragt«, antwortete Alex. »Gleich danach, und später auch. Wenn ich Farbe bekennen soll, dann muß ich wohl sagen: Nein, ich war mir nicht sicher.«

»Aber die Bank hast du damit gerettet, nicht wahr? Und das ging vor. Es war dir wichtiger als die alten Leute und die anderen alle; wichtiger auch als Aufrichtigkeit, denn das allerwichtigste war: Das Geschäft geht weiter.« Plötzlich schwang in Margots Stimme tiefes Gefühl mit. »Und deshalb wirst du auch weiter versuchen, die Bank zu retten, Alex – denn das ist dir das allerwichtigste. So war es bei dir und Celia. Und«, sagte sie langsam, »so würde es auch – wenn du wählen müßtest – bei dir und mir sein.«

Alex schwieg. Was konnte er sagen, was konnte irgendein Mensch schon sagen, wenn er mit der nackten Wahrheit konfrontiert wurde?

»Am Ende also«, sagte Margot, »bist du gar nicht so viel anders als Roscoe. Oder als Lewis.« Mit Unbehagen nahm sie »The D'Orsey Newsletter« auf. »Stabilität im Geschäftsleben, solides Geld, Gold, hohe Aktienpreise. Das alles geht vor. Die Menschen – vor allem kleine, unwichtige Menschen – kommen erst sehr viel später. Das ist der tiefe Graben zwischen uns, Alex. Den wird es immer geben.« Er sah, daß sie weinte.

Im Korridor draußen ertönte ein Summer.

Alex fluchte. »Verdammt, ewig wird man unterbrochen!«

Mit langen Schritten ging er zu der Sprechanlage, die die Wohnung mit dem Pförtner verband. »Ja, was ist?«

»Mr. Vandervoort, eine Dame fragt nach Ihnen. Mrs. Callaghan.«

»Ich kenne keine . . .« Er hielt inne. Heywards Sekretärin? »Fragen Sie sie, ob sie von der Bank ist.«

Eine Pause.

»Ja, Sir.«

»Gut. Schicken Sie sie rauf.«

Alex sagte Margot, wer da kam. Neugierig warteten sie. Als er den Fahrstuhl ankommen hörte, ging er an die Tür und machte sie auf.

»Bitte kommen Sie herein, Mrs. Callaghan.«

Dora Callaghan war eine attraktive, gepflegte Frau Ende Fünfzig. Sie hatte, wie Alex wußte, viele Jahre für die FMA gearbeitet und mindestens zehn davon für Roscoe Heyward. Normalerweise wirkte sie diszipliniert und selbstsicher, aber an diesem Abend sah sie nervös und müde aus.

Sie trug einen Wildledermantel mit Pelzbesatz, und in der Hand hatte sie einen Aktenkoffer. Alex sah, daß er der Bank gehörte.

»Mr. Vandervoort, es tut mir leid, daß ich Sie jetzt behellige . . .«

»Sie werden schon Ihre Gründe haben.« Er machte sie mit Margot bekannt, dann fragte er: »Möchten Sie etwas trinken?«

»Sehr gern.«

Einen Martini. Margot machte ihn zurecht. Alex nahm ihr den Wildledermantel ab. Sie setzten sich alle drei ans Feuer.

»Sie können ganz offen reden, auch wenn Miss Bracken dabei ist«, sagte Alex.

»Danke.« Dora Callaghan nahm einen großen Schluck Martini, dann stellte sie das Glas ab. »Mr. Vandervoort, ich habe heute nachmittag Mr. Heywards Schreibtisch aufgeräumt. Ich dachte, es könnte einiges dabei sein, was in Ordnung gebracht werden müßte, Dinge, die vielleicht einem anderen geschickt werden müßten.« Ihre Stimme schlug plötzlich in ein Schluchzen um, dann schwieg sie. Flüsternd sagte sie: »Bitte entschuldigen Sie.«

Begütigend sagte Alex: »Sie brauchen sich nicht zu entschuldigen. Wir haben Zeit.«

Als sie ihre Fassung wiedererlangt hatte, fuhr sie fort: »Einige Schubfächer waren verschlossen. Die Schlüssel dazu hatten Mr. Heyward und ich, wenn ich meine auch nicht oft benutzt habe. Heute habe ich sie benutzt.«

Wieder schwieg sie, die beiden anderen warteten.

»In einer der Schubladen . . . Mr. Vandervoort, ich habe gehört, daß morgen früh Prüfer kommen. Ich dachte . . . vielleicht ist es besser, Sie sehen, was da drin war, da Sie besser wissen, was zu tun ist, besser als ich.«

Mrs. Callaghan klappte das lederne Aktenköfferchen auf und nahm zwei große Umschläge heraus. Als sie sie Alex hinüberreichte, sah er, daß jemand sie schon geöffnet hatte. Neugierig holte er den Inhalt heraus.

Der erste Umschlag enthielt vier Anteilscheine, jeder über 500 Stammaktien der Q-Investments und unterschrieben von G. G. Quartermain. Obwohl sie offensichtlich auf Namen von Strohmännern ausgestellt waren, hatten sie zweifellos Heyward gehört, dachte Alex. Ihm fielen die Beschuldigungen ein, die der »Newsday«-Reporter heute nachmittag erhoben hatte. Da lag die Bestätigung. Natürlich würde es weiterer Beweise bedürfen, wenn die Sache verfolgt werden sollte, aber es schien festzustehen, daß Heyward, einer der ranghöchsten Direktoren der Bank, ein Mann, dem alle vertraut hatten, sich hatte bestechen lassen. Wäre er noch am

Leben, so hätte diese Erkenntnis strafrechtliche Verfolgung bedeutet.

Alex wurde noch deprimierter als vorhin schon. Er hatte Heyward nie gemocht. Sie waren Gegner gewesen, fast von dem Tage an, an dem Alex für die FMA gewonnen worden war. Aber keinen Augenblick lang, bis zu diesem Tage, hatte er an Roscoes persönlicher Integrität gezweifelt. Das bewies ja wohl, dachte er, daß man sich noch so fest einbilden mochte, einen anderen Menschen gut zu kennen, ohne in Wirklichkeit zu wissen, was in ihm vorging.

Alex empfand den Wunsch, dies alles möge gar nicht wahr sein, während er herausnahm, was in dem anderen Umschlag war. Es waren vergrößerte Fotografien von einer Gruppe von Menschen an einem Schwimmbad – vier Frauen und zwei Männer nackt und Roscoe Heyward bekleidet. Alex schoß die Vermutung durch den Kopf, daß es sich bei den Fotos um ein Souvenir von Heywards oft prahlerisch erwähnter Reise nach den Bahamas mit Big George Quartermain handeln müsse. Alex zählte zwölf Abzüge, als er sie auf einem Kaffeetisch ausbreitete, während Margot und Mrs. Callaghan zusahen. Aus den Augenwinkeln heraus erhaschte er einen Blick auf Dora Callaghans Gesicht. Ihre Wangen waren rot; sie war errötet. *Errötet?* Gab es das wirklich noch, dachte er.

Als er die Fotos betrachtete, hätte er am liebsten laut gelacht. Jeder einzelne auf diesen Bildern – ein anderes Wort gab es nicht – sah lächerlich aus. Auf einem Bild starrte Roscoe fasziniert die nackten Frauen an; auf einem anderen wurde er von einer dieser Frauen geküßt, während seine Finger ihre Brüste berührten. Harold Austin stellte einen schwammigen Körper zur Schau, einen herabhängenden Penis, ein törichtes Lächeln. Ein anderer Mann, mit dem Rücken zur Kamera, betrachtete die Frauen. Und was die Frauen betraf – nun ja, dachte Alex, einige mochten sie schon für attraktiv halten. Ihm selbst war Margot, voll bekleidet, jederzeit lieber.

Aber er lachte nicht – aus Respekt vor Dora Callaghan, die ihren Martini ausgetrunken hatte und jetzt aufstand. »Mr. Vandervoort, ich möchte mich jetzt verabschieden.«

»Es war richtig von Ihnen, daß Sie mir diese Dinge gebracht haben«, sagte er zu ihr. »Ich weiß das zu schätzen, und ich werde sie selbst in Verwahrung nehmen.«

»Ich bringe Sie hinaus«, sagte Margot. Sie holte Mrs. Callaghans Mantel und begleitete sie an den Fahrstuhl.

Alex stand an einem Fenster und sah hinaus auf die Lichter der Stadt, als Margot wieder hereinkam.

»Eine nette Frau«, stellte sie fest. »Und loyal.«

»Ja«, sagte er, und er dachte: Welche Veränderungen morgen und an den folgenden Tagen auch vorgenommen werden mußten, er würde dafür sorgen, daß Mrs. Callaghan rücksichtsvoll behandelt wurde. Auch an andere Leute würde man denken müssen. Auf seinen eigenen bisherigen Posten wollte Alex unverzüglich Tom Straughan befördern. Orville Young würden Heywards Schuhe nicht zu groß sein. Edwina D'Orsey mußte als Direktorin und Vizepräsidentin mit der Führung der Treuhandabteilung beauftragt werden; für diesen Posten hatte Alex Edwina schon seit geraumer Zeit vorgesehen, und er rechnete damit, daß sie bald noch weiter aufsteigen würde. Zunächst einmal mußte sie in das Direktorium aufgenommen werden, sofort.

Plötzlich wurde ihm bewußt: Er ging ja davon aus, daß er die Präsidentschaft der Bank übernahm. Margot hatte ihm das eben auf den Kopf zugesagt. Sie hatte wohl recht.

Er wandte sich von dem Fenster und der Dunkelheit da draußen ab. Margot stand an dem Kaffeetisch und betrachtete die Fotos. Plötzlich kicherte sie, und dann tat er, was er schon die ganze Zeit wollte: Er lachte zusammen mit ihr.

»O Gott!« sagte Margot. »Komisch – und traurig.«

Als sie genug gelacht hatten, bückte er sich, raffte die Abzüge zusammen und steckte sie wieder in den Umschlag. Er war versucht, das Päckchen ins Feuer zu werfen, aber er wußte, daß er das nicht durfte. Er hätte damit Beweismaterial vernichtet, das vielleicht noch gebraucht wurde. Aber er beschloß, nichts unversucht zu lassen, um diese Fotos keinem anderen vor Augen kommen zu lassen – um Roscoes willen.

»Komisch – und traurig«, wiederholte Margot. »Gilt das nicht für alles?«

»Ja«, sagte er, und in dem Augenblick wußte er, daß er sie brauchte, jetzt und immer.

Er nahm ihre Hände, und ihm fiel wieder ein, worüber sie gesprochen hatten, bevor Mrs. Callaghan kam. »Vielleicht gibt es Gräben zwischen uns«, sagte Alex, »aber die sollen dir egal sein! Wir haben auch eine Menge Brücken. Du und ich, wir sind gut füreinander. Wir wollen immer zusammen leben, Bracken, von diesem Augenblick an.«

Sie wandte ein: »Es wird wahrscheinlich nicht funktionieren, oder es wird nicht lange dauern. Die Chancen stehen gegen uns.«

»Dann wollen wir versuchen zu beweisen, daß es trotzdem klappt.«

»Natürlich gibt es was, was *für* uns spricht.« Margots Augen blitzten spitzbübisch. »Die meisten Paare, die einander geloben, sich ›zu lieben und zu achten, bis der Tod uns scheidet‹, landen kaum ein Jahr später vor dem Scheidungsrichter. Wenn wir von Anfang an nicht allzuviel glauben und erwarten, halten wir uns vielleicht besser als die anderen.«

Als er sie in seine Arme nahm, sagte er zu ihr: »Manchmal reden Banker und Rechtsanwälte zuviel.«

# ERLÄUTERUNGEN

AKTIENSPLIT: Ausgabe zusätzlicher Aktien an die bisherigen Inhaber des Aktienkapitals. Wenn die Ausgabe mit einer Erhöhung des Aktienkapitals aus Gewinn verbunden ist, erhalten die Aktionäre die Aktien gratis.

AKTIVA: Die in der Bilanz aufgeführten Vermögenswerte

AKTIVES KONTO: Siehe unter Kompensation

ANLAGE-ZERTIFIKATE: Anteilscheine an Investment-Fonds (vgl. Investment-Fonds)

ASSIGNATEN: Wertloses Papiergeld, das ursprünglich vom französischen Staat 1790–97 ausgegeben wurde und zur Inflation und wirtschaftlichen Zerrüttung führte

BLANKO GIRIERT: Das Anbringen der Unterschrift des Inhabers ohne Zusatz – blanko –, um eine Übertragung des Papiers ohne weitere Unterschrift zu ermöglichen. Findet Anwendung bei Papieren, die durch Giro übertragen werden. Hierzu gehören Orderschecks, Wechsel und andere Namenspapiere.

BONUS-ANTEILE: Als Prämien gratis bezogene Anteilscheine

BUNDES-EINLAGENVERSICHERUNG: Durch das amerikanische Bankgesetz von 1933 zum Schutz von Bankeinlagen geschaffene Gemeinschaftseinrichtung (Federal Deposit Insurance Corporation), die, falls eine Bank zusammenbricht, den Einleger für Verluste, gestaffelt nach der Höhe der Einlage, entschädigt

BUNDES-RESERVE-BANK: Siehe Federal Reserve Bank

DEVISENKONTEN / WÄHRUNGSKONTEN: Konten, deren Guthaben nicht auf Landeswährung, sondern auf Fremdwährung lauten. Von USA aus gesehen ist die Landeswährung der US $; Fremdwährungen sind z. B. die Deutsche Mark oder der Schweizer Franken.

DIREKTORIUM: In unseren Aktienbanken, die deutschem Aktienrecht unterliegen, sind die gesellschaftsrechtlichen Organe – der hauptberufliche Vorstand und der nebenberufliche Aufsichtsrat – funktionell und personell getrennt. Der Aufsichtsrat wählt aus seiner Mitte den Aufsichtsratsvorsitzenden. Der Vorstand kann einen Vorstandsvorsitzer wählen, er kann aber auch ohne Vorsitzer nach der Mehrheit entscheiden. Zum Direktorium in unseren Aktienbanken können somit die Mitglieder des Vorstandes und die Spitzen des mittleren Managements, die unmittelbar unter dem Vorstand arbeitenden Direktoren, gezählt werden.

Nicht so in den amerikanischen Aktienbanken. Der President and Chief Executive, der etwa unserem Vorstandsvorsitzer entspricht, ist häufig gleichzeitig Chairman of the Board of Directors, also Vorsitzender des Verwaltungsrates. Im Unterschied zu unserem Aufsichtsrat gehören diesem Gremium hauptberufliche Mitglieder, nämlich der President and Chairman of the Board, dessen Vertreter, der Vice Chairman of the Board, und die Mitglieder des Vorstandes, die Executive Vice Presidents, an. Außerdem sind nebenberufliche Aufsichtsräte, die im Hauptberuf in den Geschäftsleitungen anderer Firmen, im allgemeinen bedeutender Kundenfirmen der Bank, tätig sind, Mitglieder des Verwaltungsrates.

Nach dem deutschen Aktienrecht ist die Geschäftsleitung Sache des Vorstandes. Die Aufgaben des Aufsichtsrates liegen vorwiegend auf der Ebene der Überwachung. Daher finden gemeinsame Sitzungen nur selten – in der Regel vierteljährlich – statt. In USA dagegen wird die eigentliche Geschäftspolitik im Board of Directors, dem Verwaltungsrat, gemacht, der daher recht häufig zusammentritt. Wegen dieser aktiven Tätigkeit rechnet der Übersetzer dem Direktorium der amerikanischen Bank, in der die Handlung des Buches spielt, alle oben erwähnten haupt- und nebenberuflichen Mitglieder des Board of Directors zu und bezeichnet die einzelnen Mitglieder dieses Verwaltungsgremiums entsprechend dem amerikanischen Sprachgebrauch als Direktoren.

EFFEKTEN: Wertpapiere

EFFEKTENKURSE: Wertpapierkurse

EMISSION: Ausgabe von Wertpapieren, vorwiegend Schuldverschreibungen oder Aktien

FEDERAL RESERVE BANK: Die durch das Bankgesetz von 1913 gegründeten 12 Gebiets-Bundes-Reserve-Banken sind die Notenbanken der USA und die Zentralinstitute, bei denen die dem Bundes-Reserve-Bank-System angehörenden Kreditinstitute ihre Liquiditätsreserven zu halten haben. Über das Bundes-Reserve-Bank-System werden die amerikanischen Geschäftsbanken kontrolliert und wird die Geldversorgung der Vereinigten Staaten gesteuert.

FESTVERZINSLICHE WERTPAPIERE: Wertpapiere über Anleihebeträge mit festen Zinssätzen im Gegensatz zu Aktien, auf die eine vom Unternehmensertrag abhängige Dividende ausgeschüttet wird

FINANZSTATUS: Darstellung der Vermögens- und Ertragslage einer Gesellschaft für einen bestimmten Stichtag

GEWINNPROJEKTION: In amerikanischen Gesellschaften ist es üblich, für Zeiträume von bis zu fünf Jahren Gewinnprojektionen, das sind Gewinnvorausschätzungen, vorzunehmen.

INVESTMENT-FONDS: Sowohl die Anlage-Gesellschaft, die die Ersparnisse einzelner zur gemeinsamen Wertpapieranlage (oder Immobilienanlage) zusammenfaßt und pflegt, als auch die von der Anlage-Gesellschaft ausgewählte Gruppe von Wertpapieren – der Fonds –, worin die Ersparnisse angelegt werden

KAPITALEINZAHLUNGSAGIO: Die Differenz zwischen dem Nennwert und dem Ausgabekurs, wenn Aktien zu einem über dem Nennwert liegenden Kurs ausgegeben werden. Da dieses Aufgeld (Agio) von der Gesellschaft gesondert ausgewiesen wird, ist es nicht Bestandteil des Aktienkapitals, wohl aber der Eigenmittel.

KOMMUNAL-OBLIGATIONEN: Schuldverschreibungen von Kommunen

KOMPENSATION: US-Banken verlangen bei Kreditgewährung häufig eine Ausgleichs-Einlage (compensating balance). Da hierdurch der Kreditbetrag nicht voll in Anspruch genommen, wohl aber voll verzinst wird, bedeutet dies eine Zinserhöhung. Die Höhe der Ausgleichs-Einlage wird von Fall zu Fall ausgehandelt. Dem Kreditkonto steht somit ein aktives Guthabenkonto (Kontokorrentkonto) gegenüber.

KONTOKORRENTKONTO: Das Konto, über das die laufenden Geschäfte bei der Bank abgewickelt werden (vgl. auch Kompensation)

KREDITLIMITIERUNGSGESETZ: Die auf Seite 272 erläuterte Vorschrift, die es US-Banken verbietet, einem einzelnen Kreditnehmer mehr als 10% ihres Kapitals zuzüglich eines eventuellen Kapitaleinzahlungsagios zu leihen

KREDITLINIE: Vereinbarung zwischen Bank und Kreditnehmer über einen Kreditrahmen, innerhalb dessen der Kreditnehmer Kredit in Anspruch nehmen kann

OBLIGATIONEN: Schuldverschreibungen; festverzinsliche Wertpapiere (vgl. festverzinsliche Wertpapiere)

PRIME RATE: Basis-Zinssatz amerikanischer Banken für die Kreditgewährung; Kredite zur Prime Rate erhalten nur allererste Adressen.

SICHTEINLAGEN: Für den Kunden jederzeit verfügbare Einlagen bei einer Bank

SPARBRIEFE: Von Kreditinstituten herausgegebene Bestätigungen über die Hereinnahme von Spareinlagen mit zumeist mittel- bzw. langfristigen Laufzeiten. Die Sparbriefe lauten meist über runde Beträge; einzuzahlen sind jedoch nur die abgezinsten Beträge, d.h. die Beträge, die unter Berücksichtigung der Zinsen und Zinseszinsen bei Fälligkeit den Kapitalbetrag des Sparbriefes erreichen.

STAMMAKTIEN: Aktien, die im Gegensatz zu Vorzugsaktien hinsichtlich der Gewinnausschüttung weder bevorzugt noch begrenzt sind

TAGESGELD: Der Begriff wird im Geldhandel unter Banken verwendet, wo im Rahmen der Gelddisposition auch hohe Beträge für sehr kurze Fristen benötigt werden. Tagesgeld ist Geld, das nur für einen Tag geliehen oder verliehen, also am nächsten Tag zurückgezahlt wird.

TREUHANDABTEILUNG: Abteilung der Bank, in der Wertpapiervermögen von Kunden »zu treuen Händen« verwaltet wird mit dem Ziel, das Vermögen zu vermehren